国家"十五""211"工程重点学科建设项目

当代资本主义经济论

姜凌 等著

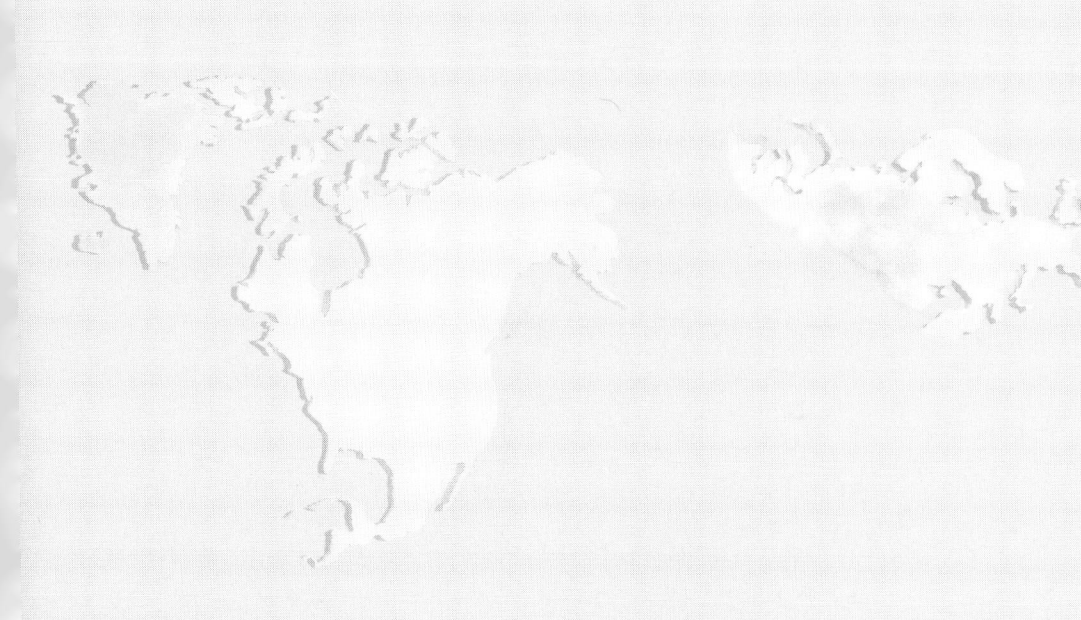

人民出版社

策划编辑:郑海燕
责任编辑:刘阳、汤丽琨、万琪

图书在版编目(CIP)数据

当代资本主义经济论/姜凌等著.
-北京:人 民 出 版 社,2006.4
ISBN 7－01－005268－9

Ⅰ.当… Ⅱ.姜… Ⅲ.资本主义经济-研究-世界-现代
Ⅳ. F112.7

中国版本图书馆 CIP 数据核字(2006)第 022406 号

当代资本主义经济论
DANGDAI ZIBEN ZHUYI JINGJI LUN

姜 凌 等著

人 ▲ よ 版 れ 出版发行
(100706 北京朝阳门内大街166号)

北京市双桥印刷厂印刷 新华书店经销

2006年4月第1版 2006年4月北京第1次印刷
开本:710 毫米×1000 毫米 1/16 印张:29
字数:438 千字 印数:0,001－3,000 册

ISBN 7－01－005268－9 定价:49.50 元

邮购地址 100706 北京朝阳门内大街166号
人民东方图书销售中心 电话 (010)65250042 65289539

序

  自英国发生工业革命开始，整个世界就逐渐变成了一个由资本主义经济主导的世界，这一点在二战之后依然没有改变。而资本主义经济本身又经历了一个不断发展演变的过程。对于战前资本主义经济发展的不同阶段，原来的马克思主义经典作家马克思、恩格斯、列宁等都曾经有过详尽而深刻的分析。二战之后的资本主义经济发生了巨大而深刻的变化，无论是从单个经济体运行的角度还是从国际经济运行的角度，都出现了许多新的现象和新的特征，急需从马克思主义基本立场出发对它进行详尽而系统的研究，西南财经大学姜凌教授等著的《当代资本主义经济论》就是这样一部著作。

  当代资本主义是对战前资本主义的历史继承，更是战前资本主义的重大发展，这种发展主要源于两个方面的原因，其一是战后新的科技革命；其二是战后相对和平的国际环境。应该说，科技革命是当代资本主义能够在全球经济中占据主导地位的重要原因，在对当代资本主义发展演变的历史回顾和基本特征总体分析的基础上，把新科技革命作为分析当代资本主义经济新发展的逻辑起点，是符合资本主义发展的历史逻辑，以及当代资本主义发展实际的。

  基于这一逻辑起点，该书从单个经济体和整个国际资本主义经济体系两个不同的角度，全面分析了当代资本主义的基本特征。这两个角度是理解和分析当代资本主义经济的关键。从单个经济体的运行来讲，由于新的科技革命再加上资本主义国家政府对经济调控的加强，当代资本主义不仅出现了"新经济"、"知识经济"等许多新现象，而且，其基本的运行机制、运行周期等都出现许多不同于以往的特征。从整个国际资本主义经济体系来讲，当代资本主义更是出现了许多新的变化，不仅全球性的世界市场彻底形成，绝大多数国家经济国际化程度大大提高，而且建立了许多全球性的国际经济组

当代资本主义经济论

织和经济协调机制；同时，经济全球化和地区经济一体化并行推进。在经济全球化的大趋势下，许多社会主义国家的经济运行，也都开始融入到由资本主义主导的国际经济体系之中。可以说，单个经济体和整个国际资本主义经济体系是我们理解当代资本主义经济的最佳视角。

当然，理解当代资本主义，除了要抓住以上的两个关键的观察角度之外，还必须区分两种不同类型的资本主义——发达资本主义和发展中资本主义。在当代，发展中资本主义经济已经不再像旧殖民地、半殖民地经济一样无足轻重，而是已经成为整个世界资本主义体系中非常重要的组成部分。这不仅反映在其经济总量在世界经济中所占的比例，而且在于其已经全面融入到了国际经济体系之中，成为全球化、区域经济一体化中不可或缺的角色。当代资本主义的发展，孕育出深刻的经济、政治矛盾，两种类型资本主义的矛盾即南北矛盾，亦成为理解国际资本主义经济体系矛盾的关键所在。抓住两个视角、区分两种类型，《当代资本主义经济论》一书为展现当代资本主义经济的整体画卷进行了可喜的尝试。

在对传统资本主义进行分析时，马克思主义经典作家一再给当时的资本主义历史地位进行了定位；作为建立在马克思主义基础上全面阐述当代资本主义经济的著作，也不能不对当代资本主义进行历史定位。该书在对当代资本主义进行全面分析，充分肯定其历史贡献的基础上，也从逻辑上得出了当代资本主义并没有从根本上解决其内在的基本矛盾，并且正在孕育着社会主义新因素的部分质变、社会主义最终必将取代资本主义的结论。

在经济全球化和我国改革开放的历史大潮当中，我们需要坚持马克思主义基本理论，认真和深入地研究当代世界资本主义的发展演进。通过这一研究，正确认识当代资本主义经济的新特征及其固有矛盾，并用来指导我国新时期的改革开放工作，妥善地处理与不同类型资本主义国家特别是经济发达国家的政治经济关系。姜凌教授等著的这部著作在这方面所做的探索和努力，在当前是有着十分可贵的积极意义的。

2006 年元月 18 日 于成都，光华园

目 录

序 ·· 1

第一章 当代资本主义经济的历史演变及基本特征 ············ 1
1.1 当代资本主义经济的历史演变 ······························ 1
1.2 当代资本主义经济的基本特征 ····························· 25

第二章 新科学技术革命及当代资本主义经济的发展 ········ 41
2.1 当代科学技术革命的兴起及主要特征 ····················· 41
2.2 新科技革命对当代资本主义经济的影响 ················· 52
2.3 发达资本主义国家"高技术经济"与"知识经济"发展战略 ····· 80

第三章 当代发达资本主义国家的经济运行机制 ·············· 94
3.1 当代发达资本主义国家经济运行机制的基础——市场机制 ··· 94
3.2 当代发达资本主义国家经济的市场调节机制 ··········· 100
3.3 当代发达资本主义国家政府的宏观经济调控 ··········· 106
3.4 当代发达资本主义国家经济的运行主体——股份公司 ····· 117

第四章 经济全球化与当代资本主义经济 ······················ 127
4.1 经济全球化的发展及基本特征 ···························· 127
4.2 经济全球化的国际经济影响 ······························ 134
4.3 经济全球化对当代资本主义经济的影响 ················· 143

第五章 当代资本主义经济的运行周期 ·························· 161
5.1 当代资本主义经济周期理论 ······························ 161
5.2 当代资本主义经济周期的发展变化和历史演绎 ········ 168

  5.3 新经济与经济全球化对资本主义经济周期的影响 …………… 178

  5.4 产业结构演变与当代资本主义经济周期 ………………………… 190

第六章 当代国际贸易体系下的资本主义经济 ……………………… 202

  6.1 世界市场的形成和发展及对当代资本主义经济的影响 ……… 202

  6.2 当代国际分工的发展及其对资本主义经济影响 ……………… 216

  6.3 GATT 与 WTO 的发展及对当代贸易自由化的影响 ………… 228

第七章 国际资本流动与当代资本主义经济 ……………………………… 247

  7.1 当代国际资本流动的趋势与特点 ………………………………… 247

  7.2 经济全球化条件下跨国公司的广泛发展和演变 ……………… 262

  7.3 跨国公司的发展对资本主义经济的影响 ……………………… 274

第八章 国际货币金融体系的发展与当代资本主义经济 ……………… 281

  8.1 国际货币金融体系的形成和发展 ………………………………… 281

  8.2 当代国际货币金融体系的运行机制 …………………………… 292

  8.3 当代国际货币金融体系的矛盾及对资本主义经济的影响 … 314

  8.4 经济全球化条件下当代国际货币金融体系的调整 ………… 319

第九章 国际经济一体化与当代资本主义经济 ………………………… 331

  9.1 国际经济一体化的形成及主要特点 …………………………… 331

  9.2 从欧共体到欧盟：当代国际经济一体化的典型实例 ……… 347

  9.3 国际经济一体化的发展趋向 …………………………………… 350

  9.4 国际经济一体化对当代资本主义经济的影响 ………………… 357

第十章 当代资本主义经济的不平衡发展与国际经济新秩序 ……… 362

  10.1 当代资本主义经济不平衡发展规律的新动向 ……………… 363

  10.2 当代发达资本主义国家经济的不平衡发展及其

     矛盾冲突与协调 …………………………………………………… 369

  10.3 发展中资本主义国家经济发展的不平衡及其影响 ………… 383

  10.4 南北经济发展的不平衡与发展中国家争取建立国际

     经济新秩序的努力 ……………………………………………… 399

第十一章 当代资本主义经济的历史地位 …………………………… 411

  11.1 后资本主义的兴起 ……………………………………………… 412

目 录

11.2 由资本主义经济到"知"本主义经济 …………………… 422
11.3 当代资本主义经济的发展及其面临的新问题 …………… 431
11.4 当代资本主义经济的发展前景 …………………………… 438

主要参考文献 ………………………………………………… 444
后　记 ………………………………………………………… 453

CONTENTS

Preface ·· 1

Chapter One   The History and Basic Characteristics of Contemporary Capitalist Economy ·························· 1
1.1 The Historical Evolution of Contemporary Capitalist Economy ············ 1
1.2 The Basic Characteristics of Contemporary Capitalist Economy ············ 25

Chapter Two   The Development of Contemporary Capitalist Economy Along With Modern Revolution of Science and Technology ········ 41
2.1 The Rise and Major Characteristics of Contemporary Revolution of Science and Technology ··· 41
2.2 The Impact on Contemporary Capitalist Economy ························ 52
2.3 The High-tech Economy or Knowledge—based Economy Strategy of Developed Capitalist Countries ·· 80

Chapter Three   The Economy System of Contemporary Developed Capitalist Countries ··· 94
3.1 Market Mechanism: The Foundation of the Economy System of Contemporary Developed Capitalist Countries ···························· 94
3.2 Market Regulative Mechanism in Contemporary Developed Capitalist Countries ··· 100
3.3 The Regulation of Macro Economy by Governments in Contemporary Developed Capitalist Countries ·· 106
3.4 Joint Stock Company: The Main Body of Contemporary Capitalist Economy ·· 117

Chapter Four Economic Globalization and Contemporary Capitalist Economy ……………………………………………………… 127

4.1　The Development and Major Characteristics of Economic Globalization …… 127
4.2　The International Economic Impact of Economic Globalization ………… 134
4.3　The Impact on Contemporary Capitalist Economy …………………… 143

Chapter Five Economic Cycle of Contemporary Capitalist Economy …… 161

5.1　Economic Cycle Theories of Contemporary Capitalist Economy ………… 161
5.2　The History and Change of Economic Cycle of Contemporary Capitalist Economy …………………………………………………………………… 168
5.3　The Impact of New Economy and Economic Globalization on Economic Cycle of Contemporary Capitalist Economy …………………………… 178
5.4　The Evolvement of Industrial Structure and Its Impact on Economic Cycle of Contemporary Capitalist Economy …………………………… 190

Chapter Six The Capitalist Economy under Contemporary International Trade System ………………………………………………………… 202

6.1　The Development of World Market and Its Impact on Contemporary Capitalist Economy ……………………………………………………… 202
6.2　The Development of Contemporary International Specialization and Its Impact on Capitalist Economy …………………………………………… 216
6.3　The Development of GATT and WTO and Its Impact on Contemporary Trade Freedom …………………………………………………………… 228

Chapter Seven International Capital Flow and Contemporary Capitalist Economy ……………………………………………………………… 247

7.1　The Trends and Characteristics of Contemporary International Capital Flow ………………………………………………………………………… 247
7.2　The Development and Evolvement of Multinational Corporations under Economic Globalization Environment ………………………………… 262
7.3　Multinational Corporations' Impact on Contemporary Capitalist Economy …… 274

Chapter Eight The Development of International Monetary System and Contemporary Capitalist Economy ……………………… 281

8.1　The Formation and Development of International Monetary System ……… 281

CONTENTS

8.2　The Running Mechanism of Contemporary International Monetary System ········· 292

8.3　The Contradiction in Contemporary International Monetary System and Its Impact on Capitalist Economy ········· 314

8.4　The Adjustment of Contemporary International Monetary System under Economic Globalization Environment ········· 319

Chapter Nine　International Economic Integration and Contemporary Capitalist Economy ········· 331

9.1　The Formation and Major Characteristics of International Economic Integration ········· 331

9.2　From European Communities to European Union: A Typical Case of Contemporary International Economic Integration ········· 347

9.3　Trends of International Economic Integration ········· 350

9.4　The Impact of International Economic Integration on Contemporary Capitalist Economy ········· 357

Chapter Ten　The Lopsided Development of Contemporary Capitalist Economy and New International Economic Order ········· 362

10.1　The New Tendency of the Lopsided Developing Law of Contemporary Capitalist Economy ········· 363

10.2　The Lopsided Development of Contemporary Capitalist Economy and Its Contradiction and Coordination ········· 369

10.3　The Lopsided Development of Developing Capitalist Economies and Its Impact ········· 383

10.4　The Imbalance of South & North Economic Development and Developing Countries' Efforts to Establish New International Economic Order ········· 399

Chapter Eleven　Historic Status of Contemporary Capitalist Economy ········· 411

11.1　The Rise of Post-capitalism ········· 412

11.2　From Capitalist Economy to Knowledge-based Economy ········· 422

11.3　The Development of Contemporary Capitalist Economy and the New Problems It's Facing ········· 431

11.4　The Prospects of Contemporary Capitalist Economy ········· 438

Major References ········· 444

Postscript ········· 453

第一章 当代资本主义经济的历史演变及基本特征

1.1 当代资本主义经济的历史演变

资本主义作为一种历史现象，有一个从萌芽到发生发展的演变过程。在当代社会政治经济背景下，探讨资本主义的发展演进，需要拓宽历史的视界，把资本主义看做是与"思想、宗教、法制及经济互相衔接"[①]的一种现象，而不是把它孤立地看做是一种经济现象。德国著名社会学者马克斯·韦伯曾经指出，"现代合理化的资本主义，不仅要有技术上生产的能力，而且还要有能让人预为筹算的法制，并且又能经理正式的规则"，同时，还必须有思想信仰和社会力量做根据。换言之，"资本主义乃是不同时期生成于西方文明中的多种因素（如古希腊罗马的理性化经验科学、合理的罗马法体系、经济生活的商业化和可计算性）相结合的产物"[②]。它的历史演变也必然是各种因素综合作用的结果。按照这种分析思路，本章着重对资本主义的历史演变，即资本主义的萌芽、发生、确立以及发展深化的过程做一个简要分析，在此基础之上，进一步对当代资本主义的基本特征加以探讨。

---

① 黄仁宇：《放宽历史的视界》，三联书店2001年版，第97页。
② 陈晓平："探索历史的复杂性"，《读书》1987年11月，第21页。

1.1.1 资本主义萌芽

资本主义产生于封建社会内部。14～15世纪，随着社会生产力的提高和商品经济的逐步发展，西欧国家首先出现了资本主义生产方式的萌芽。本小节尝试从商品货币关系、市民意识、城市工商业、制度创新和组织创新等方面来对资本主义的萌芽加以探讨。

1. 西欧封建社会末期农业生产的发展

在欧洲，经过了中世纪早期日耳曼人入侵的战乱之后，到查理曼大帝时代，社会秩序渐趋稳定。9世纪以后，西欧的农业生产力也在此基础上有了较大地提高。到14～15世纪时，进步尤为明显。具体表现为：在土地耕作方面，休耕已经完全转变为轮作，普遍实行了二圃制和三圃制，从而有效地保持了土地的肥力。沿用已久的各种农具，经过改良，特别是重型铁犁的广泛使用，既可以深翻土地，还能加快耕种速度。此外，肥料使用量日益增多，也大大地提高了农产品的产量。车辆等农业生产资料的改进，使得运输效率大增。大片荒地得到开垦，耕地面积不断扩大，粮食和各种经济作物的生产量在迅速增长。这一时期，园艺业，例如葡萄的种植，出现了兴旺的景象，畜牧业在饲养方法上也大有改进，相应地推动了酿酒、榨油、羊毛纺织等手工业的发展。[①]

西欧农业生产力的提高，促使封建庄园经济发生了巨大的变化。建立在自然经济基础之上的庄园制度只适应于中世纪早期低下的生产力水平。随着农产品商品化的加强，封建主对货币的需求日益增加，许多领主纷纷采取放弃或缩小自营地的做法，将土地出租以便获得货币地租。与此同时，封建主为了收取大量赎金，不得不给予农奴人身自由，在西欧许多地区加速了解放农奴的过程。大批农奴赎买了某些义务之后，与庄园主建立起分成租佃关系。尽管解放了的农奴依然是封建性的依附农民，但经济地位毕竟改善了。农民经营土地的兴趣提高，与市场的联系加强，其结果必然会促使农业生产发展，同时也引起了农民自身的分化。上述这些都为资本主义生产方式的产生，提供了必要的条件。

[①] 宋则行、樊亢：《世界经济史》（上卷），经济科学出版社1998年版，第5页。

第一章　当代资本主义经济的历史演变及基本特征

2. 城市工商业的发展及城市文明

中世纪的城市是随着商品经济的发展,在集市贸易的基础上逐渐形成起来的。它们是当时西欧各个地区的手工业和商业中心,分别散布于英国、法国、德国和意大利等各个国家,其中特别是以地中海沿岸地区的一些城市最为著名。尽管这些城市的面积并不很大,一般都不超过十多平方公里,人口一般只有几千,拥有居民数万人的城市,只有威尼斯、佛罗伦萨、米兰、伦敦、巴黎等少数几个城市。但是,在14～15世纪时,这些城市已经占有非常重要的经济地位,并且在这里产生了早期的资本主义生产关系。

(1) 中世纪早期,自然经济在欧洲一直占统治地位。生产主要是用来满足自己的需要,产品的交换非常有限。尽管早在城市兴起之前,商人就已经存在了,可是当时欧洲商人的活动与各国国内部分农业及手工业之间的分工并没有直接的联系,他们主要是把只能在少数地方生产的商品,如铁、铜、锡、盐等以及从东方运来的丝绸、珠宝首饰、武器、香料等运销到各地区贩卖。这些商人都是行商,而且就其商业活动的内容来看,基本上都是从事对外贸易的商人。

自从10～11世纪中世纪城市兴起之后,随着农业与手工业的逐步分离,西欧商品经济获得了比较大的发展。城市手工业者的主要来源是那些以前一直把手工业与农业集中于一身的农民,以及那些以往隶属于封建主的农奴。他们从农村人群中分化出来之后,脱离农村而定居城市。由于现在他们已经可以任意地销售自己的手工业产品,能够无阻碍地进行商业活动,这就大大地推动了城市商业的发展,商人的实力也在不断增强。

但是,城市商业的发展,是一个渐进的过程。在城市兴起的早期阶段,城市手工业者还继续保留着农民的痕迹。他们一开始就是为交换而生产手工产品,同时也独立生产大部分自己需要的消费品。他们拥有菜园和小块土地,在公共林地上放牧牲畜,以满足生活所需。这时的交换和市场都很有限,商业活动的范围基本上还是地区性的。另外,最初的商人往往同时也是手工业者,前门开店,后门作坊,大多是接收顾客订货,生产和销售融为一体。随着农业与手工业的进一步分工,直接为交换而生产的劳动产品日益增加,在11～12世纪的西欧城市里,不断地产生出一大批不再从事手工业生产、只经营商品交换的商人。这些商人是新的社会阶层，以经营商业作为独立的职业。他们和早先那种专门从事对外贸易的商人不同，是直接与国内市场的发展、与城市手工业产品的出售以及与城乡商品的交换相联系的。这些商人起先还主要是行商，以后随着城市手工业的发达和商品货币关系的发展，便逐渐定居在交换活动最为频繁的地区。有些城市商人还经常把城市商业与外地贸易结合起来，将本地区商品运销到遥远的地方去。城市商业的不断发展，对于欧洲社会经济生活的影响也越来越大。

（2）中世纪西欧城市的兴起、农业和手工业生产力的提高以及商品货币关系的发展，使封建社会的生产关系逐渐解体，为新的资本主义关系的产生准备了必要的前提条件。到14～15世纪，在意大利北部的威尼斯、热那亚、比萨、佛罗伦萨、米兰等城市以及法国的马赛、巴黎，德国的科伦，尼德兰南部佛兰德尔地区的布鲁日、根特、伊普尔、亚拉斯以及英国的伦敦等地都相继出现了资本主义的萌芽。

14～15世纪西欧的资本主义萌芽，具体表现为工场手工业的出现。资本主义手工工场基本上是通过两条途径产生的：一条途径是在行会制度发展的基础上，从行会手工业中分化出资本主义手工工场。行会组织的建立，其本来的目的是为了避免竞争和防止分化。但是，行会手工业者必然要受到商品生产固有规律的制约，所以不可避免地总会发生分化。而分化的结果就会为资本主义生产提供必要的自由劳动力和货币财富，从而使得资本主义关系得以产生。西欧行会制度的历史表明，随着手工业生产和商品市场的扩大，行会内部的不稳定性已经日益显现出来。少数富裕起来的行东为了求得更大的发展，不愿意受到行会的约束，开始突破行会的规章制度，设法添置生产工具、增加雇工人数、使用新技术，极力扩大生产，并且按照自己乐于采用的方式来销售商品。为了获得充分的劳动力供应和减少竞争者，他们通过把持行会领导机构来竭力阻挠帮工升为行东，并延长学徒期限。此外，他们还大量吸收破产的手工业者、失去土地的农民以及逃亡的农奴，使得这些劳动者成为自己的雇工。这样，原来的行会作坊的性质开始发生变化，逐渐成为资本家使用雇佣劳动的手工工场。由此出现了新型的资本主义关系。14～15世纪，佛罗伦萨的毛纺织业中的资本主义手工工场，大都是这样产生的。

第一章 当代资本主义经济的历史演变及基本特征

另一条途径是商人资本控制小生产者,把他们变成为雇佣工人,从而形成由商人掌握的手工工场。中世纪城市的手工业者,一般都是被组织在行会之中的。除此之外,在城市附近,尤其是在广大农村中,还散布着许多个体的小手工业者和大量从事家庭副业的农民。这些手工业者在经营中都存在着原料购买和产品销售的问题。起初,这些业务都由他们自己来承担。后来,由于市场扩大,竞争加剧,他们不得不集中精力专门从事生产。一些往来于城乡之间的包买商先是供应原料,收购产品,进而为手工业者提供生产工具、资金以及生活必需品,逐步把小手工业者与市场的联系完全切断。这样,小手工业者实际上已成为领取原料、在自己家里干活、计件领取报酬的雇佣劳动者,包买商则变成了控制生产和销售的资本家。这种分散的家庭手工业是另一种形式的资本主义手工工场,其活动范围比集中的手工工场要更广泛一些。分散的手工工场在尼德兰南部佛兰德尔地区比较普遍。

以上两种形式主要是在纺织业中发生的。后来,在采矿业、航运业和建筑业中,通过其他的形式也出现了资本主义的萌芽。在采矿业中是从小生产者的合伙生产出靠雇佣工人开采的股份公司。在国外贸易的航运业中,从商人的合伙制逐渐产生只提供货物而坐享其成的职业贸易商和提供货币资本而提取利润的资本家,在建筑业中从富裕的建筑手工匠中出现了建筑承包商和具有资本主义性质的包工队。[①]

3. 市民意识、市民阶层及其与新贵的对立

市民意识是导致资本主义产生萌芽、发生发展的一个因素(尽管不是惟一的因素)。市民意识,随着西欧城市的兴起而发展起来的。西欧之所以是资本主义发源地,正是因为西欧最早产生市民意识或城市精神。市民们"试图赢得他们的独立自主。他们希望能自由支配他们的财产,并获得一些与财产有关的特权"[②]。有学者指出,市民城市的兴起被视为一场运动、一场革命,"这场运动发展得十分迅猛,使历史几乎跟不上它的发展,以致今天人们仍然在极力探索其起因何在。但是,我们却无法

[①] 宋则行、樊亢:《世界经济史》(上卷),经济科学出版社1998年版,第6~11页。
[②] 布朗基:《欧洲从古代到现代的政治经济学史》,中译本引自巫宝三主编的《欧洲中世纪经济思想资料选辑》,商务印书馆1998年版,第135~136页。

否认，这场革命是由于财富的积累和劳动力的解放而引起的。其后，财富和劳动力又利用这场革命进行了新的开拓"①。

西欧中世纪的许多城市，从开始建立之时起，就表现为一种同封建势力相抗衡的力量。城市力求摆脱封建领主的统治，他们先争取自由，然后争取自治，最后争取自立。也就是独立于封建势力之外。城市的居民组成了形形色色的团体，如各种手工业者组成的行会、商人们组成的商会。市民中包括各种各样的人，其中有手工业者、帮工、学徒、商人、小贩等。这些人统称为市民，他们不同于生活在城市中的贵族和教士，因为他们没有贵族的门第和特权，也不像教士那样具有特殊的身份和特殊的权利，他们只是一些普通人。市民意识是一种笼统的说法，反映这些普通的城市居民的共同想法和追求。城市要求摆脱封建领主的统治，要求自由，再要求自治，最后争取自立。这些也都是城市居民们的愿望。所以市民意识反映了西欧封建社会中城市的上述要求。这种市民意识是西欧封建社会的城市中所特有的。主要由手工业者、商人等普通人所构成的市民是靠自己的劳动和经营而逐渐积累起财产的，他们要求对自己的私有财产的确认并得到城市行政当局的保护。由于这些市民出身往往低贱，被贵族瞧不起，有些人甚至还受到封建领主的各种束缚，所以他们不仅要求自由，还要求平等。自由反映的是他们能彻底摆脱封建领主的束缚，平等反映的是他们能同城市中的那些出身高贵的人平起平坐，不受歧视。他们在生产经营过程中时常会受到各种各样的限制，有时还受到种种干扰，包括在城市建立初期他们的同业团体所设置的有关生产经营的干扰和限制，因此他们要求取消这些干扰和限制，这些想法反映了他们的实际处境。正是在市民意识起作用的条件下，城市中那些普通的居民，逐渐凝聚在一起，有了明确的一致行为目标，终于形成一种为资本主义发展开辟道路的力量。

由此可见，把市民意识的形成和发挥作用视为推进西欧资本主义萌芽的一个重要因素，符合西欧历史。但我们也不能过分强调市民意识对资本主义生产方式的巨大推动作用。如果说市民意识对资本主义的产生

---

① 布朗基：《欧洲从古代到现代的政治经济学史》，中译本引自巫宝三主编的《欧洲中世纪经济思想资料选辑》，商务印书馆1998年版，第135~136页。

第一章 当代资本主义经济的历史演变及基本特征

和发展曾经发挥过重大作用,那么这些作用最终仍要通过反映了制度变革成果的法律、政策而体现出来,例如私有财产得到保障,工商业经营不受行政当局的干扰或生产经营者团体的限制,人身自由和社会地位平等等。如果缺乏相关法律、政策的制定和实施,市民意识始终只是一种市民意识,而不可能真正对实际的政治、经济、社会生活发生有力的作用。因此要恰如其分地估计市民意识在资本主义产生和发展中的作用。不重视市民意识的作用,当然不对;过分突出并夸大市民意识在这方面的作用,同样是不对的。[①]

4. 罗马法的复兴与商法的兴起

意大利是罗马法的发源地,也是商法的发源地。13世纪,意大利各自治城市的有组织的商人团体,经常发布调整工商业活动的规章。制定这些规章所遵循的原则是:不得与市政当局的总体性法规发生冲突;必须与商务活动相关;必须是公正合理的。这些规章中都渗透了罗马法的内容和商业习惯。这些法律原则和基本内容,通过法学家的著作变成了西欧各城市调整银行业、票据交易、典当、船舶登记、货物运输以及保险业等的法律规范。商业关系的固定化,使得具有实质性的统一商法规则在此基础上形成和发展。意大利的商法具有领先的地位,是综合性的、详细的和统一的法律。商人公会获得了广泛的管辖权,适用伴随商业发展而产生的规则,处理本地商人和外地商人之间的法律纠纷问题。

在英格兰,商业交易一般被限制在法律特别保护的永久性的商业中心进行。为适应商人的需求,也产生了一些习惯法。商会有时对某些商事纠纷做出裁决,专门审理发生在市场上的民事纠纷和违法行为。

在横贯欧洲的主要贸易通道上的城市,12~16世纪发展成为巨大的国际性集市。满足国际性商业事务需要的法律,在这些国际性商业城市中获得发展。在这些城市中,外国商业贸易公司获得了依本国法律管理他们自己事务的特权。这种情况的法律来源于意大利城市的关于国际性投资的法律规定。凡是开放型的自由贸易城市,都欢迎外国人投资。因此在巨大的国际集市上,大体制订了统一的商法,并由商人实现自治管理。在地中海各城市,原来对外商多采取歧视态度,不愿意承认相互之

[①] 厉以宁:《资本主义的起源——比较经济史研究》,商务印书馆2003年版,第28~34页。

间的平等权利，经常导致各个城市相互报复和制裁，减少了贸易往来。为了避免这种情况发生，各个城市之间不得不采取互惠的方法，订立特别条款来确认交易的条件和范围。并组成特别法庭来裁决交易中的纠纷。这种特殊法庭的裁决，适用于自由港口和全境开放的城市，形成了一种特殊的国际商业惯例。[①]

5. 组织创新与制度创新：行会、货币与金融的变革

在公元10世纪意大利出现了手工业的行业组织——行会，以后又遍及英、法、德等各西欧国家。西欧城市里的行会具有浓厚的封建性质。手工业者组织行会的目的，在于防止行业内部及外来的竞争，以求得经营上的稳定。为了实现这一目的，各个行会都订有严密的规章制度，对于行会成员的资格有着严格的规定，会员必须拥有自己的手工作坊，精通本行业的生产技艺，并且要经过严格考核才能成为会员。行会对成员在生产上要求十分严格，诸如作坊规模、工具设备、劳动者人数、技术水平、劳动时间、产品数量等都有具体的规定。由于当时市场有限，为了防止竞争，产品的销售都必须是自己生产的产品，而且要按照统一的价格销售，严禁张贴广告、流动兜售和降价出卖产品，等等。上述所有这些规定，都由行会组织负责监督执行。

西欧的行会组织在一定时期内，对于手工业生产和技术的发展确实起了促进作用。特别是在12~13世纪行会发展的早期阶段，作用更为明显。但是，到了14~15世纪，情况发生了很大变化。一方面，随着手工业生产和手工技术的不断发展，行会组织数量增加，行业的划分越来越细，每个行业的专业化程度越来越强，生产技艺也日益精湛。这时的行会组织，对于手工业者来说，仍然在一定程度上起着维持小生产者生存的作用。另一方面，行会本身所具有的封建保守性质、平均主义色彩和等级观念，又严重地阻碍着生产的进一步发展。以至于到后来，由于不能适应客观形势的需要，行会制度的种种限制终于还是被突破了。

中世纪的货币实际上是罗马的遗产。法兰克人在与罗马人接触过程中，熟悉了罗马的货币制度。中世纪早期使用的货币是拜占庭铸币索里达，墨洛温王朝铸造过一些金币和银币。不过，由于交换有限，黄金的

[①] 高德步、王珏：《世界经济史》，中国人民大学出版社2001年版，第147~148页。

第一章 当代资本主义经济的历史演变及基本特征

产量极少,因此以铸造银币为主。当时国家并不垄断铸币权,主教、修道院甚至金匠都可以铸造金属货币。到墨洛温王朝末期,金币消失,在交易中大量地以物易物,货币很少见到。从加洛林王朝开始,随着交易的扩大,对货币的需求日益增加。这一时期流通的货币主要是银币,称第纳尔。但国王仍没有垄断铸币权,各诸侯和主教仍有权铸造货币。所以各地铸造出来的货币往往在重量上、成色上都不统一。特别严重的是封建主试图通过铸造货币来增加自己的财富,这就是铸造成色较低的货币,他们不断回收货币,然后进行改铸,降低成色,而将多余的贵金属收归私有。到13世纪,查理曼时期的第纳尔差不多贬值为铜币了。

13世纪在西方货币史上具有重要地位。1202年威尼斯铸造了一种银币。以后,佛罗伦萨和维罗纳也铸造了自己货币。1252年,佛罗伦萨铸造了另外一种金币。这是自加洛林王朝以后500年再次出现的金币。以后,威尼斯也铸造金币,英法各国也都铸造了金币。在中世纪最后的200年中,欧洲经受着货币供应不足之苦。只是在15世纪晚期,技术进步才使中欧银矿产量有了很大的增加。然而,一个复本位货币制度,不能满足中世纪晚期经济发展的需要。所以,一个席卷欧洲的黄金狂热,导致重要的地理大发现。

随着贸易的扩大和货币流通的增加,西欧出现货币经营资本。最早的货币生意人出现在香槟集市。当时的香槟集市上流通着各种各样的货币,不论是重量还是成色以及形式,都是千差万别的,而持有不同货币的商人要进行交易,就必须将货币兑换成对方能接受的货币,这就产生了货币兑换商。货币兑换商最初只是为商人兑换货币,收取一定手续费,随着他们资本的扩大,他们开始进行类似银行的业务,即接受存款并付给客户利息,向商人和封建主放款取息,应客户要求为客户办理汇兑业务。兑换商在收到商人一笔款项后,就委托自己在某一地方的代理人凭字据(期票)付款给商人。这样,商人无须冒着长途运输货币的风险,通过兑换商在各地的分号进行支付,大大加快了商品流通和货币流通。以后,货币兑换商的实力大大提高,于是建立自己的公司,逐渐开展银行业务。他们在各地设立分号,与各国国王、教会建立联系,进行巨大的货币经营业务。

随着商业和贸易的发达,特别是羊毛贸易和羊毛纺织品贸易的发达,产生融通资金的需要，从而出现银行业。佛罗伦萨从13世纪起就已成为欧洲的第一个银行城。佛罗伦萨的银行业与羊毛纺织和羊毛贸易有关。最早的银行家同时经营羊毛贸易，正是羊毛贸易的需要，直接产生了银行业，而银行的发展反过来又促进了羊毛贸易的发展。佛罗伦萨利用遍及全欧洲的经营机构，扩大银行业务。从1250年左右起经过两代人的努力，银行业务获得发展，控制了整个基督教欧洲的信贷。14世纪末，流通中的佛罗伦萨货币总计达200万佛罗林。德国的银行业起源与银矿的开采有密切关系。中世纪的奥格斯堡兴起一大批银行家族，包括富格尔、韦尔瑟、埃欣格尔等。

早期的银行具有双重职能，一方面是贴现机构，另一方面是储蓄机构。贴现便利了商人的活动，为他们融通了资金，而商人通常都将资金存入银行，以备日后支付款项之用。早期银行的一个重要业务就是经营国债。王室挥霍无度，大量向银行家借款，而银行家通过借款给国王而获得各种特权。但是，各种特权既是银行发展的机会和条件，也是产生银行危机的根源。当国王无力偿还借款时，银行也就到了破产的时候。意大利的银行家还为教皇理财，向教皇借款，从教皇那里获得各种特权。然而，这也成为产生银行危机的根源。[①]

上述各种因素综合作用，形成了14～15世纪西欧的资本主义萌芽，表明了在封建社会内部新的生产关系已经发生。这在世界经济发展史上具有相当重要的意义。但是，应该指出，这一时期的资本主义关系，总的来说，还是稀疏的和微弱的，只不过是刚刚开始萌发，并不能因此引起整个社会生产方式的变革。所以，这段时期还不能作为资本主义时代的开始，资本主义产生确立到发展到深化还是以后的事情。

1.1.2 资本主义的产生

1. 文艺复兴与人文主义

文艺复兴是14世纪中叶至17世纪初在欧洲发生的思想文化运动。它开始于意大利，繁盛于西欧诸国，在东欧和北欧均有传播。在文学、艺术、哲学、自然科学以及政治学、法学、历史学、教育学领域内出现

---

① 高德步、王珏：《世界经济史》，中国人民大学出版社2001年版，第145～146页。

第一章 当代资本主义经济的历史演变及基本特征

了一大批巨人,创造出了丰硕的成果,鲜明地表现出新的时代精神。

在中世纪,人作为自卑、消极、无所作为的原子式单元,在世界上的意义不足称道。文艺复兴时代产生的人文主义精神,发现了人和人的伟大,开始重视人的价值。它提倡以人和自然为对象的世俗文化,提倡人道精神,而不是神道精神,并且以"我是人,人所具有的一切特性我都具有"为基本口号。在这一口号下所形成的人文主义运动,坚持以人为本,反对神权对人的侵犯,一切为了人的利益,肯定现实人生的意义,提倡对世俗幸福的追求,提倡和推崇理性。

作为人文主义的理论基础的人性论是欧洲哲学史上第一次出现的新的理论武器。人文主义把思想矛盾直接指向宗教神学,反映了新兴资产阶级为摆脱封建束缚,迅速发展资本主义的愿望。从思想理论上看人文主义,提出按人的本性去生活,人要认识自己,一切为了人的物质利益,这是新兴资产阶级人道思想的最初形态,后来为许多思想家接受,是一种进步的社会思想,大大启发了人的理性,第一次冲破了封建宗教的樊篱,揭开了反封建的序幕。从所起的政治作用看人文主义,为资产阶级统治开辟了道路,符合历史发展的潮流。但是,必须指出,人文主义思潮毕竟是资产阶级的意识形态,是有局限性的,人文主义思想暴露了新兴资产阶级本身所固有的欺骗性和虚伪性,他们提出的思想在现实中无从实现,随着时代的发展,这一局限性越发明显地突出出来。马克思主义认为,人文主义仅用人的自然本性说明社会现象是不对的,归根到底,没有脱离唯心史观的框架。

总之,文艺复兴及其人文主义是人类文明史上的一次伟大变革,它在解放思想、尤其对人的解放上具有划时代的意义,为以后的思想解放运动和资产阶级革命奠定了基础,促成了西方现代文明的兴起和资本主义世界体系的初步形成。

2. 宗教改革

中世纪西欧社会处于基督教的绝对统治之下,基督教对西方社会生活的影响不仅仅局限于精神领域,而且也深深地渗透到经济、政治和日常生活中。正是罗马天主教的这种专制统治,导致了中世纪各种社会弊端的产生,造成了西欧社会积弱不振的局面。在这种情况下,西欧社会的任何现实性的改革都必须首先从宗教方面着手。

当代资本主义经济论

1517年马丁·路德揭开了宗教改革的序幕,随后瑞士、法国、英国、尼德兰诸国也都发生了宗教改革运动,使之成为一次大规模的、意义深刻的社会政治运动。由于当时宗教已成了人们的一种内心需求,大多数人视信仰为生命的重要部分,宗教改革肯定信仰,强调每个人都是自己信仰和精神的主宰;基督徒在上帝面前都成为平等的人。这一切在人们的心灵深处产生了震撼,从而使西欧观念变革在宗教这个文化结构的深层得以实现。

宗教改革运动是欧洲从中古向近代转型期发展的一次伟大变革。这次变革开创了西方近现代社会的发展之路。它不仅在政治上、组织上动摇瓦解了罗马天主教会的权威,而且还摧毁了天主教价值观的统治地位并以新教取而代之。宗教改革对资本主义发展的影响大大超出了它本来的目标,促进了西欧人性和思想上的大解放,孕育了资产阶级民主平等的思想,唤醒了民族国家意识。正因为如此,它已成为衡量当时各种社会生活、价值的尺度,近代资本主义精神、近代科学和近代哲学精神正是在新教伦理的推动和熏陶下产生和形成的,西欧伴随着宗教改革走向近代。

同时,宗教改革实现了政治、经济权力的大转变,促进了欧洲近代民族国家的成长和资本主义的发展。宗教改革中的新教教义所体现出来的新精神为创立资本主义精神提供了具体的指导,促进了资本主义的发展。新教教义中所体现出来的追求个人精神生活的自由、解放及个人奋斗、个人成就需要的价值取向,正是资本主义工商业发展所需要的心理因素,反过来,资本主义工商业的发展又大大推进了社会思想的开放和自由主义的发展。加尔文教认为真正的教徒应鄙视清闲与浪费,把浪费时间看做是首要的而且原则上最该死的罪孽,而应该珍惜时间,并推迟眼前的享乐和直接的幸福,节约,依靠个人的职业活动发财致富,全力献身于自己的事业,工作作为目的本身而被珍视。这些思想在清教伦理与资本主义之间架起了沟通的桥梁,促进成熟的、完整的资本主义精神的形成。用马克斯·韦伯的话来说,新教造就了最杰出的企业家,早期资本家所具有的勤勉、节俭、诚实等品质直接取于新教伦理。大量的新教徒在清教伦理的指导下纷纷投入资本主义经营、金融、商业和制造业领域,造就了浓厚的资本主义气氛,也加强了资产阶级的力量。总之,

第一章　当代资本主义经济的历史演变及基本特征

从马丁·路德开始的宗教改革运动摧毁了天主教会的专横独裁统治，实现了政治、经济权力的大转变，促进了近代民族国家的成长和资本主义的发展。它与后来的资产阶级革命是一脉相承的。正因为如此，恩格斯说它是欧洲资产阶级第一次反封建制度的大决战。[①]

3. 地理大发现和重商主义

所谓地理大发现，是指西欧国家 15 世纪和 16 世纪初期在海外探险中对美洲大陆的发现以及多条通往东方新航路的开辟。这一系列重大的海外探索活动，是欧洲社会经济发展、技术进步以及封建社会内部矛盾深化的必然结果。地理大发现对世界经济影响巨大。它首先引起了商业革命。新航路发现以后，世界上原来互相隔绝的地区沟通起来，欧洲和亚洲、非洲、美洲之间的贸易日益发展并成为一个整体，整体的世界产生了整体的市场。新航路开辟的另一经济后果便是"价格革命"。美洲的白银大量涌进欧洲，引起通货膨胀及物价上涨，这打乱了传统的西欧封闭的庄园经济，商业活动活跃起来，代之而起的是一个不断扩大的市场。当生产与消费分离时，现代经济体系就开始形成。同时，由于新航路的开辟，西欧诸国为争夺土地、资源、财富和发展优势，以及国家的生存权，纷纷向外进行殖民扩张。新航路的开辟就是由葡萄牙和西班牙两个最早的民族国家发起的，并随之展开了向东方和新大陆的殖民和掠夺。随着英国、荷兰、法国等民族国家的形成和强大，这些国家相互间展开了争霸的战争，进行资本的原始积累。

适应于贸易规模的扩大和新兴的商业资本进行资本原始积累的需要，民族国家在西欧逐步推行重商主义政策学说，这些政策学说被称为重商主义。重商主义认为，货币是财富的基本形式，发展对外贸易以获取货币是积累国家财富的主要途径。国家应采取鼓励制造品出口，颁布航海法令，给予贸易公司以垄断特权等方法直接干预经济。新形成的民族国家正好适应了这一要求。他们鼓励商业，保障商人的利益，同时以武力为后盾，对外积极扩张，强占和垄断市场并采取贸易保护主义支持商人在海外的商业活动。16 世纪由国王特许的国家级贸易公司纷纷组建，如

[①] 李勤："16 世纪欧洲宗教改革运动的历史作用"，《云南师范大学学报》2000 年第 4 期，第 61~63 页。

著名的英国东印度公司成为开拓殖民地市场的先锋。在国内,国家还鼓励制造业的发展,促进了国内商品生产的扩大。

重商主义作为资本原始积累时期代表商业资本利益的意识形态,先后为西欧封建国家和资本主义国家所采用,盛行于西欧几个世纪,对西欧产生了重大影响,由此促进了西欧社会的巨变。(1)重商主义促进了英、法、美、德、俄、日等民族资本主义国家的先后崛起。英国经过几个世纪的重商主义政策,到工业革命前夕,已经积累了大量的黄金白银;制造业蓬勃发展;陆海军事工业和航海业发达,并垄断了海上贸易,伦敦等城市已成为世界贸易中心。法国的重商主义在路易十四柯尔培尔任首相时期实践得比较彻底,对法国工商业的发展起了积极作用,也为法国跨入现代国家行列,成为20世纪前仅次于英国的第二大世界强国打下了坚实的基础。美国和德国是后起的资本主义强国,为了和先进的英法两国相抗衡,他们都实施了重商主义政策。特别是德国在19世纪中叶以前仍然四分五裂,大大落后于英法等国,为了实现国家统一和民族强盛,普鲁士铁血宰相俾斯麦大力推行重商主义,进行自上而下的改革,使得武力统一以后的德国大踏步前进,迅速跨入先进国家之林,在20世纪初已经成为欧洲和世界上举足轻重的强国。俄国和日本在19世纪中叶以前大大落后于英法两国,也落后于美德,同样遭受过西方列强的宰割。为此,俄国经过彼得大帝和沙皇亚历山大二世的两次重商主义改革,极大地促进了俄国资本主义的发展。日本在明治维新以后,借鉴德国,大力推行李斯特重商主义,并在短时期内迅速崛起。(2)引发社会价值观的巨变。重商主义思潮的兴起改变了存在于西欧中世纪的思想观念,对获取财富和金钱取得了道义上的认同。因此,为了财富和金钱,欧洲人开始贩卖非洲黑人奴隶和展开广泛的殖民掠夺。正是"拜金主义"价值观的形成,才是欧洲人海外贸易殖民和发展工商业的永动机,推动了西欧社会由农耕社会迅速迈进了商品经济社会的大门。再者,重商主义冲击了等级制度和等级观念。因为商品生产和商品交换要求当事人自由与平等,于是自由与平等代替了等级观念,成为欧洲人价值观的主流。①

---

① 赵喜儒:"重商主义对西欧社会发展的影响",《内蒙古科技与经济》2002年第6期,第38~39页。

第一章　当代资本主义经济的历史演变及基本特征

4. 资产阶级革命

随着英国资本主义经济的兴起和发展,新兴的资产阶级和新贵族越来越要求相应的政治地位。但是,都铎王朝和以后的斯图亚特王朝依然极力维持传统封建社会下的统治秩序,导致国内阶级矛盾激化。在新兴的资产阶级和新贵族争取政治权力的过程中,他们逐步在议会中形成了反对派。新议会的召开,是英国资产阶级革命开始的标志。英国资产阶级革命经历了议会斗争、内战、共和国建立、克伦威尔独裁统治、斯图亚特王朝复辟、"光荣革命",长达近半个世纪的复杂和曲折的斗争,最终才推翻了封建专制制度,完成了资产阶级革命。这说明,一种新的社会制度的确立过程,具有曲折性和复杂性。它标志着世界历史进入一个新时代。

在英国资产阶级革命影响下,西欧各国的封建传统势力,为了维护其统治,先后通过国家政权进行了一系列的改革。典型的法国路易十四改革、落后的俄国彼得一世改革、迅速崛起的普鲁士腓特烈二世改革、多民族的奥地利"开明专制"。这些改革有很多共同点:第一,目的都是为了富国强兵,维护封建统治。第二,所采用的方式都不同程度地采取措施加强中央集权,建立专制统治;鼓励工商业发展;加强军事力量;积极推行对外扩张。第三,结果都不同程度地增强了国家的经济和军事实力,促进了资本主义的发展,有利于本国的社会进步。但是,封建主义无论怎么在它的体系范围内调整统治方式和生产关系,都不能克服它本身与新兴的资本主义的特有矛盾。随着欧洲资本主义经济的不断发展和资产阶级的不断壮大,反对封建专制和反对教权主义斗争已经成为时代的要求,资产阶级革命的兴起是必然现象。

欧洲大陆典型的封建专制国家法国,在18世纪末的政治、经济、意识形态方面都已成为社会发展的阻碍,已无可挽回地陷入了绝境,爆发了大革命。巴黎人民通过三次武装起义,并有效地抵御了由欧洲封建势力组成的反法同盟对法国革命的干涉和威胁,保卫了法国大革命的胜利成果。

法国大革命是世界近代史上一次规模最大、范围最广的资产阶级革命。它不仅摧毁了法国的封建制度,还震撼了整个欧洲大陆的封建秩序。拿破仑早期战争又捍卫和发展了大革命的成果,进一步打击了欧洲封建主的统治。法国大革命的彻底性为此后各国的革命树立了榜样,法国大革命所开辟的资产阶级革命时代,已成为势不可挡的历史潮流。法国大革命具有世界意义。

与此同时,北美英属 13 个殖民地由于经济往来的日益密切,美利坚民族开始形成,民族意识逐渐觉醒。民族意识觉醒的重要内容是反对宗主国的殖民统治。殖民地较宽松的社会民主气氛给法国启蒙思想的传播提供了外部的社会条件,而殖民地人民渴求自由、进取的精神又是启蒙思想得以传播的内在动力。英属北美殖民地的民主和民族意识日趋增强,因此,北美人民的独立战争爆发是有它的必然性。"波士顿倾茶事件"把北美人民的反抗斗争推向了高潮。第一届大陆会议的召开,使各殖民地在斗争中联合起来。从来克星顿的枪声到《独立宣言》的发表,表明北美人民终于把反抗英国殖民暴政的武装斗争同争取民族独立的正义事业联系在一起了。北美独立战争具有民族革命和民主革命的双重特点,但本质上是资产阶级革命。1787 年宪法确立了美国的共和政体,从根本上否定了封建专制制度。

总之,包括英国在内的许多国家,通过资产阶级革命扫清了资本主义发展的障碍,为工业革命的顺利展开提供了前提条件。

5. 工业革命

工业革命指 18 世纪后期到 19 世纪前期发生在英国的从手工生产转向大机器生产的技术、经济变革,后来逐渐扩散到世界各国。工业革命是资本主义发展史上的一个重要阶段,它实现了从传统农业社会转向现代工业社会的重要变革。工业革命是生产技术的变革,同时也是一场深刻的社会关系的变革。从生产技术方面来说,它使机器代替了手工劳动、工厂代替了手工工场。从社会关系说,它使社会明显地分裂为两大对立的阶级,即工业资产阶级和工业无产阶级。

17~18 世纪,英法等国资产阶级革命的胜利,为生产力的发展扫清了道路,资本主义工场手工业的发展和科学技术的发明,为向机器大工业过渡准备了条件。随着市场的扩大,以手工技术为基础的工场手工业不能满足市场的需要,资产阶级为追求利润,广泛采用新技术。工业革命使得大机器工业代替了工场手工业,它既是资本主义生产力不断增长的需要,也是资产阶级加强自己统治的迫切需要。16 世纪至 19 世纪初

第一章 当代资本主义经济的历史演变及基本特征

的欧美资产阶级革命,是在工场手工业时期进行的。当时的资产阶级以商人为主体,力量相对薄弱。由于资本主义生产方式在国民经济中还没有获得雄厚的物质基础,因而资产阶级在政治上还不能确立自己的绝对统治地位。资产阶级为在政治经济上完全确立和巩固自己的统治,增强在世界市场中角逐的实力,必须实现由工场手工业向机器大工业的过渡,以进一步发展生产力,促进资本主义社会的阶级、经济关系充分成熟。因此,从加速世界历史由封建主义向资本主义转变的整个进程来看,工业革命的必要性和重要性就格外明显。

工业革命18世纪60年代开始于英国,首先从棉纺织业开始,80年代因蒸汽机的发明和使用得到了进一步发展。继英国之后,法、美等国也在19世纪中期完成工业革命。它极大地促进了社会生产力的发展,巩固了新兴的资本主义制度,引起了社会结构和东西方关系的变化,对世界历史进程产生了重大影响。

(1) 工业革命首先作为生产力变革,促进了社会生产力的迅速发展,使商品经济最终取代了自然经济,手工工场过渡到大机器生产,这是生产力的巨大飞跃。正如马克思、恩格斯在《共产党宣言》中所说的"资产阶级在它的不到一百年的阶级统治中所创造的生产力,比过去一切世代创造的全部生产力还要多……"[①] 工业革命使社会生产力迅速提高,也说明科学技术就是生产力。同时,工业革命为巩固资产阶级革命成果奠定了雄厚的物质基础,保证了资本主义完全战胜封建主义。

(2) 工业革命促使阶级结构发生变动。工业革命使得使用机器生产和现代大工业(工厂制度)逐步代替了工场手工业,资本主义雇佣劳动制度引起了社会阶级关系的深刻变化,工业资产阶级和工业无产阶级最终形成。随着资本主义经济矛盾的加深,两大阶级的对立和斗争逐渐明显和尖锐化。

(3) 工业革命改变了世界的面貌。一方面,它促进了城市化进程,却引发了工业带来的交通、污染等问题;另一方面,一些欧美资本主义国家成为工业强国后,以世界为市场,加强了世界各地之间的联系。他们把欧美先进的工业技术带到经济欠发达国家,使这些国家缓慢地走上

---

① 《马克思恩格斯选集》第一卷,人民出版社1972年版,第256页。

了工业化的道路，将其卷入了工业文明的潮流之中，使资本主义生产方式扩展至世界各地。同时，对外掠夺和倾销造成了亚非拉许多国家和地区的落后，加速了弱小国家沦为殖民地和附属国的过程。

综上所述，经过文艺复兴、宗教改革、地理大发现、资产阶级革命和工业革命等事件，西欧人获得了人身自由、思想自由、信仰自由、经济活动的自由，以及由此而必然出现的财产自由等等。所有这一切都为资本主义的进步准备了条件，为新文明的发展创造了前提。[①]

1.1.3 资本主义的发展

资本主义的发展是多种因素促成的，它既与经济有关，又与政治、文化、习俗、地理条件相联系。历史上的资本主义是一个复杂的多面体。

1. 工业文明全面取代农业文明

工业革命不仅革新了生产技术，使生产力水平空前提高，而且使资本主义生产关系最终确立起来。自16世纪开始，资本主义各国市场经济的发展，促使整个社会从农业文明迈向工业文明，从农业文明过渡到工业文明需要一个过程，在19世纪的近代工业革命发祥地的欧洲国家，就用了一百多年，20世纪初崛起的美国也用了近百年。至19世纪中期工业化完成之时，历经数百年的历史发展，终于实现了这一社会转型，其特征为近代大工业生产方式成为满足社会需要的主导方式，成为占据支配地位的社会体制。从农业文明转向了工业文明，形成了工业文明主导下的世界经济与政治格局。

农业文明与工业文明在经济政治结构上存在巨大差异，农业文明国家以农村为载体，充满着贫穷、落后和愚昧。工业文明国家以城市为载体，比较文明、自由和富裕。工业文明与农业文明有许多区别标志，其中主要的区别标志有八个方面：(1) 工业文明社会以生产工业产品为主，工业产品主要用于出口竞争；农业文明社会以生产农产品为主，主要是满足自给需要。(2) 工业文明社会人口的城市化水平高，而农业文明社会的国家城市化水平很低，人口分散居住于乡村。(3) 工业文明社会人口增长率很低，平稳或呈负向增长；农业文明社会的国家人口增长率较

[①] 傅新球："现代化准备阶段的世界历史发展"，《历史教学》2003年12期，第58页。

第一章 当代资本主义经济的历史演变及基本特征

高。(4) 工业文明社会教育发达；农业文明社会教育落后，教育投资比例少。(5) 工业文明社会的工农业生产是机械化、自动化和电子电脑技术化，效率效益很高，人们闲暇时间增多；农业文明社会的农业生产以手工耕作为主，工业生产以半机械、机械化及半自动化为主，效率效益都比较低，人们闲暇时间很少。(6) 工业文明社会城乡差距很小，甚至农村家庭收入还要高于城市；农业文明社会城乡差别悬殊，而且有日益拉大的趋势，市民收入高于农民几倍以上。(7) 工业文明国家一般都是实行民主政治，实行国家首脑普选制和任期制，政策和法律保持连续性；农业文明社会一般都是实行集权政治，干部制度实行任命制、终身制，政策和法律随领导人的更替而变化。(8) 工业文明国家实行法治经济；农业文明社会是人治经济，如此等等。

工业文明带来了科技与经济的飞速发展，带来了人类物质生活水平的极大提高。工业文明的高速发展更是给人类带来了前所未有的社会财富，极大地改善了人类的生存条件；工业文明创立了巨大的城市，使城市人口比农村人口大大地增加起来，从而使绝大部分居民脱离了乡村生活的愚昧状态；工业文明由于其生产工具的迅速改进，交通通讯极其便利，把一切最野蛮的民族都卷进文明中来；工业文明使一切国家的生活和消费都成为世界性的，各民族的物质和精神产品成了公共的财产，民族的片面性和局限性日益成为不可能，许多民族和地方文学成了一种世界文学。现代文明使现代化成为一切不发达国家的主导性价值目标，大大地促进了世界民族的融合和交流，使人的主体意识和创造性在很大程度上得到提高。与此同时，资本主义制度发生了重大的变化。在先进的资本主义国家中，出现了两种发展趋势：其一，作为上层建筑的国家在发展经济、调解社会矛盾的作用日益加强，这就势必巩固资本主义制度，使之仍具有一定程度的生命力；其二，科学研究与技术之间的相互依赖关系日益密切，科学技术成为真正的第一生产力，这种趋势导致自由资本主义进入后工业社会或发达工业社会，即国家管理的、有组织的、采取合法化制度的、技术统治的资本主义，它的产业结构、社会结构、阶级结构、权力中心、管理体制都不同于早期资本主义社会。它的基本特征是技术统治，即通过技术来进行政治统治。

2. 科技革命与资本主义经济现代化

18世纪70年代至19世纪中叶，在欧洲首先是英国发生了以蒸汽机的广泛应用为标志的第一次科技革命，又称"蒸汽革命"，人类从手工时代进入了蒸汽时代，实现了生产机械化。19世纪末，以德国、美国为中心发生了以电力技术的广泛应用为标志的第二次科技革命，又称"电力革命"，人类从蒸汽时代进入了电气时代，实现了生产的电气化。20世纪40~50年代，始于美国的以电子技术的广泛应用为标志的第三次科技革命，又称"电子革命"，使人类从电气时代进入了电子时代，生产实现了自动化。

资本主义经济的现代化，其本质是指农业社会向工业社会的转化，从内容上看，至少包括工业化、技术化和城市化。经济现代化也即现代经济增长，它包含了生产方式的改进、生产能力与效率的提高、经济活动空间的扩展，并通过经济结构、人均产值等经济指标表示出来。现代化是一个相当长的过程。在这个过程中，科技革命是具有关键性作用的一环。伴随着科技革命，资本主义世界市场形成并促进了资本主义经济现代化的发展。两次科技革命的完成，促成了工业社会的到来。第三次科技革命和国家垄断资本主义的发展，世界经济的现代化出现了经济全球化的趋势。工业革命后的200年间，工业经济的发展一直被认为是现代经济增长的主题，并以此所带来的经济活动结构的变动和经济增长率的提高来衡量经济现代化的程度。

科技革命最先作用于生产力，引起工业革命，工业革命导致社会结构的变革，促进社会向前发展，推动资本主义经济现代化进程。科技革命通过作用于生产力的三要素，并改善生产的组织管理形式，促进生产力发展，促使工业革命的发生和生产方式的重大变革，推动整个社会经济的总体发展。在18世纪前的1000年里，欧洲人均收入的年增长率只有0.11%，每630年才增长一倍。从1820年到1990年，即从第一次工业革命到第三次工业革命期间，人均收入年增长率在英国翻了10倍，德国翻了15倍，美国翻了18倍，日本翻了25倍。其中第一次科技革命创造的工具蒸汽技术使社会生产力实现了巨大飞跃，使社会生产从手工劳动进入机器时代，导致了社会生产力的巨大发展。当科技革命的成果在生产中大规模地应用与推广，推动生产力大发展，并引起产业结构、产

第一章 当代资本主义经济的历史演变及基本特征

业运行方式、产业规模发生相应变化时,科技革命便转化为工业革命。每一次工业革命都是和科技革命后生产力的大发展相伴而生的。第一次科技革命时,蒸汽机的广泛使用,使生产手段发生了重大变化,蒸汽动力改变了传统工业部门的生产面貌,工业革命开始起步,机器大工业的生产方式逐渐取代了工场手工业,成为社会经济结构的主体。第二次科技革命,电力成为主要的动力,劳动方式发生了重大变化,改变了工农业生产及整个社会生活的面貌,成为第二次工业革命的主要内容,并导致冶铁技术的突破和钢铁工业及交通运输业的发展,使西方发达的经济结构迅速变化,导致公司化生产方式的出现,促进了规模经济的发展。第三次科技革命时,电子技术的广泛应用,使生产逐渐转向自动化,使劳动者逐渐从繁杂的体力劳动中摆脱出来,有时间进行技术的开发创新,劳动者的智力水平大大提高,产生了一系列如电子材料、电子器件、计算机等新兴产业,社会经济结构进入了自动化的新阶段,导致了第三次工业革命。

　　工业革命既是市场扩大的需要,又导致了资本主义世界市场的初步形成。它提高了生产力,引起了社会结构的变化,并开始推动城市化进程。工业革命推动了人类的工业化进程,第一次革命于18世纪60年代首先从英国开始,19世纪初在欧美各主要资本主义国家扩展。19世纪上半期英国完成工业革命,欧美各国完成于19世纪中期。第二次工业革命开始于19世纪70年代,至20世纪初期基本完成。日本和俄国是两次工业革命交叉进行的。从20世纪40年代开始的新技术革命被称为"第三次科技革命"。工业革命是资本主义发展史上一个极其重要的转折点,由它开始的资本主义才是真正意义上的资本主义。以机器生产代替手工劳动,以工厂代替手工工场,经济领域的这一巨大变化,引起了社会经济结构和阶级结构的巨大变化。第二次工业革命不仅极大地推动了资本主义经济的发展,而且由于它以重工业为重点,具有极强的经济改造和社会改造能力,使主要资本主义国家的经济结构发生了根本性的变化,由轻工业为主导转变为重工业为主导,由农业为主导转变为工业为主导。到20世纪初,西方主要资本主义国家基本上实现了工业化,完成了由农业社会向工业社会的转型。第三次科技革命使科技发展加速,并呈现出高度分化和综合的趋势;它促使生产力三要素发生巨大变化,使生产率显著提高；引起了产业结构和阶级状况的变化，引起了世界经济的变化，使世界经济结构出现新的格局。

3. 资本主义精神的确立

20世纪初，德国著名社会学家马克斯·韦伯发表了《新教伦理与资本主义精神》一书。他在书中提出西方经过宗教改革形成的新教，尤其是英国的清教孕育了一种"资本主义精神"，而这种精神对于近代资本主义的产生和发展起到了巨大的推动作用。资本主义精神在西方近代资本主义发展中起了重大作用，"近代资本主义扩张的动力，并不是由于资本主义活动的资本额的来源问题，更重要的是资本主义精神的发展问题。"资本主义精神作为一种内在的动力推动了近代资本主义的发展。

所谓近代资本主义精神就是一种理性地追求利润的态度。在《新教伦理与资本主义精神》中，韦伯借本杰明·富兰克林之口道出了资本主义精神的实质："时间就是金钱"、"信用就是金钱"。根据韦伯的表述可以把其资本主义精神归纳为以下几点：（1）劳动被当成一种自身的目的来评价，劳动是一种美德和义务。（2）在资本主义社会里，专心致志地谋财致富和从事高利润的贸易不仅被视为个事业成功的根据，而且被作为个人美德和才干的一种证明。（3）隐藏在经济成功的正当追求背后的是这样一种信仰，为了追求未来的最大幸福和最大成功，必须杜绝即时的享受，推迟幸福欲望的满足。（4）在方法论上受到理性支配的有条理的生活方式不仅是实现长期目标和获得经济成功的一种有效手段，而且在本质上被视为正当和合适的行为，这种"有关合理、系统地安排整体道德、生活的戒律"变成了增加上帝荣耀的新教徒的全部行为方式的合理规范。

资本主义精神获致于西方宗教，是经过宗教改革后形成的新教，新教的禁欲主义与经济获利行为相结合形成了近代资本主义精神。新教特别是加尔文教中有两个观念，对资本主义精神的产生发展最为重要。其一是"天职"观念，这是古代及中世纪基督教神学中未曾有过的观念。它的基本含义是：最高形式的个人道德义务，就是完成他在世俗事物中的责任，通俗地说，就是每个人必须勤勉于自己的本职。另一个观念是只有世俗职业上的成功，才是成为上帝选民（这是所有基督徒所追求的终极目标，也就是所谓"蒙恩"或"获救"）的最终标志。因此，财富的

第一章 当代资本主义经济的历史演变及基本特征

积累，只要是通过节俭、勤勉的劳动生活得到的，在道德上便无可非议。而财富本身，只有当它被用于骄奢放纵的享受时，才是邪恶的。正是在这两个观念结合渗透的基础上，形成了资本主义精神，促成了资本主义的原始积累和发展。

新教的禁欲主义灌注于经济活动中，使之在世俗之中将这种行为理性化。新教的禁欲主义把世俗的劳作与神圣的"天职"结合起来，认为为了信仰而劳动，即使报酬很低也是最能博得上帝欢心的。劳动是一种天职，是最善的，归根到底是获得上帝恩宠确实性的惟一手段。雇主的商业活动也是一种天职，并且只能通过完成神圣的"天职"去寻求上帝之国。因此，严格的禁欲主义和勤勉劳动是必要的，是对上帝应尽的职责。理性禁欲及勤勉劳作，可"增益上帝的荣耀"。通过教育，这种禁欲主义与职业观灌注于经济获利活动中，可使人们养成自愿劳动，勤奋节俭的习惯，资本主义精神由此产生。勤俭必然带来财富，从而促进了原始积累时期资本主义的发展。正是这些构成了清教徒富有进取心和冒险精神，并崇尚节俭和勤勉生活方式的人的思想，这种思想客观上与资本主义精神有耦合之处，推动了资本主义的原始积累，推动了资本主义企业的扩张。

因此，在韦伯看来新教伦理即是新教禁欲主义，是一种抑制自己欲望、勤奋工作、为社会服务的伦理。他非常形象地把近代资本主义精神概括为："一手拿《圣经》，一手拿算盘。"所谓"圣经"就是"新教伦理"，"算盘"就是经济获利行为。这句话的意思是指资本主义经济获利活动要有新教伦理限制。早期资本主义的经济活动正是具有了这样一种宗教限制，才发展出了近代资本主义精神，这种精神气质促进了资本的积累与快速增值，有助于社会再生产，推动了资本主义商品经济的发展，从而推动了资本主义发展。

1.1.4 当代资本主义的形成

马克思认为，利润是资本主义生产的惟一目的，而竞争则是迫使资本家努力攫取更多利润的外在压力，要获取更多利润并保证在竞争中获胜，就要使商品成本降低，价格更加便宜。为此，要不断提高技术水平，提高劳动生产率，这又将导致有机构成的提高和生产规模的扩大。另外，在激烈的竞争中，大资本的地位较小资本巩固得多。因此对于资本家来说，极力扩大资本和生产规模，不仅仅是获取更多剩余价值的需要，也是保存自己的需要。而扩大资本和生产规模的途径：一是资本积聚，二是资本集中。

19世纪后半期，随着铁路大规模兴建，刺激了冶金、采煤、机械等重工业的发展。这些现代企业的规模已突破了家庭经营的天然界限，提出了资本社会化的要求。它一方面为企业之间联合控制市场提供了条件，另一方面加剧了竞争，在弱肉强食的竞争中形成垄断。垄断向金融领域渗透，产生了金融寡头，主宰了资本主义社会的经济生活；垄断向政治领域渗透，主宰了资本主义社会的政治生活，产生了帝国主义。垄断对经济生活的影响是双重的，抑制与促进并存。垄断缓解了外部竞争的压力，但也抑制了技术进步的内在动力，导致了停滞的趋势，破坏了自由市场经济中的微观基础，也从根本上动摇了自由市场经济体制。

当资本主义各国完成了工业革命并基本实现了工业化，市场经济制度主宰了全球经济生活的大部分，能维系再生产而保证社会群体物质利益的，乃是市场连续和正常的运动。20世纪初期，以争夺殖民地市场为直接原因的国际之间的商战演化成了集团利益对抗，并引爆了人类历史上的第一次世界大战和1929~1933年资本主义世界历时最长、损失最大的一次经济大危机。经济大危机发源于美国，它通过各种传导机制迅速在资本主义世界扩散。危机中大批企业倒闭破产，成千上万的劳动者失业，自由市场体系彻底崩溃。当大危机袭来，面对自由市场经济的破产，罗斯福在美国实行新政，加强了政府对经济的干预和调节，从而开创了混合经济的新时代。英、法等国紧步其后。而德、意、日却选择了对外掠夺，对内扩张军事经济，政府实行经济统制的法西斯道路。在国际之间，各国为了自己的生存和民族利益，竞相采用关税战、倾销、货币战等手段争夺有限的世界市场，最终导致多边支付体系的崩溃和集团对抗。国际协调失败，愈演愈烈的商战成为二战的序曲。

世界大战是自由市场经济矛盾的结果，而大战期间正是国家垄断资本主义大规模的实验期。战时经济或由国家将私人企业收归国有，或由国家预算拨款兴建军需企业，促进了国家政权与垄断资本的结合。资本主义的国有企业是国家垄断资本主义的重要形式，财政和金融政策是国

第一章　当代资本主义经济的历史演变及基本特征

家垄断资本调节经济的重要手段，有时也利用计划进行调节。

二战的影响是极其深远的。一方面，战争造成极大的经济破坏，需要进行恢复；另一方面，战争表明世界经济关系需要重新进行大调整。因此，二战结束初期，改革与恢复是世界经济的主题。各主要市场经济国家都在探求各自的改革方案。联邦德国形成社会市场经济，日本形成以政府为主导的市场经济，英国采取了国有化措施，法国则实行经济计划，美国沿袭罗斯福新政时期对经济干预的一些措施，形成混合经济。国际经济秩序的重建则涉及到重建国际货币体系，一是建立以美元为中心的布雷顿森林体系；二是重建国际贸易体系，经过关税和贸易谈判，签订了以自由贸易为原则的《关税与贸易总协定》。

由于生产社会化和占有私人性这一基本矛盾的激化，资本主义通过两次世界大战的爆发，导致了15个社会主义国家的先后诞生。又在20世纪70年代之后随着石油危机的爆发，发生了战后资本主义世界最严重的经济危机。但就整个20世纪后半叶总体考察，资本主义不仅在50～70年代之间经历了一个经济有较快发展的"黄金时期"，而且在80年代末90年代初，还通过推行和平演变战略，作为外因促成了东欧剧变、苏联解体；1991年3月以后，美国又借助于高新科技，推进了其高增长率、低通胀率和低失业率的"新经济"；随后，在金融投机用高新科技股值狂升去掩盖企业的实际亏损的事件逐渐暴露以后，泡沫破裂，在2000年导致股市崩溃、经济衰退，但在2001年底又开始复苏。

在资本主义发展历史中出现这种风云变幻局面的根源，并不是因为资本主义社会的基本矛盾已经解决、资本主义的本质已经改变，而是因为资本主义制度在私有制许可范围内，在生产力、生产关系和上层建筑各个领域内，对其具体制度进行了一系列的自我调节、改良和改善，并对资本主义经济和社会的运行管理机制做了不少的改革，由此推动了当代资本主义种种新变化的出现，显示了资本主义的新特点。

1.2　当代资本主义经济的基本特征

自从资本主义制度以英国资产阶级革命为主要标志正式确立以来，

在其360多年的发展历程中，经过了几个发展阶段、几次快速发展和几次停滞。进入20世纪以后，更是跌宕起伏、风云变幻，并形成了自己的一些基本特征。

1.2.1 当代资本主义经济是高度发达的市场经济

19世纪末期，资本主义在完成工业革命的时候，最终确立了市场经济。这种市场经济的原形是自由竞争的市场经济。所谓自由竞争的市场经济就是完全以市场机制作为资源配置的调节者的经济。指导这种自由竞争的市场经济的主流理论是亚当·斯密、萨伊等人阐发的经济自由主义或自由放任主义。对内主张放任自由，对外主张自由贸易，反对国家的干预和保护。在资本主义发展的一定阶段上，这种自由竞争的市场经济曾以很高的经济效率急剧地增加了西方资本主义国家的国民财富，使它们率先完成了现代化，但它在极大地发挥了新兴资产者的主观能动性、成功地促成经济增长、对产业文明和物质文明做出重大贡献的同时，也产生了不少问题，暴露出不少弊端。并终于导致了1929~1933年资本主义世界体系的经济危机和罗斯福的"新政"：资本主义国家对经济生活的干预实践。

但国家干预也有其负面效应，一是资源配置易于失误；二是政策和管理也易于出现失误；三是压制必要的自由竞争，形成国家垄断；四是机构开支庞大、效率低下；五是不利于社会和个人充分自由地发挥积极性和创造性等。在实际生活中，这种国家干预在20世纪70年代遇到了经济停滞和通货膨胀同时并发、相互结合的"滞胀"的挑战。凯恩斯主义的调整宣告失灵。在这种背景下，反对国家干预经济生活而复活经济放任主义的货币主义和供给学派出现。这说明当代资本主义经济在本质上仍然是高度发达的市场经济。

当代资本主义的市场经济以美国最为典型。它较为完整地经历了自由市场经济和现代市场经济阶段，形成了较为成熟的国家对市场经济行为过程进行调节的机制，其特征在于：

1. **高度的开放性**

在追求利润、取得竞争优势及谋求经济发展等推动力的作用下，当代资本主义市场经济已远远超出一国范围，全球化的趋势大大加强。生

第一章 当代资本主义经济的历史演变及基本特征

产活动全球化、商品流通全球化，跨国公司作用进一步加强。

2. 高度的法制化

在当今发达资本主义国家，由于市场经济的高度法制化，使经济在运行过程中市场信号清晰、市场行为透明，从而带动整个市场经济运转的高效。因而，西方国家常把市场经济称为契约经济或法制经济。

3. 高度的竞争性

政府干预成为市场经济的重要组成部分，但这并不是说资本主义国家市场经济的竞争性减弱了，相反，市场经济的竞争性有了进一步发展。这主要表现在：竞争程度更加激烈、竞争范围更广和竞争手段更加多样。

4. 市场体系的高度完善

资本主义市场体系的高度完善是指资本主义国家的各类市场真正发展到现代化程度。20世纪50年代以来，伴随着新科技革命浪潮的兴起，资本主义国家的经济发展进入景气阶段，其市场体系也逐步发展到现代化水平，其中以金融市场、劳动力市场、技术信息市场和房地产市场最具代表性。

1.2.2 资本主义所有制形式多元化和多层次化

生产资料所有制历来是任何一种社会经济制度的基础，它决定着这一社会制度下人们的相互关系，以及在这种社会制度下如何分配产品。二战以来，发展着的生产力和生产社会化对于狭隘的资本主义私有制日益增长的压力，迫使资产阶级不得不在资本关系内部可能的限度内，越来越把生产力当做社会生产力来看待。资本主义社会中的股份制、托拉斯、国有化等在此背景下发展起来。

资本主义所有制在内容和形式上的不断更新，出现了多元化、多层次的变化趋势。当代资本主义所有制形式主要包括：私人垄断资本所有制和国家垄断资本所有制。其中私人垄断资本所有制形式是基础，国家垄断资本所有制形式是主导，是当代资本主义所有制中的主要部分。

1. 私人垄断资本的基础地位不断得到加强

二战后，新科技革命和社会生产力的迅猛发展对资本主义生产关系的变革产生了重大影响，私人垄断资本也出现了一些新的特点：

(1) 私人垄断资本迅速扩张。二战后，企业兼并速度显著加快，被兼并的除中小企业外，还有相当数量的大企业。同时，在兼并方式上，混合兼并的比重越来越大。随着生产集中的进一步发展，企业规模不断扩大，巨型企业增加，垄断程度提高。主要资本主义国家的一些重要工业部门的生产和销售出现了被几家超级垄断公司控制的局面。

(2) 私人垄断资本出现了跨行业、跨部门多样化经营的趋势。由于竞争激烈和混合兼并，垄断组织的生产和经营日益向综合性、多样化发展，混合企业大量出现。混合企业的多样化经营，包括经营环节、层次的多样化和产品的多样化。混合企业已成为当代资本主义国家私人垄断组织新的主要形式。它的发展进一步增强了垄断资本的实力和统治地位。

(3) 私人垄断资本日益向国际化发展。战后垄断组织向国际化发展的突出表现是跨国公司的迅速增长。跨国公司是以本国总公司为基地，通过对外直接投资在其他国家和地区设立子公司或分公司，从事跨国界的生产、销售和其他业务活动的企业。当今发达资本主义国家最大的垄断公司几乎都是跨国公司，其国外经营额占全公司营业额的比重不断上升。跨国公司的广泛发展意味着私人垄断资本主义生产关系的国际化。

2. 国家垄断资本的广泛、迅速和持续发展

随着新科技革命的迅猛开展和生产社会化程度的提高，国家垄断资本在各主要资本主义国家都获得了前所未有的大发展，国家垄断资本主义的发展，是当代资本主义国家在资本主义范围内对社会生产关系进行的重大调整。国家垄断资本在经济生活中占据了主导地位，从而使垄断资本主义进入了一个新的发展阶段，并呈现出其特点：

(1) 国家垄断资本的发展具有稳定性、全面性。随着现代科技的空前发展和生产社会化水平的大幅提高，在当代资本主义国家社会资本再生产的过程中产生了对国家调节的一系列经常的需要，从而使国家对经济的干预和调节成为经常性、大规模地，当代国家垄断资本的发展进入了一个持续发展的时期，具有相对稳定性。同时，国家垄断资本主义的发展具有全面性。当代国家垄断资本的发展突破了以往出于战争或反危机的需要而只限于采取某些形式和措施的局限，扩展到更为广泛的领域，获得了全面的发展。

(2) 国家垄断资本主义本身已具有多方面的内容和多种形式。一是

第一章 当代资本主义经济的历史演变及基本特征

国有企业。资本主义国有企业是国家可以运用的经济力量,在宏观经济中起重要作用;二是国私合营企业。国私合营企业作为国家垄断资本主义的基本形式之一,在当代获得了较大发展;三是国家垄断资本和私人垄断资本在社会范围内的结合。二者的结合贯穿在资本主义生产和再生产过程中,实现途径范围较广。

(3) 国有经济在资本主义各国国民经济中占有一定比重,国家掌握相当大比重的国民收入。战后,一些主要资本主义国家以国有化运动的新形式发展国家垄断资本主义,国有企业越来越多。

(4) 在国家垄断资本主义的基础上,出现了发达资本主义国家"经济一体化"的趋势。各资本主义国家为了维护其经济利益,增强对外竞争力,以不同的形式结合起来,从而出现了发达资本主义国家经济一体化的趋势。出现一体化组织,典型的如欧洲联盟和北美自由贸易区。它是生产和资本国际化发展的结果,也是资本主义国家干预、调节经济深化的表现,实际上是国家垄断资本主义国际化的高级形式。在一体化集团中,国家垄断资本主义起了很大作用。

3. 私人垄断资本与国家垄断资本密切结合

二战后,国家垄断资本主义获得了广泛的发展,成为现代资本主义在经济方面的一个极为重要的现象,成为资本主义国家的一种普遍的占主导地位的垄断形式。虽然私人垄断资本仍是基础,私人垄断组织和金融资本的统治仍然存在并进一步发展,但私人垄断资本在社会总资本的运动中已很难离开国有垄断资本的结合而单独进行了。二者的结合主要体现在以下几方面:

(1) 私人垄断资本和国家垄断资本在企业内部结合。这种结合的组织形式主要是国私合营企业。它由国家垄断资本与私人垄断资本混合组成,股份所有权分属国家和垄断组织。私人垄断资本借助这种形式可以直接利用国家垄断资本加强自身经济实力和竞争能力,更方便地从国家得到信贷、补贴、税收、订货等方面的优惠,保证了私人垄断资本摄取高额垄断利润。

(2) 私人垄断资本和国家垄断资本在企业外部结合。这种结合是二者在社会范围内的结合,贯穿于资本主义生产和再生产过程中,表现在生产、价值实现和分配等各个方面。在生产上,垄断资本家所需要的资本、技术和劳动力，都要依靠国家的积极干预；在价值实现上，战后国家采购的商品和劳务有了极大增加，为私人垄断资本提供了重要、稳定的市场；在分配上，战后国家通过税收等手段，把利润的近半数集中在自己手中，然后通过低价售出或高价购入及参与私人垄断资本生产的各种方式，对价值进行有利于垄断资本家的再分配。

(3) 在资本输出领域内，国有垄断资本也是推动私人垄断资本输出的工具。通过国家信贷、国家对投资信息的提供及国家对投资的保证等，国有垄断资本对私人垄断资本的输出提供了强有力的支持。

透过这些形式，可以看到国家垄断资本与私人垄断资本结合，国家作为一种上层建筑，发挥资本主义制度"守夜人"的传统作用，履行其政治、立法等职能，而且作为经济基础的一部分，通过国家资本和国家经济机构，参与私人资本的运动，调节社会的再生产过程，履行一定的组织经济职能。国家凭借其掌握的财力和资源，为垄断资本整体服务。它利用强大的经济力量，参与了社会资本再生产过程，从而大大增强了私人垄断资本的力量，促进了私人垄断资本再生产的进行，为加速私人垄断资本的循环和周转创造了有利条件，促进了私人垄断资本再生产的顺利进行；在一定程度上克服了私人垄断资本数量的限制，能够兴办规模更大的企业和事业，促进了各种事业的发展，从而推动社会经济进步。国家垄断资本与私人垄断资本的结合在一定时期和一定程度上适应了生产力的要求，从而促进了生产力的迅速发展。

1.2.3 市场机制运行基础上国家干预的强化，具有全面性、系统性和稳定性

二战前，西方主要资本主义国家对经济的调节虽已出现，但基本上是被动的、应急的、临时的和局部的。二战以后，资本主义经济的发展越来越需要国家这只"看得见的手"，对整个社会经济实行宏观调节，只有在这个时候，国家对经济的调节具有了主动性、经常性、全面性。

二战之后，国家之所以要对经济进行全面的、广泛的和稳定的干预，归根结底是因为世界第三次科技革命在促进社会生产力发展和社会进步的同时，带来了一系列新的矛盾和新的问题：生产与消费需求相对狭小的矛盾，使得更为严重的生产全面过剩的危机不可避免；部门之间和部

第一章 当代资本主义经济的历史演变及基本特征

门内部互相依赖的加深与私人资本相互之间竞争日趋加剧的矛盾,使国民经济按比例协调发展的客观要求,与私人垄断企业追逐高额垄断利润动机驱使下不愿进行风险大、周期长、利润小的投资相矛盾;高科技研究开发和高新技术成果运用的巨大投资需求与私人垄断组织所支配资本有限的矛盾;社会贫富两极分化和严重的阶级对立;极大的产品供给和巨额资本供给与国内市场相对狭小之间的矛盾。国家干预经济政策正是为解决这一系列矛盾和问题而发生重大改变的。

在当代资本主义条件下,国家干预经济主要表现为:一是国家作为市场的一个主体,参与生产过程。国家通过直接投资拥有国有资本并部分地直接经营国有资本,以及作为公共消费品的最大购买者和债券的最大发行者,参与社会资本再生产;二是国家作为全部经济活动的监控者,监控全国经济活动。国家通过自己拥有的行政暴力机器和立法、执法权,制订各种经济法律、法规,成立各种监督机构,对整个国民经济进行管理,实施对全部经济活动的监督和控制;三是国家作为国民经济的领导者和调节者,调节宏观经济。国家通过宪法规定的和公认的凌驾在一切阶级之上的权威地位,运用计划手段、经济手段、法律手段以及必要的行政手段,对经济进行宏观调节。

在资本主义条件下,垄断调节机制发挥其作用,形成国家垄断调节体系。宏观经济调节就是国家或政府依据某些经济理论,有意识、有计划地运用一定的政策工具,调节控制宏观经济的运行,以达到一定的经济和社会目标。从西方国家调节的实践情况来看,这些目标一般包括充分就业、经济增长、物价稳定和国际收支平衡四项。国家对经济进行宏观调节的手段主要有计划手段、经济手段、法律手段。此外还有必要的行政手段。

战后垄断资本主义国家通过财政货币政策和宏观综合管理政策进行的经济干预调节,在一定程度上改变了资本主义的运行机制和调节机制,对于实现充分就业、稳定物价、实现经济增长国际收支平衡等目标,相对地适应生产社会化的要求,缓解了矛盾,促进资本主义发展起到了一定的积极作用。

显然,国家干预的基本目的,从实质上讲,是为了克服市场的局限,弥补市场失灵,帮助私人垄断企业在新的历史条件下解决集中资本、扩大生产、坚持竞争、提高效率过程中所遇到的障碍和问题,疏通市场机制,协调经济关系,缓解社会矛盾,维护资本主义生存,促进经济发展。

恩格斯曾经一针见血地指出,现代国家,不管它的形式如何,本质上都是资本主义的机器,资本家的国家,理想的总资本家。西方发达国家不是作为"全民"的代表,而是作为总资本家的代表,来履行经济职能的。在当代资本主义条件下,支配全部经济生活乃至全部社会生活的不是一般的资产阶级,而是垄断资产阶级,因而国家是作为垄断资产阶级的代表,来履行经济职能的。国家作为垄断资本主义的代表,对全部经济生活进行全面的、系统的和稳定的干预,被称为国家垄断资本主义。这是当代资本主义不同于垄断资本主义的最重要的特征之一,甚至可以说是当代资本主义的最重要的特征。

1.2.4 "福利社会"与社会保障制度的不断完善

社会福利制度是发达资本主义国家政府,以社会福利形式对国民收入进行再分配的一种制度。作为一种社会分配制度,它是在二战后形成和发展起来的。

资本主义福利制度的萌芽在资本主义早期就已经出现,如1601年英国政府颁布的历史上第一部具有社会保障性质的《济贫法》。此后300多年,资本主义社会福利制度经过曲折发展,直到二战结束前,资本主义各国所实施的社会福利费用较少,范围不广,主要是救济性的,因此还不能说已经形成一套社会福利制度。随着工人运动的发展,资产阶级为了保持自己的政权,日益把改良让步作为一种统治方法和管理方法,用社会改良来反对社会革命,用局部修缮资本主义制度来反对工人阶级用革命手段去推翻资产阶级政权。二战后,一些资本主义国家以保障每个公民获得当时条件下的一般生活水平为口号,开始建立"社会福利制度",从此,"福利社会"这一概念广泛流行,许多资本主义国家也都以"福利社会"标榜起来。

资本主义国家社会福利制度的具体内容和形式,不同的国家不尽相同。在日本,把它划分为社会保险、国家救济、社会福利、医疗保健和义务教育五部分。在英国分为社会保险、国民保健服务、社会福利、个人生活的社会照顾四部分。被誉为"福利国家橱窗"的瑞典,社会福利

第一章 当代资本主义经济的历史演变及基本特征

由六个部分组成:社会保险与社会救济、失业津贴与救济、残疾社会救济、免费教育与家庭福利、住房补助、职业培训。"福利社会"的社会福利来源于三个方面:(1)国民收入再分配。由政府拨款,它占社会福利开支的20%~40%不等。(2)资本家交纳的捐款和税收。(3)工人交纳的捐款和所得税。

资本主义的社会福利制度对资本主义社会有积极的影响,对资本主义国家的政治稳定、经济发展、社会进步起到促进作用。具体表现如下:第一,社会福利制度的实施,改善了人们的生活状况,保障了多数人的最低经济要求和社会需求,从而为资本主义国家的经济发展和社会安定提供了前提和保证。第二,社会福利制度是国家收入再分配的一种形式,政府通过福利支出可以适当调节社会需求,刺激或抑制消费,从而推动经济发展。第三,资本主义的福利制度的确立和发展还促进了资本主义国家第三产业的发展,因为社会保障制度的发展需要相应的配套措施,如职业培训、医疗保健等部门,这些部门的发展一方面提高了社会文化生活水平,另一方面增加就业机会,缓解了失业对社会的压力。第四,资本主义社会的福利制度的推行虽未能消除社会的贫困现象,也未达到完全意义上的收入平衡,但在一定程度上抑制了社会的贫富悬殊和两极分化。第五,通过社会保障制度向竞争失败者发放津贴,为失业者提供基本生活保障,为他们参与再竞争创造条件,这样保证了经济扩张时对劳动力的需求。

但是资本主义社会的福利制度在对社会经济的发展,起到推动作用的同时,它产生的负面效应也是巨大的。例如,加重了政府的财政负担;推动物价上升,造成通货膨胀;产品竞争力下降;带来了大量的社会问题等等。

社会福利制度的困境迫使西方发达国家从20世纪80年代末,着手对这一制度进行调整或改革,竭力控制和削减各种社会福利支出,或推动社会福利"私有化",也就是将部分支出转由私人、企业和团体承担。但是,要调整现有的社会福利制度并不是一件容易的事,社会福利是一个十分复杂和敏感的社会问题,它涉及各利益集团,不同阶层的实际利益,对维持资本主义社会具有牵一发而动全身的作用,所以调整也是十分困难的。

1.2.5 劳资阶级及其关系的新变化

在当代资本主义条件下，西方主要资本主义国家仍然存在着资产阶级、无产阶级两大基本阶级。但是，为适应资本主义经济由大规模生产制向灵活生产制、由福特主义向后福特主义的转变，要求把工人由"会说话的机器"逐步变成被看做是"经济人"、"社会人"、"文化人"，乃至"能力人"，以调动起生产积极性、协调劳资关系、实现资本增值，发达资本主义国家实行了多层次、多形式的雇员参与决策和管理的制度。因此，资产阶级和无产阶级两大基本阶级无论是它们自身还是它们的相互关系，与以往的各个历史阶段相比，都有了新的变化。

1. 在资产阶级方面

第一，涌现出一个知识资本家（简称"资本家"）阶层。

世界第三次科技革命日益向纵深发展，新兴科技成果层出不穷。特别是高新科技成果的大量问世，使不少科技工作者因享有重要知识产权而"暴富"，更有一些享有重要知识产权的科技工作者直接将其成果运用于生产。这个"知本家"阶层无论是绝对数，还是在整个资产阶级中所占的比重，都在不断增加，日趋成为资产阶级中最有生气和活力的重要力量。

第二，家族资本家阶层的地位继续相对下降。

一方面，股东人数迅速增长，股权日益分散化；另一方面，公司、银行以及各种基金会、保险公司纷纷购买股票，法人相互持股普遍化。原有的家族资本在公司中不再举足轻重。但是，由于股权分散化，公司有效控股额大大降低。其他股东由于持股少不愿与公司董事们进行权力较量，让有效控制者们在家族以外选聘的高级管理人员控制公司的实权。通过他们实现对公司的间接控制，也就是说，家族资本家对企业由集中控股方式的直接控制，改变为相对集中控股方式的直接控制与在家族外选聘高级职员间接控制相结合。

第三，"高管"资本家阶层日趋成为资产阶级中的领导阶层。

"高管"资本家阶层，主要包括公司的董事长、董事、总经理以及主管技术和财务等方面的高级管理人员。高级管理人员拥有大量资产，直接控制巨额资本，掌握大公司的决策权和经营管理权，通过公司之间的

第一章 当代资本主义经济的历史演变及基本特征

相互参股,相互担任董事,有着极为广泛的上流社会的联系,并且他们接受过正规的专业教育,具备进入官僚机构应有的知识和能力,通过对选举的控制和影响,他们中的不少人出任政府高级职位,直接参加或影响国家政策的制订。

第四,官僚阶层日趋庞大。

官僚阶层是由政府机构和其他重要机构的上层官吏构成的资产阶级中的一个阶层。当代资本主义条件下,国家职能空前增加,政府发挥着越来越重大的作用,从而官僚机构空前庞大,上层官吏人数日趋膨胀,资产阶级中的官僚阶层也日益庞大起来。

第五,食利阶层人数增长和他们的财产不断积累。

在西方主要资本主义国家的所有资本收入中,净利息收入是增长最快的。不仅所有资本收入中,净利息收入增长最快,而且净利息收入在所有资本收入中比例最高。当代资本主义条件下,食利者的人数急剧增长和他们的财产不断快速增长。

2. 在雇佣劳动者阶级方面

首先,雇佣劳动者在数量上有较大增长。

西方主要资本主义国家雇佣劳动者的数量不断增长。雇佣者劳动者人数的这种迅速增长,主要是由于农业现代化而使农村个体劳动者人数绝对减少的结果。

其次,雇佣劳动者在素质上有了很大提高。

在当代资本主义条件下,随着新的科技成果在生产中得到越来越广泛的应用。对雇佣劳动者的知识要求和技能要求越来越高,资本主义企业为培养合格劳动者,加大教育培训支出,劳动者出于避免失业和获取更多收入的考虑,也愿意接受更高的文化教育和职业培训,这样,劳动者的素质得到了明显提高。

最后,服务业工人在雇佣劳动者中位居主体。

按三次产业来划分,雇佣工人相应的可划分为农业工人、工业工人和服务业工人三大类。由于产业发展的内在规律,当代资本主义国家第三产业发展最快,在这个产业中就业的工人也增长最快,在雇佣工人中第三产业的工人比重不断提高,现已成为雇佣劳动者的主体。与此同时,农业工人和工业工人在全部雇佣劳动者中的比重不断下降或缓慢增长。

二战后，西方主要资本主义国家的资产阶级与无产阶级之间的两极分化，不仅没有减缓，而且有加剧的趋势；贫富之间的鸿沟不仅没有缩小，而且有扩大的趋势。

1.2.6 经济关系呈现资本国际化和全球一体化趋势

二战以后，世界处在持续不断的大变动中：由战后形成的两大阵营的对立，发展为20世纪60年代的由相互争霸的美苏两个超级大国构成的第一世界、由亚非拉等地区的发展中国家构成的第三世界，以及由这两者之间的发达国家构成的第二世界这三个世界的鼎立。20世纪70~80年代，和平与发展取代战争与革命成为时代的主题，以及随着20世纪80年代末90年代初东欧剧变、苏联解体所导致的两极格局的终结而出现的世界政治格局朝多极化方向发展，随着生产力发展和科学技术进步而出现经济全球化。当前，经济全球化已成为世界的一个基本经济特征，政治格局多极化则成为一种不可阻挡的历史潮流，它们构筑了当代资本主义在其中演进和发展的时代背景。

1. 资本国际化

资本国际化是指为了获得最大限度的利润，资本愈来愈多地跨越国界，在世界范围内进行生产经营活动的一种趋势。资本在其循环过程中采取了商品资本、货币资本和生产资本等三种职能形态。资本国际化就是这三种职能形态的资本向国际范围扩张。因此，资本国际化具体表现为商业资本国际化、货币资本国际化和生产资本国际化。

2. 经济全球化

资本主义虽发端于西欧，但从一开始其本性就注定了要充当全球化的历史工具，从最初的贸易和商业资本的世界化，到工业资本和银行资本的国际化，直到今天形成信息、通讯、技术、资本、市场等所有方面的高度全球化，及有利于调整产业结构和调节经济部门间的平衡，一定程度地缓和了资主义国家间的矛盾和冲突。

经济全球化决非仅指资本、货币、商品和其他生产要素的国际流动，它更指世界各国经济相互联系、相互依赖的增强。二战后，经济关系的国际化到了一个新的阶段，即进入了经济全球化的阶段。20世纪80年代中期以后，特别是进入90年代以后，经济全球化的进程加速，致使世

第一章 当代资本主义经济的历史演变及基本特征

界各国经济都卷入全球化洪流之中,极大地加强了各国经济之间的相互联系、相互依存的关系。经济的全球化是以经济关系国际化特别是以资本国际化等为基础发展起来的,是经济国际化发展的新阶段。

3. 跨国公司的发展及其在资本国际化和经济全球化中的作用

在资本国际化和经济全球化进程中,跨国公司起着重要的作用。跨国公司是通过对外直接投资,在其他国家、地区设立分支机构,从事生产、销售或其他经营活动而形成的一种国际性企业。二战之后,跨国公司呈现非常迅猛的发展态势。

跨国公司在资本国际化和经济全球化中起着重大的作用。其主要表现为:

第一,跨国公司是资本国际化、经济全球化的微观基础。首先,跨国公司的投资体制是国际资本流动日趋活跃的微观渠道;其次,跨国公司并购浪潮是国际资本证券化的助推器;最后,金融服务业跨国公司的巨大发展是国际资本紧密联系的重要纽带。第二,跨国公司是推动世界贸易自由化的微观动力。第三,跨国公司的战略性扩张是世界生产一体化的微观纽带。第四,跨国公司是国际技术转移的有效通道。

目前,跨国公司的发展呈现出下述趋势:其一,技术研究和开发国际化合作趋势;其二,对发展中国家的直接投资有加强趋势;其三,知识型投资从而知识性产品生产成为主要投资和生产活动;其四,强强联合式的兼并使之规模不断扩大;其五,各国跨国公司有相互结成联盟的趋势;其六,跨国公司的新形式——全球公司即打破国与国界限,由不同国家的人领导的联合公司呈发展趋势。

1.2.7 经济区域集团化与经济民族化

区域经济集团化的趋势初始于20世纪50、60年代的欧洲,但真正形成大浪潮还是在20世纪80年代末90年代初。形成这种集团化浪潮的原因:一是随着世界经济一体化趋势,各国相互联系日益紧密,使区域经济集团化成为需要和可能。二是在世界科技浪潮推动下,生产力向国际化发展,一个大的科研项目和新产品,从研制、实验到生产,需要几个国家密切配合,单个国家很难搞成功。三是现代化大生产的国际化,一些产品的部件分散到几个国家生产,高科技产品往往是"全球产品",

这是国际间经济分工的结果。欧盟和北美的自由贸易区是当代资本主义经济区域集团的典型代表。

在经济全球化的进程中，经济民族化趋向也不容忽视。经济的民族化是指国际经济交往中的民族利益。不论世界如何发展，只要民族存在就有民族利益。尽管19世纪以来各民族交往增多，并出现民族融合的趋势，但仅仅是民族边界的扩大，而不是民族的消亡。经济的全球化，并不意味着各国的经济失去了独立的意义。相反，正因为各民族之间频繁的经济往来，民族利益才更加突出。这是因为在一定时期的世界市场容量的有限性，决定生存和发展空间的有限性。二战后，资本主义各国都开足马力发展经济，并意识到世界市场的重要性，使进入世界市场的商品猛然增加，但是国际经济结构没有来得及做出调整，国际市场的容量没有相应成比例地扩大，这使国际竞争不可避免地异常激烈。这种竞争关系到民族的根本利益，是对民族生存空间和发展空间的争夺。

经济的民族化倾向，主要表现在三个方面：(1) 区域性经济集团的发展。经济一体化的组织形式是区域集团化。这些区域集团是封闭或半封闭的，共同的特点是对内的贸易与投资的自由和优惠，对外则往往带有歧视或贸易保护的色彩。其目的是保护本集团的利益，根本上还是本民族的利益。(2) 发达国家贸易保护主义抬头。二战后以美国为首的发达国家基本上实行的是自由贸易政策，但随着国际竞争的加强和国家经济矛盾的激化，各国的贸易政策逐渐发生变化，开始转向贸易保护主义。特别是美国，由二战后初期的自由贸易主义转向公平贸易主义，即不再向发展中国家"无代价"地提供市场。(3) 各区域集团以及各国之间的经济竞争和经济矛盾越来越以政治、种族矛盾的形式表现出来。例如，日本的政治大国之梦，以维护民族利益为目标。所以，在经济全球化的过程中，贸易摩擦和贸易冲突从来没有停止过。

1.2.8 发展不平衡性、经济格局趋向多极化与国际经济调节

资本主义世界经济政治的发展是不平衡的，发达国家在世界经济的各个领域的实力对比是不断改变的。战后相当长一段时间内，美国在资本主义世界经济中一直独占鳌头，在经济领域的许多方面基本上是美国一统天下。但随着西欧、日本经济的飞速发展，20世纪80年代以来资

第一章　当代资本主义经济的历史演变及基本特征

本主义经济形成了美、欧、日三足鼎立的格局，从而结束了美国独占优势的局面。

这主要表现在：(1) 美国经济势力相对下降，但仍然是超级经济大国。(2) 西欧经济实力与美国逐渐相当。(3) 日本经济迅速崛起，成为仅次于美国的第二经济大国。以上三极各有其优势。美国的军事实力、综合国力、国际地位独领风骚；欧盟的经济实力、集团势力堪称强大；日本的金融势力、工业技术、开发潜力等方面更胜一筹。这样的多极格局将会继续延续下去，短时期内不可能出现大的变化。

在当代资本主义条件下，存在着两种调节国际经济的力量：一是"看不见的手"即国际市场的自发力量；二是"看得见的手"即国家出面的对国际经济的有意识的调节力量。由于国际市场经济环境中，各国之间的经济往来完全通过商品货币关系的形式来实现，所以，国际市场的自发力量无疑是国际经济调节的基础。

在当代资本主义条件下，私人垄断组织的规模日趋扩大，日趋具有世界性。特别是跨国公司和全球公司的广泛发展，私人垄断组织借国家政权的力量不仅对国内宏观经济进行有意识的调节，而且因其全球战略的深入实施，对国际经济的调节也不断加强。

然而，更重要的是，国家出面对国际经济有意识的调节日趋加强。在当代资本主义条件下，国际分工和协作有了很大发展，各国之间的经济联系日趋紧密，形成了经济全球化的趋势。要使日趋紧密的各国经济都能得到协调发展，超出一国范围的有意识的国际经济调节，便成为一种必然；而且，二战之后在全球社会生产力迅速发展的形势下，世界各国、各地区经济发展不平衡性也在日趋加剧，国际经济领域的矛盾、摩擦和冲突愈演愈烈，为了缓和或消除这些矛盾、摩擦和冲突，对国际经济进行调节便成了各国共同的愿望和要求，代表各国利益进行国际经济调节的最合适的力量是国家。

毫无疑问，国家出面的国际经济调节，对国际经济的协调发展起了重大作用。但是，对国际经济进行干预和调节要求参与国乃至世界各国必须通力合作，然而在民族国家存在的条件下，出于各国自身的利益，各国都在不同程度上利用本国的国界、主权来保护和扩张自身利益，造成使经济全球化与国家壁垒的矛盾难以解决。这就决定了国际经济调节步履艰难。而且众多的区域性经济集团虽然对各成员国经济发展、对经济全球化起了重要作用，但对非成员国构筑成更加坚固的保护主义屏障却又同经济全球化相悖。同时，资本主义大国特别是美国在全球至今仍然在变本加厉地推行霸权主义，公然多次无视、违背各种国际经济组织的规定和约束，所有这些都表明了国家出面的国际经济调节，还存在很大的局限性。

第二章 新科学技术革命及当代资本主义经济的发展

20世纪80年代后,特别是90年代以来,以信息技术为代表的科技革命又掀起了新的高潮,势头迅猛。它首先带来了生产力的革命,带来了资本主义生产社会化程度的提高。生产力的革命又引起了资本主义经济结构和物质生活的深刻变化,促进了资本主义社会经济的发展,资本主义延续已久的工业社会开始向信息社会转变,进而形成多种形式并存的新的生产方式。这是资本主义经济和社会的又一次历史性大转变,也是人类社会的又一次大转变。本章从对科技革命的回顾入手,用比较分析的方法揭示了当代新科技革命的实质、新特征,阐释了新科技革命对当代资本主义经济发展的影响,以及当代资本主义发展"高技术经济"和"知识经济"的趋势。

2.1 当代科学技术革命的兴起及主要特征

2.1.1 科学技术革命史的简单回顾

1. 技术革命的基本内涵

根据英国著名的技术创新研究中心苏塞克斯(Sussex)大学科学政策研究所(Science Policy Research Unit,简称SPRU)的定义,技术革命(change in tech-economic paradigm 或称技术—经济范式的变革),是在增量创新(Increment Innovation)和基础创新(Radical Innovation)的基础上出现的一个比创新群或技术系统更为宽泛的概念,实际上意味着"相互关联的产品和工艺、技术创新、组织创新和管理创新的结合。包括全部或大部分经济潜在生产率的数量跃迁和创造非同寻常的投资和赢利机会。"并且"具有在整个经济中的渗透效应,即它不仅导致产品、服务、系统和产业依据自己的权利产生新的范围;它也直接或间接地影响经济的几乎每个领域,……所研究的变革就特殊产品或工艺技术而论超出了技术轨迹,并且影响全系统的投入成本结构、生产条件和分布。"从这个意义上来说,技术—经济范式就是为一定社会发展阶段的主导技术结构以及由此决定的经济生产的范围、规模和水平。

技术—经济范式主要包括三个方面的内容:其一,以相互关联的各种技术所组成的一个或者几个主导技术群构成了不同时代经济增长的技术基础;其二,一定时期内经济增长的方式、轨道和规模主要就是由这些主导技术群所决定的;其三,随着科学技术的发展,主导技术群会发生变化,经济发展的技术基础也会因之改变,经济发展的方式、轨道和规模也随着发生一系列的变化,从而导致一国乃至世界技术—经济增长范式的更迭。不同的技术结构可以而且只能支持一定的经济生产与生活结构。社会的主导技术发生了变化,则经济生产的规模、水平以及生产可能性边界也会发生相应的变化,从而导致社会生产的根本变化,而这种主导技术更迭在大多数情况下是由于重大基础技术创新的引入引起的。因此,技术—经济范式意味着常规,而技术—经济范式变迁的过程就是打破常规和建立新范式的过程,而技术创新是技术—经济范式发生变化的主要原因。

在此,一个比较值得注意的概念是技术—经济范式中的"关键要素"(Key Factor)。根据C.弗里曼等人的观点,每一个技术—经济范式之所以在一定时期内具有相对的稳定性,主要是因为在每一个技术—经济范式中都存在着一个可以称为"关键因素"的一个或一组特定投入,它具有以下三个重要条件:其一,成本较低并且相对成本迅速下降;其二,在长期内几乎无限的供应能力;其三,在整个经济系统中具有广泛的应用前景。一般来说,"新关键生产要素并不表现为孤立的投入,而是处于技术创新、社会创新和管理创新迅速增长体系的核心,其中某些创新与关键生产要素自身的生产有关,其他则与关键生产要素的利用有关。"关键要素既是所在技术—经济范式中科学技术发展水平的集中体现,又决

第二章 新科学技术革命及当代资本主义经济的发展

定着该技术—经济范式的生产可能性边界,因而在各种不同的技术—经济范式中居于核心地位。

2. 历次技术革命的简单回顾及其特征

如上所述,技术进步是技术发展进程中能够影响全局的、飞跃性的进步,它意味着技术体系、技术结构的根本变革,或者决定某一时期技术体系的主导技术和主导技术创新群的变更或更替,而且,这种变革进而引发生产者组织形式乃至整个社会的生产方式等一系列变革。以此作为划分依据,自工业革命以来的近代技术发展史可谓经历了五次大的"革命"。[①] 这些技术进步迅速增长,其作用无论在程度还是渗透的广度上,都较之早期那些诸如火的发现、风力和水力磨坊等较低层次上的技术进步有了质的变化。

第一次技术革命始于18世纪70、80年代发生在英、法的"产业革命",以早期的机械化为特征。其基础是用煤冶炼铁矿石以及纺织工业机械化,能够以低价提供充足供应的关键生产要素是棉花和生铁,通过领先产业的机械化和工厂组织,形成了更高的生产率[②]和较大的获利能力,因而使得一些新城市中心零售和批发贸易也迅速扩大。在此期间,由于战胜拿破仑而出现了英国在贸易和国际金融中的霸权,在这样的世界格局下,封建和中世纪的垄断、行会、捐税、特权以及对贸易、工业和竞争的限制纷纷崩溃和瓦解,放任主义成为主要的原则,因而此时的产业组织形式主要采取合伙的形式——有利于技术创新者与企业家和金融管理者的合作,竞争则主要属于私人企业家与小厂商(雇员少于100人)之间的竞争。资金来源于地方资本及商人们的个人财富。与此同时,国家研究院和皇家学会等也参与了促进科学发展的事业,改革并加强了专利体制;地方科学工程学会则开展了非全职培训或在职培训,旨在通过技术工人的流动实现技术的转移;而英国土木工程师协会的建立,则促

---

① 这种划分更多是从经济尤其是经济长波的角度来考察的,由于理解方式的不同,或许在某种程度上较少顾及社会学家、技术学家以及工业关系研究人员等的观点。具体处理方法是首先识别技术的特性,然后分析它们作为不同经济现象的原因和影响,但显然,这绝对不是说所有的经济现象都是技术决定的,绝对不是。

② 1770~1840年间,英国的工人劳动生产率平均提高了20倍,19世纪后半叶和20世纪以来,由于科技作用的强化,劳动生产率以更快的速度提高。

进了从应用和相互合作中学习的技术累积效应。蒸汽机和重工机械作为起点低但增长很快的部门亦开始出现，它在某些领域的增速已超过那些已确定为技术体制中起带头作用的部门，但由于社会机构制度均还未做出相应的调节，所以尚不能作为新的关键生产要素而存在。

第二次技术革命始于19世纪30、40年代，是蒸汽机、铁路和酸性转炉钢的时代。当时作为技术体系中起带头作用的部门正是蒸汽机、轮船机床、铁路设备以及环球航运，煤和运输已成为能够以低价提供充足供应的关键生产要素。通过蒸汽机和新运输体系，机械化的进一步发展和工业生产的需求限制得到缓解。在"英国统治下的和平"背景下，经历了著名的维多利亚女王繁荣时期，英国海军、金融和贸易继续称霸世界，加上国际贸易自由化和金本位制的盛行，放任自由主义可谓到了鼎盛时期，当然也出现了具有除保护生产和贸易的所有制和法律体制外的最起码管理职能的"守夜者"——认可行会、制定早期的社会法律法规和治理污染等。在产业组织方面，可以说是小厂商竞争的鼎盛时期，较大的厂商正在雇佣数以千计而不是数以百计的雇员；在厂商和市场的发展过程中，出现了股份有限公司和联合股份公司，并且可以有投资、风险承担和其他所有制的新形式。在英国进一步建立和发展机械工程师协会与办学研究机构的同时，欧洲其他一些国家更加迅速地开展着职业教育、工程师和技能工人的培训，专业化的水平增强，专利制度也随之国际化。与生产率的大幅提高相适应，社会分工进一步加强，在第三产业的发展中出现了一些新的变化，如：对中产阶级的家庭服务迅速发展为最大的服务业；运输业与邮政和通讯服务机构迅速普及；财经服务机构迅速发展等等。与此同时，钢、电力、天然气、合成染料以及重型工程在一些部门开始显示出其比较优势，逐渐成为增长最快的部门。

第三次技术革命在19世纪80、90年代开始，以电机、电力和化工等重型工程的发展为标志。能够以低价提供充足供应的关键生产要素——钢已经形成。通过对电力机械、高架起重机、动力设备采用机组和组合传动的方式，解决了以往仅靠一台大的蒸汽机驱动传动带和皮带轮所面临的不易转移的限制，并使设计和资本节约得到显著的改善。同时标准化的创建提高了产品和技术的普适性、并促进了产品和技术在世界范围内的应用。在经历了战前法国文学艺术大繁荣的"高雅风流年代"

第二章　新科学技术革命及当代资本主义经济的发展

以后，第一次世界大战终结了"英国统治下的和平"，技术领先国转移到了德国和美国。由于帝国主义和殖民地化势力的加强，各发达国家开始了大规模的军备竞赛，基本基础设施（公用事业）国有化，德国和美国的化学工业和电机工程产业建立了"内部"R&D部门；建立了国家标准机构与国家实验室；普及初等教育；同时招募大学科学家、工程师、新工业大学和同等的技术研究所的毕业生。在产业组织方面，出现了巨型厂商、卡特尔、托拉斯和企业兼并，结果是随之出现了典型的垄断和市场供应垄断；还有自然垄断和公用事业的管制以及国家所有制银行和"金融资本的集中"；在大厂商中则分化出专门的"中层管理"阶层。在第三产业的发展中，家庭服务业达到了高峰时期；国家和地方的官僚机构迅速增长；百货商店和联营商店、培植旅游业和娱乐业迅速发展，相应的白领就业迅速发展；伦敦依然是世界重要商品市场的中心。在其他一些领域，汽车、飞机、电信、无线电、铝、石油、塑料和耐用消费品成为起点虽低但增长是最快的部门。

第四次技术革命从20世纪30、40年代开始，是福特式的大规模生产年代。通过流水作业和装配线生产技术、构件和原材料的完全标准化解决了批量生产规模的局限性，大量生产消费品进一步削价；由于能够以低价提供充足供应的关键生产要素——能源（特别是石油）已经形成，汽车和空中运输的速度和机动性使得产业地理位置和都市的发展有了新的格局。在美国经济和军事占优势的"美国统治下的和平"国际关系新格局中，美国控制了国际金融和贸易体制（如关贸总协定，国际货币基金组织以及世界银行等），直到20世纪70年代布雷顿森林体系的动摇。其间，开始尝试用凯恩斯方法进行投资、增长与就业的国家管理，经历了增长与凯恩斯充分就业的黄金时代。由于与苏联的军备竞赛和冷战以及大多数产业化专门的R&D的扩展和国家实验室、军事R&D使得国家财政严重困难，难以顾及民用科学技术，但仍通过广泛的许可证转让协议和转让专门知识协议以及跨国公司的投资而实现了技术的转移；同时中等教育、高等教育和技术培训依然在迅速发展。此时产业组织中的竞争主要集中在对垄断市场的供应以及以"公平"或纵向合并为基础的转承包合同的竞争；另外，直接由国外投资并拥有众多分公司的跨国公司逐渐增多；公司的部门化和分层管理也越来越普遍。在第三产业部门中，家庭服务已经急剧衰落；自助快餐、超级市场和巨型城郊商场快速发展；加油站猛增；国家官僚机构、武装力量和社会服务机构不断增加；研究以及知识性职业迅速增多；由旅行社代办的旅行和大规模地乘飞机旅行越来越普遍。同时，计算机、微电子软件、人造卫星、集成电路、雷达、数控机床、药材、核武器与核动力导弹开始成为新兴的增长最快的部门。

目前的新技术革命可以说是"准第五次技术革命"[1]，它以电子计算机、信息服务、遗传工程、纳米技术、光导纤维、激光、海洋开发等新技术为标志。芯片（微电子）正逐渐成为能够以低价提供充足供应的关键生产要素[2]。从刚刚出现的一些事实和迹象看，通过"网络"和"区域经济"，专用流水线和加工厂的规模不经济性和不可移动的不经济性能在一定程度上得到解决；能源以及原材料紧张的局限性，则可通过电子控制系统和电子元件等得到缓解。在产业组织方面，以计算机网络为基础的大小厂商的"扁平化"网络组织打破了部门按等级划分的局限，通过在技术、质量管理、培训、投资计划和生产计划等方面的密切合作有可能实现更迅捷的市场；可能有新的软件和生物技术所有权制度形式产生。同时，国家加强了对一般技术和大学——产业合作的支持，工业实验室也得到进一步重视和加强。在第三产业部门，新信息服务、数据库和软件产业迅速发展；印刷业、出版业等产业的服务制造渐呈一体化趋势；职业咨询业也正迅速崛起。与此同时，"第三代"生物技术（遗传工程）、宇航活动以及精细化学制品业也取得了较大的进展，多学科、跨领

---

[1] 正如有的学者所说，"当今，我们正处于一个向新的技术—经济范式；信息技术范式转换的时代，相对应的理想生产组织是设计、管理、生产和销售连结在一起的整合系统。关键的生产要素是芯片，领先的部门是电子和信息部门，对劳动力的技术要求高。新的公司能够生产柔性的、快速转换的产品和服务。"但也有学者认为，要说明是否确实出现了一种新技术—经济范式还为时过早。新经济是以经济中结构性改变这一假设为其基础的，但现在还没有足够数据来区分基本的因素与其余的解释，如短暂的突变——这也能导致同样结果。

[2] 关键要素之所以就是计算机芯片，是因为在新的技术—经济范式中，人们追求的不再是钢铁或石油产量，而是信息的拥有量和处理信息的能力，作为信息处理技术核心的计算机芯片因而有了决定性的意义。并且，它同时具有生产成本迅速下降（摩尔定律充分说明了这一点）、在长期内具有无限的供应能力以及在整个经济系统中具有广泛的应用前景三个条件。有资料表明，仅在20世纪90年代，个人计算机用微处理器的运算速度就提高了16倍以上，而其标准存储能力和传输速度更提高了200倍以上。而且，即使在进行了适当的质量调整以后，IT设备的年均价格下降率也在10%以上。从中长期的观点来看，生物技术和纳米技术也都具有类似的潜在特征，它们很有可能与信息技术一起构成新的技术—经济范式中的关键要素。

第二章 新科学技术革命及当代资本主义经济的发展

域的革命正在酝酿之中。

从历次新技术革命（还不包括现在正经历的这一次）的历史经验看：

（1）每一次技术革命都伴随着经济增长下降、国际贸易增长下降和国际金融市场动荡。这主要是因为新技术的应用和普及需要一个过程，投资过剩和生产过剩难以避免，经济发展可能出现周期下降，金融市场可能动荡。

（2）每一次技术革命的周期基本上都是60年左右，相当于一个康德拉捷夫周期。在康德拉捷夫周期的后20年，即一次技术革命进入最后的发展阶段时，下一次技术革命则开始进入萌芽期，因此，在两次技术革命之间都有一个技术革命的重合、更迭期。其实，从纯技术的角度来看，与技术革命相互依赖的爆炸性创新浪潮，很可能以更平缓的方式更早地出现了。但是，由于另外一些条件——比如辅助性技术发展、有关社会基础设施的完善以及适宜的社会经济条件等——在当时还不够成熟，于是只能够拖延着，直到条件基本具备时才又重新刺激、改善创新的传播。[①]

（3）新技术不仅改变了生产方式，更改变了生产组织形式[②]。而历

[①] 举例来说，早在20世纪40年代就已出现的许多高新技术突破在20世纪60年代中期以前是没有产生任何重大的商业利益的。有资料表明，20世纪60年代中期美国全国只有3万台左右的计算机，而日本在1964年时也只有1000多台计算机。到1976年时，美国的计算机拥有量达到100万台，而日本同年的计算机拥有量也只达到36000台左右。直到20世纪70年代以后，计算机的发明、原子能的发现以及航天技术和生物技术的重大突破等才得以进入商业应用领域。但真正大规模的商业应用还是20世纪80、90年代以后的事情，在经历了1973年石油危机加上"许多制造业部门增长的市场逐渐饱和，同时又缺乏重大创新来形成新的增长部门"的大萧条后，发达国家在20世纪80年代普遍掀起了经济结构大调整的浪潮，其核心内容就是经济增长的技术基础的更迭，高新技术产业化进一步推动了技术—经济范式的变迁和更迭，从而促使世界经济进入了一个新的长波上升时期。战后初期开发出来的一系列研究成果进入了大规模商业性应用时期，比如个人计算机的大规模普及以及以此为基础的信息高速公路网的建设等等。与此同时，围绕着这些主导性技术而出现的辅助性技术也大量涌现出来，因而20世纪90年代以来出现了一个世界范围的大规模技术创新高潮，发达国家的产业结构乃至经济结构出现了一些重大变化。与此相适应，西方国家的政府管理体制、企业产业组织形式以及经济政策的指导思想等也都出现了一系列重大变化。这些变化，实质上就是新的技术—经济范式出现、壮大并逐步取代旧经济的过程中所反映出来的种种经济特征，其实质是技术—经济范式的变迁与更迭。

[②] 在此意义上，我们同意彼得·亨里厄物的观点，即技术在发展战略中的作用是重大的。"几乎在所有的情况下，现代化意味着信奉技术。虽然技术只是全面发展战略中的一个因素，它的影响却是巨大的。而且这不单单是一个中立的工具，选择和强调那些技术就意味着接受某些社会结构和价值。"

史规律是生产组织方式变化严重滞后于生产本身的增长。在技术革命刺激了中小企业数量的快速增长而投资方式和生产组织变化很慢、甚至管理和销售仍未改变的情况下，一旦投资和生产过剩，企业倒闭和工人失业迅速增加，经济增长速度必然放慢。

2.1.2 以信息技术为代表的当代技术进步与历次技术革命之比较

20世纪与21世纪的世纪之交，策源于美国并以西欧等发达国家为中心的被标以"新经济"的新一轮技术进步格外引人瞩目，它是信息经济、网络经济和高科技产业之结合体，代表着一种未来技术与经济发展的趋势。我们把它与生物工程、纳米技术、核动力技术及宇航技术等一起称之为当代技术进步，但本文的分析仍以目前盛行的信息技术为主。

世界上第一台可以编程的电子计算机发明可追溯到1946年，并且只能存储20个字节；所以直至20世纪60年代末大型机的普及和1971年微处理器（CPU）的发明，IT革命才算真正开始。不过从那时起，计算机技术进步的速度就一直遵循着"摩尔定律"。[①] 正如摩尔所料，芯片处理能力大幅提高，而成本则急剧下降。而且据科学家预测，摩尔定律的有效期至少还有10年。也就是说，到2010年，一台典型的计算机的处理能力将是1975年的1000万倍，而实际成本则要低得多。

与过去40年相比，全球的计算能力提高了10亿倍。以前需要一个星期才能完成的数据工作，现在几秒钟就可以完成。如今，福特的Taurus型车所拥有的数据处理能力比阿波罗登月计划中耗资数百万美元的大型机还要大并且更廉价。而这种更廉价的处理功能让计算机可以应用到越来越多的领域中。例如，在1985年，福特公司为掌握行车事故中的具体情况，在试验中每把一辆车撞到墙上就要花费60000美元。而现在，碰撞试验可以在计算机上进行模拟，开支只是100美元。BP阿莫科公司使用三维地震探测技术来寻找石油，使寻找石油的成本从1991年的每桶将近10美元下降到现在的只有1美元。

通讯网络的容量与速度也得到了大幅度的提高。在1970年，如果想

---

① 戈登·摩尔（英特尔公司的创办人之一）曾于1965年预言——硅芯片的处理能力每18个月会翻一番。

第二章 新科学技术革命及当代资本主义经济的发展

把《大英百科全书》以电子数据的形式从美国的东海岸传到西海岸,需要花费 187 美元,[①] 因为传输速度极慢,而且长途电信成本高昂。而今,跨越美国传送国会图书馆的全部内容也才只需 40 美元。随着带宽的增加,成本还将继续下降。

随着通讯成本的下降,越来越多的计算机被连在一起。上网所带来的利益同网络上节点的数量之间成指数级增长的关系。根据"梅特卡夫定律",一个网络的价值大致同使用这个网络的人数的平方成正比。虽然互联网只是在 1990 年万维网和 1993 年浏览器发明之后才开始完全发展起来的,但是到 2003 年为止,全世界的使用者已经攀升到了 6 亿 2 千多万人,而且潜力很大[②],到 2005 年底预计可达 11.8 亿人。

那么,信息技术是否确实改变了经济?互联网的重要性能否同印刷机、蒸汽机和电气这样的发明相提并论呢?在这个问题上的认识上有两个极端,要么认为什么都改变了,要么认为什么都没有改变,有人甚至认为美国在千年之交近十年的繁荣只不过是一个大泡沫。不过,我们认为对 IT 革命人们可以期待很多,它所带来的经济利益也许会同电气革命带来的利益一样大。

首先,信息技术也许还没有像过去的技术革命一样从根本上改变我们的日常生活,但它的经济影响相对更大些。实践证明,铁路、电报和电气对我们生活的影响和改变要比现在的计算机和因特网大得多。例如,电灯延长了工作时间,铁路则让商品与人员更便利快捷地在全国流动;而在网上发送文件和电子邮件、下载朋友们的照片或在线进行商品预定,其革命性还远不够彻底。然而在科学与社会范畴内产生最大影响的发明,并不理所当然地产生最大的经济效益。正如印刷机被许多人看做是上一个千年中最重要的发明,但它对人均产出的增长并没有多少可统计的贡献。而计算机和因特网带来的经济影响较之却可能大得多。其原因之一

[①] 2000 年微软的 Encarta 的《大英百科全书》光盘价仅为 89.99 美元,并且对邮购给予 20 美元的优惠([美]卡尔·夏皮罗/哈尔·瓦里安:《信息规则》,中国人民大学出版社 2000 年 6 月版,第 18 页)。

[②] 目前世界上上网的人口只相当于 6%,即使在发达国家,这一比例也只有 35%;美国的制造业公司,目前通过网络采购和销售商品的也只不过达到了 1/3 的水平。而与此同时,美国的机构研发经费在过去 5 年中还在以每年 11% 的速度增长,这表明技术创新还将持续下去。

就在于它比以往的任何一种技术都大大降低了通讯的成本，从而使它可以更广泛更深入地应用于经济的各个领域。而另一种与之惊人相似但应用成本昂贵的发明——就像电报曾经带来的情况那样——注定对经济的影响要小一些。

其次，信息技术在更大程度上促进了经济对生产模式的重组，并使之更具效率。蒸汽机促进了生产从家庭手工作坊向工厂的转移；铁路促成了统一大市场的形成；而电气的出现则为生产流水线铺平了道路。现在，计算机和因特网为经济结构的大规模重组创造了前所未有的条件——从生产投入的在线定购到更多的分散经营与外部采购。

第三，从投资到转换为生产力都有一个时滞存在。据牛津大学经济学家保罗·大卫的研究表明，电力在19世纪80年代出现后，又经过了40年，生产力的增长才开始加速。其中部分原因是，直到20世纪20年代，美国工业才有一半以上的机器采用电力驱动，而且公司还需要花费时间找出如何围绕电力进行产业重组的方式，所以直到那时生产效率才有了大幅的提高。大卫对此的解释是：一项技术只有在它的社会渗透率达到50%时，它才会对生产力产生重要的影响。由此可知，IT技术现在的情况和1920年时电力所处的情况差不多——计算机在美国的渗透率只是在最近才达到50%，而其他富裕国家还远远落在后面，所以信息技术的效率首先在美国显现[①]。

最后，也是最根本的一点，即信息技术对促进整个经济生产力的影响力，也就是能够使现有的产品以更有效率的方式进行生产，或创造出全新的产品。生产力更快的增长是更高生活水平的根源。尽管早在20年前，《时代》杂志就曾把计算机列为当年的"年度名人"，但人们仍对计

[①] 美国商业部门的劳动生产率从1996年开始上升——从1975年至1995年的平均每年1.4%升至目前的平均每年2.9%。在2002年，截止到第二季度，美国的生产率已经飚升了5.2%。然而，同时应予承认的是：决不能认为IT革命理所当然地会给我们带来丰硕的经济利益。美国近十年的经济成功并非仅仅得益于新技术，同时更多地取决于美国政府更加稳健成熟的财政政策和货币政策、宽松的制度和自由贸易。更为重要的是，在此之前，美国还经历了一次广泛深入的结构性调整。因此，经济在总体上将会获益，但是这些利益不会平均分配。许多现在存在的工作和公司将会消失。在这种环境中，错误的政策所带来的风险性是很高的。

第二章　新科学技术革命及当代资本主义经济的发展

算机没有明显地提高生产力水平感到了迷惑不解①，直到一个神话般的10年（即"高增长、高就业、低通胀"）来临，人们终于看到美国生产力提升的迹象。而不可否认的是，这要部分地归功于信息技术。

当然，也有学者，如美国西北大学的罗伯特·戈登就认为，计算机与互联网不能像电力与汽车那样被列为一种"工业革命"。他进一步阐述道，互联网上的许多行为只不过是对已经存在的某些事情的一种替代。例如，电力的出现曾促使了真空吸尘器和电冰箱这样的新产品的诞生；而下载音乐只是取代了购买CD唱盘，这并不能算增加了新产品。同时，他还注意到，大多数以消费者为对象的网站在工作时间里访问量最大，而并非在晚上，因而互联网实际上甚至还会降低工作单位的生产率。显然，他忽略了人们使用计算机和网络工作时，在获取资料的便捷、在软件协助下的高效率以及由于突破时空局限带来的工作时间的延长。

对IT及ICT（信息与通讯技术）影响力的期待，不仅是因为美国从IT中得到的回报是显著的②，还因为无论是从对新技术的创新还是应用的角度，IT革命都还仅只是刚刚开始。

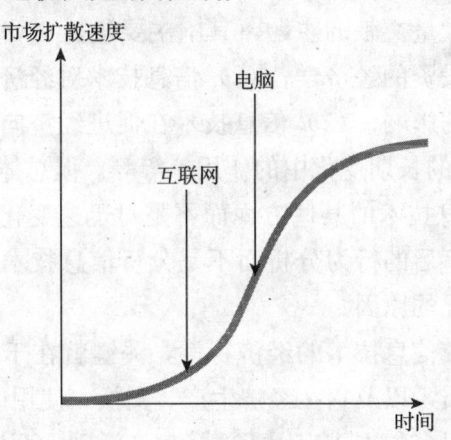

图2—1　技术扩散的"S"曲线

---

① 早在1987年，诺贝尔经济学奖得主罗伯特·索洛就发表了如下著名言论："你可以在世界任何角落和生活的各个领域看到'计算机时代'的影子，但是在经济统计年鉴上除外。"在信息技术上的大规模投资没能提升生产力水平，这在当时成了著名的"生产力悖论"。实际上，在整个20世纪70年代和20世纪80年代，世界上大多数国家的生产力增长都陷入了空前的停顿当中。正因为如此，美国从20世纪90年代中期起开始的生产力增长就变得让人刮目相看了。

② 就互联网产业而言，仅1999年一年，美国互联网产业创造的产值就超过了5000亿美元。

如果说所有新技术的推广都遵循一条"S型"的扩散曲线（见图2—1），即最开始时它们发展缓慢，但是一旦它们达到一个临界点，这些技术就会快速传播。那么，对于计算机的推广来说，它现在可能已经达到了这一曲线的中部；而对于互联网，它现在还只是在这条曲线倾斜部分的底部，这意味着它可能会有一个急速的起飞过程。而且，IT只是现在正在进行的三场技术革命中的一个。同热元件技术、基因与生物技术一起，三者可能会创造出一个比以前的技术革命更有推动力的"长经济周期"。

2.2 新科技革命对当代资本主义经济的影响

2.2.1 信息技术的经济性质

信息技术本身的经济历史虽然短暂却早已举世瞩目，因此，信息技术的经济特性是大量文献的主题，其中主要包括：（1）作为一种生产手段的信息技术中投资的经济学；（2）信息技术对经济变量（特别是就业和劳动生产率）的影响；（3）信息技术在促进经济向"后工业社会"或"信息社会"发展的长期变化中的作用；等等。但总体而言，这些经济文献更多集中于信息技术的某些方面而不是对迅速变化的技术做出远期的展望，更倾向于事后的行为分析而不是分析信息技术之所以会表现出与工业技术不同状况的原因。

事实上，研究信息技术的经济特性，关键就在于信息技术作为一种资源或商品的本质，以及它在经济生产、交换、使用中的作用。

信息技术可以多种方式应用于经济生产活动，而该技术只处理信息。并且，它所处理的信息本身可能（而事实上大多）就是一种经济资源。那么，作为一种资源的信息具有怎样的经济特性呢？以下探讨的是一个作为商品和资源的信息技术的特性及其标准框架。

首先，经济文献中提得最多的是——信息具有不可独占性，即信息

第二章 新科学技术革命及当代资本主义经济的发展

本质上是一种"公共产品（public goods）"。① 公共产品就是那些能够同时供许多人享用的物品，并且供给它的成本和享用它的效果并不随享用它的人数规模的变化而变化。这种特性所引发的"事件"在当代随处可见，譬如软件的复制和盗版；硬件生产者对其思想、设计及方法的"产权"上的防范；以及困惑学术或其他研究项目的"知识产权"争议等等，都缘于信息资源的不可独占性。为此，为了适应这一现实，也为了鼓励知识生产者能够获得价值补偿或足够的创新收益，而建立了知识产权制度、出现了专门的法律（主要是专利法），但这也仅仅只能对信息的产权提供不完全的保护。这意味着信息商品正在削弱某些传统产权经济分析的基础，因为有关产权的传统假设正是建立在有形产品的独占性和可分性基础之上的。

其次是信息在生产中具有不可分性，也就是说，不管有多少人购买或消费它，"生产"一组信息所花费的努力是一样的。延伸开来，则信息的生产者或出售者不会由于交易、交换或通讯而失去其所有权。因而在理论上，信息生产是潜在的具有无限大的规模经济的。事实上，生产者也有出售尽可能多的软件包拷贝以补偿其生成费用的强烈动机，毕竟，复制的费用相对来说是微不足道的。对咨询报告等信息商品而言，其复制成本则几乎为零。

其三，信息在使用中也具有不可分的特性。即对于任一特定的目的，需要的是一组对应的信息，那么哪怕是很微小的遗漏都将造成失败（至少是失灵）。举例来说，一半数量的水泥依然是可用的物质资源，但一半水泥配方就很难有直接的生产价值了。当然，信息在交换中是可分的，因而一组信息中的某一部分作为稀缺商品也可能具有市场价值。

其四，在经济数量关系中，作为一种抽象资源的信息必定是不完全

---

① 信息和知识的公共物品属性很早就被注意到了（Arrow 1962），较早把知识作为萨缪尔森（1954）定义上的公共物品的有斯蒂格利茨（1977）和罗默（1986）。通常，纯粹公共物品（与market goods 相对应）具有两个基本特征：非竞争性（nonrivalrous consumption）和非排他性（nonexcludability）。非竞争性又叫供给的连带性，说的是一个人的消费不妨碍其他人同时消费它，在信息和知识的消费过程中，增加一个人享受知识好处的边际成本即为零；非排他性指的是公共物品一旦被提供给某些社会成员，就不可能排除其他人消费或者排除行为无效率，即使有知识产权的保护，要完全排除其他人对知识利益尤其是信息的分享是极困难的。而且人们公认一些形式的知识回报在一定程度上是合理的，所以知识常常被认为是一种不纯的公共物品。

同一的（K. E. Boulding，1966）。继续以上述例子为例，当我们说要更多的水泥时，意味着需要更多数量的同一物质资源，即需要更多吨的水泥；而在我们需要更多的有关水泥的信息时，显然意味着的是不同的、更详尽的信息，仅仅提供更多的信息复制件将不能满足要求。

最后，信息在技术上和经济上是依赖的关系。也就是说，评价信息技术系统的功能要考虑其开发和应用的经济关系，而信息技术的经济分析必须考虑信息资源开发和应用的技术关系。例如，软件的使用价值就是既由其在经济活动中的应用所确定，又由其技术环境的特性所决定的。像一个详细记录报表软件的财务计划系统（信息资源），在完成财务计划用户所需时即获得了使用价值，但相同的系统对普通家庭消费者未必就有使用价值以及交换价值。而对于财务计划者，该系统的使用价值只有在适当的技术环境，比如特定硬件设置、适当的运行速度甚至易于使用等条件下才能得以实现。

以上分析暗含了这样一种假设，即所有作为经济资源或商品的信息都具备上述五个经济特性：

(1) 不会被任何经济主体完全独占；
(2) 在生产中是完全不可分的，从而具有无限复制的规模经济；
(3) 也许在交换中是可分的，但在使用中是不可分的；
(4) 在内容上是完全不同一的；
(5) 在技术和经济上是依赖的关系。[①]

但事实上，这样的情况几乎不可能出现，这些经济特性既非绝对的又非静态的，真实信息集合只能在不同程度上显示出这些特性甚至只是当中的某些特性，因此，它只能作为一个"完美"的框架供信息创新做"参照系"。

2.2.2 经济中的信息

由于信息技术是一种反身技术（即能够处理自身）[②]，所以不可能事

---

① 参阅 [英] 彼得·蒙克：《信息经济的技术变化》（卢让林等译），原子能出版社1992年版。
② 信息具有把其自身作为资源处理的能力，彼得·蒙克称之为"反身技术"，简言之，即"机器"将数据和信息加以转换后，生成新的数据和信息的特性。譬如说，非数字的无线电话系统、无线电视广播系统等信息相关技术。

第二章　新科学技术革命及当代资本主义经济的发展

先就把信息资源归类为投入、过程或产出。在某些情况下，一些资源——特别是软件工具——可能承担起投入、过程或产出的一种或多种功能，也就是说，信息生产或创新过程可以是其自身的投入或产出。[①]

虽然，至今还没有经济理论能够系统解释信息技术或任何与信息有关的技术中资本、劳力和信息之间的关系，同时这也超出了本文的能力和范围，但为了更好地分析信息技术创新对当代资本主义的影响，作者提出以下初步观察资料。

1. 作为资源的信息的分配

信息在劳动和资本间的分配是由多少人或组织掌握何种信息确定的。这种分配既反映了技术扩散又反映了创新水平。此外，任何给定的技术信息，在经济中使用的时间越长，通过边用边学（learning by using）和边干边学（learning by doing）获得的与其相联系的信息（包括诀窍知识、半正规和非正规信息的解释等）越多，即经济生产本身可以加速信息资源在内容和分配方面的变化。

2. 作为资本的信息

某些信息技术在产品和服务中可以起到资本的作用，而资本的一般经济概念指的是独占性，它是通过生产方式的所有权实现的，与信息的不可独占性是矛盾的。信息技术创新者深刻地理解这一点，所以他们或是通过法律产权（如版权和专利法）的重新确认或者使用独占这些产品的设计策略来建立对知识产权的所有权。同时，由于许多类型的信息资源不是很容易被劳动者或资本所有者独占，而另一些信息如诀窍知识、半正规和非正规信息的解释则是自然产生的并由劳动者拥有的，因而有必要将资本的概念重新按使用价值和交换价值对资本的技术性质[②]和经济性质分别加以考察。

3. 信息在创新中的作用

当代以知识为基础的创新取得成功是颇为困难的，其中一个主要困难就是难以保证信息在具有不同期望和知识基础的不同专家和专门组织

[①] 生物遗传技术的某些分支在某些方面与此类同。当然，有时要分辨出信息在生产中到底是投入还是产出并不那么容易。

[②] 凯恩斯在"生产的货币理论"中提出结合生产能力的发展研究货币在产出中的作用。

之间的流动。① 这是因为今天的技术范式，已从主要由富有想像力的工匠导入方式转变为由科学进步充当主要角色并发挥直接作用。② 柯恩等则认为，吸收能力（absorptive capacity）已成为企业创新能力的核心因素。这种吸收能力，意味着企业必须能够充分认识到各种有关的内部和外部信息的价值，并能有效地将它们为了最终的商业目标而加以利用。③ 创新企业必须有效地利用和吸收国内外相关领域的信息和知识，并将其快速地转变为自己的核心能力。

4. 信息技术在知识与技能商品化中的作用

信息技术使知识与技能可能通过商品化途径获得，亦即知识和技能的转移更加容易。这个问题的产生基于这样一个事实，无论是知识和技能还是它们的承载者——人，都不可能通过如小麦买卖这样的方式来进行交易。即使似乎能通过教学这样的服务得以实现，但事实上，教学（知识和技能在人与人之间的转移）不会自动地确保有效（即学会），毕竟知识和技能只能通过个人的努力和一定时间的学习才能获得。然而，计算机和信息技术已经开始分离某些知识和技能，使之能够更容易更有效地转移（通过其他计算机），从而使它们更像标准的商品。例如，一些机械师的技能已被移植到为程控机床编制的程序中，以商业化途径可以获得它们。

---

① Fincham, Jetal (1995): Expertise and Innovation: Information Technology Strategies in The Financial Services Sector, Oxford: Clarendon Press.

② Dosi, G. (1988): "Sources, Procedures and Microeconomic Effects of Innovation", Journal of Economic Literature, 26: 1120~1171. pp. 1135~1136.

③ Cohen, W. M. & D. A. Levinthal(1990): "Absorptive Capacity: A New Perspective on Learning and Innovation", Administrative Science Quarterly, 35(1): 128~159.

就我国经济发展的现状而言，在越来越多的企业开展技术创新的同时，却出现了许多产品供过于求、许多企业陷于困境的现象。这种现象反映了企业产品与消费需求的不适应，反映了企业对市场的不适应，也反映了企业技术创新能力的低下——我们的技术创新远未达到既能适应和满足市场需求又能刺激和重创市场需求的水平。对需求和市场的适应，必须以足够数量、足够新颖和足够准确的信息为基础。对需求的刺激和重创，更需要在足够信息的基础上通过对这些信息的处理和加工，创造性地完成一系列新的信息生成过程。企业只有面向市场适时地搜集并处理各种信息，才能捕捉创新机遇，建构起新的技术与经济结合的可能性并将这种可能性转化为现实性。信息搜集与处理能力不足，正是长期处于传统计划经济体制下，主要按下达的指令承担生产功能的中国企业在开展技术创新时所面临的一个突出问题。

第二章　新科学技术革命及当代资本主义经济的发展

2.2.3　信息技术对当代资本主义经济的影响——"新经济"与"知识经济"

一、信息技术影响当代资本主义的经济机制

技术创新体系除创新者和物质技术手段外，还包括相应的促进技术转换的经济机制。也就是说，选择何种技术，就必须构建与之相适应的经济机制及其运作规则。

1. 信息（知识）产品商品化

（1）当代技术创新的信息（知识）产品性质

对于传统企业而言，其主要产品乃是单一的物质产品；但随着竞争战线的前移——从产品销售阶段延伸到产品的研究开发阶段乃至基础研究阶段，当代高科技产品随之也出现了知识密集化生产的趋势，产品几乎可称之为"凝结的知识"或物化的信息和知识。除高科技含量的创新物质产品外，还有知识、人才等产品形式。知识服务业也迅速崛起，现代技术进步及经济的发展越来越依靠科技知识的直接投入。

OECD《以知识为基础的经济》一文，将一个企业所拥有的知识从实用的角度分为了四类：即知道是什么的知识（know-what），指关于事实方面的知识；知道为什么的知识（know-why），指自然原理和规律方面的知识；知道怎样做的知识（know-how），指做某些事情的技艺和能力；知道是谁的知识（know-who），涉及到谁知道和谁知道如何做此事的信息。由于前两类知识可以通过读书、听演讲和查看数据库等方式而获得，易于编码化而被归为编码化知识（Codified Knowledge）。后两类知识只有通过实践才能获得，由于其难言性而被归为隐含经验类知识（Tacit Knowledge）。编码化知识和隐含经验类知识，在现今的高科技企业中，都可以作为知识产品[①]。

直接编码化知识作为产品，其流通随着载体逐渐从书本到软盘再到网络的进化而日益"纯粹知识化"。我们购买一本以纸张为载体的书，其

---

① 21世纪，信息的发展，将从以技术为主转向以内容为主，更多地涉及文化因素，所以本文认为信息产品正致力于升华为知识产品，这也正是在信息经济和信息社会的发展中召唤知识经济和知识社会的呼声不断高涨的原因。

中纸张、印刷、装订等成本还占一本书价格的相当比重;而一套软盘其复制成本之低足以使我们忽略"软盘"这个物质载体的价值。进而在网络传输中,知识更是摆脱载体的束缚,以完全独立的形式作为商品出现。而隐含经验类知识作为产品,其中一部分可以成为技术贸易中的标的,主要指专利、商业秘密等知识产权(intellectual property rights,IPR)。这种知识依托型产品(knowledge-based products)在高科技企业发展中的地位日益突出,企业不仅通过知识产权对其他国家和企业在技术和市场上形成垄断而确保其垄断利润和竞争优势,而且还通过收取高额的转让费、许可费而直接获取巨大的经济利益。如日本日立公司仅国内的技术转让费收入一项就是公司对研究开发投资的 4 倍。

不仅如此,隐含经验类知识通过其物质载体——人脑,还使人才成为高科技企业的另一类重要产品。由于电子、通讯技术的发展,编码类知识的获得成本降低极快,获得的渠道也日渐增多。相对而言,企业较难获得,也较为珍贵的是 know-how 和 know-who,而维系企业竞争力的大部分就是这些隐含经验类知识。这类知识惟有通过技术创新实践的磨炼,在市场打拼中,在人的头脑思考中获得。所以,在创新实践中培养出来的富含这类知识的企业家和企业员工队伍,[①] 就成为高科技企业最重要的财富、企业无形资产的核心。人才租赁、高薪聘请、猎头公司等现象的出现,正显示了人才这一"创新产品"的价值。[②]

(2) 信息(知识)产品商业化的条件

与物质形态的劳动产品成为商品一样,信息(知识)产品成为商品也是社会历史发展的产物,只不过,这个商品化的历史进程更为复杂和

[①] 与传统产业领域的企业不同,高科技企业的技术创新主体,不仅包括企业家,而且包括创新各环节各部门的员工。高科技企业一项技术创新的成功,只靠某一部分人的努力显然是行不通的,其创新中的市场调查、研究、开发、生产、营销、信息反馈等环节都必须以具有一定创新能力的人才为基础。因而面对知识经济时代,高科技企业必须从"生产经营型"转向"学习创新型"。学习意识不仅是表层意义上的竞争需要,而且逐渐成为渗透到企业员工心灵深处的生活方式和工作方式。

[②] 我国自古也有"学得文武艺,货与帝王家"(《神童诗》)之说。正所谓非交换无以体现其价值。但由于为国家出谋划策,提供信息产品和服务,并从吃皇粮、受俸禄中得到报酬的士大夫和时刻与国王并不处于交换劳动产品的同等地位,他们所得到的报酬是经济体系中劳动产品再分配的结果。

第二章 新科学技术革命及当代资本主义经济的发展

漫长。

早期的知识大都打有宗教的烙印,宗教与哲学作为上层建筑的一部分成为特定阶层的专有垄断品。直至欧洲文艺复兴运动开始、现代教育产生,才彻底打破了统治阶级对知识的垄断以及经院哲学和宗教神学对人们思想的束缚,加之随着造纸技术及木板印刷术发明和普及使用,知识有了固定的物化载体,于是,知识逐渐成为一种"剩余产品"并加入到社会分工体系中。

然而任何被公开的知识产品都具有共享性、供给的连带性和扩散效应,这种特殊性决定了知识产品难以拥有天然的私有产权,但产权的界定和有效保护恰恰是市场交易的前提,既然知识产品缺乏相应的产权制度,那么知识产品的商品化进程就必然受到阻碍。适应生产发展的需要,1474年世界上第一部专利法在商品经济颇为发达、同时又是近代科学的摇篮和欧洲文艺复兴中心的威尼斯颁布。随着1866年国际间保护著作权的基本公约《伯尔尼保护文学艺术作品公约》和1952年《世界版权公约》的出现,专利制度在世界各国普遍建立起来,随后工业产权法与著作权法也相继建立,这标志着知识产品商品化的制度基础已经形成。

事实上,在市场交换过程中,技术创新产品市场主体的交换对象就是这种知识产品的所有权或使用权。由于知识产品的特殊性,对知识产品而言,一个人对某种知识产品的拥有并不排斥他人对该知识产品的完整拥有,知识产权形成后,知识产品还可以被无限制地、几乎无成本地多次卖出,由此极大地激励人们的学习研究和创新的热情,为知识商品的大量生产、知识资源的有效利用、知识财富的极大积累提供了内在的动力。

(3) 信息(知识)商品的公共属性

如前所述,从信息的特性看,信息(知识)产品具有明显的公共产品属性。为了鼓励知识生产者能够获得价值补偿和足够的利益,建立了知识产权制度,使知识产品商品化具备了基本的必要条件之一。然而,即便知识产权制度已经建立,知识产品已经成为商品,其公共产品的属性却依然存在。因为,除去获得专利的技术发明和配方、未公开的技术诀窍、加密的计算机软件和数据库外,任何形式的知识产品一经公开出售,虽然不可抄袭和盗版,但任何人都可以免费使用,其商品的社会收益率远高于其生产的私人投资收益率（参见表2-1）。更重要的是，知识产权的法律保护期限是有明确规定的，失去知识产权法律保护的知识都将成为人类共有的知识，供人们免费使用。

表2-1 私营研究与发展活动的回报率

作者	年份	估计的回报率（%）	
		个人	社会
Nadiri	1993	20～30	50
Mansfield	1977	25	56
Terleckyj	1974	29	48～78
Sveikauskas	1981	7～25	50
Goto&Suzuki	1989	26	80
Bernstein&Nadiri	1988	10～27	11～111
Scherer	1982～1984	29～43	60～147
Bernstein&Nadiri	1991	15～28	20～111

资料来源：转引自经济合作与发展组织《以知识为基础的经济》（1996），机械工业出版社1997年版。

显然，信息（知识）产品的公共产品性质引发了如何设计知识生产过程中政府和市场的功能的问题，是通过市场机制刺激知识生产的私人效益？还是通过政府资助保证知识的扩散和共享？二者是否存在一种替代效应，或者，政府支持的研究与开发是否具有挤出效应？长期以来的主流观点是，将知识区分科学知识和技术知识，将科学知识视做公共产品，马克思就曾称自然科学是不费分文的生产力，理当由政府资助；将技术知识视做私人产品（或市场产品），通过知识产权保护技术知识的私有权，以市场机制刺激和调节技术知识的生产与销售。然而随着科学技术的不断创新和发展，科学与技术两种知识之间的界限日益模糊，于是新的观点认为，政府应当资助那些尚未达到竞争阶段的研究，创造更多的"通用性知识"。进一步地，有观点认为，政府对研究与开发活动的资助，不应当再有基础、应用、开发的区分限制，考虑该研发活动与国家目标的关联程度就足够了，其关联度与政府支持力度和顺序成正比。[1]

---

[1] 冯之浚：《知识经济与中国发展》，中共中央党校出版社1998年版。

第二章 新科学技术革命及当代资本主义经济的发展

当然,作为补充市场失灵的存在,政府必须真正清楚国家目标所在。

2. 创新活动市场化

在市场经济运行方式下,知识产品也许不一定称得上是稀缺资源,但创新产品却是稀缺的甚至是独一无二的。技术创新产品作为稀缺的资源,只能通过市场机制发挥激励生产、选择和配置的基础作用,也只有在市场的对外交流和交换中才能实现其价值,否则这些知识及技术充其量只能成为生产者或极少数人自娱自乐的副产品。思想家卢梭(1772~1778年)也曾描述道:"知识,对大多数涉猎它的人来说,只是一种货币。他们把它的价值看得很高,但其程度还得以它在交换中的情况而定,它的好处仅在与商业。"①

随着市场经济的发展和新式银行的出现,在19世纪的欧洲,发明者阶级中已经分离出一部分发明者,他们不是把发明作为自己日常劳动的一部分,也不是作为有闲绅士的知识探寻,而是作为以此获得财富的专业。② 也就是说,追求创新收益、追求财富的增加已成为现代技术创新直接的需要和动力。随着市场化过程中技术传播和扩散的广度和速度的全面提高,科学技术进一步成为了扩大生产规模和提高竞争力和利润的最重要手段,迫使生产者对科学技术产生巨大的需求。因而,除物质利益的动力机制之外,技术创新还成为了市场竞争的压力机制。在这个意义上,技术开始具有了强烈的功利性,技术创新成了一种人为诉求的体现。

如果把技术创新的这种特性与"李约瑟难题"③ 进行比较,我们从纯粹经济学历史反思的角度不难理解为什么古代中国比西欧早500年就已取得了"四大发明"等重大成果,却没有产生现代意义上的科学技术。我们知道,在中国的数千年历史中,技术和知识市场化的水平极低,进程极为缓慢,技术知识市场化商品化的程度远远落后于物质产品。尽管

---

① 卢梭:"新爱洛绮丝"Ⅶ,转引自[美]莫蒂默·艾德勒、查尔斯·范多伦:《西方思想宝库》,吉林人民出版社1988年版,第504页。
② 阿瑟·刘易斯:《经济增长理论》,商务印书馆1999年版。
③ 即李约瑟在《中国古代科技史》中提出的——比西欧早500年,古代中国就已取得了"四大发明"等重大成果,却为什么没有产生现代意义上的科学技术。当然,在近年学术界对该问题的讨论中,也有人认为这是个"伪问题"。

我国文字产生最早，纸与印刷术发明的历史比欧洲悠久，但由于我国长期以来文化发展极不平衡，读书买书只是少数人的事，加上缺乏商业贸易乃至技术贸易等经济因素，印刷术未能得以广泛使用、推广和进一步的发展，从而影响了技术和知识的传播和交流，影响了知识的生产和流通，阻碍了技术和知识存量的增长和社会的进步。由此可见，一种有利于技术创新的机制比技术存量优势本身更能推动技术进步，所以不能简单地就技术论技术，问题的关键在于技术创新的市场经济制度基础的缺乏。

建立在市场机制和知识产权这一制度基础上的技术创新市场，本质上是一组市场主体的知识产权的交易关系的集。不过，这些所谓的知识权利的交易关系可以有多种不同的表现形式。首先，在技术创新产品市场上，市场主体的交换对象是知识产品的所有权或使用权。供应商让渡了创新产品的使用权或专利权以获得创新收益，消费者则让渡货币所有权或专利权而获得产品的使用权。其次，在创新人才劳动力市场上，创新者让渡人力资本的使用权而获得创新收益权，雇佣创新者的企业则让渡部分创新收益权乃至企业所有权、处置权和占有权（对创新型企业家）以获取人力资本使用权。最后，在资金市场上，创业者让渡专利的使用权或部分创新劳动的收益权，资本拥有者则让渡资本使用权、占有权和处置权而获得创新收益。由此可见，技术创新市场交换的核心内容是创新收益权的交换，技术创新的本质就是追求创新收益。既然技术创新市场化在有偿交易的基础上，将有效促进科技知识产品和其他各类创新成果的流动，刺激甚至倒逼企业去加强研发、去引进技术、吸收新技术或者进行自主创新。

总之，技术创新市场一方面使科技产品的生产从属于市场机制，使市场成为配置科技资源的重要手段；另一方面，市场激活了企业在技术革新上的竞争，由此推动了技术创新及其向生产力的转化。简言之，资本利用科学技术致富，而科学技术利用资本，使资本成为发展科学技术的潜力的条件。

3. 创新成果资本化

由于创新成果是以知识产品的形态存在的，其资本化可分为三个层次：先是物化的知识商品资本化；接着是隐含在人体里的知识和才能的

第二章　新科学技术革命及当代资本主义经济的发展

资本化——劳动力资本化；最后是从台后推到台前的知识的资本化。

(1) 知识商品资本化

在市场经济中，创新成果作为物化的知识，往往能够获得专利而拥有该项技术的独立垄断权，使其成为自由或参股企业的特殊形式的"固定资本"，参与生产活动，成为价值形成和价值增值的手段。这样，创新成果就有了明显的资本属性。蒸汽机的发明就是早期创新成果作为知识商品资本化的典型例子。

1754年，瓦特在格拉斯哥大学学习教学仪器制造术，在学习了布莱克教授的热学原理课后，促使他产生改进效率低下的纽可门蒸汽机的想法。1759年，他找到了一个合股者并开办了一个作坊，边修理纽氏蒸汽机和其他教学仪器边进行试验，当瓦特试制新蒸汽机需要大笔资金而自己筹措有困难时，得到了布莱尔教授引荐下苏格兰有名的铁工厂主罗巴克博士的资助。1765年，瓦特与伯明翰的机械厂主马修·博耳顿合伙的公司正式开始生产蒸汽机。在瓦特的整个发明活动中的两度合股与合作以及一次赞助，始终都是其发明和技术以资本的形态出现的。

这个典型的物化知识的资本化过程，虽然是工业经济时代的产物，不过也有其先进的地方。毕竟，在长期的物质经济时代，人们更多地看到的是物质的价值和物质资本的作用、货币化的价值和货币资本的作用。科技成果作为非物化、非货币化的价值，其资本作用很难被人们独立地看到。

在上述例子中，应用性的实用技术和发明获得了专利，并得以实现资本化的运用；而那些为新技术的产生奠定了思想基础和理论指导的科学原理的发现和科学理论的建立，却连知识商品都还称不上。那些建立在纯学术科学基础上基础研究，还只不过是科学家们的文化需要——他们创立理论，通过实验来证实其理论，可能间接成为发明家、技师和工程师重新认识和研究老问题的源泉，因而只能算是一种典型的独立的非经济行为。虽然这种情形仍然存在于现阶段的传统产业领域和大多数发展中国家，但是当代高科技的发展已经预示了高科技"科学研究"与高科技"技术创新"之间并没有截然分明的界线。尤其是在当今国际竞争的焦点已不再是各种生产活动的最终产品,而是各种知识活动的成果①,并且竞争的战线已经前移到产品的研究开发阶段乃至基础研究阶段的条件下,技术创新的起点不一定是现实的高科技成果;而基础科学研究,作为一种纯科学的理论成果,也不一定就没有直接的经济价值或不能资本化运用。

事实上,如果说按照传统"物质产品生产"经济学的观点,一件物品要实现商品价值,只需它是有用的劳动成果就行,而不需要考虑它是否被投入生产活动。它的买卖,只是卖者出让它的使用价值而得到它的价值(货币),买者出让自己的货币,得到商品的使用价值和价值。买卖价格主要受制于商品的内在价值和市场对它的供求。

与此类同,科学与技术创新成果要实现其资本价值,它也必须处在生产或社会的经济活动之中,具有现实的价值增值能力。在它的买卖过程中,是卖者出让它的价值增值能力,得到它的资本价格,买者得到它的价值增值能力,付出它的资本价格。买卖的价格主要受制于它的价值增值能力和资本市场上人们对它的需求。

(2) 创新劳动力资本化

在注意到物化的知识及其资本属性的同时,经济学家们也注意到了一种隐含于人体的知识与才能的重要性,但是,由于这种隐含知识即劳动力与劳动者密不可分,而且它依附于资本而存在、一旦脱离资本的支配就会成为社会弃儿的情况下,很难被观察到,所以,早期的经济学家把研究的关注点放在了劳动力及其资本属性上面。

古典经济学创建了劳动价值论,充分肯定了人力的主导作用。亚当·斯密在《国富论》中则表达了劳动力的资本性质,他认为,经过学习所增进的熟练程度和才能,"可和便利劳动、节省劳动的机器和工具同

---

① 随着当代商业与产业利益向学术与非学术研究的逐渐渗透,不同的工作文化、不同的研究类型、不同的行为和目标,往往会在一个多学科交叉的跨组织研究方案中得以共存,正是这种跨组织、跨学科的组织形式,消除了学科之间、技术与科学之间的明显界线,进而扩展到社会与人文科学,最终使各类创新工作之间的传统文化界线也变得模糊起来。当然,这并不意味着各学科不再保有特性及其研究领域的界限,相反,必须突出其个性以便为知识和其他研究提供支持。

第二章　新科学技术革命及当代资本主义经济的发展

样被看做是社会上的固定资本"。① 大卫·李嘉图也指出,一个国家全体居民所有后天获得的有用能力,是资本的重要组成部分,因为获得能力是需要花费一定的费用的,因此可以被看做是每个人身上固定的、已经实现的资本。

即便如此,当时的市场经济制度仍然使具有隐含知识和技能的劳动者只能充当一般的劳动力商品,其具有的知识和技能以及劳动力紧张程度的提高所带来的收益也未归劳动者本人,劳动者不会因此致富,而资本却能够致富。第二次产业技术革命后,随着劳动者教育和技能的提升而带来的劳动生产力的提高,经济学概括了劳动力的资本属性,1906年,欧文·费雪在他的《资本和收入的性质》一书中"令人信服地明确提出一个总括性的零资本"——人力资本概念。随后雅各布·明瑟对人力资本理论进行了进一步的理论概括。② 而被真正称为人力资本创始人的是西奥多·舒尔茨,他发现,20世纪初到20世纪50年代美国农业生产产量和农业生产率的提高,其主要原因已不是土地、劳动力数量活资本存量的增加,而是人的知识、能力和技术水平的提高。并在美国经济学年会会长就职演说和《美国经济评论》(1961年6月)上发表了《人力资本投资》,并由此形成了一股人力资本研究热潮,形成了完整的人力资本理论体系。

创新劳动力资本化属于人力资本范畴,但比人力资本的概念内涵要狭窄许多,专指创新型劳动力的资本化过程。由于具有创新能力的技术劳动者在市场上具有垄断性,其创新能力的高低创新劳动者的数量决定了他在技术劳动力市场上的市场垄断程度和规模。相应地,创新劳动者这种在技术劳动力市场上的垄断性也会表现在他们所创造的商品市场上。在众多对手相互竞争的市场中,如果某种产品能够依靠创新处在领先的位置上,那么,由于市场天生倾向于惠助那些已经领先的产品(即便是劣质产品也可能主导市场),递增的收益将会进一步扩大这一优势。这种占有整个市场的赢家,能获得高额的垄断利润是不

---

① [英]亚当·斯密:《国民财富的性质和原因研究》,商务印书馆1972年版,第256~258页。
② 他在1958年8月的《政治经济杂志》上发表了一篇题为《人力资本与个人收入分配》的论文。是关于人力资本最早的阐述。

言而喻的。

凭借这种独特的垄断性和经济价值,处于这个阶段的创新性劳动力可以把自己(而不再是自己所拥有的技能和知识)作为"固定资本"参与到再生产活动中,成为价值形成和价值增值的手段,并参与企业的创新收益分配、共享企业收益权。这样,当创新劳动力成为价值存在和增值的手段,其价值也能在运动中实现保值增值并带来剩余价值时,创新劳动力就成为了独立的创新劳动力资本。

(3) 知识资本化

价值总是以货币或商品形式存在,作为资本的价值也不例外。无论是上述物化的知识商品还是创新型劳动力,其价值总在交换运动中不断地从一种形式转化为另一种形式并且永不消失,变成了一个自动的主体,它的躯体商品既成为其存在的形式,又成为它在运动中实现增值的手段。从物化的知识商品到人力资本,经历了一个躯体资本由有形到无形的跨越。然而,随着科学技术的不断发展,我们观察到这一进程还远没有结束,资本的形态还必将有新的发展。

如果说过去的经济学大师们首先发现了物化的技术继而科学的资本属性,由此发现了人体所隐含的知识技能的资本属性的话,那么,两者作为交换的商品都有其特殊之处。无论是知识和技能还是它们的承担者——劳动力,都不可能通过买卖小麦那样的方式来进行交易。打个比方,对一项技术的掌握就不可能像拥有一只网球拍一样,人们只要在商店里挑好付款再拿回家就可以了。获得一项技术更像获得打网球的技巧,一个人可以付钱参加网球课程,这也许有所帮助,但这远远不是购买打网球打得好的技巧。毕竟,知识和技能还得通过个人的努力和一定时间的学习才能获得,而且不会自动地确保通过教学等方式就学会并能够运用。然而,计算机和信息技术正逐渐将某些原来隐含在人体内的技能和知识从劳动者和劳动力当中分离出来,使之能够更加容易、有效地转移到消费者身上。例如,一些机械师的技能已被移植到为程控机床编制的程序中,传统制造业中发展成熟的生产线技术的每一个细节都可以用"显性"的规则固定下来,使用程序的人无需高度精密的技能和知识就能按程序控制按钮完成操作。即实现了所谓的"傻瓜化"——任何能够阅读、识别按钮的人都可胜任传统机械师的工

第二章　新科学技术革命及当代资本主义经济的发展

作。

于是，凝集了各种信息元素的知识和技能与简单的直接劳动相分离，甚至开始与复杂的脑力劳动相分离，大大节约和释放了劳动力并改变了劳动力需求结构。更重要的是，它们分离出来后成为了生产条件，与劳动相对立。至此，原来无形的、隐含的知识和技能分离出来获得了独立发展的力量，成为了独立的资本品。资本也得到了充分的发展，造成了与自己相适应的生产方式。因此，当它们的价值也能在交换运动中实现保值增值并带来剩余价值时，也就成为资本的一种形式，我们姑且称之为"知识资本"。虽然这种精神性质的、无形的知识和技能也有物质载体，有其躯体商品，但不能混同于前述的物化了的知识商品。

当然，现阶段的"知识资本"还比较弱小，它依然依附于产业资本而存在，其运行依然要依赖于货币资本，货币资本依然表现为知识资本运行的第一推动力和持续的动力时，它暂时只能追逐货币资本、产业资本，以获取资本利得。[①]

4. 科技知识财产化

当代技术创新过程中，在科学、技术、创新劳动力以及知识凭借其私有产权实现了商品化、市场化和资本化以后，势必还将获得相应的资本化收入，或者进行资本积累（将剩余价值用于"扩大再生产"），这个过程就是它们财产化的过程。

事实上，前面所述知识的不可独占性与传统财产所有权的假设基础在某种程度上是矛盾的，如基础研究一般是"公共知识"，具有共享性、可传播性而没有保密性[②]，应用研究也只具有一定的保密性。更为特殊的是，技术创新成果的交换总是发生在成果被使用之前、而创新成果（特别是应用型研究）的内容在交换之前又必须有一定的保密性，所以必须有一个相应的产权认定机制。创新者深刻地理解这一点，所以尽量通过法律产权（如股权、专利权和版权）的重新

[①] 参见陈则孚："知识资本与风险投资"，《理论前沿》2001 年第 3 期，第 16～17 页。
[②] 当然，随着当代技术创新竞争的战线前移至研究开发阶段乃至基础研究阶段，基础研究在一定程度、一定范围内也变得保密了。

确认以及独占这些产品的设计策略来获得对知识和知识产品的所有权。

科技知识财产化首先表现为当代许多大企业不仅仅只制造物质产品,而且还生产和出售研发的专利权、专有技术、版权、品牌以及商誉①等知识产权,或收取所谓创新租金。也出现了专门从事技术产权交易的所谓"无板(或第三板)市场"(Technology Stock Exchange)②,为技术创新的市场化、成果资本化、财产化提供了一个新的平台,知识产权成为了获得高利润的重要竞争手段。

尽管现实生活中许多类型的知识及知识产品(knowledge-based products)仍然难以被劳动者或资本所有者所独占,专有技术(某种程度上是知识的集合)的独特性也很难界定,但知识财产化的产权③制度背景确实有了较大的进步。

现代市场经济中,产权制度的创新主要表现是:赋予重要经营者和科技经营者以股权,使其智力(知识能力等的综合)投入转化为企业资本投入,从而使得知识进一步转化为财产。为适应技术创新和知识产权制度的发展,在当代发达国家,企业给予经营者和主要科技人员原始股

---

① 在知识经济时代,随着企业产权有偿转让行为的频繁发生,商誉成为企业之间不得不触及到的问题。通常商誉是指企业获得超额收益的一种能力,是企业由于所处地理位置的优越,或由于信誉良好而获得了客户的信任,或由于组织得当、生产经营效益高,或由于技术先进、掌握了生产诀窍等原因而形成的无形价值。有正、负、自创及外购商誉之分,在此当然应将负商誉排除在外。

② 在我国,技术市场发育受到多方面制约,这与缺乏知识产权等无形资产的评估机构不无关系。由于缺乏权威的评估机构,作为供方的科研单位觉得技术价格偏低,不愿转让给企业而宁愿自己转化,但自己转化组织生产又受到诸多条件限制;另一方面,作为需方的企业对技术成果的成熟性和预期效益又存在疑虑,不愿出高价购买,从而双方难以成交。因此,技术产权交易市场无形中起到了促进无形资产和知识产权"价格发现"的作用。

③ 约瑟夫·E. 斯蒂格利茨在《经济学》中将产权与利润动机和市场动力连接起来加以说明的阐释,将有助于我们理解这里所提出的问题。斯蒂格利茨说:"产权包括每个人按照他们认为合适的方式使用其财产的权利和出售它的权利。""产权的上述两个特点使个人有动机把他掌握的财产使用得更加有效。"按照这一论述,应该建立一种产权认定机制,即能够使高新技术成果这一特殊商品的购买者一方感到可以以"合适的方式"得到"使用它的权利",于是,就合乎逻辑地排除了存在的障碍。从我个人的理解看,产权的可强制实施性正是财产化的制度保证,信息、知识看来尤其如此。但现有知识总是建立在前人基础上的,因此注定这种产权也只能是不完全的、不彻底的。

第二章　新科学技术革命及当代资本主义经济的发展

权或期权是非常普遍的现象。① 这种智力投入转化为企业股权的制度传递了这样一种信息——知识即是资财，无论是使人接受教育的花费还是使人发挥智慧的花费都是一种投资行为，同时也是当代高风险的科技劳动以及经营活动的物质激励和利益保障。

显然，科学、技术乃至泛化了的知识所形成的财富，不同于"物质"财富观，当股市暴跌的时候，这些财产的价值就会发生较大的波动甚至不翼而飞。而且，它们的存在极其依赖于社会对它的认同，持有虚拟资本的人越多、人们持有的虚拟资本越多，作为财富的意义就越明显。

二、"新经济"与"知识经济"的实质

最早新经济的提出是由于美国高科技股股价狂飙，而传统的股价定价理论如成本-收益比等观念已无法解释此种现象，于是有新经济一词的产生。20世纪90年代中期以来，由于美国经济强劲增长、历久不衰，并缔造出美国有史以来历时最长——140多个月——持续的经济繁荣期，人们将这种"高增长、低通胀、低失业率和低财政赤字"的现象归功于美国科技的不断进步（如信息技术、生物基因工程）以及网络和风险投资的普遍运用等，使得劳动生产率得以大幅提高、企业成本大幅降低，对外竞争力也大幅提升，进而促使宏观经济摆脱传统经济景气周期而不断向上攀升，这种技术的不断创新导致的经济增长，即"新经济"的广义引申。由于高科技是现代科学知识的物化与体现，高科技的创新以及高科技的经济组织、管理与运行均立足于科学知识的应用，因而所谓新经济就其本质而言也就是人们通常所说的知识经济。当然，随着2000年第3季度互联网领域发生的大裁员、破产，许多人断言"新经济"完了，并变得已经不再相信"新经济"。不过本文认为这种认识有某种程度的视

---

① 无论是在巴泽尔关于奴隶阶级的研究中，还是在马克思设想的社会主义社会里，人的健康、体力、知识、技能、经验、判断、熟练程度乃至一些属于精神存量的创造力、忍耐力、自我调节能力、适应性、纪律性等的所有权"只能不可分割地属于其载体"，它是人类的，而且是属于个人的一部分，它又是资本，是未来收入的源泉。更为关键的是，"人力资本所有者"即个人是享有知识控制权的，完全控制着"资本"的开发利用！甚至在人力资本产权受到限制或损害时，还会以一种迥异于非人力资本的方式作为回应——"关闭"部分"人力资本"——不服从、偷懒，总之不为他人所用，从而使人力资本的经济利用价值一落千丈。在此意义上，"人力资本天然属于个人"，并且是一种特殊的有感情的"主动财产"(full-fledged property)，非"激励"难以调度。所以当代高新技术企业的期权股权激励现象非常普遍。

野局限和短视，它忽略了"新经济"的本质及其对当代资本主义发展的影响。

从美国战后至今的经济长周期看，由马克思揭示的资本主义基本矛盾及其与生俱来的相对生产过剩，一直没有消失过。虽然资本主义国家确实千方百计地企图消除其危机，其基本策略无非有二：一是技术的创新变革，淘汰无效率的生产手段，甚至采取推行"新型商品"的策略；二是通过全球范围的产业重新布局、建立全球性的自由贸易区等所谓"世界体系的扩张"策略。这些策略在一定程度上也获得了卓越的成就，资本主义也因此被称做是一种最富有弹性和适应能力的生产方式。

1. 以"新型知识商品的推出"克服资本主义由相对生产过剩引致的经济危机

"新型知识商品的推出"策略的主要途径就是求助于技术革新和技术革命。这就是说，资本主义国家不断推进技术革新和技术革命，大量推出新型的商品，以使资本主义从危机中解救出来，曼德尔曾经在其《晚期资本主义》中对资本主义各个阶段的变化做过这样的描述，蒸汽机技术与国家资本主义相适应；电子技术和内燃机技术与帝国主义相适应；原子能和控制论与现在的跨国资本主义和被人用来作为后现代化重要标志的全球化相适应。他特别提请人们注意原子能和控制论这些最新的技术力量的作用："这些技术既是推出新型商品的生产力，同时又是开拓新的世界空间的工具，从而使地球'缩小'，使资本主义按照一种新的规模得以重新组织。"

20世纪后期信息技术的普及和大量信息（知识）商品的推出，就有效地克服了资本主义国家20世纪70年代以来由生产过剩加剧、凯恩斯主义破产所诱致的经济停滞。由此看来，新技术革新在一定程度上把资本主义从周期性危机中拯救了出来，但是，正如上一节内容所分析的，科学技术的发挥作用是离不开经济动力的，只要当代资本主义不能够永久持续地提供这样的经济动力，那么科学技术不管怎么发展总不能使资本主义从根本上摆脱危机。

2. "世界体系的扩张"策略克服资本主义由相对生产过剩引致的经济危机

追溯资本主义发展的历史，资本主义自始至终有一个中心，过去是

第二章　新科学技术革命及当代资本主义经济的发展

18世纪工业革命的策源地英国，现在则由美国称霸。从空间上说，每一个新的中心都比先前的中心所占有的范围要广阔。为了商品化，为了新的市场，为了新产品，每一个时期的资本主义中心都为自己打开了更为广阔的市场。

20世纪末期，全球化、信息化程度如此之高，资本和市场扩张的范围远远超过了先前各个阶段的资本主义，在此条件下以知识产品生产为核心的美国政府开始推行"去工业化（deindustrialization）"的国家战略的安排，实行了所谓的新经济政策，即逐渐放弃制造业，从制造业转型为知识产业，将精力和资金投入集中在高科技技术和知识产权领域，用知识和知识产权占领新的领域。美国经济正逐步完成经济形态从工业经济向知识经济的转化，走向低成本、高效率、高科技、知识产权化、服务品牌化的未来。

相应地，随着世界经济结构调整的扩散效应和产业转移，特别是考虑到工业化的需要以及几亿农业劳动力向非农产业的转移，以中国为首的第三世界国家开始成为一个国内外舆论都公认的规模巨大的以物质产品生产为核心的"世界制造中心"。统计表明，2002年我国已有100多种制造产品数量位居世界第一。全世界销售一半的摄像机、30%的电视机和空调、25%的洗衣机和20%的冰箱都贴着"中国制造"的标签。中国海关统计也表明，中国已连续多年成为纺织品、服装、鞋、钟表、自行车、缝纫机等劳动密集型产品的第一大出口国。近些年来，机电产品中的移动电话、激光唱机、显示器、空调机、集装箱、光学元件、电动工具、小家电等出口也升至世界首位。

当中国正以"世界加工厂"的定位发展经济、加速工业化进程的同时，另一方面美国却把精力集中在了知识产权化、服务品牌化，以及全球化战略上。在这种新的经济形态中，"经济剩余"的瓜分权威已经不再是"达官"和"富豪"，而是"智士仁人"。[①]驱动这种经济发展的内在要素就是智慧、主意和点子等知识。这就是广为流传的"知识经济"。

[①] 著名政治经济学家、诺贝尔经济学奖得主哈耶克认为：世界上的经济有两种，一种是有了"权"才能买"钱"的经济，另一种是有了"钱"才能买"权"的经济。这两种经济都不好。现在，应该说世界上已经出现了第三种经济。这种经济是有"智能"才能"买钱"和"买权"的经济。

"知识经济"、"信息经济"将新型经济从传统的工业经济和农业经济中界定出来。而"新经济"、"知识经济"的另一称谓"网络经济"则更好地同时反映了新型经济在地缘空间上的突飞猛进，即当代最引人注目的经济社会的全球化形态。如此表明，一个健康的经济体系在高端的知识经济层面高技术、低成本、高效率的运行时，还必须以物质部门的再生产作为支撑或依托。

3. 产品品牌的优势与传统产品和服务的弱势

产品品牌是初级的知识产权，美国企业目前占据了全世界70％的名牌。这些品牌既包括商品品牌，也包括服务品牌。它们正以一种特殊的形式介入经济生活中。以商品品牌为例，尽管美国不生产电冰箱，不过他们大部分的冰箱却是由中国和马来西亚生产，使用的品牌是美国的品牌。美国商业界赚取的利润几乎和整个电冰箱的价值相等，是中国制造工厂利润的4～5倍。同样，中国人穿的美国名牌服装和运动鞋，它们在中国制造时，中国工厂只赚取了不到一美元的利润，但美国品牌拥有者却可以在每出售的一双鞋中赚取五美元。这就是产品品牌的知识产权问题。在服务品牌方面，美国的沃尔玛连锁商店、7～11便利店，以及大都会保险公司、纽约人寿保险公司、美国银行、花旗银行等全面的服务品牌大量进入中国。稳定、安全、可靠就是它们的宗旨，依靠这个服务的品牌，将会阻止其他的商品进入消费者的视线。

4. 技术知识产权的优势与组装制造的弱势

微软产品在技术上知识产权的优势就是最明显的代表。高科技产品进入中国无一不是带着技术产权的印记。尽管中国民族企业也许具备劳动力的优势，但制造的产品却没有任何价格优势。因为，海外的客户可以轻易地在中国工厂生产的产品上贴上自己的品牌，然后在中国出售，而中国自己工厂生产的产品因为要支付外国公司技术使用费，结果制造的产品，成本反而会高出海外名牌企业的产品。换言之，当我们在使用中国制造的产品时，我们都要为每件产品向美国企业交纳知识产权使用费。

三、"新经济"与"知识经济"对传统经济理论的挑战及其新特点

1. "新经济"与"知识经济"对传统经济理论的挑战

在策源于美国的"新经济"繁荣时期，人们曾一度异常热衷于讨论

第二章 新科学技术革命及当代资本主义经济的发展

其对传统经济理论的挑战。随着"网络股"的崩溃,许多人又倾向于将"新经济"归因于大量国际游资的追捧下的非理性投机。然而无论人们如何看待新经济,新经济及其更本质的"知识经济"和反映地缘空间的"网络经济",确确实实对传统经济理论带来了不可忽视的冲击和挑战。

(1) 对传统马克思主义政治经济学理论的影响

"新经济"和"知识经济"对马克思主义政治经济学的影响主要表现在对生产力要素理论的影响上。

随着信息网络的发展与完善,知识和信息在生产力中的作用已从工业经济时期的非独立因素变成独立因素,知识的生产、传播、使用已大为改观,使知识对经济和社会的作用日益强化。

生产力是生产关系的物质基础。生产力究竟是由哪些要素组成的,历来有不同的观点。例如,"两要素说"把生产力理解为人类作用于自然界的生产能力,它"由用来生产物质资料的生产工具,以及有一定的生产经验和劳动技能来使用生产工具、实现物质资料生产的人"[①]共同组成。"三要素说"认为生产力指的是生产总量,决定该量的生产过程的要素即生产要素也就是生产力要素。因此,它除劳动工具和劳动力之外,还包括劳动对象。劳动对象的发掘与变革对生产力的增长起着越来越大的明显作用。"多要素说"视生产力为生产率或劳动生产率,而它的高低除受上述三要素的影响外,还取决于"科学的发展水平和它在工艺上应用的程度,生产过程的社会结合,……自然条件",[②] 以及其他要素。

"多要素说"随着社会生产的发展而发展。这种发展,一方面表现在决定生产力的主导因素的变化上,如从生产工具主导论到"科技是第一生产力"的科技进步主导论的变化。另一方面表现为决定生产力的要素在不断增加中,除科技、管理外,又有教育、信息与知识等。

网络经济的发展,对生产力要素理论产生了全面的影响,这表现在:①使生产力的首要因素劳动力对其信息能力即获取、传递、处理和运用信息的能力的依赖空前增强,并促进新型劳动者即信息劳动者的出现与快速增加。②使生产力中起积极作用的活跃因素劳动工具网络化、智能

[①] 《斯大林文选》(1934~1952年),人民出版社1962年版,第195页。
[②] 《马克思恩格斯全集》第23卷,人民出版社1975年版,第53页。

化以及隐含在其内的信息与知识的分量急剧增大，信息网络本身也成了公用的或专用的重要劳动工具。③使不可缺少的生产要素劳动对象能得到更好的利用，并扩大其涵盖的范围，数据、信息、知识等都成了新的劳动对象。④使生产力发展中起革命性作用的科学技术如虎添翼，由于科技情报交流的加强和科技合作研究的发展，科技进步日新月异，信息科技成了高科技的主要代表，它对社会和经济的渗透作用和带动作用不断强化。⑤使对生产力发展有长期的潜在重要作用的教育发生了根本性变革，远程教育、终身教育日趋重要，本来就是与信息相互交融的教育更加信息化、社会化和全球化了。⑥使组合、协调生产力有关要素以提高它们综合效益的管理对生产力发展的决定性作用更加强化，导致管理科技甚至也成了高科技。管理信息化已发展到内联网、外联网、互联的"网际网"新阶段，并与各种业务流程信息化相融合。信息不仅是管理的基础，而且与知识一道也成了管理的对象。信息管理、知识管理日益成为管理的重要组成部分和新型的增长点。⑦使作为生产力特殊软要素的信息与知识通过对生产力其他要素所起的重大影响和通过对这些要素的有序化组织、总体性协调，发挥其物质变精神、精神变物质两个过程相互结合的特殊作用。

(2) 对传统主流经济学理论的影响和挑战

"新经济"时期，人们对此怀着极大的研究兴趣，谈得最多的是对通货膨胀率与失业率此消彼长"理论"——菲利普斯曲线——的影响、对经济周期波动理论的影响，以及对边际效益递减理论作用范围的影响、对规模经济理论相对重要性的影响，等等。随着对新经济的理性回归，许多人开始否认新经济，当然，对该问题的研究似乎变得没有价值了。然而，不可忽视的是，知识经济和网络经济至今使得传统主流经济学理论的许多领域都面临着挑战。

第一，对经济人假设的挑战。从经济学的角度来看，从"经济人"的假设到"社会人"的假设，如今到"具有真正个性的人"的假设，后信息时代的根本特征是真正的个性化。工业时代企业对人的基本态度是把人当做机器，最可怕的是人的机械化，人悄悄地变成了庞大机械中的一部分，甚至只是一个零件，对人实行分而治之的控制。如果不改变这种趋势，人的齿轮零件的特性将会更加突出，在这种齿轮中，个人——

第二章 新科学技术革命及当代资本主义经济的发展

一个巨大水车的叶片——几乎不可能为自己着想,也不能走神,因为它如同水车一样,受着一种无所不在的无形的控制和压抑。技术的集体性使个人服从一种完全的实用性,使个人越来越惶恐不安、越来越专注、越来越非人格化。而信息时代则强调充分调动人的智力因素,实行团队合作式的无为而治,人不再被物役,人再度回到个人自然与独立,人不再仅仅只是统计学中的一个单位。人类共存的价值范畴的重要性远远超过工业化社会。旧的价值观和道德观完全有可能结出人们预料不到的新现实之果,无论是从社会协调的角度来看,还是从伦理的角度来看,都将大大推动个人化。要成功地做到这点,我们需要的不是人与新技术对抗,相反,而是与之合作。

第二,对稀缺资源的重新认识。传统经济学认为有必要对有限的资源进行合理的配置。而在网络经济时代,作为一种最重要的资源,似乎出现了供过于求、过剩的现象,也即所谓的信息爆炸、信息过载。人们仰慕前人在研究某一领域时,可能基本上穷尽该领域的所有文献,而我们当今要做到这一点却十分艰难。尽管你可能下载到相关的文献,但是你绝对不可能全部吸收它们,因为你的吸收消化速度远远地低于相关知识的产出速度。因此所谓的"注意力稀缺"的问题产生了。信息供应商试图吸引有限的注意力资源,并且使注意力停留更长的时间,同时渴望培育注意力的"忠诚度",长久保持,不断扩展。

第三,对市场评价体系的重新构造。传统理论的价格是在市场上发现并得以评价的,而知识经济体系中知识产品的评价却是在虚拟资本体系中得到评价的。正因为如此,所以传统理论在"如何解释网络股不赢利而股份却持续上升?美国股市是否存在泡沫?何时引爆?"等问题上碰到了难题。美国股票市场早在道琼斯工业平均指数处于6000点时,就有人指出存在泡沫,尽管如此仍然无法阻止它连续突破历史高点,1997年2月13日和7月16日连续突破了7000点和8000点,1998年4月6日再次突破了9000点的记录。美国股市在20世纪90年代以来,获得了突飞猛进的发展。道琼斯指数从1000点到2000点经历了近15年的时间,从2000点到3000点到4000点都是用了将近4年的时间,从此之后的跨越日益加快。1997年人们在为东南亚金融危机担忧的同时,也开始对全球经济的走向十分关注。特别是华尔街作为世界经济的龙头,道琼斯指数作为全球经济晴雨表更成为人们关注的焦点。有的美国学者曾经预言突破万点是不以人的意志为转移的,华尔街股市再次打破神话。1999年3月29日道琼斯指数历史性地突破了万点大关,8月25日再次创下了11326.04点的纪录。1998年网络股上市公司有40家,而到1999年上半年就达到99家,筹资300亿美元,占所有上市公司筹资的25%之多。并且,1999年头5个月网络公司的并购额就达到480亿美元。尽管软件业仍居首位,但是一旦扣除了微软400亿美元的市值,软件业显得有点单薄了。而网络股在4个月后上升到3410亿美元,居前5名的网络公司拥有1970亿美元的市值,而半年前只有400亿美元。这种强劲的飚升势头足以引起各界人士的注意和警觉。然而,十分遗憾的是过去的投资评价方法在网络股面前失去效力,显得苍白,当一些网络股出现了市盈率高达300倍时,投资学专家束手无策。因此,人们探索采用EVA(Economic Value Added)等方法进行测算,以引导投资者决策。

(3) 对当代经济学研究对象范围的挑战

尽管近年来经济学家把更多的目光转向技术进步和技术创新[①],但生产函数的传统思路在本质上与当代技术创新是不协调的。知识经济、信息经济、网络经济、金融经济都反映出人们正在从不同的角度探索20世纪末发生在经济领域里的重大变化,将这一系列新的研究命题整合起来的话,我们不难发现,经济学研究必须扩大其研究对象的范围并形成新的经济理论构架。这个适应新的经济形态的理论构架,简单地说就是与以"实体经济"为研究对象的新古典理论相对应的经济理论。

西方主流经济学将经济看做是一个物质系统,所有的生产都是投入与产出的技术关系,其他一切非物质系统不过是为此服务的,超过服务的限度其他一切都将是多余的。虽然片面,但大多数人都相信了。凯恩斯经济学意识到了一个对经济产生外部影响的信息要素——预期,成就了经济学史上著名的"凯恩斯革命",并被后凯恩斯主义者大量地移植。

---

① 索洛在1999年接受世纪末的采访中分析增长和技术进步下一步的研究方向时,认为"有两种可行的办法对技术进步方式进行分析。第一种是用某种方法将我们现在有关市场结构分析对创新率影响的抽象理论观念与已经进行的在社会科学层面上在产业研究实验室中完成的分析工作相结合。增长理论要解决的第二个问题是怎样普及技术进步成果。这一点正在考虑当中,但仍可以做得更细。像我早些时候提到的,我们对于国家如何发展仍不够了解。"

第二章 新科学技术革命及当代资本主义经济的发展

即便如此,其研究对象仍然没有跳脱出物质领域。

作为另一个经济学理论体系,马克思将商品经济的细胞——商品视为使用价值和价值的统一体,不过,价值(一种社会关系)而非使用价值才是商品的本质属性。任何物品,一旦它披上了商品的外衣,价值和价值增值就成了其在市场经济中最核心的问题,由此可见,整个市场经济不过是物质系统与价值及价值增值系统的统一,而且,价值系统是其本质属性,价值系统的运行决定着物质系统的一切过程。遗憾的是,由于沿袭前苏联教材的观点,长期以来我们都将价值的内容简单地理解为惟一的劳动,而忽略了价值的社会属性。相应地,马克思的劳动价值论的核心也一直被理解为劳动决定价值,而价值表现的则是等量劳动相交换的关系。交换劳动的社会关系固然是最原始、最基本的价值关系,但是随着社会经济的不断发展,它却不是惟一需要在交换中计量和比较的社会关系。我们认为,就20世纪以来出现的经济形态的变化而言,经济学研究对象的范围应当从物质生产领域扩大到服务生产领域,进而扩大到今天的信息(知识)生产领域。

如果说传统的两大经济学理论体系对物质产品和服务产品都足以做出比较完美的经济学分析和解释的话,它们对具有共享性的信息产品以及知识产品及其定价方式的解释力却较为有限。杨小凯、李克以及刘孟奇等人用超边际分析,杨小凯与黄有光用间接定价理论等均对此做了新的尝试。[1] 我们认为,在信息(知识)产品迅速商品化、资本化的时代,这种现象也可由虚拟资本及其与之相适应的虚拟经济理论得以解释。[2] 所谓的虚拟资本理论认为,在现代市场经济条件下,整个经济是物质系统与价值及价值增值系统的统一,由两大价格体系共同构成:一个是附着在商品上的物价体系,一个是资产价格体系。二者的区别并不在于有形或无形,而在于定价方式所决定的行为方式的差异——前者由成本和技术支撑,而后者则是纯粹的价值关系,由观念支撑,我们把它称之为虚拟资本或虚拟经济。20世纪80年代以来市场经济所经历的许多重大

---

[1] 杨小凯:"电子商务的经济分析"博客中国(Blogchina.com),2004年7月9日10:08:10。原始出处:中评网。刘孟奇. 报酬递增与专业化:新古典经济理论研究(博士论文)。

[2] 刘骏民:《从虚拟资本到虚拟经济》,山东人民出版社1998年版。

变化与这种资本化定价方式和定价系统的泛化有关。

2. "知识经济"战略背景下的当代资本主义新特点

200年前第一次科技革命促使资本主义经济从农业经济转向工业经济，目前迅猛发展的信息技术革命及高科技产业群的形成正促使资本主义经济从工业经济转向知识经济。知识经济的崛起发源于20世纪40年代开始的信息技术创新群聚，特别是20世纪80年代兴起的科技革命。而1991年冷战结束，国际竞争重点转移到经济科技领域，这加速了经济知识化的步伐。新科技革命不但使人类知识总量迅速增加，而且使人类获取知识、应用知识的能力大大提高。应当说，即使是从知识经济的角度考察，当代资本主义也并没有超出资本主义的基本范围，但是与古典资本主义相比，当代资本主义已出现了新的特征。

(1) "知识生产"生产方式的形成

当代资本主义生产中的知识含量、技术含量越来越高，绝大部分的服务业工作者实际上是在创造、处理和分配信息。例如，从事计算机程序编制员、教员、职员、秘书、会计、证券经纪人、经理、保险行业人员、官员、律师、银行业和技术员等工作的人，还有许多在制造厂商公司里从事信息工作的人，无不是在创造、处理及分配信息，进而形成特殊的"信息生产方式"。

进一步地，随着当代商业与产业利益日益向学术与非学术研究的逐渐渗透，"知识生产"这样一种新的生产方式开始形成。这种生产方式往往要求不同的工作文化、不同的研究类型、不同的行为和目标，在一个多学科交叉的跨组织研究方案中得以共存，正是这种跨组织、跨学科的组织形式，消除了学科之间、技术与科学之间的明显界线，进而扩展到社会与人文科学。社会科学是研究各种社会现象的科学。但是与自然科学相比，社会科学领域的知识产品的经济价值更受人质疑。

事实上，社会和人文科学知识产品很多，既包括作为人类的创意与科技相结合并能够创造高附加值的数字内容产业，如动画、游戏、电影、广告、宽带内容、多媒体产品、数字出版等；又包括由新闻出版业、广播影视业、音像业、演出业、娱乐业、艺术培训业、文化旅游业、大众文化业、图书馆业、文物业、博物馆业、会展业、广告业、咨询业、博彩业、竞技体育业、网络业等类型的文化产业。

第二章　新科学技术革命及当代资本主义经济的发展

社会和人文科学知识产品按产业顺序也有上、中、下游产品之分，其中的中、下游产品是制度与组织方面的知识产品和人自身生产知识产品的能力即思想观念、思维方式等方面的知识产品，上游产品就是各种学说等纯理论的知识产品，上游产品是为下游产品服务的，上游产品的价值通过下游产品表现出来。看似空洞、不实用的社会人文知识通过产品化、商品化、市场化后，一样可以产业化，并带来更多的经济利益。

（2）彻底的"商品化"

如果说过去在构建适宜于技术创新的经济机制以及在知识产品生产方式的形成过程中，各个国家基于国家主权的文化区域的下游知识产品一直是阻挡普遍商品化的主要障碍，一直确实地与这种商品化的逻辑处于相对峙和相矛盾的状态。今天，"商品化"已严重到足以吞没大片文化领域的程度，这一方面使文化已成了商业，另一方面则使先前被视为经济和商业的东西也变成了文化。所以，当今的经济和商业的东西已有了文化意义。并且，经济与商业的东西具有文化意义正是商品化本身越来越普遍和彻底的结果。

（3）叠加的"全球化"与"信息化"

"全球化"、"信息化"是与结构性失业、金融投机、失控的资本流动联系在一起的。

首先，科技变革导致的产业结构的变化必然引起就业结构的变化，这一变化直接从两个方面体现出来：一方面表现为按三大产业划分的就业人数比重的变化，即农业劳动者人数锐减，工业从业者增加缓慢，服务业人数大增。人们所熟知的白领工人（办公室和操纵、监测实验室中的职工）增多。另一方面表现为就业人口的知识型劳动者与非知识型劳动者结构的变化，前者正在迅速增加，后者则逐步减少。

"知识型劳动者"作为一种新型的劳动者则在不断增多。他们无论在哪一产业部门中，无论在生产还是科研、设计、营销中，都是利用信息技术手段从事创造性的劳动。"知识型劳动者"包括有较高科学文化素养的工人，掌握了高新技术的技术人员和科研人员，富有创新意识的工程师、设计师、计算机安装人员及信息收集、分析和处理人员，具有战略头脑的高级管理人员和计划人员，具有开阔眼界、敏锐目光和预见性的经济师、会计师和营销人员。当然，也有更多的产业工人，但这些产工人也要求是具有更多科学知识和文化素养、掌握新技术的新型工人。那些不懂技术、低素质、低文化的工人就业比较困难。据统计，在美国近几年的就业人员中，90％的就业者是知识型的劳动者。

其次，金融资本高度发达。一是金融机构多样化。二是金融市场全球化。各国金融体系逐渐开放，高性能的信息通讯网络使资本在全球各个角落高速流动，货币、股票、债券市场的全球化使全球资本市场日益融合在一起，跨国公司可以突破一国的限制在全球范围内寻找最低成本的资金。

再次，虚拟经济与实物经济严重脱节，金融泡沫化和投机导致金融危机频繁发生，从而对实体经济产生严重的破坏作用。近十多年来，随着政府对金融管制的放松，信息、金融手段的普及和网络的无限扩张，大量资本从实物生产和贸易领域转向金融和房地产投机场所，使金融资本高度虚拟化。据统计，在全球每日数万亿美元的金融交易中，与生产贸易有关的仅占3％，绝大多数金融活动为没有实物经济基础的投机行为。虚拟经济和实物经济严重分离，经济泡沫化的危险加重，大大增加了西方乃至世界经济体系的金融风险。20世纪90年代资本主义金融危机不断发生，无论是墨西哥货币危机、亚洲金融危机还是俄罗斯金融危机，在很大程度上都与金融投机有关。美国股市泡沫终于在2000年开始破灭，股价暴跌，三大股市进入熊市，成为经济减速和衰退的导火线。

2.3 发达资本主义国家"高技术经济"与"知识经济"发展战略

2.3.1 发达资本主义国家"高技术经济"与"知识经济"发展战略的实施条件：知识产品、文化产业与资本的对接

发达资本主义国家知识经济发展战略的实施，建立在一个非常重要的制度基础之上，那就是伴随"新经济"风光一时的风险投资。

风险投资作为一种行业出现，从本质上说，是先行工业化国家在其经济结构多次升级后竞争日趋激烈、平均利润率日趋下降、消费动力不

第二章　新科学技术革命及当代资本主义经济的发展

足、闲置资金累积增多等特定环境下，市场经济主体和政府共同为剩余价值资本化排除障碍所推动的一个金融制度创新成果。为了发现未被满足的需求和创造新的需求、刺激新企业的"出生率"（即培育新的经济增长点），[①] 为停滞的经济注入新的活力，他们努力将技术创新和高新技术产业化的"生产过程"和竞争的战线前移到了产品的研究开发阶段乃至基础研究阶段，即"逼进实验室"，将"孵化高新技术风险体的过程"独立出来运行，基于此，为独立运行的"新利润生产过程"提出了金融部门为它开辟出一个"独立运行的资本市场服务过程"的任务来。

风险投资实际上是一个复杂的国民经济系统，并不是建立了风险投资基金，有了风险投资行为就自然会带动高新技术产业以及有关新的经济增长点的迅速发展。它的传导体现了如下这样一种迂回实现的"网络"思路[②]（见图2—2）：

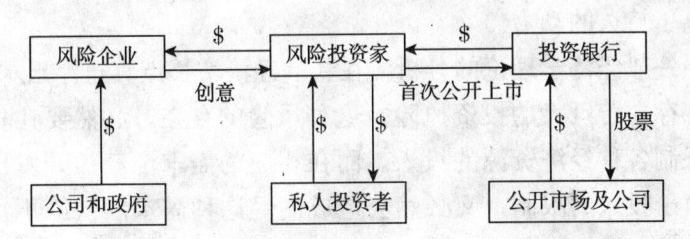

图2—2　风险资本运作示意图

Bob. Zider: "How Venture Capital Works?", *Harvard Business Review*, Nov-Dec. 1998, p131—139.

---

① 创业投资作为一种行业出现是在二战结束以后。当时的历史背景是：20世纪40年代后，美国新企业的出生率低，已经成立的新建企业规模小并且处于初创期，在长期融资方面存在许多困难。但是，这些企业的诞生对于美国经济的发展又具有重要意义。当时任波士顿联邦储备银行行长、ARD的创始人之一的弗兰德斯认为："除非是在经济结构中不断地有健康的婴儿——即企业出生，否则美国的企业、美国的就业和居民的财富作为一个整体，在自由的企业制度下不可能得到无限的保障。美国的经济安全不可能从那些老牌大企业的扩张中得到保障，……。我们需要从下面来的新的力量、新的能源和新的能力，我们需要让信托投资的一部分和那些正在寻找支持的新主意沟通起来。"

② 如果我们把本应用"网络"来描绘的一个相当复杂的问题过分加以简化，就很容易陷入认识的误区。除了前述的片面性认识外，还会有一些像经济学家已指出的那样的误识："以为只要有名牌大学，划定一片土地（高科技园区），再加上足够多的资金，就能开发出我们中国类似于硅谷的高新技术成长的新天地"就是"目前在'硅谷热'中的最大误会"（钱颖一：《硅谷的故事．走出误区：经济学家论说硅谷模式》，中国经济出版社2000年版，第18页）。类似于这样的误会可能还不少。

可见，风险投资的运行涉及五大关键性主体：创业者或技术创新者、专业的管理者、投资银行、风险投资家（代表投资者①）和政府。是风险投资（人格化的中介组织，是市场经济的灵魂）基于赢利及信息互惠要求，创造了一个贯穿其余四者的市场，并打通了它们之间的联系，②从而形成一种"网状"传导机制：

科技界………成果转化、急需资金………风………创业者、技术创新者
企业界………开拓新市场、获取高回报………险………职业经理人
金融界………谋求开发有效的投资工具………投………投资银行家
国家………调整经济结构、培植新的经济增长点………资………政府③

（当然，按本文对技术创新的理解，科技界和企业界是无法截然分开的，特别是19世纪后期工业实验室出现以后，形成了一种新型的产业科学体制，随着公共科学和产业科学体制彼此互补，为经济意义上的技术创新提供了持久的动力。）

按照一般经济学理论的分析，在新的经济增长点真正浮出水面以前，客观上都存在着巨大的投资风险。这种风险的存在，必然要在相当大的程度上限制各种经济资源的投入。而在相应的需求渐渐被开发出来的过程中，由于投入的限制，又必然会造成满足这种需求的供给不足以及相

---

① 目前那些创业投资比较成功的国家的风险资本主要资金来源：一是机构投资者（包括保险基金、养老基金、银行持股公司以及投资银行、证券公司等）；二是个体投资者（富有的个人和家庭基金）；三是大公司基金；四是政府和其他基金。以美国为例来看：

表2—2 美国风险基金的资金来源   （单位:%）

年份	个人家庭	基金会	保险公司	外国投资者	公司企业	退休基金	总计
1978	32	9	16	18	10	15	100
1988	8	12	9	14	11	46	100
1990	11	13	9	7	7	53	100
1991	12.2	24	5.4	11.7	4.3	42	100

② 风险资本在此的功能不仅如熊彼特所阐述的："资本，无非是一种杠杆，凭借它企业家可以使他所需要的具体商品受他的控制，无非是把生产要素专用于新的用途，或引向新的生产方向的一种手段。"（[美]约瑟夫·熊彼特，《经济发展理论（何畏等译）》，商务印书馆1991年版，第129页，着重号为原文所有）更重要的是，基于它对信息的把握程度而给系统内其他经济主体的信息互惠服务，使信息发生了增值。

③ 对政府来说，由于国际政治经济环境与国内政治经济环境之间的互动，使得国民经济体系之间的经济领先权不断"转手"。为保持经济领先权或不致将来落后，在初期主导发展高科技产业将是国民经济体系面对国际竞争最适宜的回应方式。

第二章 新科学技术革命及当代资本主义经济的发展

应有限供给价格的攀升。这样，也就自然会给敢于冒着巨大风险、率先投入并提供有限供给的投资者带来十分丰厚的利润回报。正是因为这些新的、潜在的经济增长点预期会给投资者带来丰厚的回报（远远高于普通投资所取得的回报），吸引了一些有胆识、有知识、有经验、能够准确把握未来发展方向的投资者，以权益资本的形式将来自机构投资者（包括保险基金、养老基金、银行持股公司以及投资银行、保险公司等）、个体投资者（富有的个人和家庭基金）、大公司基金、政府和其他基金的资金，投入到这些期望驾驭和利用新的经济增长点来发展自己，却又苦于融资困难的风险企业（亦即创新企业）当中。[①]

由于专业操作风险投资的机构，一般都具有极其丰富的管理经验、市场营销经验和行业知识，当他们的权益资本投入到风险企业中去以后，为了最大限度地规避风险、确保创新企业成功并为投资者带来巨大的投资回报，风险投资机构就要尽全力介入到创新企业的管理决策当中去，并要从多个角度为创新企业的发展创造条件。而那些由某些行业中已经成功的大型高科技企业[②]所投资成立的风险投资公司，往往还要将它所投资的风险企业放到自己的平台上来培育，更进一步提高了风险企业规避风险的能力。这样，风险企业在发展过程中所需要的各种稀缺资源都可以在风险投资机构的帮助下，源源不断地在不同程度上得到供给，风险企业的成功几率也必然会得到极大的提高。而风险企业的成功，就意味着这个新的经济增长点已经由潜在的变成了现实。这样，一方面风险投资机构的投资可以在适当的时机，选择一个合适的出口撤出，实实在在地获得巨额的回报；另一方面，创新企业的成功对整个国民经济的作用也将由点到线、由线到面，从而推动整个国民经济在新的、更高层次

[①] 此举有利于克服"国民财富越来越向金融机构而不是个人手中聚集"的倾向，把机构投资者的资金引导到支持中小企业的发展上。

[②] 如朗讯科技以技术实力雄厚著称于世，旗下的 Bell 实验室拥有遍布全球 25 个国家的 3 万多位专家，曾诞生出 11 位诺贝尔奖得主，平均每个工作日创造 4 项专利，同时朗讯科技也活跃在创业投资领域。思科公司 1999 年在网络通信设备行业的新创科技企业中投资达 2 亿美元，并且通过投资后对这些风险企业发展的进一步参与，思科公司可以迅速地进入最新的相应行业领域。

所以对创新的创业投资有两种主要机制：风险资本市场效率机制和公司集团资金配置机制。二者在大企业和小企业的竞争中互为补充。但很明显，有些国家长于创建新技术企业，有些国家更适合于资助国际商品市场竞争所需的大型技术中的方法创新。

上取得新的平衡。当一个个风险投资行为取得成功以后，客观上的巨额经济回报必然会进一步增强风险投资企业和风险投资人的实力，进而提高了在更大规模和更大范围内对风险企业的创新行为给予资金支持的可能性，同时也将进一步增强现有的和潜在的风险投资人的从业信心，使风险投资事业得以健康、稳步发展。

通过以上对风险投资与新的经济增长点之间的互动机理分析，可以清楚地看到：发展风险投资的基点必须放在能够真正带动国民经济发展，创造新经济增长点的新领域。即通过创新行为，开发一个新的市场和发展机会，在规避完风险以后，迅速形成拉动国民经济发展的新的经济增长点。当然，在此过程中，风险投资机构无论将它的权益资本投向何方，都要尽最大的努力，调动自身可以调动的一切经营资源来帮助风险企业，因为此举同时也帮助自己提高了规避风险的能力，最终在自己和风险企业都受益的同时，带动一个行业、一个区域乃至一个国家经济的繁荣。而当风险投资与新的经济增长点之间的互动关系真正形成时，风险投资与其他融资手段的有机结合同国民经济健康发展之间的良性循环也就形成了。

由此可见，风险投资是一个相当复杂的投资体系，它是实业投资与金融投资的高效结合，是商品市场、技术市场与资本市场的高效结合，是投资行为与管理行为的高效结合，是知识资源与金融资源、人力资源的高效结合，是思维方式、投资理念、投资方式、管理模式及组织与运作结构的突破。同时更是把创新或知识商品化、市场化、资本化后引入虚拟资本的资本化定价系统，并得到资本评价，获取资本化收入，通过这种市场激励实现生产要素的重组，进而形成新的经济增长点的过程。

当然，随着知识经济的进一步深入发展，风险投资这一制度形式还将不断创新，以更灵活、多样的形式发挥作用。

2.3.2 当代资本主义国家科技发展及"知识经济"发展战略比较——当代资本主义围绕科技发展展开的新一轮竞争

知识经济的来临，对于世界各国来说都面临着程度不同的机遇和挑战。经合组织在1996年度的报告中指出，它的主要成员国国内生产总值的50%以上是以知识为基础的，预计到2010年可达70%~80%。发达

第二章　新科学技术革命及当代资本主义经济的发展

国家是当今世界发展知识产业中最大的受益者,因而更加注重加快知识产业的发展,并采取了许多相应的重大对策,夺取综合国力竞争的制高点和主动权。

1. 美国科技发展及"知识经济"发展战略

1983年2月23日,美国总统里根宣布开始实施"战略防御计划"(即后来媒体所谓的"星球计划"),计划耗资1万亿美元,分四个阶段建立一个以太空激光器为核心、以部署在太空的红外系统等新型探测卫星为支持、用于摧毁敌方通信和信息搜集系统的高能微波武器和传感器系统。该计划后来因多方面的原因宣布放弃,缩小成弹道导弹防御计划。不过,通过该计划以军事预算支出名义投入的巨额资金,有力地促进了美国航天技术、激光技术和微电子技术的发展,促成了电子计算机工业、宇航工业等新型支柱产业,扭转了美国当时在一些高新技术部门与日本相比逐渐落伍的趋势。另外,该计划通过使用统一的大规模技术的发展与各个独立企业竞争的市场机制相结合的方式,使新兴技术与经济的发展相结合,促使军用技术能够有效转化为民用技术。

冷战结束后,美国政府把争夺以经济和科技为核心的综合国力优势提到首位。美国政府明确提出,美国经济的优势地位取决于它在科技领域的领先地位。美国抓住冷战后的有利时机,将大量军事尖端技术转向民用,把700个主要用于军事目的的国家实验室委托给企业管理,直接开发民用技术;加速发展信息等高技术产业,新建"世界级"的信息基础设施和航天工业基础设施,制定关系国家利益的科学项目计划。

1993年美国总统克林顿发表了《促进美国经济增长的技术——经济发展的新方向》的报告,率先提出建设"国家信息基础设施"(俗称"信息高速公路")的构想,预计在10～20年内建立起一个由信息库、信息处理机(计算机)、通信网以及各种电子设备组成的完备网络,通过集电话、传真、电脑、电视、录像等于一身的信息处理、传输和显示的多媒体,将文字、数据、声音、图形和摄影等高密集的信息,以高速度、大容量和高精度传送到每一个家庭、办公室、实验室、教室、图书馆、医院和服务窗口,为人们提供多层次、全方位的信息服务,为美国"产、学、研的一体化"的深入发展和绩效提高提供技术平台。

为此,美国首先加大了对信息和通信技术领域投资,1990年在信息业的投资就首次超过了对其他领域产业的投资。美国国家科技委员会在1996年7月发表的《科学与国家利益》的报告中就强调：到20世纪结束时，信息将成为世界经济系统中最为重要的产品。1996年全球信息技术产业投资总额为6100亿美元，其中美国的投资近2500亿美元，约占其中的41.5%，超过了日本和欧洲在这一领域投资的总和。1996年美国经济的增长中，约有1/3是信息产业发展带动的。

其次，1994年克林顿宣布以对科研和教育的投资为国家的重点，要改变科研经费中军事和民用所占比例。1994年美国的研究与开发经费高达1730亿美元，而20世纪50年代初只有50亿美元；在研究与开发费用总支出中，美国联邦政府约占48%，私人企业占52%；"9·11"事件之后，美国借助反恐，进一步加大了对国家安全和国防科技的投入，2004年仅美国联邦政府的研发投入已达到1227亿美元。在教育投资方面，1996年教育总投资一项就高达6350亿美元，占GDP的7.7%。

再次，克林顿还指出终身教育是知识经济的成功之本。知识经济对教育和人才的要求比以往任何时候都要高。为此，国家在保证传统教育的同时，还应重视职业教育、继续教育和终身教育。

其四，在重视本国科技人才培养的同时，每年还从其他国家，特别是发展中国家引进不少"高精尖"人才。因为在知识经济中，知识研发是技术创新的源泉，而国际间研发能力竞争的关键就在于人才。为弥补本国技术人才的供需缺口，1990年，美国开始实施专门为吸纳国外人才的H1签证计划，这种签证每年签发6.5万个，有效期为6年；1998年美国国会通过法案，将1999年和2000年的H1签证名额增加到11.5万；2001的法案则增加到20万。美国企业也因此成为国外专家最多的地方，譬如美国电子行业聘请的外籍科技人才，就占企业科技人员的16%，在计算机专业领域的博士中，一半以上是外国人。

此外，美国发达的市场经济改变了文化产品的生产方式和文化资源的配置方式。文化生产发展成为由数量庞大的文化生产者参与、分工细致、专业众多的大产业。20世纪80年代以来，被称之为"创意产业"的一系列知识密集型的文化产业成为主导产业乃至支柱产业，在国民经济中的地位迅速跃升。美国商业电影大片、大众传播、时尚设计等文化商品的出口收入甚至已经超过了信息产业、石油等产业的出口收入。

第二章　新科学技术革命及当代资本主义经济的发展

美国高技术经济和知识经济发展战略的成功进展，使之成为21世纪初的"世界经济样板"。世界各国都在厉兵秣马，认真思考和积极部署新的科技发展战略，调整科研政策，高度关注科技发展趋势，重视对科技的投入以及整体配套制度的构建。

2. 欧洲的科技发展及知识经济发展战略

1985年4月，法国总统密特朗提出"尤里卡科研倡议"。同年7月在巴黎召开的欧洲研究协调机构第一次部长会议上，制定了一个尤里卡发展计划。[①] 尤里卡计划的核心思想和战略目标是"创建将欧洲工业联合在一些巨大科研计划项目周围的条件"，"通过再搞技术领域中加强企业和研究机构的合作，以提高欧洲工业和国民经济的生产率，提高在世界市场上的竞争能力，从而巩固持久繁荣的基础"。作为一个着手发展民用高科技的多国联合战略计划，尤里卡计划具有一系列与美国的"战略防御计划"不同的特征：（1）计划只规定一些行动准则和开发范围，而不事先确定开发内容和完成计划的时间。（2）计划的行动主体是成员国的企业，计划项目由企业申报，经成员国部长会议通过后执行，政府在计划中只起指导、协调和资助的作用。并且尤里卡计划325亿美元的预算，由欧盟各成员国政府和企业共同承担。（3）尤里卡计划的开发技术项目以商业性为主，强调面向市场，注重实用性、可行性和赢利性。（4）尤里卡计划组织机构层次少、机构小、运行灵活效率高。与尤里卡计划同步制定实施的还有欧洲科技合作计划，自两个计划实施以来，项目不断增多，并在欧洲联合亚微米硅芯片等项目上取得令人瞩目的成果。

1993年12月，为了迅速赶上美国信息高速公路的发展步伐，以德罗尔为主席的欧共体委员会公布了《经济增长、竞争力和就业白皮书》，提出建立欧洲的信息高速公路。欧共体委员拟定了为期5年预计投资1500亿欧元的欧洲信息网基础设施计划。1995年3月，欧盟又在布鲁塞尔召开"西方七国集团信息社会部长会议"，计划在今后10年内投资2000亿埃居用于发展欧洲信息高速公路，旨在创建欧洲信息社会，迎接21世纪的挑战。

---

① 尤里卡计划最早是由17个西欧国家响应密特朗的倡议，在法国巴黎举行的国家部长会议上制定的。尤里卡计划迄今成员国已由17国增加到23个国家。

当代资本主义经济论

1997年，欧盟凭借联合优势，又先后出台了《2000年议程》、《走向知识化的欧洲》和《里斯本战略规划》等文件，扩充了"尤里卡计划"在新科技方面的公关内容，决心把"知识化"放在社会经济发展的"最优先地位"，以"构筑知识创新体系"设计政策思路，确立欧盟在未来世界经济和科学技术中的领先地位。

另外，值得一提的是高福利的北欧国家在高科技领域的发展。20世纪80年代初，高福利对北欧国家经济发展的负面影响开始显现，20世纪90年代以来在经济全球化的冲击下，北欧国家的经济也遭到沉重的打击，其国家竞争力受到削弱。面对国际科技、经济竞争力的加剧，北欧国家争相实行科技创新，大力发展知识经济。自20世纪90年代后半期以来，北欧诸国在高科技领域均有出色的建树，一些国家在部分高科技领域处于国际先进水平。北欧国家的经验在于：

（1）贯彻教育为本的方针，重视人才培养。北欧各国历来重视通过全民教育和终身教育来提高全民素质，实行从小学到大学免费教育，举办在职培训，立法规定失业者必须参加再就业培训，另外还设有各类成人学习机构，完善的教育培训机制，培养出大批推动科技发展的中坚力量。例如目前芬兰的科技论文产出率超过美国和英国；瑞典人接受过高等教育的比例高达28%，在经合组织国家中名列第四位；而20～29岁的瑞典青年接受过各种教育的比重，在经合组织国家中是最高的；丹麦拥有一批掌握高精尖技术、在世界上颇具影响的人才，如在物理学中形成的著名的哥本哈根学派。

（2）加大对科技政策的宏观指导，不断加大对科技事业的投入。从20世纪90年代起，北欧诸国政府采取了一系列措施，为新兴企业营造了良好的创办和经营环境。如放松对金融和外汇市场的管制，开发本国的电信、交通、电力等，努力清除行业壁垒，规范市场运作，完善服务职能。在政府的积极推动下，瑞典和芬兰于20世纪90年代加入了欧盟，芬兰还加入了欧元区。这些举措都有力地推动了本国科技产业的发展，政府还将重大科技发展项目列入了国家发展规划与企业共同投入资金开发，成果归企业所有。

（3）集中有限的资源发展优势产业。作为小国，北欧诸国无力广泛涉及所有的高科技领域，而是紧跟世界科技发展的趋势，依据国力和自

第二章　新科学技术革命及当代资本主义经济的发展

身的科技优势,有所为有所不为,集中力量发展能够带动国民经济整体增长的尖端技术领域,如信息科学、生物技术、北欧诸国的科技发展和体制创新环境保护研究等。此外,北欧各国还根据国情开发传统产业优势项目,诸如瑞典的生命科学、芬兰的林业和机械、挪威的水利发电和海洋技术、丹麦的医药和食品以及冰岛的地热技术与基因工程。

(4) 产学研紧密结合,促进科技成果的转化。芬兰科技发展的特点是以面向经济的技术开发型和应用型为主。研究机构、大学和企业三位一体,紧密配合,共同制定和进行研究与开发活动,使研究成果几乎是产生的同时即转化为现实的生产力。1993年,挪威在进行的科技管理体制改革中,着重强调了研究与开发工作应面向工业应用;1995年,政府加大了科技投入以保证科研理事会有足够的经费开支去发挥其战略功能,支持高科技企业的研发活动,建立高新技术风险投资公司,重点开展以用户为中心的科技活动和项目,鼓励产学研机构之间的合作。瑞典与芬兰两国通过设立科研基金来鼓励企业和大学以及大学之间的合作。要求大学之间应避免重复的研究,20世纪90年代瑞典和芬兰是大学与企业之间合作最为密切的两个国家。各类国家基金管理机构也积极为相关领域的研究项目提供资金,形成了一个从基础研究、实验应用到科技成果转化一整套覆盖整个科研创新全过程的投资体系。

3. 日本科技发展战略

二战结束以来,日本主要依靠引进外国技术获得了经济的飞速发展。在1955~1970年的15年间,日本曾用15亿美元引进了半个世纪内几乎全世界的先进技术1.3万项,从而走完了欧美国家半个世纪乃至一个世纪的发展历程,而要是靠它自己的研究去发明这些专利,那么,仅科研、试验、设计等所需要的直接经费就将高达1800亿~2000亿美元。但是,到了20世纪80年代以后,日本这种有"走捷径"之嫌的科技政策引起了欧美国家的警惕,越演越烈的"技术保护主义"使日本意识到技术发展战略必须由引进向自主开发转变。所以,在1984年日本科学技术会议通过"适应新的形势变化,立足于长期展望的科学技术振兴"的基本方针,把研发投资额提高到国民收入的3.5%。

这一技术发展战略转折的标志是:1986年12月通产省公布了"人类新领域研究计划",即第五代人工智能电子计算机计划,为期15~20

年，耗资约1万亿日元。这是一项"同SID和尤里卡相匹敌的日本高技术计划"。该计划分物质和能量的转换、信息转换、相关技术三章。它的目标是："从本质上弄清生物体的各种机能，从而人工利用这些机能。"1997年日本又提出了续接计划"关于生命科学的研究开发基本计划"，进一步确定了大脑、癌症、染色体和基因重组技术等为重点突破对象，计划预期20年，总预算高达2万亿日元。"了解脑"、"保护脑"、"创造脑"是这一高远计划的核心。这一连续计划的实施不仅对理解生命的本质非常重要，而且在开发分子元素、各种生理活性物质和高性能传感器，设计智能计算机系统，研制智能机器人，治疗和控制疾病，开辟新能源，实现资源的回收和再循环使用等方面都有非常重要的意义，特别是能使日本在未来划时代的生物计算方面处于全球领先水平。

为了赶超20世纪末的科技发展新潮流，日本在将"科技立国"战略改为"科技创造立国"战略之后，又建立了"担负新国家战略的科技行政体制"，把原来的文部省和科技厅合并成"教育科学技术省"，新设直属内阁的"联合科学技术会议"，并提出新的技术发展规划，决心把日本的社会经济体系，由"批量生产型工业社会"转变为"符合知识经济的体系"。

2000年，日本政府为建立日本版的信息高速路，于7月召开了IT战略会议并创立了IT战略总部，作为政府的集中研究组织。此后，又在2001年1月根据IT基本法（高度信息通信网络社会形成基本法），由首相担任总部长，全体议员以及民间有识之士担任总部成员，成立了由官民共同制订IT施政政策的新IT战略总部（高度信息通信网络社会推进战略总部）。该IT战略总部在2001年1月宣布了以"在5年内把日本建设成为世界最先进的IT国家"为目标的"e-Japan战略"，3月制订了作为具体行动计划的"e-Japan重点计划"，使日本政府在推进IT革命的道路上迈出了新的一步。

时至20世纪90年代后期，日本在机器人领域、超导领域、在半导体制造装置、存储器、陶瓷、"硅和砷化镓"新材料技术、磁悬浮新干线技术、数控机床等多领域内，技术水平已超过欧美国家。

4. 韩国信息技术发展战略及其知识经济的发展

20世纪80年代，韩国的经济高增长主要依赖于由高储蓄率和劳动

第二章 新科学技术革命及当代资本主义经济的发展

力投入快速增长带来的强大的资本积累的支撑,但是到了20世纪90年代初,韩国国内工资上涨,尽管其制成品出口增长很快,但劳动力成本优势尽失,以投入为基础的经济发展模式以及大型株式会社(chaebol)的快速扩张已经走到了尽头。1997年,韩国更是经历了自朝鲜战争以来最严重的经济危机。基于这些形势的发展以及知识在经济增长中作用的加强,韩国面临着向知识经济转型的挑战。

金融危机后,韩国把国家发展的战略重点转向信息产业,以总统亲自主持的"信息化战略会议"、"信息化促进法"、"信息化促进计划框架"等重大系列战略措施和政策推动信息产业的发展。

1999年,韩国政府制定了"数字韩国21"(Cyber Korea 21)计划,希望在持续推进宽带信息通信网建设的同时,致力于缩小不同收入人群之间、地区之间、阶层之间的数字鸿沟。

2002年4月韩国政府出台了第三个信息化基础设施计划(2002~2006年),即e-Korea计划,总目标是将韩国建立成全球IT领先者。政府准备通过此计划为每一个韩国人创造一个终生学习的机会和上网的环境,促进政府利用在线办公提高办公效率和质量,增强政府的透明度和公众的参与能力,并加大应用信息技术改造传统产业的力度。《韩国21世纪信息化计划》的目标是确保韩国的产业竞争力,如支持在传统工业领域建设电子商务系统。当前,政府正在20个产业领域致力于推进B2B。

韩国信息化道路和知识经济发展的特色主要表现在以下几个方面:

(1)韩国政府极为重视传统产业与信息技术的结合。自2001年4月16日,前总统金大中在其主持召开的"韩国第七次国家科技委员会会议"上提出了传统产业与信息技术接轨的要求之后。韩国产业资源部、情报通信部、教育人力资源部等分别根据要求确定了各自的计划。譬如:产业资源计划投资441亿韩元,开发汽车、机械、造船、纺织等主要传统产业与信息技术接轨的技术;情报通信部要在2003年建成连接各工业园区的中小企业和个体企业的超高速信息通信网;教育人力资源部为培养传统产业与信息技术相结合的技术人才,决定在工科大学实行"工科教育认证制度",学生们在毕业时不再进行实习,而代之以组成小组共同制做毕业作品,并将有创意的作品认证为正式教育科目。

(2) 以政策手段缩小数字鸿沟。例如，在全国所有中小学都设立了计算机教室，免费连接宽带互联网。教师和学生可以随时通过互联网检索获得相关信息；实施国民 1000 万人的信息化教育。包括 200 万家庭主妇和军人、老人、残疾人甚至少年看守所和教导所的在押犯等所有忽视信息的阶层；引入电信运营商之间的竞争，维持低廉通信资费以扩大通信需求，极大地促进了宽带互联网的普及，等等。

(3) 韩国信息化建设走的是中央政府先行、立法保障、强化基础设施建设、加快信息资源开发、重视提高公务员的能力和素质这样一条道路。

(4) 鼓励私营部门投资建设国家信息基础设施、引入电信运营商之间的竞争实现低廉通信资费，实现了通信运营商和消费者之间的双赢，也实现了产业发展的良性循环。

(5) 实施"先国内竞争，后国际竞争"策略，培育移动通信产业。1988 年韩国才开始允许使用移动电话，为摆脱完全依赖国外设备的局面，1991 年政府委托韩国电子通信研究所开展 CDMA 移动通信系统的开发项目，并在产业结构方面采取了"先国内竞争，后国际竞争"的基本策略。多年来韩国集中在 3G 产品和设备系统的开发上下功夫，试图在 3G 发展上占据绝对优势。目前韩国移动电话用户已发展到占全体人口的 63%，用户数突破 3000 万。韩国企业生产的 CDMA 手机占到世界 CDMA 手机市场的 53.7%，在相关系统设备的市场上也确保了韩国产品高于 10% 的市场占有率。

(6) 调整产业结构，将发展重点转向文化产业。1997 年以来，韩国的电影、电视剧、电子游戏、手机、服装乃至整形等文化商品，横扫亚洲各国，在亚洲各国配置其文化资源，创造所谓新的流行时尚。"创意产业"等一系列知识密集型的文化产业成为主导产业乃至支柱产业，在国民经济中的地位迅速跃升。

除上述国家外，发展中国家正在改变一种自然资源和劳动力的传统发展模式，纷纷实施"科教兴国"与可持续发展战略。印度是"正在崛起的软件大国"，已经成为"世界首选的软件服务外包地"，为美国计算机制造商提供的先进软件比任何其他国家都多，同时印度还正在自主研制战略核武器，开发航天、人工智能技术，并编制技术发展远景计划，

第二章　新科学技术革命及当代资本主义经济的发展

推动经济增长模式向知识、技术驱动转型；以色列、新加坡和巴西等国也根据自身优势，为进入知识经济时代做出 21 世纪规划，开始实施"知识为本"的经济发展战略。例如，东盟的"科技发展中期计划"，新加坡的"理想的教育成果计划"，埃及的"国家科技政策框架和战略"，以及巴西的"工业竞争力支持计划"、"高等教育现代化计划"等等。

尽管发达国家与发展中国家实施新战略所采取的对策有所差别，侧重点及其力度也有所不同，但却大同小异。概括起来主要有以下方面：

①政府导向作用突出，往往有总统或政府首脑亲自抓，普遍加大科技投入、研究与开发费用占国内总产值的比重呈明显上升趋势。

②视教育为"知识经济的基础"，培养高素质人才和"终生教育"备受关注。美国前总统克林顿在一次演讲中曾说"终生教育是知识经济成功之本"。

③选择科技和产业优先发展方向和重点，实施政策倾斜；建立开放型的知识和科技创新体系，广开"风险资本"市场；鼓励公司企业建立研究创新集团，发挥主力军作用。

④实施基础、应用和开发研究密切结合、协调发展的综合模式；完善"产、官、学"（产、学、研）结合机制；动员私人资金资助技术创新。

⑤以各种优惠条件吸引外国高科技、高精尖人才，兴办高新技术园区。实践证明，兴建科技工业园区，是加速科技成果产业化的重要战略措施。20 世纪 80 年代以来，高科技工业园区在世界各国广泛建立。闻名于世的美国"硅谷"是最为成功的典范；印度电子工业比较发达的卡纳塔克邦首府班加罗尔市郊，现已发展成为印度软件开发中心；还有我国台湾省新竹科学工业园区。

⑥加强国际合作，进行联合攻关，共享成果。

⑦强化知识产权保护、防范"信息战"侵害。

第三章 当代发达资本主义国家的经济运行机制

作为当代发达资本主义国家经济运行机制的基础，市场机制是长期在封建社会中发展、渗透，并最终导致资本主义生产关系取代封建生产关系的商品经济发展到高级阶段的产物，而发达资本主义国家经济演变历程的差异，又使得发达资本主义国家的市场机制具有各自的特点。本章将首先论述发达资本主义国家市场机制的基本结构和运行法则，然后考察主要发达资本主义国家政府实施宏观经济调控的特点，并比较主要发达资本主义国家经济运行机制在微观基础方面存在的差异。

3.1 当代发达资本主义国家经济运行机制的基础——市场机制

3.1.1 市场是发达资本主义国家的资源配置枢纽

发达资本主义国家一般指经济合作与发展组织中的23个成员国（该组织现有29个成员国），即北美2国（美国、加拿大），亚洲大洋洲3国（日本、澳大利亚、新西兰），西欧18国（欧盟原有的15个成员国外加瑞士、挪威、冰岛）。发达资本主义国家又称发达市场经济国家，因为其经济机制和运行机制就本质而言是市场经济。

合理、高效地配置土地、劳动力、资本、管理经验和技术等稀缺资源以生产社会所需要的商品和劳务是当今世界上任何经济机制都必须面对的基本任务。这是一项非常复杂而艰巨的任务。在发达资本主义国家，

第三章　当代发达资本主义国家的经济运行机制

这一任务主要由市场承担。市场是社会构建的，配置相对于需求而言处于短缺状态的资源的机制，是买方和卖方交换商品、劳务和资源的渠道。市场经济指市场通过市场机制，依据市场原则，按照市场规律，配置和调节社会各种资源的生产、分配、交换和消费，是商品经济发展到较高阶段而必然出现的一种经济运行机制。

3.1.2　发达资本主义国家市场的构成

任何一个发达市场经济国家都拥有大大小小、数不胜数的市场。但是，就性质而言，发达市场经济国家的市场主要分为产品市场、要素市场和金融市场。

产品市场是所有交易商品与劳务的市场的总和，是公众购买（消费）社会提供的产品和劳务的场所。产品市场的交易活动，常使用"国民收入"、"国民总产品"、"总供给"、"总需求"等宏观经济术语来描述。

要素市场是所有商品和劳务的生产者购买生产要素以及与生产要素相关联的劳务的场所的总和。就广义而言，任何产品的生产都离不开土地、劳动力和资本等生产要素的投入。在要素市场上，土地不仅指所有由农民、厂家和不动产租赁者用来生产商品和劳务的土地，而且包括所有从地下开采或从地面收获的生产必需品，如木材、煤炭、铁矿石、棉花、石油等。作为生产要素，劳动力泛指由包括非技术劳动力、董事会主席、企业家在内的所有社会工作人口提供的劳务。资本则既包括建筑物、机器、工具等各类生产设备，又包括购买这些设备所必需的资金。

在发达资本主义国家，消费单位（即个人和家庭）是土地、劳动力和资本等生产要素的最主要的最终拥有者，要素市场既是消费单位向生产单位（农场主、厂家、土地租赁人等）出售生产要素的场所，也是生产单位以工资、租金等形式向消费单位分配收入，从而配置生产要素的场所。

金融市场为自然人和法人借贷资金的场所，由于市场经济条件下的资金借贷活动均通过债券、股票和货币等金融工具（又称金融资产）进行，金融市场相当于所有交易金融资产的市场的总和。金融市场将储蓄（现时消费结束后的剩余现时收入）——主要来自社会公众——输导给其开支大于现时收入的个人和机构（参见图3-1）。根据金融资产到期期限的差异,金融市场又分为资金市场和资本市场,资金市场指金融资产到期期限在一年以内的市场。资本市场指金融资产到期期限在一年以上的市场。

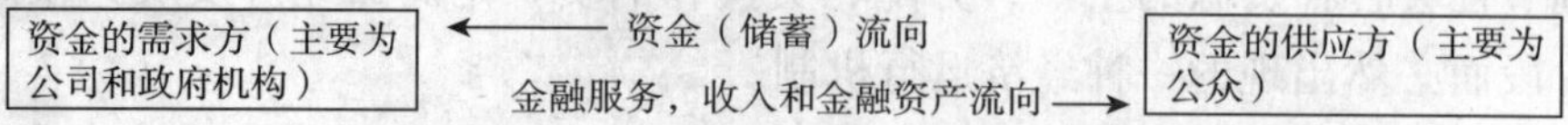

```
┌─────────────────┐   ←── 资金(储蓄)流向 ──   ┌─────────────────┐
│ 资金的需求方(主要为 │                              │ 资金的供应方(主要为 │
│ 公司和政府机构)    │   ── 金融服务,收入和金融资产流向 →│ 公众)              │
└─────────────────┘                              └─────────────────┘
```

图 3—1　金融市场的资金输导功能

综上所述,发达资本主义国家的经济运行机制具有如下基本特征:

(1) 在发达资本主义国家,生产所需要的各种生产资料,包括物质生产资料和劳动力,都是通过市场交换获得,所有产出物也都是通过市场让渡。

(2) 在发达资本主义国家,生产要素和产品的所有者是多元的、分散的,任何生产单位都必须进入市场,按市场原则通过交换获取生产某种商品所必需的生产要素。

(3) 在发达资本主义国家,市场体系较为完善,产品市场、要素市场和金融市场的发展均较充分、成熟,能够胜任配置、调节资源的职能。

(4) 发达资本主义国家一般都经历了资本主义发展的漫长历史过程。在这一过程中,本国市场逐渐与国际市场相连接,政府也逐渐介入,参与经济运行过程,对国民经济进行调节和干预。这些因素都对发达资本主义国家的经济机制具有直接和间接的影响。

在完成资源配置的任务时,任何经济机制都必须面对资源相对于其需求而言处于短缺状态这一难题。发达资本主义国家主要依靠市场机制,试图通过市场交换来解决这一难题,而理解收入在市场运行过程中产生和转移的方式,是理解发达资本主义国家市场运行机制的关键。以下将遵循由简到繁的顺序,逐步展现市场经济中收入循环的过程。

3.1.3　市场经济条件下收入的两部门循环模式

市场经济条件下收入的两部门循环模式旨在描述收入在产品市场和要素市场中的循环,它抽象掉了储蓄因素,实际上描述的是简单再生产条件下收入的循环方式。在收入的两部门循环模式中,社会成员所有的收入均来自商品和劳务的销售。因此,特定时期内社会全体成员收入的

第三章　当代发达资本主义国家的经济运行机制

货币价值应与这一时期内全社会的商品与劳务的货币价值相等。

在市场经济条件下的两部门循环模式中，所有社会成员被分为消费群体和产业群体两大类。消费群体包括从公司老板到流浪乞丐在内的所有社会成员，这一群体对特定时期内全社会发生的所有与商品和劳务的生产没有直接联系的经济活动负责。产业群体约占全社会成员总数的50%，这些人每天都使用部分时间从事商品和劳务的生产。产业群体对全社会所有与商品和劳务的生产相关联的经济活动负责。在市场经济中，社会的消费群体与产业群体共同构成与政府部门相对应的私人部门（参见图3—2）。

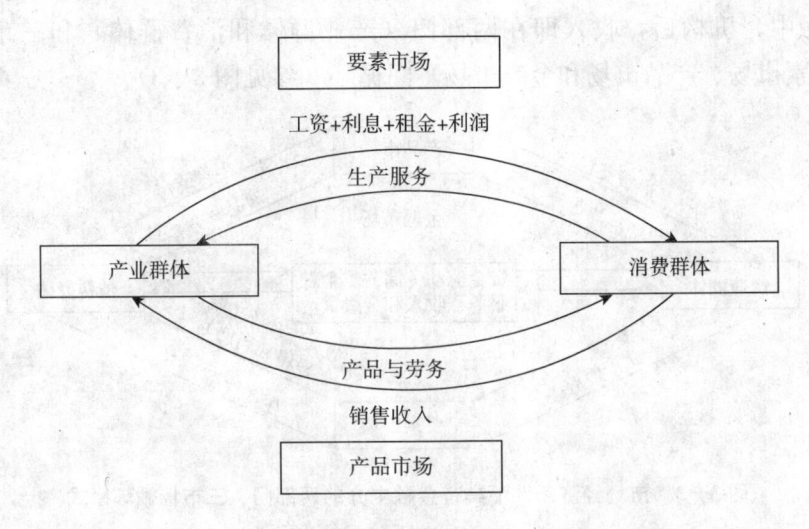

图3—2　市场经济条件下经济收入的两部门循环模式

在图3—2中，消费群体在要素市场上对产业群体出售生产服务，产业群体以工资、租金、利息和利润等回报方式购买消费群体提供的生产性服务，并将这些服务用于商品和劳务的生产，然后将生产出的商品与劳务在产品市场上出售给其他厂商或群体。如果商品与劳务由其他厂商购买，这些商品和劳务将被用于生产最终销售给消费群体的商品与劳务。在循环过程中，产业群体对消费群体出售商品与劳务获得的全部收益均将用于购买消费群体提供的生产性服务。这样，产业群体的销售收入就变成了消费群体的收入，消费群体便可以用这些收入来购买由产业群体提供、消费群体自身也参与了其生产过程的商品与劳务。

3.1.4 市场经济条件下具有金融中介的两部门三市场收入循环模式

在市场经济条件下，产业群体为保持竞争优势和市场份额，需要不断进行固定资产投资。如果公司和企业家全凭自有资金积累来进行固定资产投资，固定资产更新的速度将非常缓慢。为加快固定资产更新的速度和扩大固定资产的整体规模，产业群体经常通过金融市场，以发行股票、债券和贷款等方式吸纳消费群体的储蓄收入，而消费群体则通过银行或信贷公司等金融媒介，将自己的储蓄转借给产业群体，或通过购买股票、债券的方式，将其储蓄直接借贷给需要资金的产业群体。在纳入金融中介机构后，收入即在两部门（产业群体和消费群体）和三市场（要素市场、产品市场和金融市场）间循环（参见图3-3）。

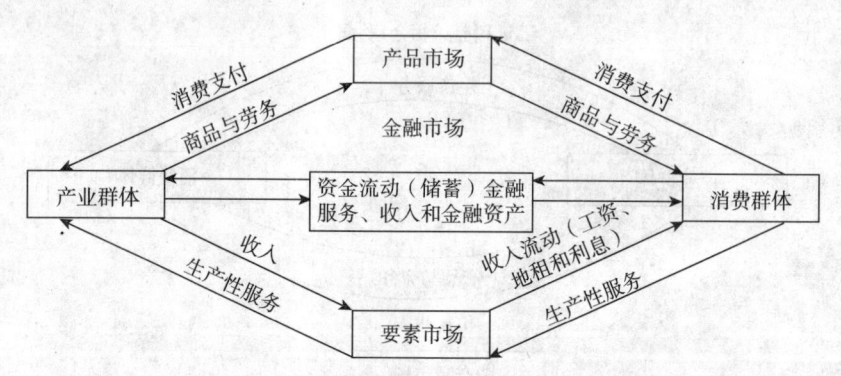

图3-3 市场经济条件下具有金融中介的两部门、三市场循环模式

图3-3展示了收入在三个市场的循环状况。在要素市场上，消费群体通过向产业群体提供生产性服务获得相应的收入，此时要素市场上的供求关系决定要素的价格水平和使用量。商品与劳务在产品市场交换时，产品市场的供求关系决定产量、价格和水准。金融市场的供求关系则决定资金（储蓄）量和利率水准。

3.1.5 市场经济条件下的三部门、三市场收入循环模式

市场经济条件下的三部门、三市场收入循环模式将政府部门也纳入循环之中。纳入政府部门后，消费群体收入的货币总值相当于产业群体和政府部门生产的商品劳务的货币总值；消费群体仍然提供所有的生产

第三章 当代发达资本主义国家的经济运行机制

要素并获得所有的国民收入,但某些消费群体成员的收入可能增加,另一些人的收入可能下降。

政府收入来自消费群体交纳的收入税,产业群体交纳的收入税和销售税,以及私人部门(即消费群体+产业群体)购买的政府服务。政府又将其收入用于购买产业群体提供的商品与劳务,并将部分收入返还给消费群体(参见图3—4)。当政府的开支大于其收入时,政府便需要进入金融市场借贷资金。

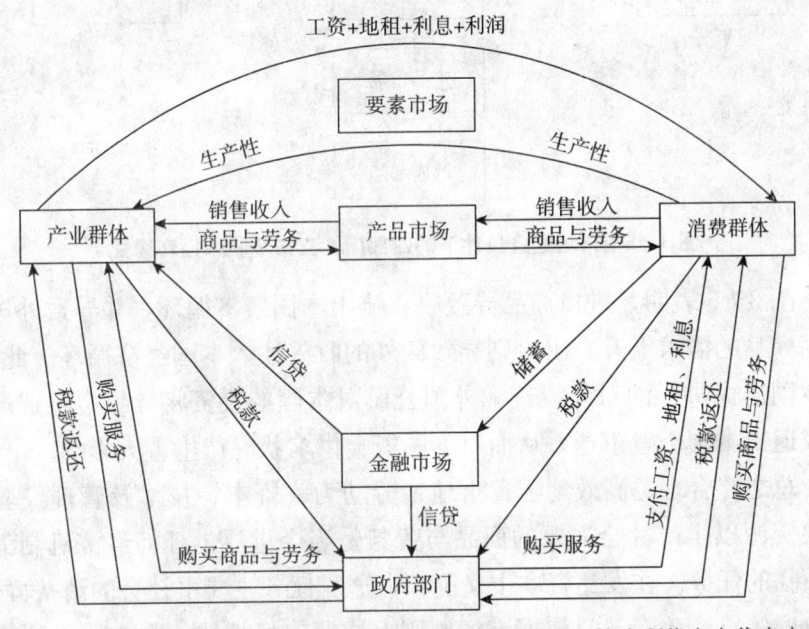

图3—4 市场经济条件下的三部门、三市场收入循环模式(箭头所指方向代表支付)

3.1.6 市场经济条件下的四部门、三市场收入循环模式

四部门、三市场收入循环模式增加了对外经贸部门,因而又称为开放条件下的收入循环模式,是发达资本主义国家经济运行状况的客观反映。发达资本主义国家经济的国际化程度高,对外经贸部门在其国民经济中有重要地位。在对外经贸活动中,进口和对外投资导致收入退出本国经济循环;出口和外国投资导致额外收入进入本国经济循环。对外经济活动所导致的收入流入或流出,对国民经济运行具有重大影响(参见图3—5)。

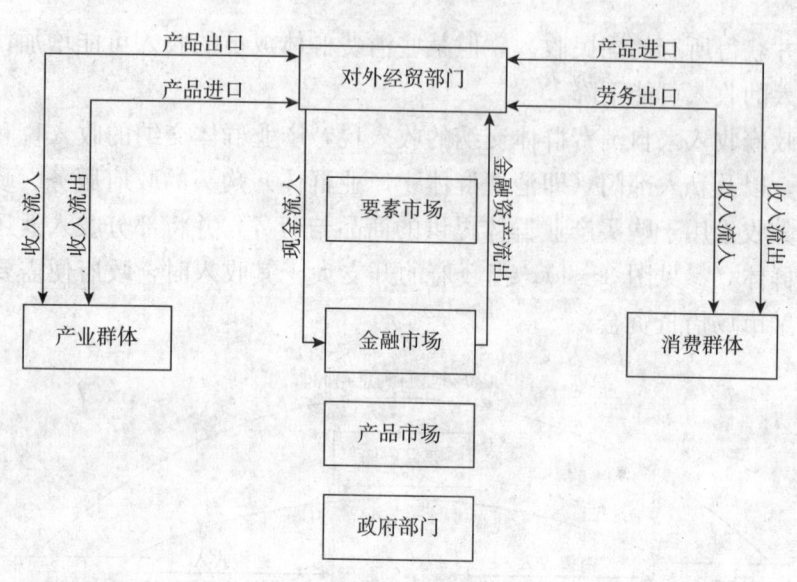

图 3-5 市场经济条件下的四部门、三市场收入循环模式

图 3-5 表明，进口商品导致收入流出本国经济循环，并导致外国对本国商品的需求上升。出口则导致额外的收入注入本国经济循环。此外，由本国居民进行的对外投资和外国公民对本国的投资将导致金融资产注入或退出本国金融市场，从而对本国资金供求状况产生重大影响。

总之，合理、高效地配置土地、劳动力、资本、技术及管理经验等稀缺资源以生产社会需要的商品与劳务是当今世界上任何经济机制都必须面临的任务。在发达资本主义国家，这一任务主要由社会的消费群体、产业群体以及政府部门依据市场原则，按照市场规律，在本国和国际市场上通过收入的交换和流通来完成。

3.2 当代发达资本主义国家经济的市场调节机制

3.2.1 "看不见的手"

当代发达资本主义国家经济运行机制的基础是市场经济，市场经济能否有效运行，取决于调节机制能否正常发挥作用。当代发达资本主义

第三章 当代发达资本主义国家的经济运行机制

经济的调节机制主要由市场调节和政府的宏观经济调节构成,本节将讨论以"看不见的手"著称的市场调节机制。

市场调节机制对发达资本主义国家社会的构建,社会财富的生产和分配以及经济的正常运行具有至关重要的影响,其中有些机制还被视为发达资本主义经济的标志性特征。发达资本主义经济的市场调节机制主要由以下要件构成。

3.2.2 财产私有制

财产私有制主要指土地、资本等生产资料的私人所有制,同时也包括一系列与财产相关联的权利,如个人有权拥有财产,买进或卖出财产,将财产作为礼物赠送他人,或在去世时将财产传诸后人,等等。在发达资本主义国家,财产私有制被视为鼓励个人发家致富、鞭策公司积极进取的灵丹妙药,而个人与公司的财富创造与积累又被视为经济增长的源泉。

为缓解财产私有制与生产社会化的固有矛盾,作为资本主义经济标志性特征的生产资料私有制自身也在不断演化。19世纪至20世纪中叶,公司资本主义逐步取代了生产资料的个人和家族所有制。20世纪中叶以后,发达资本主义国家又普遍进入大量生产资料由政府控制的国家垄断资本主义阶段。尽管如此,财产私有制仍然是确保资本主义市场经济正常运行的重要机制。

3.2.3 利润驱动

在市场经济中,生产何种产品主要由公司经理或企业家决定,而公司经理和企业家在制订生产决策时,主要受消费者在市场中的购买意向的支配。利润驱动原则要求公司经理必须生产其售价高于其生产成本的产品,因为在市场经济中,利润既是对资本所有者的回报,又是企业生存的前提。如果产品不能直接或间接地产生利润,其生产者迟早将面临破产,丧失对生产资料的所有权,从而失去独立生产者的资格。换言之,市场以利润作为产品应否生产,应当生产多少的最终决定因素。

3.2.4 价格体系、价格机制和价格决定

在市场经济中,各类商品的价格、价格关系和价格变化通常被认为是公司和个人制订经济决策的基础。价格的功能即在于为所有在市场中运作的生产和销售实体提供协调机制。市场价格决定全社会生产的商品和劳务的数量和种类,决定这些商品和劳务的分配方式。价格变化通常可以调节上市的商品和劳务的数量。

在市场经济中,稀缺资源主要通过价格机制配置。价格体系和利润驱动所产生的合力,有可能最大限度地减少经济决策失误。商家可以通过观察利润水平,了解市场需求,而利润的高低则由商品的销售价格和生产成本决定。产品销售价格高于产品生产成本的行业将会吸引厂家和商家进入,而产品销售价格低于生产成本的行业将会因厂家和商家退出而趋于萧条。

在市场经济中,商品的供求关系决定商品的销售价格。需求源于商品的消费者,市场上消费者为获得某一商品和劳务所开出的价格即为需求的具体体现。市场需求为所有个别消费者对商品和劳务的需求的总和。市场需求与商品和劳务的价格为负相关的关系,价格越高,对商品和劳务的需求量便相应降低。

供应源于商品的生产者,它表现为生产者在特定价格条件下愿意提供的商品和劳务的数量。市场供应为所有个别生产者在特定时限内依据特定的价格水平所提供的所有商品或劳务供应的总和。市场供应与价格正相关,价格越高,生产者提供的商品或劳务就越多。

市场供求共同决定商品或劳务的价格。均衡价格即为市场上供给与需求均衡时的价格。当价格高于均衡市价时,供给大于需求,价格将趋于下降。当价格低于均衡市价时,需求大于供给,价格将上升。例如,如果某一商品的均衡市价为每公斤3美元,则供求关系的变化将导致价格呈现如下表所示的变化(见表3-1)。

表3—1 供求关系变化表

市场需求	商品单位价格(美元)	市场供应
180公斤	0.5	40公斤

第三章 当代发达资本主义国家的经济运行机制

续表

市场需求	商品单位价格（美元）	市场供应
140公斤	1.0	50公斤
100公斤	2.0	65公斤
80公斤	3.0	80公斤
60公斤	4.0	100公斤
40公斤	5.0	120公斤

如表3—1所示，供求双方通过价格机制所进行的拉锯战可使市场获得有价值的信号。例如，需求上升意味着买方可能愿意为购买某一商品支付更高的价格，而价格上升将导致生产者扩大供给，从而使该商品的产量上升。显然，需求下降将导致与上述动向完全相反的效果。

如果市场需求量不变，市场供给量上升，价格必然趋于下降，从而导致购买量上升。不言而喻，市场供给量下降将导致与上述动向完全相反的后果。

图3—6展示了市场经济条件下价格与商品数量的决定过程。如图所示，商品价格和数量均由市场供求关系决定。如市场均衡价格为 P_0，则市场供给量为 Q_0。当价格高于均衡价格 P_0 时，实际商品供给量将大于市场需求量，从而导致价格下降。当市价低于均衡价格 P_0 时，市场需求将大于供给，从而导致价格上升。

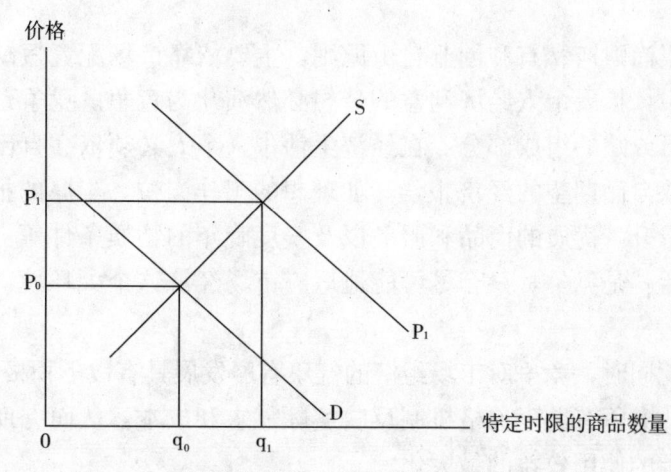

图3—6 市场经济条件下均衡价格和产量的决定

如果需求上升至 D_1，而供给保持不变，价格与商品数量均将出现上升趋势。新的市场均衡价格将为 P_1，市场商品数量将上升至 Q_1。也就是说，需求上升至 D_1 终将导致供给上升（即导致供给曲线向右移动），因为生产者迟早将对更大的赢利空间做出反应。如果现有生产者不扩大供给，新的生产者将会进入市场，额外的资源也将因高回报率的刺激由其他生产领域流入需求扩大的生产领域。

3.2.5 创业自由

创业自由为市场经济的又一基本体制特征。创业自由指任何个人均有权从事任何对其有吸引力的经济活动，但是，创业自由并非可以为所欲为。从事不道德的活动或可能危害他人的经营活动即在禁止之列。创业自由原则要求政府允许公民自由迁徙，自由选择职业，自由开设企业和自由从事所有合法的经济活动。创业自由还意味着个人有权选择任何可能带来回报的经营领域。

在发达资本主义国家，社会福利论一般被认为是自由创业制度的理论基础，因为社会福利论认为，如果个人能选择某一能给他们带来丰厚回报的领域从事经营，那么他们所从事的经营活动对社会而言也是最具建设性的。

3.2.6 竞争

在崇尚财产私有和创业自由原则，主要依靠市场配置短缺资源的客观环境中，扩展个人经济利益的梦想必然演化为竞争。竞争是自由创业制度不可或缺的组成部分。在经济生活中，个人必须依靠自己的努力和竞争获取自己期望的经济报偿，如理想的工作岗位，丰厚的报酬，及时的职务晋升，优质的商品和服务以及安度晚年的物质条件等。对个人而言，生活就是竞争，只有尽可能地适应市场经济这个大环境，才能够笑到最后。

与此同时，竞争对市场经济的健康有序发展具有以下积极作用：

（1）竞争有助于价格机制反映实际需求和成本，从而有助于资本和其他资源的使用效益的最大化。

（2）竞争鼓励产品创新和生产成本下降。

第三章 当代发达资本主义国家的经济运行机制

(3) 竞争有助于实际收入的公平分配。

(4) 竞争使消费者拥有更大的挑选供给性资源的自由。

3.2.7 个人奋斗

个人奋斗以强调物竞天择、适者生存的社会达尔文主义为理论基础。在市场经济中，个人奋斗与竞争和财产私有制这两大机制紧密相连。

个人奋斗与竞争的相关联之处，首先在于强调机会均等，即每个人都有争取成功的权利，同时也应该为自己的失误承担责任。其次，个人奋斗与竞争均通过演变和选择进程为社会进步提供保证。

个人奋斗与财产私有制的关联之处主要表现为财产私有不仅对个人奋斗具有激励作用，可使依靠努力工作在竞争中取胜的人获得足够的回报，而且可以确保个人的权益不受侵犯和蚕食。

3.2.8 消费者至上

消费者至上为市场经济运行的又一重要机制，因为消费是以理性为基础的经济活动。亚当·斯密宣称，"消费是生产的惟一目的和终结；生产者的兴趣和选择，必须以与消费者的兴趣和选择相一致作为前提"。[①] 消费者至上观念认为，在竞争严酷的市场经济中，消费者拥有用手中的金钱投票的权力。需求量大的商品获得的选票多，需求量小的商品获得的选票少。因此，市场供给必须随消费者消费行为的变化而相应变化。

为获得消费者手中的金钱，生产者必须生产有市场需求的商品，因为有需求的商品价格较高，少生产没有市场需求，因而价格偏低的商品。能有效满足消费者需要的生产者定能获得丰厚的货币回报，从而可以用赚来的货币采购更多的从事生产所需要的商品与劳务。无法满足消费者需要的生产者则很难在其经营领域中立足。

消费者至上机制还与自由选择原则紧密相关。自由选择是市场提供给消费者的自我保护手段。消费者有权接受或拒绝市场提供的商品。消费者是上帝，因为生产的最终目的是满足消费者的需要。自由选择原则

---

① 亚当·斯密：《国民财富的性质和原因的研究（An Inquiry into the Nature and Causes of the Wealth of Nations）》，美国印第安纳波利斯出版社1981年版，第660页。

坚信，消费者有做出理性决策的能力，这一信念对拥有成千上万买方和卖方的市场而言具有一锤定音的作用。正因为如此，"消费者至上"便成为确保市场经济正常运行的法则。

依靠市场对经济进行自发调节、自我调节是西方经济学代表人物崇尚资本主义经济的自动和谐性质，主张自由发展、自由竞争的经济思想在经济生活中的具体体现。正因为如此，市场调节机制中的许多要件，如财产私有，利润驱动，个人奋斗等，被视为资本主义经济的标志性特征。但是，市场调节这只"看不见的手"并不能真正保证资本主义经济的和谐运行，因为这一调节机制主要规范市场参与者相互间的关系准则和游戏规则，较少从全社会的角度考虑市场的总体供求平衡。

3.3　当代发达资本主义国家政府的宏观经济调控

3.3.1　"看得见的手"

尽管市场经济是发达资本主义国家经济运行机制的基础，主要发达资本主义国家政府多在资本主义生产方式在本国确立之初即开始介入、干预和调节经济活动。在20世纪50年代以前，发达资本主义国家政府作为国家的上层建筑，主要通过法律和政令，以裁判员的身份，为经济的正常运行营造较好的外部环境，仅在战争和经济大危机等非常时期对经济进行直接干预和管制。20世纪50年代以后，各发达资本主义国家政府同本国的垄断资本相结合，全面介入社会资本再生产过程，并凌驾于个别资本之上对国民经济进行全面的干预和调节。但是，由于国情的差异，各发达资本主义国家政府干预经济的方式又不尽相同。本节将分别评介美国、日本和法国政府进行宏观经济调节的方式与特点。

3.3.2　美国政府的宏观经济调控

在资本主义生产方式确立和发展的过程中，发达资本主义国家政府的保护和扶持始终是这一生产方式确立和发展的重要借助力量。一般而言，发达资本主义国家政府对资本主义生产关系的扶助经历了以下三个

第三章 当代发达资本主义国家的经济运行机制

转变:

第一个转变,是在资本主义工场手工业时期,政府主要通过在国内外市场上实行保护关税,垄断殖民地市场,采用利己的进出口贸易政策,发动战争等方法使弱小的工场手工业免遭国内外竞争的冲击,促进工场手工业的迅速发展。

第二个转变,是在资本主义生产方式的确立时期,资本已经强大到需要并可以在自由竞争中生存与发展的程度,政府对资本主义生产关系的保护便主要体现为保护和发展自由竞争。

第三个转变,是在19世纪末20世纪初,资本主义由自由竞争阶段过渡到垄断阶段的时期,资本主义所造就的巨大生产力同它的相对狭窄的生产资料所有制之间的矛盾已经发展到仅凭私人垄断资本自身已无法缓解的地步,这时政府干预便不再仅仅表现为给资本主义的发展扫清障碍和创造条件,而是直接或间接地干预整个再生产过程,承担起对经济的领导职能。

与其他发达资本主义国家政府一样,美国政府向来把干预经济视为自己的重要职能。美国政府对经济的干预也大致分为三个阶段。第一阶段为1870年至1914年。在这一时期,政府对经济的干预多具微观性质,以确保市场经济的自我调节功能的正常运行为前提。1887年,美国国会通过"州际贸易法",同年美国联邦政府根据该法建立"州际贸易委员会",通常认为这是美国政府干预经济的开端。此后,美国政府即通过实施法律和颁布政令,介入并规范经济活动。例如,美国南北战争后,为了把东部各州同西部各州在政治和经济上联合起来,需要迅速修建新铁路。为鼓励铁路的修建,美国政府规定每修建1英里铁路就拨给铁路公司铁路线两旁各10英里的土地,并发给每英里约1.6万~4.8万美元的补助金。这样,美国的铁路线的总长度从1865年的3.5万英里增加到1900年的25.9万英里,1913年又增加到37.9万英里。在此期间美国联邦政府和各州政府拨给铁路公司的土地总面积在2.15亿英亩以上,超过了德国和法国领土面积的总和。[①] 1890年,为保护正处于成长时期的美国工业,美国的关税平均税率高达49.5%,1897年关税税率又上升至

---

① 刘云龙:《欧美近现代经济史》,云南大学出版社1995年版,第254页。

57%。

1914~1945年为美国政府干预、调节经济的第二阶段。第一次世界大战期间,美国政府将经济置于全面管制之下,开始了政府全面干预经济的最初尝试。这一方面是由于20世纪初美国资本主义经济已完成从自由竞争阶段向垄断阶段的过渡,需要国家出面来抑制垄断所造成的负面影响,但更主要的是要将经济转向战时轨道。因此,一战期间美国政府对经济的管制具有临时和应急性质。第一次世界大战结束不久,美国政府即通过广泛的"复原"工作使经济回复到了原先的格局。

1929~1933年,席卷资本主义世界的经济大危机爆发,美国总统富兰克林·罗斯福于1933年开始推行"新政",为美国政府对经济的干预走向经常化的开端。在"新政"的实施过程中,政府开始尝试以财政和货币手段对工业、农业和交通运输业的生产、交换和消费直至劳资关系进行全面调节。这些调节措施既使以生产资料私有制为基础的资本主义生产关系在这种生产方式所能容许的限度内发生了很大变化,又没有触动美国所谓的"自由企业制度"的根本。此后,美国政府对经济的广泛干预逐渐由应付战争和经济危机的临时手段发展成为一种固定职能。二战期间,美国政府再次对经济实行全面管制,而且管制的规模和水平都远胜于一战期间。

二战结束后,美国政府对经济的干预进入制度化、经常化和全面化的新时期。二战期间,美国经济大大膨胀,1933~1944年,美国工业生产规模扩大了2.5倍,失业人数从1983万降至67万,同时现役军人由25万增至1141万。战时经济转向和平经济后,美国势必面临巨大生产能力闲置和大批失业人口出现的困境。为了应付这一局面,美国国会通过《1946年就业法》,宣布"利用一切切实可行的手段……促进最大限度的就业、生产和购买能力,是联邦政府的一贯政策和职责"。[①]

《1946年就业法》的颁布使美国政府对经济的干预和调节具有法定的性质,标志着政府调控经济的制度化、经常化和全面化,此后,美国政府即名正言顺地对经济进行干预和调节,并在长期的干预和调节过程中形成了以下这些特点。

---

① 薛伯英:《美国政府对经济的干预和调节》,人民出版社1986年版,第19页。

第三章 当代发达资本主义国家的经济运行机制

1. 在生产资料所有制方面，美国由于自身的经济、政治特点，较为注意从形式上维护所谓"自由竞争企业制度"，国有企业在美国国民经济中所占的比重很小，几乎不从事制造业活动，而且基本上也不在为制造业服务的基础设施、基础产业和流通领域中活动，因而很难在政府对经济的干预和调节中产生有实质意义的影响。

2. 政府从不制定中期、长期全国经济与社会发展计划，单个资本生产的有计划经营同全社会生产的无政府状态之间的矛盾比较突出。战后，美国经济的某些个别部门、个别领域中存在由政府主持制订和实施的计划，如农业部门一直在比较周密的政府计划下从事生产经营活动，国家宇航局也制订严密的计划。然而，美国国民经济的发展方向，目标和结构的调整与转换基本上是通过各私人垄断资本之间的激烈竞争自发地决定。

3. 为了达到"促进就业、生产和购买能力"的目的，美国政府主要依靠制订和实施财政和货币政策，对经济进行全面的短期干预和调节。美国政府经常采用的财政调节措施主要有：

(1) 税收调节。税收调节指在经济萧条和危机期间，政府通过减税和退税刺激消费和投资；在经济过热时，政府通过税收增加抑制消费，给经济降温。另外，政府还通过实行固定资产加速折旧，新设备投资减税，资本增益优惠，租赁业务优惠等政策，刺激私人投资增长。

(2) 政府采购。政府作为市场上最大的主顾采购商品与劳务是美国政府最为常用的宏观调节手段。政府大量采购商品和劳务，为经常处于生产过剩状态的美国经济提供了实现产品的途径。其中，军事订货、军费支出为美国政府干预和调节经济的重要途径。战后以来，在美国政府采购的全部商品和劳务中，国防开支通常占1/3左右。

(3) 福利政策。福利政策包括社会保险、卫生保健、文化教育、住宅、公共服务设施、就业指导等。福利基金的来源，一部分从职工工资中扣除，另一部分由企业主交纳，再一部分由政府拨款。实施福利政策，既可扩大需求，稳定与"繁荣"经济，又可缓和阶级与社会矛盾。

美国政府还经常通过实施货币政策调控经济。所谓货币政策，就是通过调控货币供应量使利率发生变化，进而造成投资规模和总需求变动，最终实现社会总需求与总供给平衡。实施货币政策的主要手段有：调整法定存款准备金比率、调整中央银行贴现利率和实施公开市场业务。其中，公开市场业务，即由中央银行在债券市场买卖政府债券，为美国中央银行控制货币供应量和利率的最主要和最常用手段。

综上所述，战后以来，美国政府主要通过实施财政和货币政策影响社会总供给和总需求，对经济实行宏观短期微调。这一调控方式的形成与以下这些因素不无关系。

第一，在美国，生产的高度社会化与私人垄断资本实力强大的矛盾非常突出。美国社会生产力发达，生产社会化程度很高，同时美国的私人垄断资本的实力也是世界上最强大的。早在20世纪70年代，美国洛克菲勒财团和摩根财团控制的资产额就超过了当时日本、联邦德国、法国、英国4国私人垄断财团资产额的总和。20世纪90年代期间，在美国的制造、金融、保险等企业规模对于经营至关重要的行业中，资产额在2.5亿美元以上的大公司在行业中的比重可高达70%～80%（参见表3-2）。

表3-2　美国大公司资产额在所属行业资产总额中所占比重比较（1992年）

（单位：亿美元）

行业	行业资产总额	资产在2.5亿美元以上公司的资产总额
农业、林业、渔业	677.57	47.44
矿业	2129.63	1605.25
建筑	2430.63	508.60
制造业	40283.60	34014.27
交通和公共设施	15738.28	14335.78
批发与零售商业	14834.28	7853.68
金融和保险业	107806.81	93172.84
服务业	6367.52	3054.06

资料来源：美国商务部统计局：《美国统计摘要》，美国政府出版署1995年版，第549页。

私人垄断资本追逐利润的本性使其难以适应生产社会化的要求，必须借助国家的协调和干预。然而，私人垄断势力越强大，越想选择束缚力最小的国家干预方式，也越不能接受中长期的国家计划与调节，哪怕这种调节是象征性的、指导性的。

第二，在美国，生产能力无限增长与公众有支付能力的需求相对狭

第三章 当代发达资本主义国家的经济运行机制

小之间的矛盾非常尖锐。美国生产能力很强,国内有效需求增长经常落后于生产增长,国际市场上的竞争也非常激烈。为缓解生产过剩矛盾,美国政府不得不经常运用财政和货币手段制造需求,采购商品与劳务。

第三,美国在政治、经济和军事方面在资本主义世界中占有的地位,决定了美国不仅要在资本主义世界经济中发挥主导作用,而且要承担起保卫和扩展世界资本主义制度的重任,这是美国政府将军费开支和军工生产作为干预和调节经济的重要手段的最主要原因。

第四,美国政治制度的特点使美国政府倾向于用间接的、短期的手段对经济进行宏观调节。美国政治制度有两个显著特点:

a. 掌握经济权力的私人垄断集团极力把政府权力限制在必要的范围内,这使得政府很少直接从事各项社会事业,对民间事务的干预权较小。

b. 国家的分权程度高,相互制衡原则贯彻较彻底,政府的重大经济举措,往往都是在与国会讨价还价、相互妥协后才得以实施。

总而言之,美国政府运用财政和货币政策对经济进行干预和调节,为经常处于危机之中的发达资本主义国家经济开拓了一条通过国家干预、人为刺激经济增长以缓和与摆脱危机的暂时出路,从而对其他发达资本主义国家产生了深远影响。20 世纪 50 年代以来,政府使用财政和货币手段对经济进行宏观调控便成为发达资本主义经济的普遍现象。

3.3.3 法国政府的宏观经济调控

西欧是资本主义和市场经济理论的发源地,西欧各国不仅社会经济发展水平高,而且具有悠久的历史文化传统。西欧各国政府在对经济进行宏观调控方面有许多相似之处,以下将以法国政府的宏观经济调控为例,介绍西欧国家政府宏观经济政策的共同特点。

1. *制订和实施中长期全国综合性经济计划为法国政府对社会经济生活进行调控的主要手段*

自二战结束以来,法国政府始终坚持制定全国经济发展计划,计划期限一般为 5 年,到 1997 年为止已实施了 11 个经济发展的综合性计划。德国、意大利、奥地利、瑞典、比利时、西班牙等国也制订类似的经济和社会发展计划。相对于美国政府的宏观经济调控而言,制订和实施全国经济和社会发展计划是西欧各国政府干预调节经济的共同特点。

法国政府制订的中长期经济和社会发展综合性计划具有下述特点：

(1) 综合性。计划不仅具有经济发展的内容，而且包括社会发展方面的内容。

(2) 明确性与针对性。计划不仅将特定时期内国民经济的发展方向、目标、任务明确规定下来，而且根据国民经济和特定经济部门在计划期内的主要矛盾和面临的任务，制订出较具体的、有针对性的措施。法国的第一个社会发展计划于1947～1953年期间贯彻实施，以重建毁于战火的法国经济为目标。第六个社会经济发展计划（1971～1975）强调加快计算机产业的发展，力争赶上美国计算机产业的技术水平，计划同时强调加快法国航天产业的发展速度。第八个社会经济发展计划（1981～1985）加大了对巴黎周边地区的信贷投入，以加快中小城市的发展。第十个社会经济发展计划（1989～1992）加大了政府对农业的金融支持，并制订了加快法国经济发展相对滞后的西北部地区发展的措施。

(3) 磋商性和指导性。法国的社会经济发展计划由社会各界参与制订，计划的制订过程即为广泛的社会磋商、协商过程。计划主要由政府通过优惠贷款、税赋减免等手段实施，很少使用行政命令或强制手段。例如，法国财政部曾使用政府设立的"社会经济发展基金"，以优惠利率向法国国营或私营企业提供贷款。又如，某些与国家社会经济发展计划的规定目标相一致的经济活动可获得税赋减免，或获得由政府提供的信贷投入。

2. 在20世纪的后半期，国有企业在法国经济中所占比重很大，国有企业直接从事的经济活动几乎遍及所有重要的加工工业部门和行业

法国曾经是国有企业在国民经济中占有比重最大的发达资本主义国家。在20世纪80年代国有企业资本占法国固定资本总额的35%，国企职工占法国就业人数的10%以上；法国政府通过国有企业，掌握全国90%的银行存款与80%的信贷业务，在几乎所有的基础部门、传统部门、公用事业部门中从事经营。1982年，世界最大的50家工业公司中仅有的3家法国公司都是国有企业，世界最大的5家银行中，法国国有银行占3家。

20世纪90年代以来，法国政府也同其他西欧国家一样，以全部或部分转让产权的方式对国有企业进行了改造。尽管如此，法国政府仍可

第三章　当代发达资本主义国家的经济运行机制

利用其持有的股权,对国家拥有股份,尤其是由国家多数控股的公司进行领导和监督,并通过资金投入、利润分配、价格确定等手段,对国家参股公司实施影响,让这类公司为落实国家计划和经济政策出力。

3. 法国政府不仅运用财政和货币手段对经济进行短期调节,而且耗费巨额财政资金实行高水平的福利政策,希望通过福利开支制造需求,缓和社会矛盾

事实上,西欧各国政府普遍奉行类似的高福利政策。包括法国政府在内的西欧各国政府实施的社会福利措施主要有:

(1) 家庭补贴,即通过定期发放现金方式,对正在养育儿童的家庭实施补助。

(2) 父母补贴。该补贴主要用于补贴生育婴儿或认养儿童未超过450天的父母,使其有足够的时间在家照料子女。

(3) 养老补贴,分为所有老龄人口均可享受的基本养老金和针对就业期间缴付了足额社会保险税的人员发放的补充养老津贴。

(4) 全民健康保险,包括带薪休假、患病或怀孕期补贴、药费和治牙费用等。

(5) 失业补贴。失业补贴一般为职工基本工资的90%,年龄在55岁以下,失业期在300天以内,或年龄在55岁以上,失业期在450天以内的失业人员均可领取。

由于实行高标准的福利政策,西欧各国政府不得不通过高税收政策,对国民收入实行再分配,这使得西欧各国政府的收入和开支在国民生产总值(GNP)所占的比例远远高于美国政府的收支在国民生产总值中所占的比例(参见表3—3)。

表3—3　1999年发达资本主义国家中央政府财政收支在国民生产总值中所占的比例

国别	政府收入在GNP中所占份额(%)	政府开支在GNP中所占份额(%)	政府财政赤字在GNP中所占份额(%)
美国	19.7	23.8	−4.0
加拿大	22.1	26.8	−3.8
英国	36.2	43.4	−5.1
意大利	41.8	53.4	−10.1

续表

国别	政府收入在 GNP 中所占份额（%）	政府开支在 GNP 中所占份额（%）	政府财政赤字在 GNP 中所占份额（%）
荷兰	50.7	53.9	−0.9
瑞典	40.1	53.9	−12.2
西班牙	31.4	35.1	−3.7
法国	40.7	45.5	−3.8
德国	31.6	33.6	−2.4

资料来源：世界银行，《1999 年世界发展报告》，牛津大学出版社 2002 年版，第 181、183 页。

法国政府宏观经济调控方式的形成与下述因素有关：

其一，同最先进的国家相比，法国经济在二战后相当一段时期处于较后进的状态，要缩短差距，迅速实现国民经济现代化，就得采取措施，协调全国的经济活动，确保有限的资源能集中投入关键性的产业部门。由政府制订和执行计划，就成为满足这一客观要求的前提条件。

其二，法国私人垄断资本的力量较弱，在国内无法单独完成实现国民经济现代化的重任，在国际竞争中难以加强、提升法国的国际经济地位，不得不较多依赖政府的扶助。

其三，法国是最早进行资产阶级革命和产业革命的国家之一，工人运动有长期的传统，资产阶级民主思想以及形形色色的社会改良主义深深植根于法国。二战以后，崇尚改良，主张缓和社会阶级矛盾的政党在法国政坛有强大影响，且数度执政，有助于法国类型的政府宏观经济调控方式的形成。

其四，法国政治体制的特点对于政府在经济生活中扮演重要角色以及政府介入经济生活的方式也有不可忽视的影响。国家权力集中，政府积极干预经济生活是法国在资本主义发展初期就形成的政治特色，战后法国的政治体制继承了这一传统。

战后法国政府通过对经济进行全面的调节和干预，在法国建立起较完善的国民经济体系，加快了法国经济现代化进程，增强了法国经济的国际竞争力。但是，政府的干预与调控难以有效地约束私人资本对利润的追逐，无法从根本上改变社会生产的无政府状态；法国国有企业的经济效益也难以同私营企业的经济效益相比。因此，20 世纪 90 年代以来，

第三章 当代发达资本主义国家的经济运行机制

市场调控在法国经济中的重要性不断上升。

3.3.4 日本政府的宏观经济调控

日本政府对国民经济进行宏观调控的方式兼具美国或西欧国家政府宏观经济调控的特点，可以说是介于美国政府的宏观经济调控方式和法国政府的宏观经济调控方式之间。战后以来，日本政府主要通过以下举措对社会经济生活进行调节：

1. 通过制订中长期全国综合性计划指导经济和社会发展

然而，与法国政府的经济和社会发展计划相比，日本政府制订的中长期综合性计划更具预测性质，且不具体，对私营和国营企业均无约束力。另外，计划的制订过程也是政府与产业界联系与沟通的过程。政府通过制订中长期社会经济发展计划，公开披露政府对中长期国民经济发展动向的看法，以期在资源配置和重大经济决策等问题上与产业界达成共识与谅解。

2. 日本政府也拥有相当数量的国有企业，但国有企业在国民经济中所占的比重远低于法国，主要在基础设施、公益、金融、服务等领域经营，以辅助私人资本的再生产运动为目的

20世纪90年代以后，日本也出现了在西欧各国普遍出现的国有企业私有化浪潮，日本电讯、日本铁路等大型国有企业相继转换成为产权拥有多元化的股份公司。

3. 日本政府也广泛采用财政和货币政策对经济进行宏观调节

例如，通过税收优惠以鼓励储蓄和固定资产投资。又如，为刺激需求，协调因巨额贸易顺差而趋于紧张的与其他发达资本主义国家的关系，日本政府在20世纪90年代初期通过了为期10年，总额为350亿美元的改善基础设施预算方案，尽管此时日本政府已经债台高筑。此外，日本中央银行也像美国联邦储备银行那样，经常通过调控法定准备金和贴现利率、实施公开市场业务等方式对经济进行宏观调节。

4. 通过实施产业政策规范特定时期国民经济的发展方向为日本政府进行宏观经济调控的一大特色

产业政策其实就是战略规划，是政府为加快经济发展速度，应付国际竞争而制订的基本战略。战后初期，日本经济几乎完全停滞，国内市

场实际上已经崩溃。为恢复生产，日本政府决定实施优先恢复煤炭、电力、钢铁等动力和原料工业部门的产业政策，以带动机械、金属等部门的发展。在 20 世纪 60 年代，日本经济开始步入高速增长时期，日本政府制订了优先发展重化工业部门的产业政策，从而使长期以来相对发展滞后的重化产业部门迅速成为日本经济的支柱产业。与此同时，为实施通过扩大出口以带动国民经济发展的战略方针，日本政府对出口创汇行业的固定资产更新、技术创新长期实行税收和信贷优惠，同时采取各种措施限制进口，以保护本国进口替代产业部门。

5. 政府与"财界"领导人以多种形式进行接触、交流和磋商，为日本政府宏观经济政策的又一特点

日本"财界"由"日本经济团体联合会"、"日本经济同友会"和"日本商工会议所"等日本全国性的垄断资本家团体构成，为日本垄断资本的总代表。日本政府在制订重大经济决策时，一般都要同财界领导人"会晤"与沟通，以确保经济决策能最大限度地体现日本垄断资本的利益，而日本"财界"则以"报告"、"恳谈"等形式，向政府表明日本私人垄断资本的立场。

日本政府宏观经济调控方式的形成与下述因素相关联。

(1) 19 世纪末，日本通过改良走上了资本主义的发展道路。二战前，日本是一个后进的资本主义国家，其工业技术水平和经济结构都落后于欧美发达资本主义国家。二战中日本又是战败国，经济遭到严重破坏。战后，为了实现赶超欧美发达资本主义国家的梦想，日本政府必须对经济进行积极的、全面的干预和调节。

(2) 日本的私人垄断资本具有很强的经济实力，能够从经济和政治上抵制政府施加的过多束缚。但是，日本私人垄断资本在争夺市场、原料和投资场所的国际经济竞争中并不处于十分强大的地位，需要政府给予有力的支持。

(3) 在追求经济高速增长和实现国民经济现代化的过程中，私人资本追逐利润的本性可能造成比例失调，因而需要政府对之进行约束、规范，或由国家在某些经济领域中直接从事经营活动。

战后日本政府调节、干预经济的方式，基本适合日本在战后赶超美、欧先进国家的战略需要。正因为如此，日本得以迅速地治愈战争的创伤，

第三章 当代发达资本主义国家的经济运行机制

跻身经济强国的行列。但是,日本政府对经济的调控,也同美国政府、西欧各国政府对经济的调控一样,具有抑制市场机制的自发调节功能的副作用。这使得日本经济在进入20世纪90年代后为众多深刻矛盾所困扰。今后,日本政府必须不断完善调控经济的方针与策略,才能保持日本在国际经济竞争中的强势地位。

综上所述,政府对经济进行全面调节和干预是当代几乎所有发达资本主义经济的显著特征。由于政府对经济的全面调节和干预部分克服了私人垄断资本单纯追求垄断利润这一生产目的上的局限,部分克服了单个私人垄断资本在资本规模上的局限,因而可以在全社会范围内从事某些私人垄断资本力所不能及的活动,可以突破单个私人资本只能进行微观调节,无法在全社会范围内进行宏观调节的局限,从而在客观上缓解了资本主义经济的基本矛盾,提高了发达资本主义国家经济的生产社会化程度。但是,政府过度介入、干预经济活动,又造成了市场调节机制失灵,私人投资乏力等新问题。

3.4 当代发达资本主义国家经济的运行主体——股份公司

3.4.1 当代发达资本主义国家经济的微观基础——股份公司

如前所述,市场经济是当代发达资本主义国家经济运行机制的基础,而市场经济的运行主体则包括企业、居民、政府和各类非赢利机构,其中占主导地位的是企业。

当代发达资本主义国家的企业制度体系主要由个人企业、合伙企业和股份公司(公司企业)构成。这些企业组织形式各有其特点和发展空间,从而在当代都得到了进一步的发展与完善。其中,股份公司作为最适应生产社会化和市场经济的企业组织形式,在发达资本主义国家企业制度体系中居于主导地位。与此同时,由于国情的差异,各发达资本主义国家的股份公司在经营管理方面又不尽相同,本节将探讨发达资本主义国家股份公司的异同。

当代资本主义经济论

股份公司,又称股份企业或公司制企业,是在社会化大生产条件下出现的,资本的使用权,又称控制权或经营权,与资本的所有权相对分离的社会资本的组织形式。股份公司在当代发达市场经济国家企业制度体系中占据着主导地位。据统计,美国拥有约2100万家注册公司,其中股份公司约700万家。这700万家股份公司是美国规模最大的企业,它们的利润通常占美国公司税后利润总额的70%,资产占美国注册公司资产总额的85%,销售总额占美国注册公司销售总额的88%,职工的工资总额占全美职工工资总额的70%。[①]

日本拥有约1.2亿人口,拥有约196万家注册公司,平均每60名日本人中就有1名公司经理,号称"公司王国"。在这196万家公司中,股份公司的比例为51.5%。日本的大型企业绝大多数是股份公司,在资产总额为1亿日元以上的25972家日本大型企业中,有24636家股份公司,占95%。20世纪90年代日本的股票公开上市公司为2071家,仅占当时日本股份公司总数的0.2%,但这些股票公开上市公司却包括了几乎所有日本特大型企业。例如,在东京证券交易所公开上市的股份公司为1203家,仅占日本公司总数的0.06%,但这1203家股票公开上市公司的营业额和固定资产额却分别占日本股份公司营业总额和固定资产总额的23.3%和20%。[②]

股份公司同样在德国的企业组织体系中居于主导地位,绝大多数德国注册公司均为股份公司。20世纪80年代中期,在德国最大的100家工业公司中,股份公司占90%。20世纪90年代中期,德国最大的2500家股份公司拥有的资本占德国社会总资本的70%。[③]

就资本使用权的归属而言,发达资本主义国家的股份公司可分为股权高度分散的公司和股权相对集中的公司等两种模式。股权高度分散的公司模式又称为"外来者(outsider)"公司模式,此类公司的股票在股票市场公开上市并为众多股票投资者持有;公司经营权虽然由董事会任命但相对独立于董事会,且大多不具有股东身份的总经理或首席执行官

---

① 刘群:"当代股份经济的新发展",《借鉴与参考》2002年第3期,第41页。
② 张弼:"日本公司制度刍议",《日本研究》1998年第1期,第11页。
③ 德意志银行(Deutsche Bundes Bank):《德意志银行研究简报(Deutsche Bank Research Bulletin)》,1995年1月9日,第7页。

第三章 当代发达资本主义国家的经济运行机制

(CEO)执掌;当公司经营不善时,公司股票将因股票持有者的猛烈抛售而大幅贬值,从而使公司面临被收购的危险。由于此类股份公司在美国、英国、加拿大、澳大利亚、新西兰、荷兰、瑞士等国较为常见,此类公司又被称为"英美模式(Anglo-saxon mode)",或"股票持有人模式(stockholder model)"。

与股权高度分散的公司相反,股权相对集中的股份公司主要由代表控股大股东利益的董事会通过听命于控股大股东的总经理或首席执行官对公司进行经营管理,因而此类公司又被称为"圈内人(insider)"公司。这种受资本市场的制约相对较少,主要体现银行、相关企业、中央及地方政府等控股大股东利益与意愿的公司在德国、法国等西欧国家和日本较为常见。

然而,西欧各国的"圈内人"股份公司与日本的"圈内人"股份公司又不尽相同。在西欧,股份公司大都设有双轨经营管理体系,即由股东代表、职工代表共同组成归董事会管辖的监督委员会,讨论并决定公司经营管理的重大方针,如控制预算,决定重要人事任免等;由以总经理为首的技术管理专家组成管理委员会,负责公司的日常运作。

在日本,"圈内人"类型股份公司以三菱、三井、住友、三和、富士、第一劝业等六大企业集团为代表。这六大企业集团均拥有大批会员公司,集团内公司间的相互采购率、相互持股率以及依托于集团内银行的相互融资率均达到很高的水平。集团的重大事务,均由成员公司的总经理通过聚会协调处理。由于集团内公司相互持股,"总经理会"事实上相当于企业集团的"总董事会"。

3.4.2 美国类型股份公司的基本特征

如前所述,因资本所有权和经营权分离程度的差异,发达资本主义国家的股份公司呈现出两种模式、三种类型的格局。以下将主要通过对美国股份公司的考察,描述股权相对分散的股份公司的基本特征。

1. **股票所有权高度分散的股份公司在美国经济中具有至关重要的地位**

一般而言,股票公开上市为股权高度分散的前提条件。在美国,尽管股票公开上市的公司仅占股份公司总数的25%,但这25%的股票公开上市公司的资产总额却占美国注册公司资产总额的85%,销售总额占美国注册公司销售总额的88％，职工工资总额占全美职工工资总额的70％。事实上，几乎所有美国特大型企业均为股票公开上市的股份公司，而且股票公开上市公司的规模越大，股权拥有就越加多元化和分散化。例如，在美国通用汽车公司的股东中，持股在100股以下的小股东占40％。又如，美国电话电报公司1992年的股票发行量达13.4亿美元，股东总数为250万人，其中最大的股东仅拥有不超过5％的股权。[①]

2. 美国股份公司的日常经营，大都由不一定具备股东身份的专业人员负责，美国的股份公司因此而有"外来者"股份公司之称

美国的股份公司多实行董事会领导下的总经理负责制，即由以总经理，或以首席执行官为首的经理班子作为执行层受聘于董事会，在董事会的决策、指导和监督下具体负责公司的日常经营活动。

美国股份公司的总经理或首席执行官一般通过公开招聘，由董事会遴选，任命。一般而言，美国股份公司的总经理多为不一定具备股东身份的专业人员，而通晓金融、善于开发、更新、推销新产品，乐于在和约届满后另谋新职是在美国股份公司中担任总经理或首席执行官的必备素质。作为回报，美国股份制企业的总经理或首席执行官除领取高薪外，还可获得一定数量的与其经营业绩挂钩的股票期权或奖金。

美国的股份公司通常将"股东价值最大化"原则作为公司治理的出发点。"股东价值最大化"指通过资源配置、生产和经营等各种手段，实现公司利润的最大化，从而实现股东持有的股票资产的价值最大化。

"股东价值最大化"认为，在公司治理中，股东为委托人，经理为代理人，公司经理在治理公司时，理应以股东利益最大化作为出发点。然而，由于公司所有权和经营权的相对分离，公司经理可能利用其控制公司资源和财富的机会谋求私利，或追求某些与股东利益相反的目标。为杜绝经理人员的营私行为，公司的经营成效，应根据公司的市场价值，即公司股票的回报和市场价值来评判。

崇奉"股东价值最大化"原则的美国股份公司普遍采用有利于保持和提高公司股票价格的方式分配公司收益。美国股份公司的支付比率，

---

① 皮特·罗斯（Peter S. Rose）：《货币与资本市场（Money and Capital Markets）》，美国爱尔文出版社1994年版，第524页。

第三章　当代发达资本主义国家的经济运行机制

即股票红利在公司税后利润中所占比例，20世纪50年代为47.9%，60年代为42.4%，70年代为42.3%。按国际标准衡量，上述比例均为高标准。20世纪80年代和90年代，美国股份公司的支付比率较20世纪50、60和70年代有显著增长。1980年，美国股份公司的利润率下降至17%（为20世纪30年代以来最大的利润率下降），美国股份公司的股票红利却上升了13%，从而使公司支付率达到57%，涨幅为15%。1980~1998年的19年间，美国股份公司支付率的平均水平为49%。[①]

为贯彻"股东价值最大化"宗旨，美国公司将股票回购视为提高股票红利的重要途径。1985年，当美国股份公司的股票红利总额为840亿美元时，美国公司的股票回购总额达200亿美元，从而使红利实际支付率由不足40%上升至50%。1989年，当美国股份公司的股票红利总额上升至1344亿美元时，美国股份公司的股票回购总额上升至600亿美元，从而使实际支付率达到81%。1994年，美国股份公司的股票回购总额为700亿美元，有效支付率为66%，1996年股票回购总额为1160亿美元，有效支付率为72%。1997年和1998年，美国股份公司的股票回购总额分别为1810亿美元和2070亿美元。[②]

为节约经营成本，实现股东价值最大化，美国股份公司主要通过劳动力市场招募所需的劳动力。此外，美国股份公司还经常通过裁员来提升股票回报率。20世纪80年代期间，美国企业的工作岗位损失率为10%，20世纪90年代为14%。尽管20世纪90年代期间美国经济处于相对繁荣时期，美国管理协会（AMA）进行的调查却表明美国公司仍在大规模裁员，而且大公司裁员远比小公司为甚。1996~1997年，美国员工在万人以上的大公司的60%进行了不同程度的裁员。即使在经济高涨的1998年，美国大股份公司宣布的员工裁减数量仍高于20世纪90年代的其他年份。

[①] 威廉·劳桑利克（Willian Lazonick）：《公司治理和持续繁荣（Corporate Governance and Sustainable Prosperity)》，美国帕尔格伍出版公司2002年版，第21页。

[②] 威廉·劳桑利克（Willian Lazonick）：《公司治理和持续繁荣（Corporate Governance and Sustainable Prosperity)》，美国帕尔格伍出版公司2002年版，第22页。

3. 当经营不善时，美国股份公司面临的敌意兼并风险远远大于欧洲、日本的股份公司

如前所述，股票所有权高度分散，个人股东占压倒优势为美国股份公司股权结构的显著特点。近年来，美国养老基金、保险公司和银行信托部等金融投资机构的股票持有额有显著增长。例如，1995年在美国公开上市公司普通股的股权结构中，美国公众的持股额为50.2%，机构股东的持股额为44.5%，其中养老基金、保险公司、共同基金、银行信托部等金融投资机构的持股额占30.4%。[1] 美国金融投资机构大量持股，在客观上对股份公司存在的经营不善、经理阶层收入过高等弊端具有一定的遏制作用，因为金融投资机构作为股份公司的大股东，可通过"用手投票"和"用脚投票"相结合的方式，对经营者进行约束。同时，作为广大中小股东的代言人，金融投资机构可以通过经常性地检查，披露公司的经营状况，组建投资者协会等方式，对公司的经营活动和经理人员进行监督。

然而，无论是美国的个人股东还是机构投资者，其持股目的主要在于谋取投资收益最大化，两者对公司红利的多少和股价涨落均具有较高的敏感度，而对是否同公司保持长期关系则不甚在意。这种股权结构决定了美国股份公司产权结构的相对不稳定性，从而使得公司兼并与收购经常在美国经济中发生。

3.4.3 德国、日本类型股份公司的基本特征

与美国、英国等国的股份公司不同，大陆西欧国家和日本的股份公司的所有权却高度集中，现以日本、德国的股份公司为实例，概述股权相对集中的股份公司的基本特点。

1. 大陆西欧国家和日本股份公司的股票集中程度大大高于美国、英国的股份公司

股权高度集中为大陆西欧国家股票公开上市公司的常见现象。据统计，50%以上的股票为某一位股东持有的股份公司约占德国、法国和意

---

[1] 何自力："家族资本主义、经理资本主义与机构资本主义"，《南开经济研究》，2001年第1期，第12页。

第三章 当代发达资本主义国家的经济运行机制

大利股份公司总数的一半以上，而此类股权高度集中的公司仅占美国、英国股份公司总数的 5%[①]。

在日本，股权集中主要表现为股份公司之间的相互持股。1949 年，日本的法人持股比率仅为 30.9%，个人持股比率高达 69.1%。但是，以 20 世纪 60 年代日本六大大型综合性企业集团的形成作为分水岭，日本的个人持股比率不断下降，法人持股比率不断攀升。1990 年，日本的法人持股比率上升到 72.1%，个人持股比率下降到 23.1%。1960 年，德国的个人持股比率为 27%，法人持股比率高达 67%。1990 年，德国的个人持股比率降至 17%，法人持股比率上升至 69%。1965 年，美国的个人持股比率高达 84.1%，1980 年为 71%，1991 年美国的个人持股比率降至 49%，而美国的法人持股比率却上升至 46%。[②]

2. 大陆西欧国家和日本的股份公司对银行的依赖甚于主要依靠在证券市场上发行股票、债券融通长期资金，仅向银行申请短期信贷的美、英类型股份公司

由于对银行的依赖程度较高，股票所有权相对集中的股份公司的债务/资产比率（debt/capital ratio）要大大高于主要依靠公开发行股票融通资金的股票所有权高度分散的股份公司。1993 年，日本、德国、法国、意大利、比利时等国的非金融业股份公司的债务/资产比率分别为 3.8842、3.3646、1.4661，而美国、加拿大的非金融业股份公司的债务/资产比率仅为 1.0355 和 0.9912。另据德国联邦银行的统计，1994 年，德国股权分散程度较高，主要依靠股票市场融资的大型股份公司的债务/资产比率大大低于其他各类公司。这说明即使在同一国度内，公司的股票结构仍对公司的融资方式有重大影响。[③]

1994 年，德国商业银行持有德国股份公司股票总额的 10%，而美国商业银行持有的股票不足美国的股份公司股票总额的 1%。除直接持股

[①] 约瑟夫·迈可瑞 Joseph A. McCahery：《公司治理体制（Corporate Governance Regimes）》，牛津大学出版社 2002 年版，第 156 页。

[②] 唐纳德·切尤（Donald H. Chew）：《公司财务和治理体系的国际比较（Studies in Institutional Corporate Finance and Governance Systems）》，哈佛大学出版社 1997 年版，第 234 页。

[③] 唐纳德·切尤（Donald H. Chew）：《公司财务和治理体系的国际比较（Studies in Institutional Corporate Finance and Governance Systems）》，哈佛大学出版社 1997 年版，第 234 页。

外，德国商业银行还通过下述两条渠道对股份公司施加影响，一是利用股票表决权授权托管方式（proxy），代替中小股票持有人行使股票表决权，从而使银行对公司事务的实际发言权，大大超过银行实际拥有的股权。二是以股东身份跻身公司的监督委员会。1992年，在德国组建有监督委员会的85家最大的股份公司中，德国商业银行向其中54家派驻了自己的代表。①

3. 大陆西欧国家和日本类型的股份公司由于法人机构大规模持股，不仅普遍承认董事有代表持股法人机构的资格，而且通常在公司内部实行董事会，或相当于董事会的权力机构直接负责制，职业经理只负责公司的日常管理事务

例如，《德国股份公司法》规定，员工总数超过2000人的股份公司，必须设立监事会。在德国，监事会不仅有权决定固定资产的买入与抵押、批准资产折旧、准备金设定、债券发行等，而且拥有对董事会的命令与指令权，并有权决定董事会成员的任免。

美国、英国类型的股份公司则由于股权分散程度高，又大都在董事会中实行直接代表制，董事在董事会中只能代表个人，无权代表其他将股权视为纯粹金融资产的中小股东，因而董事会很难对公司的经理阶层实施有效的监督。公司经理阶层与广大股东之间的纷争，往往由公司的投资者关系部与股东委员会在公司外部以对话方式解决。

4. 股权相对集中的股份公司由于法人持股和相互持股，股权关系相对稳定，具有较强的抵御敌意兼并风险的能力，而股权高度分散的股份公司在经营不善时则需要面对远为险恶的敌意兼并风险

20世纪80年代中期，美国公司购并涉及的资产总额高达万亿美元，相当于当时美国上市公司资产总额的40%。20世纪90年代，英国发生公司购并200余起，而德国仅50起。

5. 与美、英类型的股份公司崇奉"股东价值最大化"原则相反，欧洲、日本类型的股份公司强调兼顾众多与公司利益相关者的利益

也就是说，股份公司除应对广大股东负责外，还应对与公司利益相

---

① 唐纳德·切尤（Donald H. Chew）：《公司财务和治理体系的国际比较（Studies in Institutional Corporate Finance and Governance Systems）》，哈佛大学出版社1997年版，第289页。

第三章 当代发达资本主义国家的经济运行机制

关人员负责。这些利益相相关人员包括：公司职工、供货商、顾客、贷款人等与公司具有合同关系者，以及社会各阶层，如公司所在地的居民、环境利益相关者、地方政府、中央政府及社会。公司的经营成效，必然要对上述与公司利益相关的人员产生直接或间接的影响，如公司所在地的居民、环境利益相关者、地方政府、中央政府及社会。

公司的经营成效，必然要对上述与公司利益相关的人员产生直接或间接的影响，而与公司利益攸关群体也可能直接或间接地影响公司的成长速度和经济效益。在众多与公司利益相关的群体中，公司职工、供货商和贷款人等拥有公司专有资产（company specific assets）的人员至关重要。因为，最优秀的公司应当拥有稳定的供货商，高素质的职工队伍和有远见卓识的贷款人。公司应当关心这些与公司利益相关人员的利益，与他们共同构建、促成并发展相互信任，相互负责的长期关系。

为巩固和发展与公司利益相关人员的长期关系，西欧国家和日本类型的股份公司不仅在公司内部实行职工的长期或终身雇佣制，而且在公司外部也拥有与之具有长期供货或销售关系的关联企业。当经济形势不景气时，公司不仅不依靠裁减职工来缓解困境，而且要对与之具有长期关系的关联企业尽关照、提携之责。

3.4.4 不同类型的股份公司产生的原因

发达资本主义国家股份公司经营管理体制的差异，与股份公司植根的经济土壤有密切关系。作为资本主义的发源地和私人垄断资本势力最强大的国度，美、英两国很早便形成了资本市场，股份公司可以通过在资本市场公开发行股票和债券，扩大生产和经营规模。因而其资本所有权和经营权的分离程度相对较高。德国、日本和相当一些西欧国家则是通过本国资产阶级与封建势力妥协走上资本主义道路的，其经济体制在很长时期内具有较浓厚的国家资本主义色彩，国内资本市场的发育相对滞后，因而这些国家的股份公司不得不较多地体现银行、关联企业和政府等控股大股东的利益与意愿。

此外，经济法规的差异也是造成发达资本主义国家股份公司体制差异的重要原因。美国法律曾明文禁止公司相互持股，禁止、限制商业银行持有公司股票，而日本、西欧各国的商业银行常常通过为企业提供创建资本，掌握股票控制权等方式来左右企业的经营方向。

3.4.5 结论

特定的企业经营管理模式，系由特定的政策、法规、经济发展过程所铸就，其本身并无绝对的优劣可言。但是，经营管理方式的差异，又使得美、英等国的股份制企业与西欧国家和日本的股份公司在客观上存在以下这些优势与弱点：

1. 美国类型的股份公司股票分散程度高，持股人又多为中小投资者，因而难以对公司的经营管理者实施有效的监督西欧和日本类型的股份公司通过让董事会直接介入经营管理，能较好地兼顾机构持股者的资产拥有权和经营监控权。

2. 迫于敌意收购压力，股权相对分散的股份公司通常倾向于从事投资周期短，赢利快的经营活动，尽量回避可能导致公司股票价格下跌的长期投资，而股权相对集中的股份公司由于大机构控股，受资本市场制约相对较少，较适合从事长期项目的开发。

3. 股权相对分散的公司经营方略较为灵活，转向较快，能较好地适应产业结构的调整潮流，而股权相对集中的股份公司转向较为缓慢。

4. 股权相对分散的股份公司主要通过"明约"界定其肩负的权利与义务，透明度相对较高，而股权相对分散的股份公司需要履行的"暗约"较多，其透明度相对较低。

20世纪后半期发达资本主义国家经济的发展历程表明，以市场机制为基础，以政府的宏观经济调节为辅助的经济运行机制是基本符合发达资本主义国家经济的客观需要的。与此同时，发达资本主义国家经济的诸多弊病，如周期性经济危机和结构性经济危机，公司财务丑闻，政府与私人垄断资本间的权钱交易等，又暴露出发达资本主义国家的经济运行机制仍有不断调整与完善的必要。可以预料，实现政府调节与市场调节的和谐有机结合将在今后相当长时期内成为发达资本主义经济必须面对的重大难题。

第四章　经济全球化与当代资本主义经济

随着现代社会生产力的迅猛发展和科学技术进步的日新月异，国际分工及国与国的经济联系，自 20 世纪 80 年代以来有了一个质的飞跃。经济的全球化作为不以人们意志为转移的趋势，已成为左右世界各国乃至整个世界经济跨世纪发展的主旋律。经济全球化的广泛发展，在引起世界经济和国际经济关系巨大变化的同时，必然会对当代资本主义经济产生深远的影响。本章在对经济全球化的性质及其内涵分析的基础上，就经济全球化发生和发展的特点，及其对当代国际经济关系和资本主义经济的影响进行分析。

4.1　经济全球化的发展及基本特征

4.1.1　经济全球化的性质及其内涵

经济全球化可以概括为生产要素的配置和经济活动的开展，不仅跨越了国界相对自由地以全球范围为空间进行，而且世界各国在社会再生产的生产、分配、交换和消费诸环节的相互联系和交织日趋紧密，向融为全球经济整体的方向发展。国际货币基金组织对经济全球化的定义是："全球化是指跨国商品与服务交易及国际资本流动规模和形式的增加，以及技术的广泛传播使世界各国经济的相互依赖性增强。"[①]

[①] 国际货币基金组织：《世界经济展望》，中国金融出版社 1997 年版，第 45 页。

当代资本主义经济论

从本质上看，经济全球化就是指生产力和与之相关的生产的社会关系在时间与空间上在全球维度的扩展，是指生产要素在全球范围内的广泛流动以实现资源最佳配置的过程。对经济全球化的内涵，可以从以下几点加以理解和把握：第一，它是指各种经济行为体（Actors）在全球维度的发展趋势，是一个描述世界变化的广度与深度的概念。它包容了金融全球化、生产全球化、贸易全球化、技术全球化等等经济现象，泛指资本、劳动、商品、服务以及信息等超越市场和国界进行扩散的过程。第二，它意味着各种经济行为体的竞争、冲突和合作即相互作用（Interactions）是在全球范围内展开的。第三，经济全球化的最终结果将是不单指经济生活的全球化，而且也包括政治、文化和社会生活的全球化。从狭义讲，它是指从孤立的地域国家走向国际社会的进程；从广义讲，是指在全球政治、经济、文化交流日益发展情况下，各国的相互影响、合作、互动的日益加强，使具有共性的文化逐渐普及推广成为全球通行标准的状态和趋势。它具有客观必然性、全方位性、历史渐进性、市场经济机制性和主导支配的非均衡性等特点。

经济全球化的基本要求，是把全球作为一个统一的无阻碍的自由市场，实行自由贸易和自由竞争，在全球内实现资源的合理、有效的分配，形成生产、消费、金融及资本流动、竞争规则的全球化。经济全球化从本质上考察，其性质具有二重性：一方面它是生产社会化及经济国际化高度发展在时间和空间上的多维度拓展，因而它反映了科学技术进步和人类社会生产力发展的客观要求；另一方面经济全球化又是在当代资本主义的主导下进行的，是由以美国首的发达资本主义国家积极推动起来的。这些国家从自身的利益和社会价值观出发，利用受其控制的国际经济组织，制定并竭力推行资本主义的生产方式及其市场经济模式。由此，在现在及今后相当长一个时期内，经济全球化必然带有资本主义生产关系全球性扩张的色彩。

经济全球化反映的各国在经济上相互依存、相互影响又相互渗透的关系，是一个长期的、渐进的发展过程。早在100多年前，马克思和恩格斯在《共产党宣言》中就已指出：随着世界市场的形成，生产和交换日益越出国界，"使一切国家的生产和消费都成为世界性的了"，"过去那种地方和民族的自给自足和闭关自守状态，被各民族的各方面的互相往

第四章 经济全球化与当代资本主义经济

来和各方面的互相依赖所代替了"①。经济全球化是世界经济发展的产物，它以市场经济和经济的国际化为基础。如果从更深层次上理解经济全球化的概念，它描述的是一种全球范围的深刻变化，这样的变化本来并不是新现象。自从1492年哥伦布远航美洲使东西两半球会合之时起，经济全球化过程即已开始它的萌芽。在机器大工业出现及资本主义生产方式在欧美国家确立之后，伴随着资本主义国家在全球的扩张，国际分工与世界经济的形成，经济全球化事实上进入了它的起步发展阶段——经济国际化阶段。与该阶段商品资本的国际运动特征相对照，以生产资本和金融资本的国际运动为主要特征的经济全球化，在二战结束后，特别是20世纪80年代以来，得到了广泛而快速的发展。1989年柏林墙的坍塌，1992年前苏联的解体，1993年欧洲统一大市场的形成，1994年建立信息高速公路的倡议的纷纷出台，直到1999年欧洲中央银行及欧洲单一货币——欧元的诞生，可以说是进入真正意义的经济全球化时代的转折。市场经济的全球化和信息传播的全球化，应该是经济全球化时代的最重要标志。只有在当代，这一过程方才达到了一个质的转折点，经济全球化才成为一种现实的、影响广泛的趋势。

4.1.2 经济全球化发展的主要特点

经济全球化发展到现阶段，主要表现出它以市场经济为基础，以生产力和新科技革命的迅猛发展为动力，以跨国公司为载体，以经济发达资本主义国家为主导的若干特点。

经济全球化是以市场经济为基础，随着市场经济的产生发展及其在世界市场的扩展而萌芽、发展。15世纪的地理大发现所带来的国与国之间经济联系的加强，是经济全球化的萌芽阶段。机器大工业的产生和资本主义生产方式在欧美发达国家的确立，使得以商品贸易为主要纽带的国与国之间的经济生活国际化，成为经济全球化发展的重要基础。与之相对应的以资本的国际流动为主体的经济全球化，在二战后特别是在20世纪80年代以来得到了广泛的发展。伴随着中国的改革开放，以及前苏联东欧国家传统的中央集权计划经济模式的瓦解，市场经济作为世界上

---

① 马克思、恩格斯：《马克思恩格斯选集》第1卷，人民出版社1972年版，第254~255页。

当代资本主义经济论

绝大多数国家经济发展模式的自主选择,其固有的运动规律和内在机制,客观上成为各国经济行为走向规范和趋同的共同基础。

然而,经济全球化产生和发展的根本动力,还在于战后科学技术和生产力发展所导致的经济生活国际化。战后50年代以来,以原子能、电子计算机及空间技术的应用为主要标志的第三次科技革命,以及20世纪80年代开始的当前世界上正在兴起的以微电子信息技术、生物和海洋工程、新型材料应用等高科技为代表的新科技革命,所带来生产力的巨大飞跃不仅使世界各国之间生产的国际分工和协作达到空前水平,还使得商品资本、生产资本、金融资本以及其他生产要素的国际流动大大加快,从而导致世界各国在生产、交换、分配和消费等社会再生产的各个环节的联系和交织大为密切。这种建立在现代科技与生产力高速发展基础之上的经济生活的国际化,以及世界经济体系中的相互依赖关系,客观上要求打破传统的民族国家疆域的界限,走向全球范围的经济协调与联合。

以跨国公司为主要载体,是当代经济全球化的又一特点。按联合国贸发会议的统计[1],2000年全球国际直接投资增长速度高达18%,远远超过同年世界产量、资本形成和贸易等其他经济指标的增长速度。而这主要是由在国外拥有80多万个子公司的6万多家跨国公司所驱动的。这些跨国公司控制了全球生产的1/3,全球贸易的2/3,国际直接投资以及技术专利转让的70%,形成了一个规模庞大的全球性的生产和销售体系。该组织2002年8月公布的对全球国家和地区以及大经济体实力所做的排名,位居世界经济百强的国家、地区以及大经济体,跨国公司就占了29家,较十年前增加了5家。这些跨国公司主要是石油和汽车制造企业。其中以石油产品为主体的埃克森-美孚公司以630亿美元的经济实力名列第45位,介于智利与巴基斯坦之间;其他如通用、福特、戴姆勒-克莱斯勒和壳牌等也榜上有名,实力排名超过许多发展中国家。该组织的新闻公报还指出,世界最大的100家跨国公司占全球国民生产总值的比重已由1990年的3.5%,上升到2000年的4.3%,其发展速度超过了大部分的国家和地区。在跨国公司的推动下,企业国际竞争和跨国兼并之风愈演愈烈。全球产业结构的调整不仅表现为资金、技术等生产

---

[1] UNCTAD: World Investment Report 2001.

第四章 经济全球化与当代资本主义经济

要素在不同国家和不同产业之间的转移,更表现为各国生产的国际分工和跨国合作日益密切。以跨国公司为主要代表的国际资本流动,成为当代经济全球化的主要载体。

当代经济全球化以发达国家为主导,亦是一个客观现实。既然经济全球化是社会生产力高度发达的产物,作为生产力高度发达的西方发达国家,经济全球化最符合其生产要素全球范围配置及自身利润最大化的需要。作为当代各种国际经济组织的实际操纵者的西方发达国家,以仅占世界20%的人口,却占有世界GDP的86%;它们所拥有的数量众多、规模巨大的垄断企业和跨国公司,以其强大的国际竞争力和市场竞争经验,左右着全球的生产和市场销售。经济全球化所带来的利益和损失的分配程度,对经济发展水平不同的国家而言,是全然不同的。作为经济全球化主导者和积极推行者的经济发达国家,显然是经济全球化所带来的利益的主要获得者;广大发展中国家则受益有限,有些甚至根本被排斥在经济全球化所带来的利益之外。

4.1.3 经济全球化与金融全球化

1. 金融全球化的含义及主要表现

作为经济全球化的伴生形式或重要组成部分,金融全球化的发展,由于亚洲金融危机的爆发,一度成为20世纪90年代国际经济学界最为争议的问题。

金融全球化就其含义考察,可以定义为全球金融运行活动和金融风险发生机制日益密切和趋同的过程。这一过程的产生和发展是与金融的自由化相密切联系[①]的。各个国家和地区政府开放金融市场,放松金融管制,实现资本项目的自由兑换等金融自由化政策,客观上为统一的全球金融市场的形成和资本的跨国自由流动提供了前提条件。

在这一前提条件下,金融全球化首先是通过资本流动全球化表现出来的。随着经济发达国家和许多发展中国家资本账户及资本市场的开放,资本的国际流动呈现不断加速和扩大的趋势。1996年国际资本市场融资总额高达1.57万亿美元;据IMF的资料,在1990~1998年期间,仅国

---

① IMF: *Developments and Trends in Mature Capital Markets* 2001.

际市场机构投资者经营的资产就翻了一番,超过了30万亿美元;其规模大约相当于同期世界各国GDP的总和。目前活跃在国际金融市场上的从事于股票、债券、期货及各种金融衍生物投资或投机的短期资金,估计不少于7.2万亿美元。另据美国联邦储备委员会估计,1997年,仅在纽约、东京和伦敦金融市场上,每天的外汇交易量约为6500亿美元,其中用于国际贸易和国际投资支付的不到18%,另外80%以上的则是用于国际金融投机。金融技术、金融创新的大量使用及各类金融衍生工具的开发和普及,大大提高了国际资本的流动速度。根据BIS对全球外汇市场日交易金额的调查,到1998年4月,该交易额已经超过1.5万亿美元。显然,外汇市场交易规模的扩大在不断加速。

金融市场全球化是金融全球化的另一重要标志。现代科技条件下电子技术的广泛应用,计算机和电子商务、卫星通讯网络把遍布世界各地的金融市场紧密联系起来,全球性的资金融通和调拨在瞬间便可完成。这大大便利了全球性金融市场的形成和发展,主要表现为欧洲货币市场、全球性资本市场和外汇市场的广泛发展。欧洲货币市场又称离岸市场或境外货币市场,是专营金融市场所在国以外的其他国家货币的市场。欧洲货币市场遍布于世界各发达国家和新兴市场国家或地区的国际金融中心,并开始向世界其他国家和地区扩散。到20世纪末,欧洲货币的总额已高达6.40万亿美元。全球性资本市场包括银行中长期信贷市场和证券市场。1996年全球国际银行贷款总额为5300亿美元,并以每年两位数以上的速度保持递增;与此同时,以纽约、伦敦、东京、法兰克福、巴黎、香港和新加坡为主要代表的国际证券交易中心,业已将证券市场的触角伸向全球各个角落。相比之下,外汇市场更能堪称20世纪90年代以来世界上最富流动性的国际金融市场。据国际清算银行的统计,全球外汇市场日平均交易量1992年还只有8200亿美元,1995年和1998年则分别猛增至11900亿美元和15000亿美元。

金融全球化还表现为金融组织的全球化。金融组织的全球化,从金融企业和跨国银行的微观角度考察,随着全球竞争的加剧和金融风险的加大、追求规模的扩大及业务的拓展,提高经济效益、增强抵御金融风险能力,成为众多跨国银行的战略抉择。金融业的重组和兼并浪潮席卷全球,许多超级跨国银行和国际投资公司纷纷涌现,其金融业务的混业

第四章 经济全球化与当代资本主义经济

经营或综合经营甚为流行。金融组织的全球化,从国际金融机构和国家管理调控的宏观角度考察,一方面反映在成立于 1930 年的国际清算银行和作为二战后期布雷顿森林货币体系产物的 IMF 和世界银行集团为代表的各种国际金融组织机构,以及亚洲开发银行、非洲开发银行等各洲的国际金融组织,不仅未随布雷顿森林货币体系的瓦解而消失,其国际金融活动的重要监管者和协调者的作用,为适应经济全球化和国际金融市场发展的需要,反而得到了加强。另一方面反映在传统的主权国家对金融的管理和调控机制,由于金融自由化而有所削弱;这一问题在许多参与国际区域经济一体化集团的国家,显得更为突出。在后一种情况下,区域经济一体化集团的"超国家"调控机制,开始逐渐部分取代其成员国传统的各行其是的调控机制,并最终可能导致区域性货币的形成。

2. 金融全球化与经济全球化的关系

与经济全球化一样,金融全球化不仅是一个金融活动越过民族国家界限的过程,亦是一个风险发生机制相互联系而且趋同的过程。从主体上来说,这一过程虽带有浓厚的发达国家和若干国际经济组织刻意塑造的色彩,但从过程和结果来看,金融全球化主要是由无数微观经济组织基于牟取利益动机的自发活动,通过全球金融市场的逐步一体化而推动的。显然,金融全球化是一个不断深化的有着明显阶段性的历史过程。

金融全球化的广泛发展,对经济全球化起到了核心的推动作用,它同样也对整个世界经济及当代国际经济关系产生着重要影响。金融全球化和经济全球化一样,都是双刃剑,也就是说金融全球化一方面有利于资本的自由流动,有利于资源的优化配置,有利于促进经济增长。这是因为,金融全球化所带来的资本国际流动障碍的减少及资本国际流动的加快,不仅为各国的投资者在全球范围寻求最有利的投资场地开辟了道路,亦为众多的国家经济发展所需外汇和资金缺口的弥补提供了可能;与此同时,金融全球化所引致的金融服务业国际竞争的加剧,从某种意义上有利于国际金融服务质量的提高,因而对资源的全球合理配置起到了积极的推动作用。但是从另一方面来说,金融全球化的发展,也会使得金融风险的传递加速。由于各种金融衍生工具的不断出现,使得人们信心或心理因素对金融的影响越来越明显。金融全球化的发展,客观上会对发展中国家脆弱的经济体系产生冲击。

4.2 经济全球化的国际经济影响

经济全球化的基本要求,是把全球作为一个统一的无阻碍的自由市场,实行自由贸易和自由竞争,在全球内实现资源的合理、有效的分配,形成生产、消费、金融及资本流动、竞争规则的全球化。经济全球化从本质上考察,其性质具有两重性:一方面它是生产社会化及经济国际化高度发展在时间和空间上的多维度拓展,因而它反映了科学技术进步和人类社会生产力发展的客观要求;另一方面经济全球化又是在当代资本主义的主导下进行的,是由以美国为首的发达资本主义国家积极推动起来的。这些国家从自身的利益和社会价值观出发,利用受其控制的国际经济组织,制定并竭力推行资本主义的生产方式及其市场经济模式。由此,在现在及今后相当长一个时期内,经济全球化必然带有资本主义生产关系全球性扩张的色彩。经济全球化犹如一把双刃剑,其对世界经济的影响也是福祸相倚,有利、有弊。经济全球化的发展必然对当代国际经济关系,特别是南北经济关系产生重要的影响。

4.2.1 经济全球化的正面国际经济影响

就经济全球化国际经济影响的积极面来考察,它是生产社会化及经济国际化高度发展在时间和空间上的多维度拓展,因而它反映了科学技术进步和人类社会生产力发展的客观要求。

经济全球化给世界经济发展带来的最大好处是实现了世界资源的最优配置。一国经济运行的效率无论多高,总要受到本国资源和市场的限制。只有资源和市场的全球化配置,才能使一国经济发展在既定条件下最大程度地摆脱资源和市场的束缚。经济全球化作为当代世界经济发展最根本的特征,在于随着当代科技革命的不断深入,世界各国的经济生产越来越国际化,不同社会制度、不同发展水平的国家都被纳入到统一的全球经济体系之中。这种发展所带来的值得向往的结果是,生产效率的提高,生产的商品更符合消费者的需要,人类社会生产活动的总体收益和社会福利因经济全球化而将得到明显提高。

第四章 经济全球化与当代资本主义经济

经济全球化亦为发展中国家实现经济发展和赶超发达国家提供了前所未有的大好机遇。同时,经济全球化作为无法回避的客观现实,发展中国家只有积极参与才能求得生存和发展。经济全球化为企业利用最有利的地点和资源从事生产经营活动提供了最大限度的可能。它带来了国际分工的发展、产业的转移和资本、技术等生产要素的流动,这对于发展中国家弥补资本、技术等生产要素缺口,利用后发优势以及迅速实现产业演进、技术进步、制度创新和经济发展都是非常有利的。发展中国家只有积极参与,才能充分享有经济全球化带来的好处,从而加快本国经济发展的进程。由于经济全球化所带来的规模经济效应,新技术产生和应用的速度大大提高,发展中国家如果不积极从外部引进技术而依靠闭门造车,将不断拉大同先进国家的差距,停留于落后状态。2001年世界银行发表的题为《全球化、增长和贫困,构建一个兼容一切的世界经济》的研究报告也认为,发展中国家的经济发展速度及贫困人口的减少,与参与经济全球化的程度之间存在密切的因果关系。参与经济全球化有利于发展中国家的经济增长,反之,面对经济全球化裹足不前,必然影响经济顺利发展。该报告提供的数据表明,在刚过去的20世纪90年代,全球拥有约30亿人口的参与经济全球化进程的发展中国家,取得了每年平均5%的经济增长速度,大大高于同期发达国家的2%。仅在1993~1998年的6年中,这些发展中国家人均生活水平每天低于1美元人口的数字就减少了1.2亿人(按世界银行的统计,到21世纪初,全球约有1/5的人生活水平每天低于1美元)[①]。相比之下,那些较慢或缓慢参与国际经济的发展中国家经济发展速度则相当迟缓。总体来说,快速参与国际经济的发展中国家经济增长速度较快,过去10年间,前者的国民经济发展速度超过后者的50%以上。

4.2.2 经济全球化的负面国际经济影响

再就经济全球化国际经济影响的消极面来考察,最根本的表现在,经济全球化又是在当代资本主义的主导下进行的,与此相对应,在现在

---

① World Bank: *Globalization, Growth, and Poverty Building an Inclusive World Economy* 2002.

及今后相当长的一个时期内,经济全球化必然带有资本主义生产关系全球性扩张的色彩。由此,经济全球化的发展也给世界经济带来新的挑战或消极影响。这种挑战或消极影响首先表现在经济全球化所带来的收益在不同国家的不平等。经济全球化涉及政治、经济以及社会发展的各个领域。而构成这种关系的基础——旧的国际经济关系就是不平等的。建立世界经济和国际贸易体系的方式是不平等的;贸易条件、金融、投资和技术转移是不平等的;经济全球化所带来的利益和损失的分配也是不平等的。一句话,发达国受益最多,其他国家则受益较少或根本得不到好处。认为经济全球化对发展中国家是一场灾难,是严重损害的观点,以及认为经济全球化对发展中国家是前所未有的机遇,是巨大经济利益所在的观点,都是片面的。正确的认识应当是,在当代历史条件下,经济全球化对发展中国家来说,有两面的作用:它增加了发展中国家以各种方式向发达国家交纳的"贡赋",加重了发展中国家的损失;但也为发展中国家加速自己的发展带来了少有的历史机遇和更大的利益。

经济全球化的发展给世界经济带来的新的挑战或消极影响,还表现为在全球治理机构尚未形成,超国家主权的基础还不够牢固的情况下,经济全球化发展将引发世界性多方面的冲突和相当大的震荡。发展中国家投身于经济全球化大潮中,意味着它们要加强与他国的经济协调与合作,同时不可避免地会遇到各种问题,特别是与西方发达国家发展经济关系问题,这些问题归根结底,是由二者之间的利益冲突而引起的。当代世界经济是发达国家占主导地位,世界市场基本上受它们所支配;世界经济运行的一些惯例和准则,主要也是由它们所确立的。它们对发展中国家的利益很少考虑,或根本忽视,甚至完全牺牲发展中国家的利益,以求得它们的最大利益。它们一方面大肆宣扬自由贸易,目的只是要他国,特别是发展中国家向它们开放市场,而自己却大搞种种形式的贸易保护主义。不仅如此,某些西方国家还把发展中国家的迅速发展视为威胁,以此为它们搞贸易保护主义和对发展中国家实行其他种种限制制造借口。近些年来,超级大国把人权、民主等非经济问题,与对外经济关系挂起钩来,并将环保、劳工等条款的单方面标准强加于人,动辄对发展中国家施加压力。在经济全球化进程中,不仅获得巨大利益的发达国家和未获、甚至丧失巨大利益的发展中国家之间的对立将更加严重,少

第四章 经济全球化与当代资本主义经济

数取得跳跃式发展机遇的新兴工业化国家与力图保持其原有市场份额的发达国家之间也将会产生持久的利益不一致和冲突;而且经济全球化引发的欠发达国家内部经济的衰退和失控,可能激化这些国家内部矛盾而导致动乱和战争。

经济风险国际传导机制的强化,是经济全球化发展给世界经济带来的消极影响的另一个突出方面。导致这一状况出现的源由,在于经济全球化所带来的国与国之间经济联系的加强,以及贸易和投资的自由化。在经济全球化条件下,世界各国经济周期的相互影响或同步性进一步得到加强。西方主要发达国家特别是美国、欧盟和日本任何一个国家经济的动荡或衰退,都将对整个世界经济产生冲击。这已在 21 世纪之初步入衰退的美国经济所带来的整个世界经济的黯淡前景中,充分反映了出来。经济全球化趋势下金融自由化和全球化的发展,使得发生在一些国家和地区的金融动荡和危机,迅速向全球蔓延传播,进而引发并形成全球性金融危机。这一点亦在 1997 年爆发于泰国的金融危机,迅速蔓延到东南亚、韩国、日本等国,进而波及到俄罗斯以及大洋彼岸的拉美诸国得到证实。

除此而外,经济全球化还使各国政府的宏观调控遇到新的困难。经济全球化和与之相应的国际经济一体化,在增强了一系列国际经济组织以及超国家行为主体的政治协调功能的同时,势必是传统意义上的国家主权的削弱。以生产、交换、分配及消费的国际化为表征的世界经济的全球化及区域经济一体化,是以参与国国家主权的一定让渡和转移为条件的。在经济全球化过程中,经济合作及依赖关系更加紧密,但在相当一个时期内它还不能抹杀一国的国家利益。国家利益是由其统治阶级的阶级立场、思想体系和价值观念决定的经济利益、政治利益、安全利益等等。经济全球化并未改变国家是当今国际社会基本行为主体的这一基本现实。国际关系中的各种矛盾、竞争、冲突与合作都深植于各国不同的阶级立场、思想体系和价值观念之中。在经济全球化进程中,尽管国际关系的内涵涉及越来越多的领域,一些发生在一国之内的如人权、技术、金融、环境保护等社会事务,也开始纳入国家间的关系,但不断升华且共性不断增强的国家利益,仍然在国际关系中居于首要地位。国家利益始终是国家制订和实施对外政策的基本动因和根本出发点,其统治阶级的任何国家或国际行为都离不开国家利益的基本价值判断，都需要在国家的生存与发展的基础上最大限度地谋求国家利益。在特定的领域内主权国家必须服从于国际机构的领导或协调，这势必在某种程度上对传统的国家主权形成挑战，并使之与各国政府宏观经济决策的独立性和对国民经济宏观调控能力的矛盾冲突大大加剧。在这种传统的国家主权向国际经济组织及超国家行为主体的让渡当中，其进程及衔接的不当，都可能对不同国家和国际经济的运行带来巨大的冲击。

4.2.3 经济全球化促使当代南北经济关系发生新的变化

发达资本主义国家与发展中国家之间的经济关系，即南北经济关系从总体上考察，乃一个既相互依赖又相互矛盾的对立统一体。就其相互依赖的一面而言，主要表现在一方的存在和发展，要以另一方的存在和发展为条件或前提。出于各自资源要素禀赋、生产力发展水平、市场发育程度等诸方面原因存在的经济上的互补性，使得相互之间的经济交往和合作成为必然；而现代科技革命及国际分工的快速发展，以及由此而引致的经济的全球化和一体化，更是成为这种交往、合作的凝聚力。就南北经济关系的相互矛盾一面考察，则主要表现在发达国家凭借其在技术、资本、管理与信息等方面的垄断优势，以及在国际贸易和国际金融投资领域的支配地位，以传统的和形形色色新的方式，对发展中国家进行的掠夺和控制；而后者为维护自身的民族利益，对此进行的反抗和斗争，由此构成南北双方的矛盾对立。这两个方面有着相互关联的对应关系：即，相互依赖一面的加强，也就是相互依赖关系中不对称性的减弱；反之，相互依赖一面的减弱，则意味着相互依赖关系中不对称性的加强。这种相互依赖性和不对称性，在世界经济发展的不同历史时期，有着不同的表现形式，亦使得南北经济关系的发展变化呈多样性和阶段性。

作为初级阶段的南北经济关系，是与旧殖民体系的瓦解相伴而生的。但直到20世纪50年代末，它尚未成为一个国际关系中的突出问题而受到国际社会普遍关注。这并不意味着南北双方相互依赖性的淡薄，而是由于许多刚从政治上获得独立的发展中国家，经济上仍是其前殖民地、半殖民地宗主国的附庸。尽管这一时期的发展中国家在自然资源和商品、投资场所等方面，对经济发达国家有着特殊的意义，然而其在政治上的

第四章　经济全球化与当代资本主义经济

脆弱性和经济上的依附性，使之尚未在国际上形成一股能够与发达国家相抗衡对立的力量。

直到20世纪60年代，随着发展中国家的迅速增多，民族经济的逐渐壮大，尤其是在众多国际经济领域对发达国家的联合斗争的加强，南北经济关系开始进入一个新的阶段。1964年第一届联合国贸发会议的召开，第三世界国家77国集团的成立，揭开了南北对话的序幕，并将改变旧的强加在发展中国家头上的不合理的国际经济秩序，建立国际经济新秩序的主张推上了议事日程。1974年联合国第六次特别会议通过的《建立国际经济新秩序》和《行动纲领》，以及后来发展中国家在矿山国有化、限制跨国公司行动守则谈判、综合商品方案谈判、争取200海里海洋权斗争等方面取得的成果，更将这一斗争推向新的高潮。在这一阶段的南北关系中发展中国家所取得的进展的基础，除了它们团结斗争的力量，还在于西方发达国家20世纪50～60年代经济高速增长对发展中国家石油、矿产等自然资源以及广袤的商品销售市场的日益加大的依赖，导致了南北相互依赖的不对称性的加大。而一旦发展中国家以此为武器与发达国家抗衡，其效果是显见的。这从1973年的中东"石油危机"对经济发达国家的冲击就可得到证明。

20世纪80年代是南北经济关系的僵滞阶段。这一时期，发展中国家为打破不合理的国际经济旧秩序、争取建立国际经济新秩序进行的不懈斗争，深入到南北国家间的贸易、技术转让、金融等领域，虽然在商品共同基金、缓和债务危机以及洛美协定等方面有一定收效，但却没有取得实质性进展。其原因，一方面是由于美英等主要发达国家保守主义当政，对发展中国家的斗争采取了较严厉的抵制态度；另一方面最根本的原因则是由于南北之间相互依赖的不对称性发生了不利于南方国家的变化。这主要表现在经济发达国家新科技革命的开发应用和产业结构的调整，使之对发展中国家能源、矿产等自然资源要素依赖的减少；与此同时，发展中国家自1982年开始所陷入的国际性债务危机，使之在对经济发达国家的对话中，处于一种缺乏"发言权"的境地。

进入20世纪90年代，南北经济关系进入一个新的趋向于缓和的阶段。其主要表现是南北双方都采取了比较务实的态度，并在国际债务、投资和贸易等方面实行了比较灵活的做法，使得南北经济关系中一些原来难于解决的问题得到缓解。当然,这实际上也意味着南北相互依赖对称性处于一种相对平衡的状态。在发展中国家,经过20世纪80年代的经济调整,经济形势有所好转,对来自发达国家的进口资本产品和技术产品的需求增加,引进利用外资、实行开放型经济已成为大多数国家的共识。在发达国家,经历20世纪70年代两次较严重经济衰退和20世纪80年代经济的长期低速增长,产业结构调整带来的钢铁、造船、轻纺等"夕阳产业"向发展中国家的转移,以及许多发展中国家投资环境的改善、国内消费品需求市场的扩大,使之在发达国家全球经济战略中的地位大大加强;此外,经济的全球化、多极化和区域一体化,亦导致发达国家注意更多地加强与发展中国家的合作,以增强自身在国际竞争中的实力。正是在这样一种氛围中,南北经济关系以一种相对和缓的形式步入21世纪。

处于21世纪初的新的国际经济环境下,经济的全球化及相应的金融全球化和区域经济一体化,构成了当代世界各国所共同面临的主旋律,亦对南北经济关系发展的趋势产生着重要影响。

首先,现代科技革命的日新月异,生产力的高速发展,其内在要求带来了国际分工的不断深化,生产的社会化进入全球化的新阶段。扩大开放、加快发展、努力提高经济综合国力,已经成为各个国家的首要任务,亦成为处理南北经济关系时广大发展中国家所应予以普遍关注的中心问题。二战后,特别是在近十多年来,由于全球化的加快发展,各国之间经济关系更加密切。特别是发达国家,由于其经济早已是成熟的市场经济,市场已趋于饱和,不能不竭尽全力向世界市场扩张,其重要对象之一就是发展中国家的新兴市场。而广大发展中国家,由于实行经济改革和对外开放,经济加快发展,对外经济关系不断扩大。发展中国家在国际贸易、国际金融和国际投资中所占份额逐步提高。如发展中国家在世界贸易中所占比重已从20世纪80年代上半期的大约1/5上升到目前的近30%。近几年来,发展中国家所吸引的外国直接投资也不断增加,占世界对外投资总额的比重从20世纪90年代初的1/4左右上升到目前的1/3以上。西方发达国家对发展中国家市场和投资场所的依赖加强。应当看到,经济全球化作为现代科技和生产力水平条件下世界经济发展的客观要求,对发展中国家而言,尽管要以加重它们对发达国家的

第四章 经济全球化与当代资本主义经济

付出为代价,但同时也为它们加快经济的发展带来了少有的机遇,从长远和总体上看,将为发展中国家带来更大的利益,不失为其后来者居上的有利途径。在此基点上,南北之间的相互依赖将进一步加深,合作将大于对抗,南北经济关系呈现了良好的发展前景一面。

与此同时,在发达资本主义国家占主导地位的世界经济体系中,发达国家利用其资本、生产和科技的巨大优势,对落后国家进行支配、控制和剥削,资本世界范围内运营的结果不可避免地加剧了分配上的"马太效应",富者愈富,穷者愈穷。全球化造成的两极分化今非昔比:1960年世界上最富的20%人口的收入是最穷的20%人口的收入的30倍,1991年是61倍,到1995年则为82倍[①]。据联合国开发计划署统计,拥有世界人口1/5的高收入国家掌握着全世界86%的国内生产总值和82%的出口市场,控制着68%的国外直接投资和74%的电话线,而占全世界人口1/5的最贫穷国家,在上述每一项中各只占1%。这种资本运行结果的畸形分配,反过来在一定程度上直接或间接地制约着资本的高效运行。

其次,伴随着冷战的结束和世界政治、经济格局的演变,国际领域内的基本矛盾发生着重大变化,各种经济关系发生着新的组合,经济的多极化正在形成。以美国、欧盟和日本等为代表的主要经济发达国家,在经济全球化推动下加强国际协调的同时,建立以各自为核心的带有强烈竞争色彩的排他性经济集团的步伐亦在加快。发展中国家在当代世界上的战略地位发生变化,即由过去美苏两个超级大国政治上和经济上争夺的"中间地带",转而成为经济发达国家争夺贸易、投资场所和势力范围的战略要地。

第三,发展中国家中的部分石油出口国和经济增长较快的新兴工业化国家,在经济发展水平上与经济发达国家的差距迅速缩小,经济全球化所带来的利益是十分显然的。而相当一部分发展缓慢、经济长期落后的发展中国家,特别是最不发达国家,情况就有所不同。这些国家多是农业国或原料生产国,生产力的落后及工业基础的薄弱,加之出口创汇

[①] 程恩富、朱富强:《经济全球化:若干问题的马克思主义解析》,《上海经济研究》2000年第7期,第30页。

能力低下,对从国外进口本国经济建设所必须的生产资料造成困难;不仅如此,由于这些国家投资环境的约束,使得在吸引外资方面的成效也微乎其微。位居经济全球化的边缘,经济全球化的浪潮对这些国家影响甚小,但同时它们也难以利用这一机遇加快自身的发展。经济全球化造成的发展中国家之间贫富差距的加大,既有利于那些经济增长较快的发展中国家国际经济地位的提高,从而加大南方国家与经济发达国家对话或斗争的筹码;也会导致南北对话斗争中南方阵营内矛盾和裂痕的扩大,对发展中国家团结协调增强斗争力带来不利影响。

第四,南北经济关系将更多地表现为区域化特点。在以欧盟为代表的经济发达国家的一体化取得了举世瞩目进展的同时,其他发达国家以及发展中国家分别组成的各种区域经济一体化组织亦纷纷出现,方兴未艾;经济一体化的内在机制,还使美国、加拿大与墨西哥这样经济发展水平差异较大的由发达国家与发展中国家共同组成的区域经济一体化集团成为现实。在这样一种形势下,南北经济关系将更多地表现为发展中国家的一体化集团与发达国家的一体化集团之间的相互关系,以及同一区域经济一体化集团内发达国家与发展中国家的经济关系。

此外,随着高科技和高附加值的产业及其利润日益向发达国家集中,而低科技和低附加值的产业日益向落后国家"下泄",使得欠发达国家的产业结构、贸易条件和社会结构严重恶化。当"中心地带"与"边缘地带"之间的国际经济大循环出现障碍和断裂的时候,世界性的金融危机、经济衰退或政治动乱就难以避免了。突出表现在金融危机越来越频繁,影响面广,涉及面大。如20世纪90年代初日本泡沫经济的崩溃,1994年墨西哥的金融危机,1997年东南亚金融风暴,21世纪之交的巴西金融危机和阿根廷金融危机等。与此同时,随着经济全球化的发展,为了适应生产能力全球扩展的要求,资产阶级在不断地开拓市场,开拓新的生产领域,这种已近极限的全球扩张最终导致与人类有限的生存空间发生了冲突,人类的生存环境受到越来越严重的破坏,人与自然的矛盾愈加尖锐,产生了前所未有的生态环境危机。其根源主要在于资本主义的生产方式:由利润、市场决定一切,造成垄断资本不惜靠资源消耗来提高资本收益。美国以不到世界5%的人口,消耗着世界能源产量的34%;西方发达国家以世界20%的人口,消费着世界80%的资源,却把生态破

第四章 经济全球化与当代资本主义经济

坏产生的负面影响塞给了第三世界。据绿色和平组织的报告，20多个发达国家生产着占世界95%的有毒垃圾，并以每年5000万吨的规模向发展中国家转移有毒或危险的废弃物，把发展中国家变成自己的垃圾场。研究结果表明，如果全世界的人都按照美国人现有的方式生活，从资源的角度看，我们至少需要4个地球，从环境的角度看则需要9个地球，而事实上地球只有一个。正因如此，人类正在遭受自然界越来越严重的报复。在经济生活国际化、全球化进程中，许多人类社会生存所共同面临的问题，如：人口问题、民族和宗教问题、环境生态保护和核扩散问题、难民问题，乃至"非典"和艾滋病、克隆人等问题，单靠某些国家包括经济发达国家已难以解决；加之来自于发展中国家的地区冲突或种族冲突等，往往都需要依靠包括经济发达国家和发展中国家在内的世界各国的联合行动、加强协调才能得以解决。

由此可见，利用经济全球化提供的有利条件，积极促进经济全球化朝着有利于实现共同繁荣的方向发展，趋利避害，使各国特别是发展中国家都从中受益，是世界各国特别是发展中国家所不得不面临的一个重要问题。

4.3 经济全球化对当代资本主义经济的影响

4.3.1 经济全球化在一定程度上适应了当代资本主义的发展

1. 经济全球化促使了当代资本主义生产关系的进一步自我调整

经济全球化条件下资本主义生产关系的自我调整，从微观上考察，表现在企业组织的日趋国际化和全球化，企业产品增值链活动可以在不同国家的不同地理位置上进行。经济全球化条件下的企业不仅通过价格和质量进行竞争，而且还通过生产的组织进行竞争。企业行为被分为总部行为和实际生产行为两大类型：总部行为包括工程、管理和金融服务，以及信誉、商标等甚至可以无偿转让给远方生产区位的服务，这类行为有时被简化概括为研究与开发；实际生产行为又可再分为上游生产（中间产品）和下游生产（终极产品）。由于总部服务的运输成本极低，企业可以将生产行为从总部分离出去，但为了获得规模经济效益，企业将某些生产行为集中在某一区位。企业在两个国家进行活动时，可以将总部行为安排在母国进行，但其实际生产或转移到东道国进行（纵向一体化），或者既安排在国内，又安排在国外进行（横向一体化）。全球化的发展导致生产组织形式的新变化，加速了人的流动性，造成了社会关系的复杂化和多元化；由跨国公司所体现的生产国际化趋势在改变着传统的生产组织方式，其最突出表现就是传统工厂的"消失"和可流动性；与全球化共存的信息技术的发展，同样也在改变着传统的那种固定的场所、工作时间和劳动契约的生产方式和劳动关系，出现了无形的、灵活的、流动的生产创造活动；在这种趋势下，传统的阶段结构的界限日益模糊，社会越来越复杂，越来越呈现出利益集团多元化的趋势。

经济全球化条件下资本主义生产关系的自我调整，从宏观上考察，突出表现在资本主义国家政府对经济的调控进一步全球化。经济全球化条件下发达资本主义国家加大了对社会经济活动的自我调节，在一定程度上暂时缓解了生产资料私人占有对生产力发展的制约。资本主义国家在以私有制为基本经济制度，以市场机制为经济运行的基本方式的前提下，为适应生产力发展要求，巩固资本主义的统治而对其生产关系进行了某些局部调整。一方面，随着生产社会化的高度发展，资本主义国家的股份公司越来越普遍。股权开始向社会扩散；股权分散化导致了资本的社会化，在一定程度上缓解了生产的社会化与生产资料私人占有制之间的矛盾。战后发达资本主义国家普遍推行"高工资"、"高福利"、"高消费"政策，社会福利支出不断增加，劳动人民的生活水平有了很大程度的提高，从某种程度上缓解了劳资关系和阶级矛盾。另一方面，剧烈的国际竞争，特别是大垄断资本之间大规模的激烈竞争，使得大垄断资本之间的跨国兼并和强强联合此起彼伏。产业资本与金融资本的融合，由以往的主要在一个国家内工商企业与商业银行的结合，进一步扩展到包括投资银行、保险公司、年金基金和社会共同基金等多形式的跨国结合，并逐步成为投资的主体。这种法人股份垄断资本所有制的出现及国际化倾向，是资本主义所有制关系社会化和国际化发展的质的飞跃。适于这些变化，以侧重于特定经济领域的国际经济协调乃至组织区域性国际经济一体化集团等为主要形式，国家垄断资本主义的国际经济协调，

第四章 经济全球化与当代资本主义经济

成为战后国际垄断同盟发展及发达资本主义国家经济关系的一个突出特点,并在一定程度上为经济全球化条件下垄断资本的国际化提供了帮助。

2. 经济全球化为当代资本主义生产力的发展扩展了新的空间

在经济全球化的作用下,生产力和科学技术获得了超速发展,推动了资本主义产业结构的升级和调整,使资本主义国家的经济保持了较长时期的发展。目前西方发达国家第一产业比重已降至3%,第二产业比重也已显露下降的端倪,第三产业比重则显著提高,一般都在60%以上。西方发达国家的产业结构已完成从劳动密集型到资本密集型、再到知识密集型及技术密集型的转化,尤其是信息产业和生物工程在这些国家得到了迅猛发展。1993年至2000年期间,美国GDP的增长中有33%来自信息技术产业。与此相适应,就业结构也发生了根本改变,作为生产力最活跃因素并起主导作用的劳动者队伍出现了知识化、脑力化、白领化、多层次化的新趋势,整体的科学技术和文化素质日益提高。这使资本主义国家经济更具活力,极大地延长了资本主义的生命周期。

3. 在全球化的背景下,资本运动不仅开辟了新的生存空间,突破了原有的发展局限,而且也使垂危的资本主义获得了新的生存与发展空间

由资本国际化推动并造就了的经济全球化使世界成为一个全时空的世界金融体系,国际金融市场和跨国金融机构越来越紧密相连,使国际间的资金调拨与融通更加方便高效,这一方面有助于资本主义在世界范围内优化资源配置,促使世界经济和贸易的发展;另一方面通过金融扩张,资本主义世界建立了金融资本占统治地位的世界积累制度,弥补了需求不足,缓解结构性经济危机。资料显示,在全世界6400亿美元的对外直接投资(1998年)中,发达国家占90%以上;从1970年到1995年,金融资本的全球性扩张和对外掠夺,使得发展中国家的公共债务增加了21倍,从620亿美元增加到了12900亿美元;债务利息增加了40多倍,从50亿美元增加到2400亿美元。①

4. 发达资本主义国家成为经济全球化的最大受益者

由于经济全球化的进程是由西方发达资本主义国家引导和推动的,因而它势必最有益于西方发达国家的利益。这具体主要通过经济全球化

---

① 刘力、章彰:《经济全球化福兮? 祸兮?》,中国社会出版社1999年版。

条件下不合理的国际分工使发达资本主义国家收益匪浅表现出来。由于各国经济技术水平的巨大差距，发达国家在国际分工中承担着高附加值的高新技术产业，而不发达国家则承担着低附加值的传统产业。这种不合理的国际分工，使西方发达国家在加大资本输出的过程中，对发展中国家的廉价原材料和劳动力进行直接盘剥赚取丰厚利润的同时，又以国际贸易为主要形式，通过初级产品和原材料与高附加值的工业制成品、新技术产品价格的剪刀差，从发展中国家又狠狠地捞了一把。在这个过程中，发达资本主义国家成就了自己的繁荣和强大，人民生活水平普遍有了明显提高，原来很尖锐的矛盾和问题，就这样被国际资本以大循环的方式转移给了不发达国家，而得到一定的缓解。就是这种不合理的分工造成的对外剥削，成为维系资本主义生命"垂而不死"的源泉之一，构成支撑当代资本主义大厦"腐而不朽"的一个支柱。因此，资本主义是以世界为其存活范围的，推动经济全球化是资本主义的历史"使命"。正如列宁指出的，"重要的是，资本主义如果不经常扩大其统治范围，如果不开发新的地方并把非资本主义的古老国家卷入世界经济的漩涡，它就不能存在和发展。"①

4.3.2 经济全球化从更大范围导致了当代资本主义生产方式矛盾的深化

如前所述，尽管经济全球化的发展及收益，在相当长的程度上是最有利于发达资本主义国家，但作为一把双刃剑，经济全球化亦从更深的层次、更大的范围导致了当代资本主义生产方式矛盾的深化。

1. 经济全球化加剧了当代发达资本主义国家之间的经济矛盾与冲突

发达资本主义国家是指包括西欧、北欧、北美、日本、澳大利亚和新西兰在内的经济合作与发展组织（OECD）的绝大多数成员国家。这类国家的一般共同经济特征表现为：其一，在世界范围内具有较高的生产力水平。具体反映在劳动生产率、人均GDP或收入、科学技术、工业化和产业结构等都达到较高水平。其二，当代资本主义及其赖以存在的重要条件得到充分发展。如：以金融寡头为代表的私人垄断资本在经济

---

① 列宁：《列宁选集（第1卷）》，人民出版社1995年版，第232页。

第四章 经济全球化与当代资本主义经济

生活中的主导地位得以确立;以发达的市场体系、充分发展的信用制度、完善的法律法规体系为特征;以跨国公司为主体的资本输出和国际垄断同盟成为普遍现象;国家垄断资本主义在社会经济活动中起着不可替代的重要作用,等等。其三,资本主义经济基础的思想、文化、法律和政治制度的上层建筑已形成较为成熟的完整体系;国家在加强对经济生活干预的同时,亦注意综合运用各种手段对各种社会矛盾加以协调和缓和。

在资本主义经济发展的历史过程中,由于资本主义各国经济、政治发展不平衡规律的作用,发达资本主义国家经济关系中,起中心作用的国家,已由二战前的英国和美国,变换为当前美国、日本和欧盟。其中,美国作为经济实力和综合国力最为强大的国家,在现在和今后的相当长的一个时期内,对当代世界经济的发展起着举足轻重的影响,并将这种影响扩展到国际政治、军事和国际事物的其他各个领域。与此同时,以第二经济大国面目出现的日本,以及以高度国际区域经济一体化集团面目出现的欧盟,在迅速缩小与美国经济实力差距的同时,亦成为国际经济领域内向美国霸主地位发起挑战的重要力量。

在当代资本主义占主导地位的世界经济中,经济全球化的发展和国际分工的加强,一方面使得包括经济发达国家在内的世界各国构成了一个相互联系、相互依赖的有机整体。另一方面,经济全球化并没有也不能消除资本主义各国之间的矛盾。在当代资本主义占主导地位的世界经济中,国与国特别是发达资本主义国家之间,充满了矛盾和激烈竞争。这是由资本的本性所决定的。资本尽快增值及追逐高额垄断利润的本性,使之对外扩张的步伐大大加快,国际经济领域内的竞争日趋激烈。各发达资本主义国家垄断资本乃至其代表国家政权之间既相互斗争又相互联合,争夺商品市场、投资场所、原材料产地和势力范围的斗争此起彼伏。在国际经济领域,高额垄断利润获取或划分的依据,是各垄断资本集团及其国家的政治、经济与军事实力。当垄断资本及其国家的实力对比发生变化后,后起的经济实力增长较快的国家必然要求按照新的实力对比扩大自己的势力范围,而实力相对衰弱的国家则要维护自己的既得利益,不甘心退出已有的势力范围。由此决定了各发达资本主义国家垄断资本及其国家之间,在划分及重新划分势力范围方面,不可避免地面临着长期的有时甚至是很激烈的矛盾和斗争。

2. 经济全球化进一步加大了两极的分化和贫富的差距

从全球的角度考察，垄断资本在向全球扩张的过程中，不可避免地要把其自身内在的"两极分化"这一本质特征，扩散到它所到之处。经济全球化条件下的世界范围的南北两极分化，正是资本主义生产关系内在的资本与劳动两极的对立与分化在当今世界的鲜明体现。

随着经济全球化的发展，发达国家的一些传统产业向发展中国家转移，发展中国家以贸易为主导带动经济增长，促进了部分发展中国家的经济发展，同时也使资本主义生产方式在这些国家进一步扩张。国际垄断资本通过对高技术的控制权，通过不等价交换，加强对发展中国家的剥削和掠夺。资本主义国际垄断阶段在形成过程中已显现出的特点之一，就是在国际上贫富悬殊扩大。发达国家与发展中国家人均GDP的差距从1983年的43倍扩大至2000年的60多倍。在许多发展中国家有10多亿人每天收入不足1美元，28亿人每天收入低于2美元，而主要分布在发达国家的世界最富有的两成人享用全球超过八成半的产品和劳务。穷国与富国人均收入差距相当悬殊，由1960年的1∶3扩大到1997年的1∶74。据联合国统计，全球最不发达国家的数量一直在增加，1990年仅36个，2000年则上升到48个。许多最不发达国家甚至并未真正感受到经济全球化的任何好处，或者只是在其中取得毫末之利。20世纪90年代初，占世界人口总数10%的最不发达国家在全球贸易中所占的份额只有0.6%，到1997年则仅占0.3%，达到无足轻重甚至可以忽略不计的地步。鉴于上述情况，联合国开发计划署在《1999年度人类发展报告》中呼吁人们重新认识经济全球化，努力缩小日益扩大的贫富差距。

再从发达国家自身的角度考察，发达国家内部的贫富差距也在进一步扩大。首先由于主要发达资本主义国家为了在经济全球化条件下的国际竞争中占据优势，谋取国际垄断地位，纷纷实施削减国内社会福利开支的政策。垄断资本为了向国际扩张，加重了对国内劳动人民的剥削。由于削减的社会福利项目涉及范围广泛，使得这些国家内中等收入以下的各阶层普遍受到损失。根据美国劳联——产联的资料，美国政府大砍社会福利和公益事业项目，使工人、儿童、学生、老人和病人仅在1982～1984年就损失了2104亿美元。作为一种经济政策潮流，其他主要资本主义国家政府也都采取了削减社会福利开支的政策。这些政策殃

第四章　经济全球化与当代资本主义经济

及了广大的普通劳动者,并使所谓的"福利国家"在很大程度上名不副实。这种政策进一步降低了广大人民群众的消费和支付能力,拉大了贫富差距。其次是由于西方发达国家政府为了在经济全球化中谋取最大限度的利益,纷纷进行了产业结构大调整,调整产业结构是他们所采取的重要经济政策。这一经济政策的核心是向发展中国家转移耗费资源和污染重的传统大工业。政府通过产业政策,促进服务业和新技术部门扩张、抑制传统产业部门,促使其向发展中国家转移。这使本国工业空心化,减少了国内的就业机会。从长远观点看,这些经济政策的实施必将缩小国内市场的内涵,加剧资本主义的基本矛盾。

在美国,仅从近两年美国政府与媒体公布的数据与资料来看,美国国内的贫富两极分化达到了近70年来最严重的程度。美国国会预算办公室2003年的报告指出,占美国人口总数1%的最富有的人,所占财富超过占人口总数40%的贫困人口所拥有的财富总和。富人的财富在整个国民收入中所占比例从1979年的7.5%上升到2000年的15.5%。美联储的一份报告显示,1998年到2001年美国最富有人口与最贫穷人口之间的财富差距扩大了70%[①]。美国人口统计局2004年8月16日发布的报告指出,过去20年,美国的贫富差距稳步拉大。1973年,20%最富有的家庭占有美国全部财富的44%;到2002年,他们的财富增加到50%。其他阶层的财富则减少了,对社会最底层20%的家庭而言,他们的收入比例由20年前(1973年)的4.2%降至2002年的3.5%。2004年以来,美国创造了100多万个就业职位,但这些职位的工资低,健康保险等福利也较少。美国3/5的人每小时的工资低于全国的平均数——13.53美元。据美国人口普查局2004年8月26日公布的数据显示,2003年美国约有占总人口1/8的3590万美国人生活在官方规定的贫困线以下。这一数字比2002年多了130万人。许多美国人把这样的经济形势变化归结于共和党支持富人的"劫贫济富"举措,尤其是布什政府对高收入阶层有利的减税政策,加剧了美国社会的两极分化。

在另一个发达国家英国国内,贫富差距的扩大也成为不争事实。据英国财政部的报告说,英国现在每4个人中,就有1个人在贫困状况中

---

① 中国国务院新闻办公室:《2003年美国的人权纪录》,《人民日报》2004年3月2日。

挣扎。英国《独立报》2004年8月2日题为"布莱尔任期内英国贫富差距拉大"的一文报道说,英国公共政策研究所的一项有影响的关于英国国内现状的报告指出,随着地区差异日益突出以及没有任何存款的人数量增加,英国的贫富差距从托尼·布莱尔就任英国首相以来一直在加大,富人和超级富人阶层的人数在增加。从1990年以来,占总人口10%的顶级阶层所拥有的社会财富份额从47%增长到了54%。与此同时,英国人的平均收入水平仅提高了45%。

经济全球化与两极分化,是垄断资本在全球扩张进程中的同一过程的两种不同表现。社会的财富,乃至世界的财富,越来越多地集中到资本主义发达国家的垄断资本那里,全世界受这些垄断资本剥削的人口越来越多。经济全球化与两极分化同行并进,其例证在当今世界,无论是全球发达国家与发展中国家的贫富两极分化,可以说俯拾即是。这正如马克思所揭示的两极分化这一资本主义本质内在的特征:"资产阶级借以在其中活动的那些生产关系的性质决不是单一的、单纯的,而是两重的;在产生财富的那些关系中也产生贫困;在发展生产力的那些关系中也发展一种产生压迫的力量;这些关系只有不断消灭资产阶级单个成员的财富和产生出不断壮大的无产阶级,才能产生资产者的财富,即资产阶级的财富;这一切都一天比一天明显了"[①]。

3. 经济生活全球化必然还会带来不同国家、民族文化、价值观念等非经济方面交流的扩大和碰撞,并对传统的国家主权造成冲击

在新的全球化历史时期,经济、政治和文化的多样性,是全球化发展的重要制约因素。经济全球化的发展,在客观上要求融入这一进程的各个国家或经济体的运行模式和经济政策,向着市场经济的统一规则趋同的同时,在社会、政治、文化等不同领域的交融和趋同,亦成必然。作为发达国家特别是少数超级大国,总是要利用自己在当代国际分工体系、国际市场体系、国际货币体系以及世界经济格局中所居的强势、主导地位,竭力向发展中国家输出其文化、价值观念乃至其政治模式,以图在经济全球化的基础之上,实现意识形态和政治体制的全球西化。作为所处弱势经济地位的经济体,特别是许多发展中国家,在融入经济全

[①] 《马克思恩格斯选集》第1卷,第2版,人民出版社1995年版,第153页。

第四章　经济全球化与当代资本主义经济

球化促进经济发展的同时,保持和弘扬本国和民族的社会和文化特色与传统,成为在这方面发展中国家面临着的艰巨任务和巨大的压力,亦表现为南北之间矛盾冲突的一个重要方面。

4. 经济全球化还使得当代资本主义的经济危机和财政金融危机逐步深化

经济危机是资本主义制度的必然伴侣。在垄断资本主义条件下经济危机的逐步深化,除了表现为传统的"生产过剩"的周期性危机出现新的变异,还表现为结构性危机和财政金融危机的出现和加剧。

就结构性危机的产生和发展而言,自 20 世纪 70 年代中期以来,现代科技革命的迅猛发展和产业经济部门的结构转换,引起西方经济发达国家的汽车、钢铁、造船、纺织、制鞋等传统产业部门的长期萧条。经济全球化条件下,特别是 20 世纪 90 年代以来以信息技术为代表的新经济的发展,进一步加剧了经济发达国家产业结构的调整和向外转移。广大发展中国家自然成为全球范围内产业结构转移的主要对象。这种相对独立于资本主义生产周期性危机之外的产业结构内部要素之间联系的严重失调,对资本主义发达国家乃至整个世界经济都产生着剧烈的震荡。

再就财政危机的情况考察,战后西方发达国家长期奉行的凯恩斯主义政策的后果,使得许多国家财政赤字和国内外债务居高不下,达到空前数字。特别是号称世界经济实力最强的美国,自二战结束后的 1946 年半个世纪当中,政府财政赤字净额累计逾 3 万亿美元。与此同时,政府所欠国内外债务更是高达 5 万多亿美元。与巨额财政赤字相映而增的还有迅速扩大的对外贸易赤字。所有这些,对美国经济的正常运转构成了严重的威胁,亦成为后来多届美国政府多年试图予以解决的难题。这种困境即使在克林顿政府在任期间,借助由"新经济"所带来的经济较为强劲增长而有所缓解（1998 年出现了战后的首次财政盈余）,但好景不长,由于美国经济的基本矛盾及财政政策的结构性问题无法从根本上得到解决,加之小布什政府上台后,应对"反恐"和经济衰退而采取的减税和扩充安全保障支出,导致财政赤字再度出现并急剧攀升,到 2004 年达 4700 多亿美元。为弥补财政赤字而不得不年年增发的国债,当年余额已经高居 75890 多亿美元。在日本,尽管通过 20 世纪 80 年代的所谓"财政再建",一度使得为应对 20 世纪 70 年代中期开始出现的经济停滞而实行的扩张性财政政策所引发的严重财政危机,在较大程度得以缓解,但进入20世纪90年代,财政危机重新抬头并日趋恶化,政府发行的国债由1991年的6.7万亿日元,猛增至1999年的37.5万亿日元;其中赤字国债更是由零,增长到24.3万亿日元。到2002年,日本中央和地方财政的债务余额累计已达70.5万亿日元,较1970年的7.26万亿日元增长了近百倍。

表4-1 主要发达资本主义国家财政状况(2003年) (单位:%)

	美国	日本	德国	法国	英国	意大利
财政赤字占GDP	4.7	7.7	3.3	2.9	1.4	2.1
政府债务余额占GDP	62.0	151.0	63.7	68.4	50.9	108.1

资料来源:OECD《经济展望》72号。

资本主义的货币信用危机,是进入国家垄断资本主义阶段后,伴随着经济全球化及金融的自由化而发展的。二战结束前夕,为了改变由于20世纪20年代国际金本位制的崩溃而出现的国际金融经济秩序混乱局面,促进战后经济的恢复和贸易的发展,在美、英等发达国家的积极筹划下,以黄金—美元本位为基础的布雷顿森林体系得以建立。该体系对战后资本主义经济的恢复和发展,曾经起到一定的作用。然而,该体系的根本缺陷在于,美元既是一国货币,又是世界货币。作为一国货币,它的发行必须受制于美国的货币政策和黄金储备;作为世界货币,美元的供给又必须适应于国际贸易和世界经济增长的需要。正是这一缺陷,决定了布雷顿森林体系的内在不稳定性及资本主义货币信用危机发生的必然性。随着美国国际收支状况的恶化,特别是进入20世纪70年代后美国经济的进一步衰落,使以美元为中心的布雷顿森林体系无可挽救地最终走向了全面的崩溃。此后,尽管以1978年4月1日正式生效的"牙买加协定"为基础,新的国际货币体系的实践,对维持国际经济的正常运转,推动世界经济的持续发展,其积极作用是应当肯定的。但同时,该体系作用的结果也存在着消极的一面。这主要表现在它使得国际货币格局错综复杂,缺乏统一稳定性。国际金融的动荡加剧,国际贸易和金融市场受到严重的冲击。金融全球化使经济全球化进入新的发展阶段,信用经济、泡沫经济与实体经济相脱节的矛盾越来越全球化和尖锐化;

第四章 经济全球化与当代资本主义经济

市场经济在全球范围内的广泛建立,在为经济全球化铲除了体制上的障碍的同时,亦导致世界金融体系的失调和危机。由于当前的国际金融活动规模庞大,电子及网络化的交易方式又使其方便快捷,因此一旦发生危机必然波及广、影响大,在严重的情况下甚至会威胁整个世界金融市场,进而引发全球性的货币金融危机。事实也证明资本主义世界货币金融危机的日趋严重性,这从20世纪90年代以来相继发生的欧洲货币体系的危机、墨西哥金融危机、东南亚金融危机和巴西、阿根廷等拉美国家的金融动荡就不难窥其一斑。就主要发达国家日本的情况看,问题也很严重。自20世纪90年代以来,日本在经历了长达10余年的经济不景气的同时,也经历了一场空前持久和严重的金融危机,金融机构纷纷倒闭,不良债权规模庞大且还在不断增加。据日本银行2002年10月11日公布的数字,此前的10年间,金融系统已经处理了90万亿日元的不良债权,但不良债权却似乎是"越处理越多",仍在继续增加。

经济全球化条件下当代资本主义经济危机和财政金融危机的深化,是主要资本主义发达国家长期奉行凯恩斯主义,推行"反周期"政策的后果;而财政金融危机的长期存在并不断深化,又会进一步加剧资本主义的经济危机,使资本主义的基本矛盾升华到新的更高层次。

4.3.3 反全球化运动的兴起及其特点

1. 反全球化运动的兴起

尽管经济全球化的结果更有利于经济发达国家,但不仅在发展中国家,在发达国家对其持保留或反对意见者也大有人在。他们的理由是,经济全球化导致发达国家的生产活动更多地输往国外,加剧了经济的空洞化;经济全球化所带来的国外廉价制成品输入的增加,替代国内就业机会,进而抬高了失业率;全球化加快了技术的输出,从而也加速了国际竞争对手的成长;此外,经济全球化还增加了政府宏观经济管理的难度,并导致税源转移境外,增大了政府福利开支的压力,等等。由此,经济全球化迅猛发展的同时,反全球化浪潮在一些国家和地区也在日益高涨。1999年11月底12月初发生在美国的"西雅图风暴",拉开了世界范围的反全球化运动的序幕。反全球化的手段和形式可谓五花八门,但总体而言,其基本形式不外乎以示威游行为表现形式的街头抗议浪潮,以及以反全球化为宗旨的世界社会论坛。

就以示威游行为表现形式的反全球化街头抗议浪潮而言，自1999年"西雅图之战"以来，但凡有诸如世界经济论坛和G8、欧盟和美洲国家首脑会议，以及联合国、国际货币基金组织和世界银行等重要国际会议召开，总会有成千上万的反全球化人士，在各类非政府组织的号召下，不远千万里，来到会议召开地，发起大规模的反全球化抗议活动。每次抗议活动的参与者，少则数千人，多则数万人，乃至数十万人。如此之多的反全球化人士，在同一时间、同一地点聚集，只是为向参加会议的政治精英及国际机构表明他们对全球化的不满。西雅图、华盛顿、布拉格、魁北克、哥德堡、达沃斯、日内瓦、圣地亚哥、中国香港等地，都一度成为反全球化运动的主战场。反全球化分子采取的斗争方式多种多样：或是举行和平的、非暴力的游行示威，打出一些抗议的标语，喊出一些不满的口号；或是采取在会场外聚集或静坐，阻止会议代表按时入会，阻止会议的正常召开；或是在街头或会场旁举行公众集会，发表反对全球化的演说，煽动民众的不满情绪；等等。不过，近年来，暴力的蔓延成为反全球化抗议浪潮中一个不可忽视的现象。在西雅图、布拉格、热那亚、坎昆等地举行的反全球化抗议活动中，反全球化极端分子的暴力行为遭到警方的严酷镇压，暴力冲突的升级引起国际社会的关注。在热那亚抗议活动中，一名罗马青年被警方开枪打死；在坎昆会议上，一名韩国农民拔刀自杀。反全球化抗议浪潮中的火药味日渐浓厚。

反全球化运动的另一种新的形式，是其与推进全球化的国际会议在同一时间，但在不同地点举行。前者对后者进行远程对话和抗辩，但不会发生正面冲突，更不会出现暴力冲突。自2001年起，当以推进经济全球化为宗旨的世界经济论坛召开之际，以抵制和反对全球化为目标的世界社会论坛也会同期举行，不过地点却在千万里之外的第三世界国家。世界社会论坛迄今已成功召开五届，第一、二、三届论坛都在巴西阿格雷里港举行，第四届论坛移师印度孟买，而2005年第五届论坛又回到阿格雷里港。第一、二届论坛参与者只有1万人左右，第三、四届论坛参与者陡然增加到10万人以上，2005年第五届论坛参与者达到空前的15.5万人。每当为期数天的论坛召开之际，来自世界100多个国家的反全球化人员云集起来，他们通过召开大大小小的各种讨论会或论坛的形

第四章 经济全球化与当代资本主义经济

式,来交流反全球化运动的心得体会,探寻当前全球化的替代方案。从斗争方式看,在每届世界社会论坛上,尽管组织者也发起数万乃至十多万人的反全球化大游行,但很少出现街头抗议浪潮中的那种暴力现象。因此,与街头抗议的反全球化浪潮相比,世界社会论坛体现了反全球化运动更加理性的一面。目前,世界社会论坛已经在各洲以及许多国家建立了自己的分支机构,其影响力在不断扩大。在反全球化的社会动员以及抗议活动的组织等方面,世界社会论坛正在发挥越来越大的作用。大规模的反全球化抗议示威,以及以世界社会论坛为代表的各种反全球化国际论坛,正在以不同形式、从不同层面冲击着当前的全球化进程及其体系。

除了以上两种形式,世界上的反全球化运动还采取了与推行全球化的国际会议既不在同一时间、也不在同一地点举行,而是一种相对独立行动的形式。哈瓦那全球化论坛已经举行了三届。2002年2月11~15日,第四届全球化论坛在哈瓦那举行。出席论坛的有来自40多个国家和10多个国际组织和地区组织的1000多人士。论坛的议题较为广泛,有金融危机、外债、人类资源和劳动力市场、经济一体化和合作、环境、阿根廷危机、美洲自由贸易区等。不少反全球化人士在论坛上抨击了西方国家特别是美国主导的全球化。

2. 反全球化运动的特点

反全球化运动在发展中国家和发达国家的广泛发展,迄今为止主要表现为以下几方面的特点:

一是发展十分迅速。从发生在美国西雅图的"西雅图风暴"拉开了全球化运动的序幕,到发生在意大利热那亚的反全球化运动高潮,一共还不到两年时间,而投入反全球化运动的人数已经从最初的4万人猛增到12万人。

二是发生频率高、涵盖领域广泛。除了极少数例外,几乎可以说,在现在这个地球上,哪里举行推行全球化的国际高峰会议,哪里就会出现反全球化运动。全球化和反全球化进行激烈碰撞、冲突和斗争,已经具有不可避免之势。反全球化运动的涵盖领域不仅包括了农业和劳工的保护,亦包括贫穷国家债务的减免、生态主义、女权主义以及西方马克思主义,等等。

三是出发点和动机多样。有的是基于批判经济全球化伤害了民族主义和爱国主义的感情的角度参与反全球化运动；有的是从批判经济全球化在推动世界经济财富增长的同时又导致社会分配的更加不公的角度参与反全球化运动；也有的是从批判经济全球化导致了宏观经济管理的混乱和失控的角度参与反全球化运动；还有的是从批判资本主义制度，批判资本主义市场经济，批判新自由主义的角度参与反全球化运动；等等。

四是参与者涉及到不同阶层和许多行业。从西方媒体的报道中可以看出，参加反全球化的队伍是由许多国家的多种非政府组织和多方面、多阶层人士组成的，有相当的广泛性。在反全球化的非政府组织中，既有来自西方国家的非政府组织，又有来自发展中国家的非政府组织。在反全球化人士中，有的是来自西方国家的社会活动家、环境保护主义者、消费者利益保护者、宗教界领袖，有的是来自西方国家的工会领导人和劳工，有的是来自发展中国家的许多社会阶层的人士。在反全球化人士中，既有全球化的直接受害者，更有全球化直接受害者的利益代表者。在反全球化这个共同目标下，西方国家和发展中国家的反全球化的非政府组织走到了一起，西方国家和发展中国家不同社会阶层的反全球化人士走到了一起。除了不同产业、不同阶层的民众和各方人士，也不乏一些国际知名人士，包括政治活动家、经济学家和思想家、著名影星和球星，甚至还有诺贝尔奖得主（例如，爱尔兰前总统、联合国前人权高级专员玛丽·罗宾逊和诺贝尔经济学奖得主斯蒂格利茨，等）。他们参与的动机不同，但其行为目标的一个重要方面，就是反对全球分配不公，贫富差距的扩大。

五是组织活动形式由原来较为单一，逐渐走向多样。目前主要以因特网为工具，筹划行动方略，联络各方有共同意愿者采取联合行动。而行动又由最初与全球性多边会议或西方发达国家首脑会议同时、同地，以示威游行为表现形式的街头抗议的方式，发展到同时、非同地，乃至非同时、非同地的多种方式。

六是反全球化运动遭到西方发达国家统治者的镇压。但是，无论是逮捕、监禁，还是催泪弹、高压水枪、橡胶子弹以至核武器，这些镇压手段都没有使反全球化人士屈服。

从以上对反全球化运动的历史回顾和特点中可以看到，反全球化运

第四章 经济全球化与当代资本主义经济

动是在国际工人运动和国际共产主义运动处于低潮时期出现的一种有广泛社会基础的特殊国际运动。这个运动的锋芒一开始就直接指向以美国为首的主导全球化的七国集团，指向主要依照七国集团制订的规则推行全球化运动的国际组织——世界贸易组织、国际货币基金组织和世界银行。值得注意的是，反全球化运动的广泛发展得到了发达资本主义国家共产党人的关注，并开始同他们反对资本主义制度、争取社会主义的斗争逐渐结合起来，以期将反全球化运动作为左翼共产主义运动的有机组成部分。虽然西方国家共产党人对经济全球化的认识不尽相同，但大都认为经济全球化源于国际分工和世界经济发展的客观趋势，具有历史的必然性；他们对全球化的质疑和批判主要集中在主导当前经济全球化的新自由主义，剖析这种全球化所带来的消极影响和危害性后果。应当说，尽管西方国家共产党人对待全球化的观点有着偏激的一面，但其重要的社会影响和历史意义却是应该予以肯定的。它意味着，反全球化运动已经由以往带有的相当的无政府主义和盲目分散性，开始向理性的新阶段发展，把斗争的矛头直接指向世界资本主义制度及其国际经济政治秩序；它亦向世人表明，西方国家共产党人已经开始从前苏联东欧剧变后的茫然失措中走了出来，把马克思主义更多地与本国的及国际的、时代的实际情况结合起来，以此探索和推动国际共产主义运动的不断发展。

从总体上而言，反全球化运动的兴起，是对标榜公正与平等、繁荣与富足的全球化的一个极大讽刺，它构成了全球化时代一个极不和谐的音符，反全球化已越来越成为一场世界性的运动，其本身也已全球化了。它的产生和发展，客观上在一定程度是有利于减少或纠正经济全球化所带来的负面效应。

4.3.4 经济全球化不断扬弃资本主义，使之更加接近社会主义入口

当西方国家以其高度发达的生产力推进经济全球化不断发展时，也必然把资本主义生产关系扩张到全球，最终目的是把全球资本主义化。因此，经济全球化在把资本主义的文明成果扩展到全球范围的同时，也不可避免地把资本主义社会的固有矛盾扩展到全球范围。

当代资本主义经济论

1. 经济全球化并没有消除资本主义固有矛盾,而是在资本主义基本矛盾的推动下不断地扬弃着资本主义,使之更加接近社会主义的入口

"社会主义现在已经在现代资本主义一切窗口中出现"[①]。全球化使世界交往得以普遍发展,这正是社会主义在全球建立的必要条件。马克思、恩格斯早在150多年前就从世界历史的理论形态出发,对全球化问题作过精辟论证和科学预见,从资本的本性出发揭示了全球化的本质及发展趋势。这主要体现在他们合著的《德意志意识形态》和《共产党宣言》以及《资本论》等著作中。马克思、恩格斯精辟地阐述了当时全球化的特点并对它的发展趋势作了前瞻性的预测,认为当时全球化发展的结果将是把资本主义制度"推行"到整个世界,但终究将被共产主义所代替。在马克思看来,这种资本的全球化为共产主义的生成创造了重要条件,从某种意义上说,没有资本主义的扩张也就没有全球化。当然,共产主义是以生产力的巨大增长和高度发展为前提的。按照马克思、恩格斯的见解,资本主义一开始就被看做是世界性的。他们认为共产主义实现的物质基础除了有生产力的普遍发展外还必须有世界交往的普遍发展,二者缺一不可。正是在此意义上,马克思主义创始人才说:"无产阶级只有在世界历史意义上才能存在,就像它的事业——共产主义一般只有作为世界历史性的存在才有可能实现一样。"[②] 因为社会主义是"以世界市场的存在为前提"的,社会主义不可能永远是一种地域现象,交往的任何扩大都会消灭地域性的社会主义。

2. 资本主义经济运行出现了有序化的特点

这是因为国家的职能不断扩大和强化的结果。一是通过强化国有经济的作用。大多数发达国家国有经济的比重占整个经济的15%~20%,有的其至还要高一些。发达资本主义国家在国民经济的关键部门,如交通、通信、能源、宇航、国防工业等建立了一批国有或国家控股的骨干企业,保证这些基础设施和关键部门服务于整个社会利益。二是通过各种财政和金融政策等经济杠杆,对社会生产进行全面干预,对市场经济进行综合调节。三是借助于立法与行政手段,国家以社会利益仲裁人的

[①] 列宁:《列宁选集(第3卷,第2版)》,人民出版社1995年版,第267页。
[②] 列宁:《列宁选集(第3卷,第2版)》,人民出版社1995年版,第267页。

第四章　经济全球化与当代资本主义经济

身份出现，通过税收、社会保险、社会补贴、社会救助及建立福利国家等方式实现社会利益的再分配。国家社会职能的扩大和强化在马克思和恩格斯看来是社会主义因素的增加。

3. 经济全球化的发展在当代资本主义内部积累和孕育着社会主义新因素，这主要表现在资本占有形式的股份化

全球化使资本主义各国普遍推行了以股权社会化为特征的股份制经济，集团的、社会的和法人的各种资本所有制形式获得了充分发展，资本占有形式出现了社会化的特点。它使资本的所有权从个人所有变成了许多拥有资本的人的集体所有，即某种程度的社会所有。全球化浪潮使资本占有以股份的形式超出国家或地域的界限，显示出了超越资本主义私有制的趋势，为社会主义（共产主义）的全球性实现提供了所有制基础。经济运行的计划化（现代企业的集团式、连锁式经营方式）使企业管理越出国界和行业界限。企业特别是跨国公司遍布世界各地的子公司和分公司按照总公司的统一计划，安排生产计划（财务预算、投资决策和人员调度，加强了资源在全球范围内的合理优化配置，强化了计划在世界经济体系中的地位和作用，为社会主义（共产主义）在全球性的实现提供了基础。在企业集团内部管理方面，资本所有权和经营权的分离弱化了资本所有者对普通员工的控制和压迫，开明的现代公司治理结构越来越来注意调动和发挥普通员工在企业管理中的作用，调动他们的参与热情和积极性，客观上为社会主义（共产主义）的全球性实现提供了人员组织上的可能性基础。在民主力量的推动下，社会主义因素正在当代资本主义社会内部滋长，如企业内部的权力制衡、受劳动法和雇佣关系约束的契约法和社会保障、信贷监控，以及满足社会需要的公共服务和国有企业等等。此外，伴随着所谓福利国家和福利社会的实行，出现了管理民主化的趋势，资本主义国内劳资关系也有所改善。这些提高工人地位的措施虽然是有限度的，但它在一定程度上缓和、改善了劳资关系，并为新的社会形态下管理民主化的实施创造了条件。

诚然，在经济全球化发展的现阶段，这些因素仍然受着资本主义生产方式整体逻辑的支配，但它们也足以证明，当代资本主义的局部调整的实质不仅是资本主义生产关系的自我完善，而且亦孕育社会主义新因素的部分质变。可以说经济全球化正产生着旧的生产方式解体的各种要

素，表现了解决资本主义生产方式冲突的迹象，产生与孕育着超越资本主义的制度因素。全球化的不断发展不但为社会主义和共产主义的实现创造着不断成熟的物质前提，而且创造着不断成熟的制度基础和社会条件。

经济全球化条件下当代资本主义的变化及其矛盾的发展，正如马克思所指出的那样："无论哪一个社会形态，在它所能容纳的全部生产力发挥出来以前，是决不会灭亡的；而新的更高的生产关系，在它的物质存在条件在旧社会的胎胞里成熟以前，是决不出来出现的。"[①] 社会主义因素的增多并不会自然而然地使资本主义变成社会主义；资本主义无论怎样进行自我调节，也不会自动放弃其基本经济制度和政治制度。但随着社会生产力的发展，资本主义必然循着不断扬弃、否定资本主义、而不是肯定资本主义的方向发展，社会主义将以其历史逻辑在更大范围内孕育、发展，最终实现社会主义在全世界范围内的胜利。

---

① 马克思、恩格斯：《马克思恩格斯选集（第2卷）》，人民出版社1995年版，第33页。

第五章 当代资本主义经济的运行周期

经济全球化进程的加快已经是当今世界经济的主要特点和大趋势，它对世界和资本主义经济的影响很大，因此引起国际社会和各国的高度关注。经济全球化是市场经济发展的一种必然趋势，简而言之，它是以直接生产领域中的国际分工为基础、以发达国家的跨国公司为主导的资源的全球配置，以及由此而产生的世界各国经济紧密联系和相互融合的进程。在这一进程中，当代资本主义国家经济的周期性波动也在发生深刻变化，本章将在经济全球化背景下，着重研究当代资本主义国家经济周期的新特点。

5.1 当代资本主义经济周期理论

目前，在西方经济学界，对经济周期的经典性定义是由美国国民经济研究所（National Bureau of Economic Research，缩写为NBER）创始人米契尔（W. C. Mitchell）和伯恩斯（A. F. Burns）在1946年出版的《衡量经济周期》一书中所表述的："经济周期是在主要按商业企业来组织活动的国家的总体经济活动中所看到的一种波动：一个周期由几乎同时在许多经济活动中所发生的扩张，随之而来的同样普遍的衰退、收缩和与下一个周期的扩张阶段相连的复苏所组成；这种变化的顺序反复出现，但并不是定时的；经济周期的持续时间在一年以上到十年或十二年；

它们不再分为具有接近自己的振幅的类似特征的更短周期。"① 这个定义受到西方经济学界的公认，并在各国广泛使用。

经济周期是在以工商业企业组织经济活动的国家的一种普遍现象，是市场经济的必然产物和基本特征之一。要被认定为周期，经济活动的规模和增幅必须表现出明显的下降并跟随着一个反弹，然而，经济活动的规模和增幅下降的具体程度在每一个周期中是不完全相同的。经济周期的持续期——包括紧接着出现的复苏和衰退阶段的长度——至少1年，这就排除了季节性波动。经济周期存在两个特殊转折点，一个是高峰点（peak），另一个是低谷点（trough）。由于这两个转折点，一个周期可以划分为两个时期，一个是扩张期（expansion phase），另一个是收缩期（contraction phase）。当经济总体从高峰点向低谷点运动时，称为经济收缩；当经济总体从低谷点向高峰点运动时，称为经济扩张。当经济收缩相当严重时，称这种情形为经济衰退（recession）。当严重的经济收缩持续一定时间和延长的低谷出现时，称这种情形为经济萧条（depression）。

5.1.1 马克思关于资本主义经济危机周期性的论述

资本主义的经济危机是普遍的生产过剩的危机，这是一个历来被认为说明了经济危机实质的经典性定义。这种把经济危机简单等同于生产过剩的观点是值得商榷的。马克思和恩格斯在很多情况下，也把"经济危机"和"生产过剩"看做两个不同的概念，它们之间有如下两种关系，（1）生产过剩是经济危机的前提。如马克思在《工厂工业和贸易》（1859年）一文中写道："……由于生产过剩和过度的投机活动而发生了危机……"②；恩格斯在谈到傅立叶的危机观点时，赞赏他"把第一次危机称为 crises plethorigue 即由过剩引起的危机"。更值得注意的是，1895年3月19日，恩格斯在给卡·希尔施的一封回信中，针对希尔施提出的"每次生产过剩都有危机"的观点答复说："这是可能的，有这样的趋势，

---

① 转引自格林沃尔德（Douglas Greenwald）：《经济学百科辞典》，麦克劳—希尔图书公司1982年版，第96页。

② 马克思："工厂工业和贸易"，《马克思恩格斯全集》第13卷，人民出版社1974年版，第556页。

第五章　当代资本主义经济的运行周期

但决不是必然发生的。"① 在这里,生产过剩是作为危机的前提条件出现的,当它进一步发展导致了社会经济活动的紊乱之后,危机才变为现实。(2) 生产过剩是危机的现象。如马克思在批判李嘉图的错误观点时指出:"资产阶级生产方式包含着生产力自由发展的界限——在危机中,特别是在作为危机的基本现象的生产过剩中暴露出来的界限。"②

有人认为,经济危机可以定义为资本主义一切矛盾的集中表现,但是资本主义经济的一切矛盾只能成为经济危机的原因,而不是危机的实质。危机的实质应是由生产因素引起的社会再生产过程的破坏和中断,因为正是社会再生产过程的破坏和中断,决定了经济活动处于危机状态时的性质和面貌,而这里之所以要加上"由生产因素引起的"这个定语,则是为了区别于由战争、自然灾害等非生产因素所引起的社会再生产过程破坏和中断时的情形。关于这点,马克思曾有过一些论述,如"在货币市场上作为危机表现出来的,实际上不过是表现生产过程和再生产过程本身的失常"③,"由此引起强烈的严重危机,突然的强制贬值,以及再生产过程的实际的停滞和混乱,从而引起再生产的实际的缩小"④,"危机恰恰就是再生产过程的破坏和中断的时刻"⑤。因此,我们认为,资本主义经济危机的实质是由生产因素引起的社会再生产过程的破坏和中断。

马克思认为,资本主义经济危机的根源是资本主义经济制度的基本矛盾,即生产的社会性和生产资料的资本主义私人占有形式之间的矛盾。在资本主义生产方式下,这一矛盾具体表现为生产力和生产关系的矛盾。资本主义的其他矛盾都不过是这个矛盾的各种表现形式。马克思是以资本主义社会的生产力和生产关系的矛盾为经济危机的根源的。但在阐述这个基本矛盾对危机形成的具体作用时,马克思又是通过作为这个基本

---

① 《马克思恩格斯全集》第24卷,人民出版社1974年版,第354页。
② 马克思:《剩余价值理论》第二册,《马克思恩格斯全集》第26卷Ⅱ,人民出版社1974年版,第602~603页。
③ 《马克思恩格斯全集》第24卷,人民出版社1974年版,第354页。
④ 马克思:《剩余价值理论》第一册,《马克思恩格斯全集》第25卷,人民出版社1974年版,第283页。
⑤ 马克思:《剩余价值理论》第二册,《马克思恩格斯全集》第26卷Ⅱ,人民出版社1974年版,第574页。

矛盾的表现形式的生产和消费的矛盾的反复论证来阐明的。马克思指出，资本主义生产的目的在于攫取剩余价值和通过一部分剩余价值转化为新资本从而取得更多的剩余价值。为了达到这个目的，资本主义生产不但要求剩余价值的不断创造而且要求剩余价值的不断实现。剩余价值的创造有赖于无偿劳动的占有和利用，而剩余价值的实现则有赖于剩余产品以不低于生产价格的价格水平出售。如果商品出售停滞或者只能以低于生产价格水平出售，资本家就不能实现其剩余价值，甚至还有损失其原有资本的危险，剥削的过程就不能完成。剩余价值创造的条件和其实现的条件是两回事，前者取决于社会的生产力，后者取决于社会的消费力。追求剩余价值的欲望迫使资本家盲目地、无限地扩大生产。扩大生产要求提高生产率，而后者又使资本的无限积累和生产技术的不断改进成为强制的法令。反之，社会消费力却受到不同的力量和规律的支配。"社会消费力既不是取决于绝对的生产力，也不是取决于绝对的消费力，而是取决于以对抗性的分配关系为基础的消费力；这种分配关系，使社会上大多数人的消费缩小到只能在相当狭小的界限以内变动的最低限度。这个消费力还受到追求积累的欲望的限制，受到扩大资本和扩大剩余价值生产规模的欲望的限制"，"生产力越发展，它就越和消费关系的狭隘基础发生冲突"[1]。因此马克思并不认为生产和消费的矛盾是资本主义的基本矛盾。它只是资本主义基本矛盾的一种表现形式；它所表现的社会生产力和社会消费力的冲突本身只是危机的现象而不是危机的根源。

马克思认为，经济危机之所以具有周期性的特征，是有其客观条件的。他把这种条件叫做经济危机周期性的物质基础。马克思考察了当时的大部分经济危机后，发现当时的经济危机的周期多为10年左右一次。这种周期性危机的时间长度恰好与固定资产的更新时间相一致。在危机爆发后的萧条时期，资本设备价格大大降低，另外，更新设备给生产带来的损失也最小，这时更新设备是相对最为有利的时机。尽管并非所有的资本设备都在萧条时期进行更新，但是，由于这时更新设备最为有利，因而，在这一时期前后需要更新的设备，会趋向于在萧条时期进行。生产设备较为集中的更新会推动生产资料生产的恢复和发展，并由此推动

---

[1] 马克思：《资本论》第3卷，人民出版社1975年版，第272~273页。

第五章 当代资本主义经济的运行周期

其他消费品生产的恢复与发展,从而使经济摆脱危机和萧条,进入复苏并逐步走向高涨。从另一方面看,固定资本设备的更新也为下一次周期波动奠定了物质基础。因为固定资本设备的大规模更新,使社会生产能力更加扩大,这又会为下次生产超过需求和消费形成一种条件和基础。当这次更新的固定资本设备到一定时候,又会产生下一次更新的需求。在技术变革不断发生的情况下,固定资本设备更新会伴随着资本有机构成的提高,而这又会促使资本积累和投资加速扩张。这既为经济再次膨胀提供了条件,也为周期的某种延长和下次更新规模的扩大创造了条件。这样,马克思就从他当时的历史条件下,把固定资本设备的更新作为周期性经济危机的物质基础。

总之,马克思关于资本主义经济危机的理论,从特定的角度,揭示了资本主义经济周期波动和危机的内在规律,并在许多方面提供了对我们具有启发意义的分析。

5.1.2 西方主要经济周期理论流派

西方经济学者对资本主义市场经济条件下周期波动的研究,从19世纪初算起,至今已有200余年的历史,形成了许许多多不同的理论流派和模型方法,其中蕴涵了丰富的内容,许多理论是值得我们了解、研究和借鉴的。

就目前西方经济周期理论而言,有四种代表性的观点:一是萨缪尔森线性乘数——加速数动态周期模型,认为经济中存在着引起波动的内在力量;二是实际经济周期理论,认为波动不过是随机的和未预期到的冲击的结果;三是货币主义者和新古典宏观经济学的理论,认为波动主要是由于错误导向的货币政策的结果;四是新凯恩斯主义者的理论,他们把波动看做来源于经济内部和外部的各种原因,不过他们认为现代经济的内在特征扩大了一些这样的干扰,并使其作用持续存在。

1. 萨缪尔森线性乘数——加速数动态周期模型

凯恩斯的《通论》奠定了现代宏观经济理论的基础,但是它还需要更进一步的完善。特别是,凯恩斯理论属于比较静态分析。在对凯恩斯理论的完善工作中,将其动态化是一个重要的方面。第一个对凯恩斯理论进行动态化完善的是萨缪尔森(P. A. Samuelson)。

当代资本主义经济论

萨缪尔森是1970年诺贝尔经济学奖获得者,他对经济周期波动的分析主要侧重于投资因素。凯恩斯在《通论》中只分析了投资变动对收入的乘数作用。萨缪尔森于1939年发表了《乘数分析和加速数原理的相互作用》一文,进一步将收入或消费变动对投资的加速作用引入进来。他建立了一个线性的乘数——加速数数学模型。这是一个动态系统,是带有动态时滞结构的模型。其中,投资函数是一个二阶差分方程。乘数基于边际消费倾向,加速数基于特定时期的生产技术水平。这个模型的特点是,当有一个初始的外生扰动时,在不同的参数域下,动态系统可以产生增幅的发散振荡、减幅的衰减振荡和等幅的周期振荡。这就是说,在特定的参数域内,经济体系将呈现持续性的周期波动。

萨缪尔森用乘数与加速数相互作用的原理,说明了经济体系为什么对于一个小的扰动将会引起一个大的周期性波动,而不是将扰动的冲力分散,使经济趋向稳定增长。由此,进一步说明了经济的周期波动不是像古典均衡理论所认为的那样,只是经济生活中短期的、可以自我调节的小插曲。

2. 实际经济周期理论

"在思想史中,通常是旧的想法被加以新的术语或置于新的背景中,就被视为新想法。实际经济周期理论被视为一种新的经济周期理论就是如此"[①]。实际经济周期学派是20世纪80年代以来,在理性预期学派的基础上产生出来的。理性预期学派强调的是:随机的货币因素的冲击导致了经济的周期波动。实际经济周期学派强调的是:随机的实际因素的冲击导致了经济的周期波动。该学派的主要代表人物有美国的基德兰德(F. E. Kydland)、普雷斯科特(E. C. Prescott)、朗(J. B. Long)和普洛泽(C. I. Plosser)等人。2004年基德兰德和普雷斯科特因在实际经济周期理论方面的贡献,获得当年诺贝尔经济学奖。

实际经济周期理论认定经济波动的首要原因是对经济的实际(而不是货币的)冲击。从某种意义上讲,实际经济周期理论反驳货币主义学派归因于货币供应变动的影响。所谓实际因素的冲击,既包括来自需求

---

① [美] M. P. Niemira、P. A. Klein:《金融与经济周期预测》中译本,中国统计出版社1998年版,第86页。

第五章　当代资本主义经济的运行周期

方面的冲击，如个人需求偏好的变化、政府需求的变化等，更重要的是来自供给方面的冲击，如技术进步带来的生产率变动、生产要素供给的变动等。这些冲击全都来自经济的外部，它们是外生的事件。因为它们是外生的，所以它们都在政策制定者的控制之外。实际经济周期理论家们所强调的冲击是对供给一方的冲击，是在任何一组既定的工资和价格条件下对生产什么和生产多少的冲击。因此，实际经济周期理论家们与其他经济周期流派观点完全相反，后者强调对总需求冲击的重要性，认为这是扰乱经济的主要根源。实际经济周期理论认为，产出的波动是随机的并且是不能被预测的，大多数宏观经济波动主要是由于技术冲击的动态影响所造成的。而在二战后直至 20 世纪 70 年代的大部分时间里，技术冲击一般被归入平滑的、常为确定性的趋势项，并假设它对波动几乎不起作用。该学派将技术冲击作为不确定性的、随机变化的因素。他们认为，当一个能提高生产率的技术进步的正冲击出现时，产量增加，从而收入增加、消费增加、投资增加。投资增加使资本存量增加，这就进一步推动产量、收入、消费的增加。如果没有进一步的技术冲击，生产者会发现，他们的资本存量与保持稳态增长所必须的资本存量相比，已太多了。于是，他们减缓投资，使经济恢复到稳定增长的路径。

3. 货币主义和新古典宏观经济周期理论

货币主义和新古典宏观经济周期理论认为，经济对于干扰会做出迅速的并且是有效率的反应，这些反应是无法预测的。但是，他们对干扰的来源的看法却与实际经济周期理论不同。在他们看来，罪魁祸首不是技术变革，技术变革并不构成足够大的对经济的外生冲击以及能解释已被观察到的波动。实际上，他们相信，如果听其自然，经济不会大起大落。人们的消费在长期是均匀的，投资者也考虑长期的行动。这些和其他的因素意味着，经济会以有效的方式来稳定可能使它发生波动的那些小冲击。

货币主义和新古典宏观经济周期理论把引发大多数重要的经济波动的重大的干扰归咎于政府，尤其是政府货币政策的误导。新古典经济学家强调预期的和未预期的货币政策变化的区别。当人们预期到货币供给的变化时，物价水平会发生变化，实际的货币供给保持不变，从而没有什么"实际的"事情发生。货币供给的变化只不过引起物价水平的变化，政策是无效的。在长期，由于存在理性预期，货币供给的变化会被人们预期到。但是在短期，货币当局可以用人们预期不到的方式采取行动。当厂商不知道货币供给已经减少了的时候，他们就不会同比例降低价格水平。

这两个学派提出的一个重要观点是，政府不能解决问题，反而制造问题；正是未预期到的政府行动，尤其是货币当局的行动，才会引发经济的波动，干扰市场经济的正常运行。

4. 新凯恩斯主义经济周期理论

介于传统经济周期理论和实际经济周期理论之间的是新凯恩斯主义的观点。这种观点认为，经济中存在着一种机制，而且这种机制可以扩大各种小的和中等规模的外在的、未预期到的冲击，并且把这些冲击转变成大的波动。经济不只是扩大这些冲击，它还使得这些冲击的影响在最初的干扰消失以后持续相当长的时间。根据这种观点，干扰的根源是外生的，但是存在一些内生力量，使得波动加剧并使得干扰的影响持续下去。

新凯恩斯主义者把实际经济周期理论所强调的供给方面的干扰与货币主义者和新古典宏观经济学家所强调的货币干扰都当做干扰经济的可能的根源。新凯恩斯主义者与其他学派不同的地方在于，他们不相信市场经济总是能够吸收各种冲击并对冲击做出反应，因而保持充分就业。相反，他们相信，在大多数情况下，经济实际上扩大这些冲击并且使冲击的作用持续存在。

在新凯恩斯主义看来，重要的问题不是冲击的根源，而是经济如何对这些冲击做出反应。

5.2 当代资本主义经济周期的发展变化和历史演绎

5.2.1 战后资本主义经济周期的特征

战后，资本主义世界经济中，由于出现一些新的经济条件，国家垄断资本主义采取了一些反危机措施对经济生活进行干预，资本主义的经

第五章 当代资本主义经济的运行周期

济周期发生了一些变形,经济危机也出现了一些新的特点。主要有如下几点:

1. 危机的某些征象发生了变化

在战前,每当生产过剩危机发生后,一般都会出现下列征象:物价下降,商品滞销,生产下降,失业人数增加,私人投资减少,企业倒闭,利息率上升,银行破产,股票价格下跌,等等,即物价下降是经济危机发生时的普遍现象。但在战后,有些危机的征象则发生了变化。战后的经济危机是与通货膨胀交织并进的。特别是在 1973~1975 年的危机中,这种情况显得更为典型、更为突出,它是战后资本主义世界经济中出现的一种新的重要现象。例如,日本在战后发生的前六次经济危机中,前五次的批发物价指数只略有下降(幅度远不如战前),而反映通货膨胀上升率的零售物价指数则始终上升。第六次经济危机中的情况则是:批发物价和零售物价一齐猛涨。1974 年日本批发物价上涨 31.3%,消费物价上涨 24.4%。

战前发生危机时,由于市场萎缩、商品销售困难,从而商品渴望着货币,所以出现了"货币饥荒"或俗称银根紧的现象。随着支付困难、银行挤兑、支票不能兑现等情况的出现,就发生了利息率提高、银行破产、社会金融混乱的现象,因而那时随着经济危机的发生,必然会出现金融危机。有时这种金融危机也先于经济危机作为一种信号而发生。应当指出,那时的金融危机是以货币短缺、银行倒闭为内容的,它和战后出现的金融危机,在内容上有着根本的不同。战后,由于国家垄断资本主义进入了一个新阶段,执行了一条赤字财政的政策,作为反危机的对策,战后每当经济危机发生后,在一般情况下,政府总是采取放松银根的做法。

2. 周期间隔的时间发生变化

战后周期间隔的时间比战前是缩短了还是延长了,这是一个有争论的问题。关键是在危机征象数据比较的标准,也就是战后究竟发生了几次经济周期?

从同期性的世界经济危机看,中国学术界取得了比较一致的共识,即到 1991 年,共发生了四次:1957~1958 年危机、1973~1975 年危机、1979~1982 年危机和 1991 年危机。用这个标准来衡量。当然是战后危机间隔的时间延长了。

从各个国家非同期性经济周期的变动来看[①]，则从1949年到1991年间，有的国家发生了七八次危机或萧条，有的则发生10次。倘用此标准衡量，则经济危机间隔的周期比战前缩短了，平均5.3年左右就发生一次。而战前假设从1900年开始计算，发生危机的时间为1900年、1907年、1920年、1929年，计30年间发生了4次危机，平均7.5年发生一次。

3. 危机的深度有所减弱

战后资本主义经济周期演变发展的又一个特点就是衰退期缩短。如美国在1846～1949年间，平均每次衰退的阶段为20个月，而在1949～1982年间，平均每次为11个月，衰退的时间缩短达45%。

危机中生产下降幅度有所缓和。美国在1929～1933年危机中工业生产下降的幅度为80%～90%。在1920年的危机中日本的工业生产下降19.9%，在1929年的危机中下降32.9%。平均说来，工业生产的下降幅度大于二战后的危机。

形成这种情况的原因，主要有：（1）随着战后科学技术革命的发展，出现了许多新工艺、新产品、新工业部门，这就引起了固定资本的不断更新，从而减弱了危机的严重程度。而新的生产部门的出现，也带来了新的社会需求。如以电子工业为中心的新的家用电器产品的出现，开辟了广阔的市场。（2）战前，绝大多数年份国际贸易的增长程度都低于世界工业生产增长的程度，而战后绝大多数年份国际贸易的增长都超过了工业生产的增长。这一方面是由于战后高科技产业和产品不断出现，国际贸易中水平分工的深度有所提高，这就使国际贸易往来的增加有了需要；同时，战后国际垄断资本采取的"经济全球化"措施与组织，如国际货币基金组织、世界银行、关税及贸易总协定，对发展国际贸易都起到了促进作用。在关贸总协定（现WTO）的安排下，资本主义主要国家的关税从原来的40%左右，降至现在的4%左右，个别国家如日本只有3%左右。国际贸易的增长，对有关国家工、农业产品的增长起到了

[①] 宋玉华、周阳敏："世界经济周期的协同性与非协同性研究综述"，《经济学动态》2003年第12期，第66页。

第五章 当代资本主义经济的运行周期

促进作用。(3) 战后居民消费水平提高较快,这是劳动人民斗争的结果,也与垄断资本为缓和阶级矛盾而采取的怀柔政策有关,如社会保障支出的增加,使分配发生了一定的变化,这也增加了市场的购买力。(4) 战后各国政府在各次危机发生后,都采取了"萧条对策",即反危机措施,如增加政府支出,放松银根,人为地刺激经济发展。这样的结果,一是使危机中生产下降的程度减弱,二是使危机的周期缩短。同时,危机周期的缩短,减弱了危机中生产下降的程度。

但是,以上我们所说战后经济危机中生产下降的幅度低于战前,是一种表面现象。从深层次分析则发现,战后生产过剩危机存在着一种隐蔽状态,把这一点考虑进去,实际上战后经济危机比战前深刻得多。其具体表现为:(1) 战后危机是在美、英等国长期国民经济军事化的基础上发生的。在没有发生过世界性大战的情况下,战后美国40多年来一直耗费巨额军费支出,这在世界近代史上是罕见的。在20世纪80年代的最后4年中,美国的军费开支每年都在3000亿美元左右。以1989年为例,它已占到国民生产总产值的5.83%。而战前,1939年美国的国防费只有13亿美元,占当年国民生产总产值的1.42%[①]。美国的国防费主要用在军事订货单上,巨额支出购得的某些军事产品生产出来后,直接运往仓库,过些时候显得陈旧了就予以销毁,长此以往,在美国形成了一个庞大的军火工业体系。马克思曾指出,军火工业的产品生产,就像商品之倒往海里一样,它需要耗费大量的生产要素,而不能形成社会的使用价值。它实质上是一种消灭"过剩"商品的手段,是为垄断资本制造市场需求而存在的。战后美国的经济危机正是在逐年销毁5%左右的过剩商品的基础上发生的,如果把这一隐蔽的生产过剩危机形态计算进来,则危机中的破坏程度就远远地超过战前。(2) 战后美国、日本和西欧一些国家都实行限制播种面积的农业政策,虽然我们没有看到它们把咖啡、小麦烧毁,把牛奶倒进海里的景象,但实际上农产品的过剩是在先天被扼杀了。资本主义国家在限制农作物的播种面积时,还发放了津贴。这实质上也是生产过剩的一种隐蔽形态。(3) 战后的危机是在通货膨胀的基础上发生的,通货膨胀又是作为反危机措施的产物而出现的,所以恶

---

① 孙执中:《战后资本主义经济周期史纲》,世界知识出版社1998年版,第248~249页。

性循环的结果使危机更加深化。

由此可以看出,在考察战后危机的严重程度时,应该把上述危机的隐蔽形态考虑在内,否则就会得出错误的结论。

4. 走出危机的手段发生了变化

资本主义市场经济制度的经济结构"自身",是具有走出经济危机的能力的,例如,每当经济危机发生后,由于物价下跌,商品减价销售,同样数量的购买力可以买到更多的商品。另一方面,由于生产减缩,商品库存减少,从而有可能使已生产出来的产品和市场购买力之间达到暂时的平衡。此外,在危机期间加速破坏旧的生产力,落后了的、陈旧了的生产设备遭到淘汰。所以,马克思曾经指出,危机往往是大规模投资的开始。这也为生产资料的扩大生产带来了市场。在危机对社会生产力和过剩商品进行强制破坏之后,生产和消费之间的矛盾就达到了暂时的均衡,危机阶段就开始走向萧条和复苏阶段,从而,又开始了新的经济周期。因此,一般说来,危机发生的本身,也同时产生了克服危机的力量。在20世纪30年代以前,每当危机发生后,都主要是依靠资本主义制度本身的力量走出危机的(当然,资产阶级很早就采取了反危机措施,但当时并没有形成克服危机的主要力量)。

从20世纪30年代大危机开始,资本主义生产过剩危机已深化到这样的程度:资本主义经济制度的结构自身已失去了走出危机的力量。那次危机在主要资本主义国家中延续了五年之久,后来主要是依靠人为的刺激,才走出危机的。

二战后,资本主义经济危机周期变化的这一特点继续存在和发展,而在某些方面,则更变本加厉。在每次危机达到高潮时,各国政府都毫无例外地采取反危机措施,即"萧条对策"。诸如,增加对私营银行和企业的贷款额;降低利息率;放宽对私人住宅建筑的限制;增加公共事业开支;放宽消费者金融;增加政府发放职业补助金的行业;放宽对私人设备投资的优待;增加公司债券和事业债券的发行额;等等。这一切都表明,各国在危机期间采用了人为地刺激经济的办法来阻止危机的深化。

5. 周期的四个阶段发生了变化

在二战前,经济周期大部分经历四个阶段:衰退、萧条、复苏、高

第五章 当代资本主义经济的运行周期

涨。衰退阶段的基本表现是生产下降。生产停止下降和在低水平上徘徊，是萧条阶段的特点。生产有较大幅度的增长，但其幅度没有超过危机前夕所达到的最高点，这是复苏阶段的特点。生产的迅猛发展，超过了前一个周期繁荣的最高点，是高涨阶段的特点。而高涨的顶点又是危机的前夜。在周期的每一个阶段，都为过渡到下一阶段创造着条件。

战后，资本主义国家经济周期这四个阶段的界线，有时不甚明显，且大多数的周期只有三个阶段，即衰退、复苏、高涨，往往是在生产下降后，资本主义国家政府即采取刺激经济的手段，使萧条阶段不甚明显，就转入了复苏和高涨阶段。资本主义国家官方的统计和大部分学者，则把战后经济周期只分为两个阶段："收缩期"与"扩张期"。这就是所谓"V"字形周期，即在生产迅猛下降后，由于人为的刺激和其他的原因，生产又迅速上升。战后资本主义世界经济危机周期阶段的变化，大多数是这种形态的变化。

但是，也有如下情况，如1973~1975年衰退，在生产猛烈下降后，1975年春到秋季，生产停止减缩，开始回升，但回升得很慢，经历了较长期的萧条阶段和复苏阶段，到1977年有的国家甚至拖到1978年，工业生产才恢复到危机前的最高水平。这就是所谓"U"字形周期。

总之，经济周期四个阶段的嬗递不如战前那样明显，有时会湮没某一个阶段。这是前述一系列特点造成的，也是国家垄断资本主义采取反危机措施的结果。

5.2.2 20世纪90年代以来资本主义经济周期的新变化

在经历20世纪80年代中后期经济繁荣之后，西方资本主义国家在20世纪90年代初相继进入了新的一轮世界性的经济危机和萧条之中，1994年又相继走出危机。

1. 20世纪90年代资本主义经济周期的特点

由于历史演变的连续性和不可重复性，20世纪90年代的资本主义经济周期，既具有战后历次经济周期的共性，又具有新的特性。

第一，本次经济周期具有世界性但又具有非同步性。1990年至1994年期间，各主要资本主义国家均经历了一轮经济衰退和复苏。表5-1列举的主要资本主义国家国内生产总值增长率显示：美国、英国、加拿大等英语国家于1990年率先进入经济衰退。并于1991年达到谷底,1992年开始爬升。1994年均已走出萧条。而法国、德国等欧洲大陆国家则到1991年或1992年才陷入经济衰退的泥潭,并于1993年达到谷底,1994年开始复苏。但日、法、意等国的复苏步伐并不强劲。欧洲大陆之所以滞后一年多才进入衰退,很大程度上是因为1990年德国统一增强了德国及邻国的商业信心和需求之故。

表5—1[①] 主要资本主义国家国内生产总值增长率比较 (单位:%)

国别	1989年	1990年	1991年	1992年	1993年	1994年
美国	2.5	1.0	−0.7	2.6	3.1	4.0
日本	4.7	4.8	4.3	1.1	−0.2	0.6
德国	3.6	5.5	4.3	1.0	−2.3	2.5
法国	3.7	2.5	0.7	1.4	−1.0	2.5
英国	2.2	0.6	−2.1	−0.5	2.1	3.8
意大利	2.9	2.1	1.3	0.9	−0.7	1.7
加拿大	2.4	−0.2	−1.8	0.8	2.2	4.6
经合组织	3.7	1.8	0.7	1.7	1.1	2.9
全世界	3.4	2.1	0.7	1.8	2.3	3.7

第二,本次经济周期萧条和复苏持续的时间是二战以来历次周期中最长的一次。美国自1990年7月进入衰退到1991年3月走出衰退仅历时8个月,但在此后长达26个月的时间内却回升乏力,直至1993年下半年经济增长速度才明显加快。日本自1991年5月进入衰退,1994年6月才走出衰退,历时18个月,为战后持续时间最长的一次衰退。英国、加拿大自1990年中进入衰退,直至1993年才逐步走出衰退。法国、意大利的衰退也均长达3年之久,直至1994年才露出复苏的曙光。德国在经历1992~1993年的衰退后,1994年、1995年的复苏仍然乏力。

第三,与以往周期不同,这次周期是在通货膨胀普遍较低的情况下发生。20世纪70、80年代的经济衰退是在石油价格大幅上涨从而引起成本猛涨和通货膨胀的背景下,政府为控制通货膨胀而紧缩经济所致的。而这次衰退发生之时,各国通货膨胀率普遍较低。这次衰退的发生,主

---

① Survey of Current Business, January 1995, Banque de France, 1994, Annual Report.

第五章 当代资本主义经济的运行周期

要是周期性因素和结构性因素所致。衰退的结束和今后经济的增长也将取决于这些因素的变化。

第四,这次衰退和复苏期间,各国失业率普遍很高,尤其是欧洲诸国。即使在已走出衰退的今天,失业率仍然居高不下。减少失业始终是这次周期期间最为迫切的问题,在经济复苏时就业增长非常缓慢(例如,美国历次回升头一年半平均增长5.4%,这次仅0.1%),永久性失业大增,欧盟各国目前失业率仍高达11%左右。1993年经合组织国家和欧盟的失业人数分别高达3400万人和1770万人。比1990年的2450万人和1430万人有大幅增加。

第五,各国经济普遍出现负增长,而且下降幅度较大。英国、加拿大等国连续两年出现负增长。日本发生了战后最严重的危机。德国1993年GNP下降了2.3%,是战后历次衰退中最严重的,且工业生产也连续两年下降,其幅度仅次于1974~1975年的危机。法国也出现了二战后仅次于1974~1975年衰退的GDP下降。

第六,20世纪80年代以来,各国财政赤字相当庞大。1970~1980年代以来,为克服滞胀,西方各国普遍采用了赤字预算政策,致使政府赤字占GDP的比重不断提高。尽管20世纪80年代末情况有所好转,但随着20世纪90年代初各国相继陷入危机之中,各国政府赤字再度膨胀。财政赤字以及由此带来的高额政府负债,已成为经济发展的严重阻碍,几乎完全丧失了刺激经济的功能。美国联邦政府的负债20世纪90年代以来已大幅增长,从1990年的33648亿美元增加到1993年的45357亿美元,相应地,占GDP的比重已从1990年的60.7%增至1993年的71.5%。德国公共部门负债占GDP的比重也已由1990年的48.6%上升到1994年的60.1%。

2. 20世纪90年代资本主义经济周期的成因

20世纪90年代初资本主义经济周期形成的原因比较复杂,既有周期性因素,又有结构性因素,也有政策性因素。总体来说,下列因素比较重要。

第一,金融自由化和"泡沫经济"破灭的恶果。20世纪80年代以来,几乎所有主要资本主义国家都不同程度地取消或放松了对金融市场的行政干预或管制,如取消对利率和金融机构活动范围的限制等。这些金融自由化措施促使银行和其他金融机构互相打入对方的传统业务范围，加剧了它们的竞争，活跃了金融市场，导致了金融业的膨胀，促使政府、企业和个人的债务猛增，与债务膨胀相伴随的是主要资本主义国家的储蓄率普遍下降，结果金融市场资金不足。商业银行贷款利率居高不下。这就决定了借债者只有获取高收益才能在抵补高昂的资金成本后而有利可图。高收益必然伴随着高风险。于是，极度膨胀的信用资金在各种金融机构或投资机构的引导下投向资本收益较高、风险较大的房地产、股票、借款兼并等领域。这导致了20世纪80年代后期金融活动与实际经济活动严重脱节，形成虚假繁荣即泡沫经济。20世纪80年代末90年代初，泡沫经济的破灭严重扰乱了西方各国的经济秩序，各国挽救金融危机的努力，并引发了其后的金融紧缩，从而在很大程度上导致了20世纪90年代初的经济衰退和长期回升乏力。

第二，科技革命对经济周期的影响。科技进步高潮到低潮的演进，往往伴随着经济发展高潮和低潮的更替。20世纪80年代以来，世界科技进步步入了一个相对平静时期，这在一定程度上决定了20世纪80年代各资本主义国家经济的低速增长和20世纪90年代初的衰退。进入20世纪90年代后，许多发达资本主义国家已进入向新科技革命的过渡或酝酿时期。但是，新科技革命转化为现实生产力，不仅需要时间，更需要投入大量的固定资本，把新科技予以物化。自20世纪80年代末以来，由于种种原因（尤其是财政赤字占用了大量资金），各主要资本主义国家的投资率不增反降，使这一转换难以迅速完成。由于20世纪90年代初新科技革命事实上并未形成巨大的生产力，新技术产业创造的就业机会并不多，但新科技革命引发的高科技化却使制造业丧失了大批工作岗位，造成了持续的高失业率和经济衰退。高失业率还使社会福利支出居高不下、保护主义势力抬头，延滞了新技术的推广和应用，从而加重了经济衰退和复苏乏力。

第三，冷战时代的结束。20世纪80年代末90年代初冷战的结束并没有立即给人们带来更好的生活，相反在短期内各主要资本主义国家均为此付出了一定的代价，这在一定程度上加深了20世纪90年代初的危机。冷战结束使西方各国尤其是美国的军费开支大为缩减，其直接后果是总需求的下降，以及一些军工企业及相关地区的减产或转产，从而加

第五章 当代资本主义经济的运行周期

剧了经济困难和失业,导致了经济衰退。1993年美国GDP因此下降了0.5个百分点,美国国内军工行业就业工人从1987年的720人万减少到1997年的450万人。德国的统一尽管使德国及其欧洲邻国享受了1991年的短暂繁荣,但不久就使德国陷入了战后最严重的经济危机之中。因为东德的境况远比人们预想的要糟糕,德国统一或重建东德的成本远远大于人们的预期,结果引起了大量的公共部门赤字。赤字从统一前的实际为零迅速上升到1993年占GDP的7.5%,庞大的赤字加重了通货膨胀的压力,使德国政府不得不紧缩银根、提高利率。结果,投资缩减,德国经济步入衰退。高利率的压力通过欧洲汇率机制传导到其他欧洲货币体系国家,使这些国家也陷入衰退之中。

第四,投资增加缓慢。固定资产投资增长率历来是影响国民经济增长率波动的主要因素。表5—2列举的数据表明,20世纪90年代以来主要资本主义国家固定资产投资增长缓慢,且均出现了连续几年的负增长。投资增长缓慢的原因比较复杂,主要是西方各国储蓄率普遍较低和奉行紧缩性宏观经济政策所致。

表5—2 主要资本主义国家总固定资本形成增长率 (单位:%)

国别	1989年	1990年	1991年	1992年	1993年	1994年
美国	2.8	−0.7	−7.1	7.0	11.9	17.1
日本	10.5	11.4	4.9	−0.9	−2.4	−3.4
德国	9.4	13.2	10.9	4.2	−6.0	2.2
英国	15.2	2.0	−9.1	−4.1	1.1	5.7
法国	10.6	5.8	3.3	−2.4	−5.9	2.4
意大利	9.9	10.3	5.9	2.5	−9.0	2.9
加拿大	10.0	−3.2	−6.6	−2.3	0.0	8.0

资料来源:International Financial Statisticw,1995年第8期。

第五,结构性因素的作用。各主要资本主义国家尤其是西欧诸国普遍存在结构性生产过剩。表现为汽车、化工、纺织、服装等传统工业品在原有市场上的供应已趋于饱和,而且随着新兴工业化地区20世纪80年代以来国际竞争力的全面趋强,西方诸国在传统产品上的国际竞争力更是相形见绌,销售额不断萎缩、从而导致整个经济走入衰退。由于这种危机并非原有市场萎缩所致,无法用刺激需求的方法予以解决,结构性危机只能通过结构性改革来解决。但是,结构性改革无法做到立竿见影,需要借以时日。另外,贸易保护主义和僵化的劳动力就业政策等也限制了资本存量的快速调整,延滞了结构性改革的进程。造成结构性危机的主要原因有二:一是社会保障负担过重(普遍占 GDP 的 1/3)、税率过高,导致成本过高,经济竞争力不足;二是政府对新技术革命相应政策准备不足,资金投入不足,尤其是西欧各国仍把注意力集中在保持和发挥传统工业的优势上,不太重视开辟新领域。

5.3 新经济与经济全球化对资本主义经济周期的影响

5.3.1 新经济对资本主义经济周期的影响

1. 新经济及其特点

20 世纪 90 年代,美国经历了长达 118 个月的经济持续增长,是美国历史上最长的经济景气周期。与以往历次周期相比,这次周期伴随着经济较高速度增长的同时,通货膨胀率较低,失业率较低,收入增长较快,人们将这种经济状态称为"新经济"。"新经济"这一提法最早出现于美国的《商业周刊》,并对美国经济运行中的"新经济"现象给予足够的评价。新经济可以广泛地理解为以信息技术为主的新科技革命所推动的经济增长模式,它不仅繁衍出一种新的经济增长周期和经济结构,而且将极大地改变当代资本主义发展的历史进程和现实矛盾状态。

美国《商业周刊》主编斯蒂芬·谢波德将新经济概括为六大特征,即实际 GDP 大幅度增长、公司运营利润上涨、失业率低、通货膨胀率低、进出口之和占 GDP 的比重上升以及 GDP 增长中高科技的贡献率上升。我们认为,新经济的特点可以概括为以下三点:

首先,经济增长以信息产业为支柱。传统的经济增长依赖于大规模的制造业产出的增加,新经济条件下,经济增长则依赖于知识更新的速度、技术发展的快慢。在美国,信息技术产业占到整个经济的 1/4 以上,年增长速度高达 28.6%;汽车工业产值只占 4% 左右,年增长率只有

第五章 当代资本主义经济的运行周期

1.8%，信息产业已经成为经济增长的支柱产业①。

其次，经济交往以网络为纽带。传统的经济交往活动要依赖于企业与企业之间的人员往来实现，都在现实生活空间中进行。新经济条件下，网络正在加速发展，企业的经济活动则可以在虚拟的网络空间实现，如网上订货、采购以及销售产品和提供服务。据纽约证券交易所资料显示，美国网上交易的股票族约从1997年的400万人增加到2000年的1800万人，网络零售额达258亿美元，网络广告收入达90亿美元②，网络已经成为经济交往活动的纽带。

最后，经济发展以全球为市场。一国国内市场已经无法容纳新的投资和其创造的所有商品，以网络为纽带的新经济缩短了经济活动的时间和距离，使全球化成为世界经济发展的必然趋势。全球化进程的加快，最明显的表现是世界商品和资本的国际流动规模的迅速扩大。20世纪90年代，世界贸易年增长率近60%，高出世界GDP的增长率近一倍。对外直接投资的增长更为迅速，已从20世纪90年代初的2000多亿美元增长到2000年的11000亿美元③。全球化导致金融、科技、信息、知识和人才的全球流动规模都在迅速扩大。

2. 新经济与资本主义经济持续繁荣的原因探析

新经济的出现使资本主义经济持续繁荣的原因主要有以下几点：（1）随着IT行业和风险投资引起的资本市场的迅速增长，经济增长的趋势越来越好，全要素生产率上升。劳动生产率比过去有了更大的增长，劳动力资源被充分利用。（2）新经济的概念与技术进步的影响紧密相关，特别是信息通信技术，而且获取信息通信技术应用的好处有时需要对公司、产业和市场进行重组。有证据显示，信息通信技术运用的网络效应对生产率的增长作用有限，美国综合生产率增长的很大份额来自于信息通信技术部门本身。（3）在很多领域政策设定对促进经济增长是重要的，然而在技术迅速变化的时候变得更加重要，因为它们增强了经济的灵活性和动态性。其中宏观政策和结构政策之间的相互关系是非常重要的。

---

① 王全权、刘长根："'新经济'与当代资本主义的'命运'"，《学海》2003年第2期，第6页。
② 王全权、刘长根："'新经济'与当代资本主义的'命运'"，《学海》2003年第2期，第6页。
③ 胡均民："美国新经济、经济全球化与世界经济体制竞争"，《经济与社会发展》2003年第8期，第22页。

当宏观经济政策健康时，好的结构政策才能够更好地发挥作用。(4) 企业行为是驱动经济增长的重要力量，特别是在技术变化剧烈的时期，对于企业来说，有许多方面可以促进一个良好的框架。一个是确保竞争的环境，另一个是确保有效的劳动力市场、公共管理和基础法律。(5) 金融系统起了重要作用。风险资本对催生美国信息通信技术产业的增长起了重要作用。(6) 知识和人力资本的积累对生产率有直接的影响。(7) 社会起了更基础的作用，它确保了基本的游戏规则，比如保护所有权，另外一个相关的或许更基本的问题是信用或对社会的信心。

3. 新经济对资本主义经济周期的影响

为什么传统经济周期理论不能令人信服地解释新经济现象，我们可以从新经济自身内部去寻找答案。新经济导致传统经济周期变形从而传统周期理论不适应新经济的原因如下：

第一，信息革命使新经济的产业结构升级加速，从以物质生产为主向以信息、知识等非物质生产为主转变，即从 A (atom 原子，一切物质的基本单元) 向 B (bit 比特，信息传输的基本单元) 转变。由原子组成的物质产品有重量，而比特没有重量，可以以光速传递，以物质产品为基础的生产明显地转变为以知识、技术和信息为主的服务，实现了从 A 到 B 的转变。主导产业从钢铁、汽车、化工、建材建筑等传统产业转变为包括集成电路、计算机软件、个人电脑、传真机、光缆、芯片等在内的信息技术产业，并且在国民经济中的主导地位不断加强。据美国《商业周刊》报道，过去三年中美国 GNP 的 40%～50% 来自高技术产业，而民用住宅业和汽车业创造的产值分别为 14% 和 4%，信息技术硬件的销售额超过其技术硬件上的投资就达 2820 亿美元，比美国新汽车和配件的销售额高 17%，比新住房销售额高 49%，比商业、建筑业、工业的销售额高 168%[①]。信息产业在经济结构中占据主导地位，其对经济的周期性波动产生决定性影响，而信息产业的周期性波动并不取决于固定资本的更新，而是取决于新技术、新知识及其获取方式，这些将成为经济周期波动的最主要影响因素。

---

① 廖国民、潘剑锋："从'新经济'看当代经济周期的新变化"，《求索》2003 年第 4 期，第 14 页。

第五章 当代资本主义经济的运行周期

第二,新经济时代的柔性化、智能化生产方式使物质生产部门的固定资产更新方式和周期发生重大变化,信息技术和设备的投资成为企业投资的重要组成部分。工业经济时代发达的大机器生产线适应大批量、单一规格的生产,当生产规模扩大到市场所不能容纳的地步时,便出现经济危机,危机过后便要大规模更新技术、更新设备、生产新产品以适应新的市场需要,因此,大规模的固定资产更新就成为传统经济周期的物质基础。而在新经济时代,生产是由计算机控制下的集成综合自动化系统,它是一种富有弹性的柔性生产系统,它在满足市场需求变化时具有适应性和灵敏性,可以进行小批量、多品种、多规格的生产制造,产品趋于精细化、多样化、个性化。设备的改造、更新,往往是新的计算机软件程序的设计与改进,而不是传统的大规模固定资产更新。这样,传统经济周期得以形成的物质基础在知识经济时代便不复存在。

第三,信息传输网以至信息高速公路的建成,对于商品流通、货币流通以及劳动力的流动方式带来革命性的影响,使生产者、消费者的时空观念发生相应变化,进而使经济增长的周期波动过程变形。由于信息要素在生产过程中的地位日益重要,信息量的增长、信息传输速度的加快,使经济发展过程中各个环节、各产业部门之间的不平衡幅度缩小,企业可根据需求与销售的变化很快调整生产,保持供求平衡,从而抑制经济衰退,使经济增长的升幅、跌幅落差缩小,振荡幅度降低,增长期延长,周期波动趋缓。

第四,信息主导产业的发展和传统产业的信息化、高技术化大大提高了劳动生产率。如1990~1994年美国制造业劳动生产率的年平均增长率为2.86%,近10年的全要素生产率的增长也一直保持在2%左右的水平,这主要得益于信息技术革命。劳动生产率的提高,大大提高了企业的国际竞争力,使得对外贸易日益增长,如美国自1992年以来,出口增长35%,对外贸易额在GNP中所占比重从20世纪90年代初的20%上升为25%,有的年份达30%以上[①]。1990~1996年间美国大宗商品出口每年递增9%,出口增长对国民经济增长的贡献率越来越大,这对于维

---

① 廖国民、潘剑锋:"从'新经济'看当代经济周期的新变化",《求索》2003年第4期,第15页。

持较低的失业率和通货膨胀率,维持经济的稳定扩张发挥了重要作用。同时,由于高新技术产业的出现,使得由高新技术推动的经济发展产生通货膨胀的可能性不大,从而避免了价格的持续上升和经济过热。

5.3.2 经济全球化对资本主义经济周期的影响

1. 经济全球化的形成及特点

经济全球化是一种过程,具体而言,是指生产者和投资者的行为日益国际化,世界经济几乎由一个单一市场和生产区组成,而不是由各国经济通过贸易和投资流动连接而成,区域和国家只是分支单位而已。

经济全球化进程的加快已经是当今世界经济的主要特点和大趋势,它对世界和各国经济影响很大,因此引起国际社会和各国的高度关注。经济全球化是市场经济发展的一种必然趋势。经济全球化,简而言之就是以直接生产领域中的国际分工为基础、以发达国家的跨国公司为主导的资源的全球配置,以及由此而产生的世界各国经济紧密联系和相互融合的进程。

人类进入 21 世纪,经济全球化的趋势继续发展。目前,WTO 成员已经达到 144 个,IMF 成员已经达到 183 个,世界主要经济体均已融入当今世界经济体系。当前经济全球化趋势呈现以下特点:

第一,科学技术是经济全球化的强大助推力。以信息技术为代表的高新技术产业,已经成为世界经济增长的引擎,更为重要的是信息技术将世界经济连接为一个覆盖全球的网络,缩短了世界市场各部分之间的距离,为人类拓展了经济生活空间,极大地推动了生产、金融、贸易、技术的全球化进程。

第二,经济行为主体追求利润的动机是经济全球化过程持续发展的重要原因。追求利润是所有经济行为主体的动机,而获得利润的手段不外乎两个,一个是不断开辟新市场,另一个是降低经营成本。为此,各国政府通过签订各种协议,推动、参与经济全球化过程,从经济意义上讲,其目的就是为了降低经济主体跨国界经济成本。

第三,国际经济规则的不断强化为经济全球化提供制度保障。世界银行、国际货币基金组织、世界贸易组织奠定了当代国际经济秩序的基本规则。发达国家凭借其经济实力的优势,在国际经济谈判中不遗余力

第五章　当代资本主义经济的运行周期

地推行贸易自由化。以亚洲新兴工业化国家为代表的实行外向型发展战略的国家和地区在经济上的成功,为其他发展中国家实行经济自由化产生了强烈的示范效应。伴随着国际产业分工与技术扩散,发展中国家与发达国家的比较优势也发生了变化,发展中国家逐渐成为世界市场上劳动密集型商品的主要供给者,一些新兴经济体也从资本净输入国变为资本净输出国。发展中国家对进一步削减贸易与投资壁垒提出新的要求。

2. 经济全球化对资本主义经济周期的影响

一些经济学家认为,传统的"经济周期理论"在经济全球化下应有所变化,他们提出了一些新观点,其中具有代表性的有[①]:

——经济周期"消失论"。持此观点的经济学家认为,传统的经济周期业已消失,经济将迅猛增长,不大可能出现衰退,因为引发过去经济衰退的许多问题今天已不复存在。

——经济周期"缓和论"。加州伯克利大学教授史蒂文·韦伯认为,在生产和消费全球化环境下出现的就业和财政上的变化,减少了发达国家经济的不稳定性,大的经济起伏已成为过去,因而在经济全球化条件下,以往经济周期中所呈现的繁荣、衰退、萧条和复苏四大阶段"不再像从前那样明显"。

——"周期消失证据不足"论。杰勒德·贝克在《金融时报》撰文认为,虽然美国20世纪90年代的经济"奇迹"确实存在,但现在就说增长加快不会引起通胀,恐怕为时过早。他认为可用"过渡经济"观点来解释美国20世纪90年代以来的新经济现象——经济周期依然存在,只是发生通胀现象的间隔可能比通常的要稍长一些;失业率下降而没有引发通胀还可用就业人口已发生变化来加以解释。

以上是目前对于经济周期几种颇具代表性的新看法、新观点。之所以会出现对经济周期有无的争论,我们认为,主要是因为在经济全球化条件下以美国为首的发达国家的经济周期各阶段不再那么明显,而是变得模糊,难以辨认了。

事实上,区别经济是长期的结构变迁还是短期的波动是十分困难的。

[①] 袁涌波、范方志:"经济全球化下经济周期波动的新特征",《兰州商学院学报》2004年第4期,第7页。

当代资本主义经济论

一些"新经济论"者把低通胀、低失业率归结为经济结构长期变化的结果还不能够获得经验的证实,至少目前是这样的。因为要区分引起当前经济变化的因素是临时性的还是长期性的需要进行详细的经验分析,更需要多年的时间序列数据(Blinder,1997)的证明。

我们认为,经济周期"消失论"产生的重要原因就是把"经济周期"机械地理解为从自然界中观察到的许多"周期波动",认为经济周期频率、幅度和持续时间应是一致的,即每年周期时间长度都应相同,每个周期的所有情况也应该完全一样。这种机械的理解会导致两种后果:一是否定了经济周期的存在。因为在现实经济生活中,没有像物理学或数学中那样时间长度固定和情况完全相同的周期;二是错误地进行预测。认为上一个周期是几年,下一个周期也应该是几年;上一年周期是什么样,下一个周期也应该是什么样。

美国经济周期专家扎尔诺维奇就曾说过,"经济周期"这一术语就其不含有惟一的周期长度来说,有点用词不当,但是它的广泛被接受,表明对周期存在着的重要规律性的一种认识。观察到的波动,除了在时间长度方面,在振幅和范围方面也变化很大,然而它们却有着许多共同点。

传统的经济理论将经济周期划分为萧条、复苏、繁荣、衰退四个阶段,基本上客观地反映了工业社会资本主义经济周期波动的规律。但是,在经济全球化条件下,经济的周期波动显然出现了新的变化。我们认为,经济全球化条件下的经济周期具有以下特征。

第一,经济周期波动幅度减小

经济周期波动的绝对和相对波动幅度有所减小,危机相对温和,没有大起大落,周期的"微波化"趋势更加明显。一些发达国家的经济发展出现了两个特点:一是复苏期延长,经济持续增长;二是周期特征钝化,没有强劲的高潮,也没有明显的衰退。经济稳定增长的同时伴随着低失业率和低通货膨胀率。

经济周期波动幅度减小,其原因在于,首先是在经济管理体制方面,政府对资本主义宏观经济和微观经济进行了适当的干预和调控。在干预宏观经济方面,主要是通过财政政策和货币政策对资本主义经济不同时期的经济发展总量和经济结构进行控制;在微观经济方面,主要是通过反垄断政策和法规,保持市场经济的正常秩序。过去那种纯粹依靠市场

第五章 当代资本主义经济的运行周期

机制的年代已一去不复返了,各资本主义国家普遍实行市场机制与国家宏观调控相结合的原则和体制。随着经济全球化的发展,政府宏观调控已显得愈来愈重要。这种调控是在国际垄断资本主义发展的基础上,通过本国政府、国际经济组织所进行的经济关系和经济政策的调控,它往往是由资产阶级国家出面,通过会谈达成协议或签订条约的方式实现的。其目的是缓和国家之间在资本运动中的矛盾,协调各自在宏观经济政策方面的分歧,解决共同面临的一些全球问题。20世纪70年代初出现"滞胀"以后,资本主义国家以及一些国际经济组织更加重视对通货膨胀的抑制,把通货膨胀视为经济发展的头号敌人,把低通胀率下的经济适度增长作为最主要的政策目标,积极而主动地运用货币政策,随时根据经济增长和通胀率变化而调整利率,对抑制通货膨胀抬头产生了根本性的作用。

其次是因为产业结构进一步软化[①]。各国服务业占国内生产总值的比重继续有所提高,而且越来越成为制造业发展的重要条件。制造业的生产成本和效率在不断变化,1979~1988年发达国家制造业每小时收入平均增长8.0%,1989~1998年下降到6.2%;制造业生产率平均增长率由4.7%下降到3.2%。企业管理体制和生产方式在不断变化,减少管理层次,实行小批量、多品种的"柔性生产"和将库存减少到最低限度的"精益生产"。在生产和再生产过程中,为了适应大规模生产制向灵活生产制的转变,在追求利润目标最大化的同时,日益强调同"社会需要"的结合,强调管理的"民主化、专业化、科学化",特别强调把工人看作"经济人"、"社会人"、"文化人"和"决策人",以调动他们生产的积极性和创造性。在西方发达资本主义国家,已逐步形成多层次和多形式的职工参与和决策管理制度,企业文化日益发展。上述变化,使产业结构和企业经营管理更具灵活性,提高了产业和企业对市场变化的应变能力,分散了经济周期波动的风险,因而,也使经济周期变化不明显。

此外,国际合作与协调机制也创造了一个相对稳定的国际金融和贸易环境,减少了因外部市场变化所引起的国内经济波动,减少了贸易保

[①] 马云泽:"产业结构软化及其对世界经济发展的影响",《当代财经》2004年第4期,第2页。

护主义与外贸倾销,减少了以邻为壑、最终损人不利已的对外经济政策,创造了以协商解决国际经济争端的机制和可能性,缓和了世界经济危机,减弱了经济危机的深度。

第二,经济周期延长

据统计,19世纪后期以来,世界经济经历了两次较长的增长期:1914年爆发第一次世界大战以前的40年期间,世界经济年均增长率为2.1%,比这个时期以前50年的年均增长率高一倍以上;从1950年到1973年是世界经济又一个黄金时期,年均增长率达4.9%。美国沃尔顿计量经济预测研究所预测,今后20年世界经济年均增长率可望达到4%。历史已经证明,不同因素和环境可能导致经济增长期的缩短或延长。冷战结束后,经济全球化进程加快,国际形势总体上继续趋向缓和,世界经济增长期延长是可能的:

首先,科学技术已成为推进全球化进程的火车头,科技迅猛发展正在把世界经济推向知识经济的新时期。以高新技术发展为基础的信息化为发达国家经济增长注入了新的动力因素。信息化不仅带动了新兴产业的发展,而且使传统产业得到改造。信息产业已成为新型产业和新的经济增长点,它是影响经济周期变化的重要因素。在当今经济全球化浪潮中,科技革命的特点是,以微电子技术、信息技术为主导,涉及航天航空、生物工程、新能源、新材料等技术领域。各种信息技术设备(主要是电脑),其功能却是部分代替和减轻人的脑力劳动,大大提高脑力劳动的效率。正是在科技革命新高潮推动下,发达资本主义国家的经济正在由工业经济向信息经济转变,产业结构出现了新的变革。在信息技术革命影响下,产业结构的新变化,已不再主要表现为三大产业之间的比例关系上,而主要表现在高新技术产业的迅猛增长并正在成为世界经济的新增长点。据统计,1994年到1996年,美国高新技术产业产值占国内生产总值的比重已达27%,而同期住宅和汽车业的产值分别占国内生产总值的14%和4%。[1] 而且一些"夕阳工业"由于信息技术的渗入得到改革,获得了新的生命。随着产业结构的新变革,就业结构也发生了新的变化,"知识型"劳动者迅速增加,而"非知识型"劳动者逐步减少。信

---

[1] 李琮:《当代资本主义的新发展》,经济科技出版社1998年版,第52页。

第五章　当代资本主义经济的运行周期

息技术革命使脑力劳动的工作大大增加并日益重要。随着信息技术产业的不断壮大，以及传统产业技术含量的提升和劳动力素质的提高，导致资本主义国家生产率水平不断上升，减缓了经济的波动，增长期相应延长了。

其次，国际组织制订的多边规则日益完善，贸易和投资日趋有序自由化。世界贸易组织取代关税及贸易总协定以来，主持进行了一系列谈判，并达成多项重要协议。世界贸易组织的争端解决机制也在有效地运转。实践表明，世界贸易组织的建立，加快了全球贸易与投资自由化的步伐。20世纪90年代初以来，国际贸易与投资始终超前于世界经济的增长。一国经济的发展，越来越依赖于积极参与国际分工的程度和国际市场上的竞争力。各种区域性的多边合作机制不断发展，区域贸易与投资自由化也在迅速发展。

最后，国际形势继续趋向缓和，国际政治和社会环境有利于世界经济持续增长。大国间建立的各种伙伴关系逐渐向机制化方向发展，标志着大国关系逐步趋向稳定。经济因素在国际关系中的地位更趋突出，国家间相互依存关系明显加深。在多层次的伙伴关系中，各方都注意寻找共同利益的汇合点，突出加强合作与协调的一面，这种调整有利于国际形势继续趋向缓和。国际形势和环境有利于世界经济长期持续增长。

第三，经济周期趋同化

由于知识信息的可共享性、外溢性、扩散性，新经济部门具有边际收益递增的潜质，在近些年人类社会向知识经济过渡期间，世界主要国家的经济周期波动明显趋同，从其表面看，是由于全球金融动荡造成的，实际上则是知识经济发展的结果，与经济一体化、贸易自由化、资本自由化和电子信息技术的进步密切相关。知识经济虚拟化的特征，对整个经济运动的影响越来越大，经济周期的演进不再简单地表现为物质经济和传统经济那种周期性波动。由于知识经济的力量，信息服务业大幅度增长，科技、知识含量增加，传统产业的衰退或复苏对整个周期的影响力减弱，并钝化了服务业的波动。信息网络化正从正面影响着商品流通、资金转移和劳动者的流动，大大缩小了各环节、各部门、各地区的不平衡，进而改变了其经济周期的波动。

经济周期趋同化，使通过此消彼长来实现世界经济平衡增长的因素减弱，如20世纪80年代拉美经济停滞，20世纪90年代美国经济的衰退和东亚经济的快速增长等，都可以在一国经济发生困难时，通过转嫁危机和利用其他国家的经济增长而尽快得到恢复，使世界经济有惊无险。

以美国经济周期对其他发达国家经济周期的影响为例，美国经济周期与其他国家经济周期的相关性可以分为以下四种情形：第一是强相关（两国GDP的相关系数在0.7以上），包括加拿大和欧洲；第二是较强相关（相关系数在0.3~0.7之间），包括英国、德国、意大利、日本、奥地利；第三是弱相关（相关系数在0.1~0.3之间），包括澳大利亚、瑞典、法国；第四是不相关或负相关（相关系数在0.1以下或为负数），如芬兰和南非。

表5—3　20世纪60~80年代末美国经济周期对其他国家经济周期的影响

国家	GDP相关系数	
	与美国指标的相关系数	
	产出	消费
澳大利亚	0.25	0.13
奥地利	0.31	0.07
加拿大	0.77	0.65
芬兰	0.20	−0.01
法国	0.22	−0.18
德国	0.42	0.39
意大利	0.39	0.25
日本	0.39	0.30
南非	−0.15	−0.23
瑞典	0.27	0.25
英国	0.48	0.43
欧洲	0.70	0.46

资料来源：秦宛顺等："中国经济周期与国际经济周期相关性分析"，国研网：http://www.drcnet.com.cn。

由表5—3可知，美国与加拿大、英国、德国、日本等国家的经济周期存在着强相关或较强相关的关系。当然，美国、欧洲、日本及世界其他经济板块的经济发展周期仍存在一定的差异。这主要是由于不同国家

第五章　当代资本主义经济的运行周期

和地区生产力水平的差异、在国际贸易中的分工和格局不同以及市场开放程度不同所造成的。

再比较多个国家之间经济周期的相关性,以及不同国家之间经济周期转折点出现的联系。从表5-4可以看出,除了北美自由贸易区的美国和加拿大强相关以外,传统英语国家的英美、英加相关度较强,欧盟内部英法、德法、法意之间经济周期的相关性也较强。另外,英国与美国、德国与法国、德国与意大利之间的经济常常同处衰退期或复苏期。

表5-4　主要资本主义国家经济增长率与经济低迷或好转的相关系数

国家	英国	美国	加拿大	法国	德国	意大利	欧洲	北美洲
英国	1							
美国	0.58	1						
加拿大	0.54	0.74	1					
法国	0.47	0.31	0.28	1				
德国	0.26	0.33	0.19	0.48	1			
意大利	0.24	0.22	0.26	0.55	0.29	1		
英国	1	0.63	0.43	0.22	0.17	0.14	0.60	0.18
德国	0.17	0.36	0.41	0.63	1		0.51	

资料来源:秦宛顺等:"中国经济周期与国际经济周期相关性分析",国研网:http://www.drcnet.com.cn。

出现经济周期趋同化现象的原因,还包括经济的金融化进程加剧,程度加深。经济金融化的进程,发源于20世纪70年代中后期,20世纪80年代得到发展,20世纪90年代加剧。到20世纪90年代后期,全球证券市场的年交易量为70000亿~80000亿美元,国际信贷余额为38000亿~40000亿美元,年保险费收入为25000亿~30000亿美元,国际游资为72000亿~75000亿美元,全球日外汇交易量为15000亿~20000亿美元,一年交易量达几百万亿美元[1]。在国际资本转移中,生产资本即国外直接投资在国际经济关系中起着越来越重要的作用,成为其牢固的纽带。1983~1987年,世界对外直接投资总额约760亿美元,到1995年已

---

[1] 白钦先:"经济全球化和经济金融化的挑战与启示",《世界经济》1999年第6期,第11~12页。

达 3170 亿美元。资本主义国家经济金融化和资本市场的全球化推动经济周期的同步化。

同时，现代跨国公司成为当代国际经济活动和资源配置的主要组织形式，也促使资本主义国家间经济周期趋同化。目前跨国公司约 4 万家，其生产总值已占全球国内生产总值的 25%，占工业国家总产值的 40%。各跨国公司之间的贸易约占全球贸易总额的 60%。80% 以上的对外直接投资和 90% 以上的民用科技研究和开发以及科技发展转让都是由跨国公司进行的[①]。跨国公司利用遍布全球的从生产、销售、金融到研究发展的网络组织，具有难以比拟的优势。它可以利用当地廉价的原料和劳动力进行生产；可以动用当地的资金，供自己投资；可以利用各国利率的差异在子公司间调拨资金，可以减轻全公司的利息负担，甚至赚取利息差额的额外收入；可以绕过所在国的关税壁垒，逃避当地的税收和金融管制、贸易管制；可以利用国际间经济行情变化的差异，用国外生产弥补国内生产，或在各地区子公司之间进行调剂，以缓解国内因经济危机所造成的生产下降。

5.4 产业结构演变与当代资本主义经济周期

5.4.1 当代资本主义产业结构的两次大变革与高新技术产业支柱地位的形成

二战以后，资本主义国家的产业结构发生了两次阶段性的大变革。这两次大变革是与战后科技革命的两次高潮相关的。第一次是在战后 20 世纪 50、60 年代，这次产业结构的大变革，主要表现在三次产业在经济中所占比重的变化。第一产业比重迅速下降，如美国的第一产业在 GDP 中所占比重，从 1950 年的 6% 下降到 1993 年的 2%，其他发达国家也大致如此。第二产业保持基本稳定，甚至有所下降，美国 1950 年第二产业占 GDP 的比重为 36%，1993 年下降到 27%，其他发达国家的第二产业

---

① 李琮：《当代资本主义的新发展》，经济科学出版社 1998 年版，第 224 页。

第五章 当代资本主义经济的运行周期

所占比重在20世纪70和80年代以前有所上升,其后也渐趋下降。目前,这一比重维持在30%～40%之间。第三产业迅速壮大,美国的第三产业比重从1950年58%上升到1993的71.1%,其他发达国家多在60%以上①。

战后第一次产业结构的大变革,还表现在一些新兴产业部门迅速成长,在经济中占据日益重要的地位。当时的新兴部门主要包括合成化工(塑料、合成纤维、合成橡胶和化肥)、半导体产品、喷气式飞机制造、数控机床和设备,以及先进军工生产部门、原子能发电等等。战后第一次产业结构的大变革,使资本主义国家成为发达的现代化国家。

20世纪80年代后期,资本主义国家产业结构经历了又一次变革,主要表现在高新技术产业的迅速增长及其作用的增强。高新技术产业,特别是信息产业迅猛发展,正在代替工业部门成为经济的主导部门。统计表明,从1994年到1996年3年时间里,美国高技术产业产值占GDP的比重已达27%,相比之下,住宅和汽车业的产值占GDP的比重分别为14%和4%②。1996年,美国实际工资增长幅度的大约20%～25%源于高技术产业。信息技术渗入传统工业部门,使这些一度被视为即将没落的"夕阳产业"部门得到彻底改造,获得了新的生命。三大产业的划分,界限日益模糊。

进入21世纪,西方主要资本主义国家高新技术产业发展步伐进一步加快,主要体现在以下几方面:

首先,从产值和就业来看,计算机、电子信息等知识密集的高技术产业是所有产业中产出和就业增长最快的行业。在过去10年中,OECD成员国的高技术产业在制造业中的份额和出口比例翻了一番多,达到50%～60%,知识密集型产业,如计算机、通信、信息等的发展就更为迅速;据估计,OECD主要成员国国内生产总值的60%以上是以高技术知识为基础的。从就业看,近10年间,在OECD所有国家整个制造业中,拥有专业知识与技术的熟练工人的就业数量增加了60%多,而不熟练工人的就业数量则下降了70%;与高技术相关的高工资就业增加了

---

① 李琮:《当代资本主义的新发展》,经济科学出版社1998年版,第51页。
② 李琮:《当代资本主义的新发展》,经济科学出版社1998年版,第52页。

20%,中等工资就业下降了 20%;按接受教育程度分,中学毕业以下的失业率是 15%,而受过高等教育的劳动者的失业率不到 3%①。

其次,从主导产业和制造模式来看,信息产业与服务业成为国民经济的主导产业,如计算机、微电子、通信技术、生物医药保健、高等教育、科学研究与开发、金融与保险、营销服务等知识密集行业成为一国的支柱性产业。由于工业机器人、计算机集成加工系统等先进的制造技术和网络技术的普及,知识经济下的产品制造模式转变为柔性制造,即时生产,产品趋于个性化、多样化、智能化,消费者福利得到最大限度的提高,实现了技术与个性的完美结合。

再次,从投资流向及行业发展速度看,投资正在流向高技术行业和服务部门,特别是信息和通信技术以及研究和开发领域,软件产业和网络经济的发展十分迅猛。如环球网络(WWW)从推出到累积 1000 万用户,仅花了 3 年的时间,而电话的同样数量普及则花了 30 年的时间。正如一段出自 OECD 名为《技术、生产率和工作的创造》的报告中所描述的:"今天,各种形式的知识在经济过程中起着关键的作用,对无形资产投资的速度远快于对有形资产的投资,拥有更多知识的人获得更高报酬的工作,拥有更多知识的企业是市场中的赢家,拥有更多知识的国家有着更高的产出。"②

5.4.2 当代资本主义国家产业结构演变对经济周期的影响

当代资本主义国家经历战后产业结构的深刻变革,自身产业结构呈现新的特点,产业结构演变对经济周期的影响致使周期波动呈现新的趋势。

1. 当代资本主义国家产业结构的特点

当资本主义国家传统劳动、资本密集型产业逐渐被信息、知识和技术密集型产业所取代,其产业结构呈现以下特点:

第一,产业结构高技术化。产业结构高技术化是指用高科技武装传

---

① 廖国民、潘剑锋:"从'新经济'看当代经济周期的新变化",《求索》2003 年第 4 期,第 14 页。

② 廖国民、潘剑锋:"从'新经济'看当代经济周期的新变化",《求索》2003 年第 4 期,第 15 页。

第五章　当代资本主义经济的运行周期

统产业的过程。这里讲的传统产业，不仅仅是指传统工业，而且是指整个传统的第一、第二、第三产业（包括信息产业）。产业的高技术化的发展最突出地表现在用高新技术改造传统工业上。科技进步导致的劳动工具、劳动手段和劳动对象的创新，极大地促进了工业劳动生产率的提高，推动着传统的工业向高新技术产业的转化，使整个工业日益呈现高技术化。同样，其他产业高技术化的发展也在日益加强。

根据发达国家的发展经验，农业（第一产业）要先后经过机械化、电气化、化学化……一直过渡到工业化社会，这也就是第一产业的高技术化发展过程。当代世界第一产业的高技术化主要表现在：电子计算机可以广泛应用于农业生产、农业经营管理及农业信息服务等领域；在激光技术方面，可通过激光对作物的照射使农作物染色体发生变化而实现增产，也可通过用高能激光照射农作物而治虫害；在航天航空技术方面，可通过农业遥感技术进行资源调查、环境监测、农作物增产和病虫害探测等；通过核辐射技术创造农作物遗传资源、选育良种，用同位素跟踪技术改良土壤，防止病虫害和保护环境等；尤其生物技术在农业上的应用更是得天独厚。

战后，信息产业高技术化的发展尤为引人注目。例如，对于信息传递，早在发明书写以前，主要是靠人与人之间的对话。发明了文字以后，针对各种记录和传递方法速度慢的弊端，是我国首先发明了活字板，导致了印刷术的出现。后来，出现了邮政、电报、电话、半导体、电视、光缆通信、卫星通信、全球信息网络……，高技术在信息传递方面占据了"主战场"。现在，一个全球性的光缆通信网正在形成；人造视网膜、超导神经元电子计算机元件等，为 21 世纪开发超高速计算机揭开了序幕；20 世纪 90 年代以来各国相继推出的信息高速公路计划，形成了超国家信息空间，而全球信息网络的形成，使得信息在全球范围内得以迅速准确的传递，从而使全球所有的经济活动和经济过程相互渗透、相互作用、相互统一，全球被联结成一个日趋紧密的统一大市场。

发展中国家由于实施了鼓励工业化和制成品出口的政策，并由于接受了发达国家转移出来的许多制造业部门，使工业生产能力大幅度提高，用新技术改造传统产业的步伐也大大加快，工业相对其他产业在技术化的发展上更为突出，某些新兴工业化国家在工业技术化的发展上越来越接近发达国家。同时,其他产业的高技术化也有不同程度的发展,发展中国家产业高技术化的发展方向同样是当代世界产业结构变化的重要特征。

第二,产业结构融合化。产业结构融合化又称"产业结构重叠化"或者"产业边界模糊化"①,是指在知识分解和融合的基础上,由于大量新生技术日益趋同而形成的知识产业群,以及产业技术融合而导致的产业重叠加深,使产业边界具有了越来越不清晰的趋势。日本经济学家植草益先生也曾对产业融合进行界定,他认为,产业融合是指"从前分属不同产业的两个产业,因其中一方或者双方的技术进步,能够供给可以相互替代的产品与服务;或者是因规制缓和,可以比较容易地相互进入对方的经营领域,从前的两个产业融合为一个产业,从前分属于两个产业的企业之间形成竞争关系。"②

无论是源于技术进步还是规制缓和,产业融合已经成为当今世界产业结构变化的势不可挡的潮流与趋势。产业结构融合化具体表现在以下两个方面:

一方面,知识的高度渗透性使产业迅速分化,形成了核心技术趋同的诸多新兴产业群,原有产业边界日趋模糊。知识要素本身具有高度渗透性,主要表现在知识的快速分解、衍生和新的知识学科体系的建立,这就为产业的大量繁衍打下了知识基础。如以生物技术与生物工程为代表的生态产业是近年来发展较快的知识产业,也是产业分解衍生较快的领域。随着生物工程技术和知识的不断创新与向各产业的渗透,使原有的生物产业分离出生物农业、生物化工、生物材料、生物信息等十余个门类的新兴产业部门。但诸多被分离出来的新兴产业部门的核心知识与技术却都是建立在生物工程技术基础上的。产业间核心知识与技术的趋同使传统的划分原材料、技术工艺和产品的产业标准已经弱化。原有的农业与工业、材料工业与信息产业之间的明确的产业边界也因此模糊。随着知识要素渗透速度的加快,知识子系统的分离也将以几何级数进行,

---

① 马云泽:"产业结构软化及其对世界经济发展的影响",《当代财经》2004 年第 4 期,第 3 页。

② 马云泽:"产业结构软化及其对世界经济发展的影响",《当代财经》2004 年第 4 期,第 3 页。

第五章　当代资本主义经济的运行周期

产业的分化也必将加速,产业边界也就会因此而日趋模糊。

另一方面,产业技术的融合化导致产业重叠加深,使原有的以单一知识及其技术作为产业的划分标准遇到了强大的挑战。知识要素除具有高度渗透性致使产业分化以外,同时还具有良好的融合性。新知识往往是两个或多个知识学科融合的结果。知识的融合带动了产业的融合,使原来专业分工明确的产业组合成新产业,形成难分彼此、专业界限模糊的新产业形态。建立在知识融合基础上的产业技术融合更使各产业重叠逐渐加深。大量的依附行业衍生的"边缘行业"的崛起,使传统的以单一技术为基础的产业界限开始在产业融合中日益不清晰,产业划分标准面临产业发展的现实挑战。当然,在产业融合过程中,各产业融合与重叠的程度有所不同。比如,与基础知识关系密切的产业,在基础知识不断创新、发展的前提下,产业的生命周期将会有相当长的创新与发展阶段,这些产业的融合和重叠的程度会更深;相反与基础知识关系较疏远的产业,一般都处在技术扩散的边缘,当新的替代性技术出现时,产业将迅速从成熟趋向衰落,这些产业的融合与重叠就不明显。尽管如此,知识经济条件下,产业的融合与重叠已成为一种重要趋势。

第三,产业结构国际化。产业结构国际化,又称产业结构"无疆界"化,它是指一国或地区的产业结构变动通过产业构成的核心要素的国际流动,冲破国家疆界限制,在全球产业结构调整中实现转换的过程。产业结构的变动是产业发展的客观规律。在工业经济时代,经济全球化和知识经济尚未形成前,产业结构的变动一般是在一国国内伴随着本国经济发展的不同阶段循序渐进地进行的。随着以信息技术产业为核心的知识产业的兴起,逐渐出现了全球性产业,其迅速发展突破了地区和产业的界限,推动着全球范围内现代产业的发展,引起了世界新的产业革命和全球性产业结构调整浪潮。其显著特点是,它不仅涉及到一些产业的整体转移,更重要的是涉及同一产业部分技术与生产环节等要素的转移。世界范围内产业结构变动的这一特征打破了产业结构变动局限在一国国内的传统格局,出现了产业结构变动无疆界的新趋势。具体表现在:

一方面,产业构成各要素在世界范围内流动与配置,直接反映了产业结构国际化进程。产业结构的变动是通过产业构成基本要素的转移来实现的。产业构成基本要素包括资本、技术、人力等,当这些要素由传统的第一产业逐渐向第二、第三产业转移和集中时,产业结构的重心也因此由第一产业逐渐向第二、第三产业偏移,这一偏移过程也就是产业结构升级的过程。当产业构成要素来自本国又在国内各产业之间流动,便形成了国内的产业结构变动;当产业构成要素不仅来自国内,而且来自国外并在国际范围内流动,就必然形成产业结构变动的国际化。因为随着知识创新和信息、网络等高新技术的迅速发展,大大降低了世界不同国家之间相互联系和获取信息的成本,推动了经济一体化程度的加深和知识、高新技术及其人才等知识型生产要素的国际间流动的加速。

另一方面,高技术产业国际关联的形成,使产业结构变动不断国际化。由于技术本身的复杂性、综合性日益突出,技术开发的程度及所需财力、物力和人力空前增大,任何一国都不可能开发自己所需的全部技术,甚至无力独自开发一项全面的、大型综合技术项目,因此国际间的技术交流与研究协作迅猛发展。这种国际间的技术交流与协作一般采取两种形式:一是共同研究开发。由两国甚至多国在某个领域进行合作,共同分享研发的技术成果;二是在技术开发与技术利用之间形成的国际合作。这种合作以技术的所有权与技术的使用权分离为特征。这种分离使一些国家通过大量使用外来技术形成新生产能力和新的产业;而另一些国家则成为研究、开发进而输出技术和技术产业的基地。无论哪种形式的高新技术研究开发与利用,都是国际间合作的结果,所形成的高技术产业,以及由研发与利用之间形成的产业关联也具有国际性。这就不仅使一国的产业结构调整和升级受到国际高技术产业发展以及由此形成的产业关联的影响,而且一国产业结构的转换也因此冲破了国度的限制,出现了产业结构国际化的趋势。

第四,产业结构服务化。产业结构服务化不仅表现为第三产业内部服务业的不断扩大,同时还表现为第一、第二产业内部对服务需求量的不断扩大。

首先,从第三产业内部服务业来看,可分为三大类:第一类是为企业、事业部门提供的服务。随着企业内部事务处理和办公自动化的发展,与软件开发相联系的信息处理、程序设计等行业不断扩大;企业分工的不断发展,使原来属于企业内部的业务逐渐趋向独立化,企业转为从外部购入这些服务,这大大促进了批发、运输和仓储业的发展;企业技术

第五章 当代资本主义经济的运行周期

革新周期的缩短,办公自动化程度的提高,不仅使投资数量增大,同时也加大了投资风险,为解决这一问题,租赁业飞速发展起来;随着筹集资金、分散风险、市场调研和促进销售等必要性的提高,金融业、保险业和广告业不断扩充;企业、事业部门服务的高级化,还使安全保障、楼宇管理等建筑物服务业以及饮食供应业和废弃物处理业得以迅速发展。第二类是对个人提供的服务。随着个人收入的提高和闲暇时间的增加,使零售业、饮食业、旅游业、短期租赁业以及体育俱乐部和文化中心等休闲产业飞速发展。第三类是对社会提供的服务。社会基础设施的日益完善以及国民在福利方面需求的增加,使得旅客运输业、电信电话业以及广播、电视、医疗、公务等方面的服务不断扩大。

其次,以第二产业来看,其内部的服务量也在显著增加。在企业生产活动中,信息管理、综合计划、研究开发、市场调查、广告宣传、产品销售等与服务有关的业务比重急速增大。与此相适应,第二产业的产品成本中,与服务有关的价值含量也在扩大。此外,企业已不仅仅是销售有形产品的主体,更多的企业还利用各自的优势出售自己的专利技术、专有技术、管理技术和商标,从而也成为提供服务的主体,使企业的产品生产和服务生产成为整个生产过程中不可侵害的两个方面:制造业内部的软化和服务化促进了第三产业的发展;而第三产业的扩大又使第二产业进一步趋向软化和服务化。各产业就是在这种相互联系中相互促进,使经济日益趋向软化和服务化。

2. 产业结构演变对世界经济周期发展的影响

高技术产业的兴起和发展使生产手段和方法趋于自动化,生产过程日趋集约化和高效率化,由此极大地提高了劳动生产率,增加了产品附加值,增强了产品的国际竞争力。与此同时,整个国民经济的发展从外延增长转变为内涵增长,注重效率和质量,从而加快了经济增长速度。产业结构的演变促进了世界经济的稳定增长,使经济周期发生变化,经济波动的强度和幅度有所降低。二战后的经济发展周期表明,经济周期发展的规律仍然在起作用。这一时期周期性危机的特点是生产下降幅度不大,从未出现过像1929~1933年那样的大危机,这是因为:第一,新兴的高技术产业的兴旺抵消了传统产业的衰退;第二,通过信息技术而紧密联系在一起的产业部门之间技术渗透力增强,科学技术转化为生产力的速度加快,从而缩短了经济波动的时间;第三,随信息产业而起的信息服务部门受到经济危机的冲击较小。

产业结构高级化的演变趋势对世界经济周期发展的影响主要体现在以下方面:

第一,知识的积累和科学技术的发展推动技术进步的周期性变化加快

首先,随着知识的积累和科学技术的发展,技术创新和扩散的速度有加快的趋势。众所周知,最初的技术创新会由于技术的扩散而成为大家都能够掌握的成熟技术,更新一轮的技术创新总是要经历相对较长时间的孕育和积累才可能形成一个新的技术创新高潮进而形成大规模的产业革命。但技术进步周期性变化所经历的时间以及主导技术的更替随着知识的积累和科学技术的发展而呈不断缩短的趋势。在以蒸汽机和纺织机器的创新为基础的第一轮经济长波中,直接使用蒸汽机和纺织机器的部门的劳动生产率在19世纪早期就已经提高,而蒸汽机和纺织机对整个英国经济增长的贡献在19世纪中期才体现出来。这说明了在工业经济发展的初期,技术进步相对缓慢,技术扩散也相对缓慢,主导技术的更新大致要经历50~60年的时间。考察熊彼特对长波的划分可以看出,第一个经济长波持续的时间为60年,随后的第二波、第三波都经历50多年,而第四波仅经历了43年。长波持续时间不断缩短的这种趋势,反映了知识积累不断增加、技术进步不断加快的自然进程,每一次产业革命和主导技术的创新都为下一轮产业革命和技术创新奠定了坚实的基础。

其次,信息技术的发展使得技术进步的周期性变化缩短,进而可能使未来经济长波经历的时间缩短,尤其是衰退期缩短。信息技术的发展大大加快了知识扩散和科技进步的步伐,使得技术进步的周期性变化加快。最明显的例子是,在短短10年的时间里,美国的信息化指数就高达71.76%[1]。与原来的工业化技术相比,信息技术有以下特点:第一,信息技术的发展大大降低了交易成本,信息技术对信息传递和处理能力的增强,使人们可以跨越时空的界限在全球范围内进行大规模的交易;第二,信息技术具有更强大的外溢效应,最典型的是互联网的网络效应,

---

[1] 陈漓高、齐俊妍:"技术进步与经济波动:以美国为例的分析",《世界经济》2004年第4期,第80页。

第五章　当代资本主义经济的运行周期

这种效应可以使所有市场参与者都得到好处,后进者可以更容易通过"干中学"获取信息技术的外溢效应;第三,信息技术的发展通过多种途径显著地提高了劳动生产率,降低了劳动成本;第四,在信息技术产业发展过程中与之相伴的风险投资机制,使得融资更加便利,在技术扩散过程可能出现的"资金瓶颈"将会消失;第五,信息技术的快速发展缩短了产品的生命周期。20世纪90年代以前美国产品的平均生命周期为3年,现在IT产品的生命周期已降到1年左右。根据摩尔定律,计算机芯片的处理速度每18个月提高1倍、价值却以每年25%的速度下降,而目前计算机芯片的处理速度已降到每12个月提高1倍。信息技术的这些特点一方面使得信息技术成长和扩散的速度加快,随着技术的扩散,长波的下降期就会来临。因而,以信息技术为基础的经济长波持续的时间很可能短于前面几次长波的持续时间,尤其是长波下降期持续的时间相对较短,而且在周期的低谷有可能还只表现为增长率的下降而并非负增长。这主要是由于信息的发达,使得经济调整的弹性增强,加上政府有力的宏观调控,会使经济周期波动的幅度减小,强度减弱。另外,信息技术强大的外溢性决定了它更能够在未来的其他领域发挥巨大的作用。除此之外,信息技术可以为更进一步的技术创新提供广阔的平台。极有可能成为下一次产业革命主导的生物技术的酝酿和培育可以与信息技术相结合,开拓更大的发展空间。

第二,信息技术带来的技术扩散的加快大大提高了世界经济的供给能力

对于因技术进步而导致产品的增加,其需求收入弹性是递减的,这意味着相对于强大供给能力而言的需求减弱会带来市场价格的下降,使经济进入下降阶段;但同时还会刺激更新一轮技术创新周期的孕育和发展。

首先,世界范围内的通货紧缩压力反映了供给相对过剩的事实。信息技术带来的技术扩散加快大大提高了世界经济的供给能力。虽说技术进步在增加供给的同时也能够创造需求,但对扩散技术生产出来的成熟产品的需求收入弹性是递减的,而由于技术扩散带来的成本降低会提高厂商的供给弹性。也就是说技术进步速度加快带来的供给和需求两方面的增长是不对称的。一旦需求发生波动,经济就可能面临生产过剩、价

格水平下降的潜在危险,自 2000 年以来,主要经济体的通货膨胀率都普遍下降(详见表 5—5),主要资本主义国家自 2002 年以来通货膨胀率下降到 2%以下,是自 1950 年以来的最低水平。虽然较低的通货膨胀率可以给资源配置效率带来深远的利益,但是过低的通货膨胀率(如 2%以下),在需求相对不足的冲击下会增加转向通货紧缩的风险。通货膨胀率下降的同时伴随着失业率水平的上升,反映了生产能力的闲置及资源的非充分利用。因而,美国经济乃至全世界经济要经历一段时间的增长减速甚至衰退是自然的,这是科技进步带来的世界经济供给能力大大提高所导致的一种趋势(易纲,2002)。

表 5—5　主要经济体的通货膨胀率和失业率

	通货膨胀率(GPI 的变化)				失业率			
	2001	2002	2003	2004	2001	2002	2003	2004
发达国家及地区	2.2	1.5	1.8	1.3	5.9	6.4	6.7	6.6
美国	2.8	1.6	2.1	1.3	4.8	5.8	6.0	5.7
欧元区	2.4	2.3	2.0	1.6	7.9	8.6	9.5	9.8
德国	1.9	1.3	1.0	0.6	7.9	8.6	9.5	9.8
日本	−0.7	−0.9	−0.3	−0.6	5.0	5.4	5.5	5.4
新兴工业化亚洲国家	1.9	1.0	1.5	1.7	4.1	4.1	4.4	4.2

说明:2003 年和 2004 年数据为 IMF2003 年 9 月预测数值。
资料来源:IMF(2003c)。

其次,在有效需求不足的经济下降阶段必然会孕育新一轮的技术创新,正是技术进步从一个周期到另一个周期的变化形成了经济史上影响深远的几次产业革命,推动世界经济从一个长波时期进入另一个长波时期。作为本次产业革命主导的信息技术已在全球扩散,对经济增长的推动力已显不足,而极有可能成为下一次产业革命主导产业的生物技术产业还处于孕育和积累时期,因而经济结构必然要经历调整的过程。美国经济在世纪之交所经历的这种变化正是这种结构调整的反映,因而,"处于两次产业革命间歇期的美国经济只能走上增长减速甚至衰退之路"(华民,2002)。目前可能是处于一个技术转型、过渡性的阶段,这正是资源从旧产品的生产领域向新产品的生产领域转移的一种必要的调整阶段。自经历了这一阶段的衰退后,迎来的可能是又一轮的经济长波。美国经

第五章　当代资本主义经济的运行周期

济模式在促进知识与技术创新方面的优越性保证了它能够迅速地进入更新一轮的创新，并继续保持在新一轮创新中的领导地位。美国经济的这次调整如果是在孕育高一个层次的创新活动，则不但对美国经济的复苏及强劲增长有重要意义，对避免陷入世界性经济萧条更具有重要意义。

第六章 当代国际贸易体系下的资本主义经济

在全球范围内配置资源的场所就是世界市场。随着资本主义国家的不断对外征服和扩张,不管是否情愿,包括美洲、中东、东亚等在内的整个世界也逐渐被纳入到了资本主义的贸易体系下。尽管前苏联试图领导社会主义国家在国际贸易上与资本主义体系抗衡,但是这样的对抗只维持了不到半个世纪的时间,就因为前苏联和东欧国家在20世纪90年代的失败而结束。今天的世界市场,其容量包含了地球上几乎所有的国家与地区,其贸易游戏规则是以WTO规则为框架,其货币体系是以IMF的规则为框架,其主导者是以美国为首的西方发达国家。简而言之,当今的国际贸易体系是以资本主义经济为主导的。那么,一些关键性的问题是:当今的资本主义世界市场体系是怎样形成的?当代国际分工的进一步深化发展对资本主义经济产生了怎样的影响?作为当前资本主义世界贸易体系的规则的WTO协议框架,是怎样产生和运作的?本章从历史的角度考察上述问题,试图进一步理解国际贸易体系下,资本主义经济的起源、发展,以及今后的趋势。

6.1 世界市场的形成和发展及对当代资本主义经济的影响

世界市场的雏形,可以追溯到公元前5、6世纪的希腊半岛,在那里来自地中海沿岸的操着不同语言的商人们就开始起早贪黑地做起生意,忙着交换来自各地的产品。商人们在追求自身利益的同时,也促进了商品的跨地流通和配置。大约公元4世纪后,在罗马天主教当朝弄权的时

第六章　当代国际贸易体系下的资本主义经济

代里,古希腊的文化知识被认为是异端,金钱被视为罪恶之源,整个西方的贸易史几乎完全中断。直到公元14世纪后,文艺复兴、地理大发现、宗教改革运动等伟大事件的交替出现,改变了西方人对金钱、利益、贸易等商业要素的旧有观念,商人在贸易中受益匪浅,王公贵族等统治阶级也在国际贸易中捞到了关税、奢侈品、黄金等等好处,贸易受到了普遍的关注和支持,西方被中断的贸易史开始续写了新的一章。在这样的背景下,本节主要讨论:世界市场的形成和发展、当代世界市场及其发展的基本特征及其对资本主义经济的影响等问题。

6.1.1　世界市场及其形成和发展

1. 世界市场的基本含义

市场是商品经济的产物,它最初只是商品和劳务交换的场所,自从有商品生产和交换就有市场存在,而市场的发展扩大又反过来促进商品生产和交换。当商品经济发展到一定程度,市场就成了社会生产顺利进行的必要条件。随着商品生产和商品交换从国内扩展到国外,市场也就开始具有了国际性。世界商品市场是世界范围商品交换关系的总和。此外,世界市场,不仅包括世界商品市场,还包括世界服务市场、要素市场、信息市场、知识技术市场;按照市场交易的方式,还可以分为世界即期交易市场和世界远期交易市场,而每大类市场又有若干子市场。值得注意的是,世界市场虽然是在各国国内市场的基础上形成的,但它并不是各国国内市场的简单总和。两者之间既有紧密的逻辑联系,又存在着显著的差异和不同的性质。这主要表现在下述三个方面:

(1) 世界市场的形成是以各国国内市场的形成为基础和前提的,即只有当各国国内市场发展到一定的饱和程度,才有可能使商品交换关系突破国家和民族的界限而延伸到世界范围。但是即使如此,各国商品交换仍有相当部分局限于国内的范围,而并不进入国外市场。

(2) 世界市场和国内市场所反映的商品交换关系的内容不同。各国国内市场是国内商品交换的场所或领域,是一国内部交换关系的反映;而世界市场则是以国家为媒介并超越国家和民族的界限而形成的,是整个世界商品交换关系的反映。

(3) 世界市场和国内市场所受到的制约和影响因素不同。世界市场要受到世界各国经济和政治状况的相互制约和影响,是反映国际流通领域交换关系的一个重要经济范畴;而国内市场则只受到各个国家的经济制度和政治制度的制约和影响,是反映一国流通领域各种交换关系的经济范畴。

2. 世界市场的形成和发展

(1) 世界市场的萌芽阶段

早在14世纪以后,文艺复兴和地理大发现,促使商业、金融业首先在意大利的各共和国兴盛起来,后来又发展到荷兰和英国,新的世界市场逐渐兴起,地处大西洋沿岸的葡萄牙、荷兰和英国在世界贸易中起到主要作用,成了新的世界市场所在地。

这一时期世界市场的特点主要是:

第一,规模空前扩大,不仅包括欧洲原有的区域性市场,而且还包括亚洲、美洲、大洋洲和非洲的许多国家和地区。

第二,宗主国与殖民地之间的国际分工不合理。为保证形成对本国有利的贸易差额,西欧殖民宗主国普遍实行重商主义政策,把殖民地纳入对自己有利的分工中来,以增加工场手工业产品的出口,保证廉价商品的输入,防止金银外流。

(2) 世界市场的形成阶段

18世纪60年代至19世纪中叶,英、法、德、美等主要资本主义国家相继完成了产业革命,大生产代替了工场手工业,继而促进了世界市场的进一步发展。世界市场使商业、航海业和陆路交通得到了巨大的发展。这种发展反过来促进了工业的扩张,进一步开拓了世界市场,使一切国家的生产和消费都成为世界性的了。资产阶级作为近代人类社会先进生产力的代表,在它不到一百年的统治中所创造的生产力,比过去一切时代所创造的全部生产力还要多。此时的世界市场和国际贸易都发生了革命性的变化。

第一,世界市场的范围进一步扩大了。大机器工业的发展取决于市场规模,追求高额利润的欲望,迫使资本家超越本国已有的市场,到国外去寻求新市场,开拓新市场,为机器大工业开辟更广阔的领域。因此,在这一时期,中欧、中东以及印度洋沿岸的广大地区都成为世界市场的组成部分,澳大利亚、日本、中国也开始被卷入国际贸易。

第六章　当代国际贸易体系下的资本主义经济

第二，国际商品流通的基础从小商品生产者的资本主义工场手工业的商品交换，发展到经济发达的资本主义国家（主要是英国）的工业制成品同经济落后国家的食品和原料的交换。

第三，世界市场上工业发达国家和农业国之间的经济贸易联系占据着主导地位，但英国、德国、法国和美国等各工业国家之间的经济贸易联系也得到了加强。这一时期，产业资本已经取代商业资本在世界市场占据统治地位了。

(3) 世界市场的迅速发展阶段

19世纪70年代发生的第二次科学技术革命，一方面极大地促进了社会生产力的提高，工农业生产迅速增长、交通运输事业发生革命性变化；另一方面也使资本主义生产关系由自由竞争阶段过渡到垄断阶段，资本输出加强。这样，世界工农业生产的增长、交通运输工具的革命和资本输出的增加三者共同作用的结果，加速了世界市场和国际贸易的发展，把越来越多的国家囊括到世界市场和国际贸易中来，从而世界历史上第一次实现了一个把世界各国都联系起来的统一的无所不包的世界市场。其标志如下：

第一，多边贸易多边支付体系的形成。由于国际分工的发展，世界城市和农村的出现，西欧大陆和北美一些经济发达国家从经济不发达的初级产品生产国购买了越来越多的原料和食物，出现了大量的贸易逆差。与此同时，英国继续实行自由贸易政策，从西欧大陆和北美的新兴工业国输入的工业品持续增长，经常呈现大量的逆差，但英国又是经济欠发达国家工业品的主要供应国，呈现大量的顺差。这样，英国就用它对经济不发达国家的贸易顺差所取得的收入来支付它对其他经济发达国家的贸易逆差；而经济欠发达国家，又用对西欧大陆和北美的贸易顺差弥补对英国的贸易逆差。英国此时已经成为多边支付体系的中心。这个体系为所有贸易参加国提供购买货物的支付手段，同时使国际间债权债务的清偿、利息和红利的支付能够顺利完成，有助于资本输出和国际间短期资金的流动。

第二，国际金本位制度的建立与世界货币的形成。世界市场的发展与世界货币的发展密不可分。只有在世界市场充分发展以后，作为世界货币的黄金的职能，才能充分发挥出来。这一时期自发形成的国际金本位制度，既给世界市场上各种货币的价值提供一个互相比较的尺度，又能使各国货币间的比价保持稳定；同时也给世界市场上各国的商品价格提供一个相互比较的尺度，从而使各国的同一种商品的价格保持一致。

第三，资本主义的各种经济规律制约着世界市场的发展。资本主义社会中各种固有的规律，如基本经济规律、经济发展不平衡规律、价值规律等在世界市场上居于主导地位，制约着世界市场的发展。

第四，形成了比较健全的固定的销售渠道。这一时期，形成了大型的固定的商品交易所、国际拍卖市场、博览会；建立了健全的航运、保险、银行和各种专业机构；建立了比较固定的航线、港口、码头等。所有这一切都使世界市场有机地结合在一起。

6.1.2 当代世界市场发展的基本特征

在二战后第三次科技革命的影响下，世界经济和国际经济关系发生了深刻的变化，在此基础上，世界市场出现了以下新特点：

1. 当代世界市场的规模不断扩大

其主要标志就是国际贸易额的不断增加。从商品贸易来看，在 1900～1938 年的 38 年内，世界出口量只增长了 3 倍；在 1948～1981 年的 33 年时间内，世界出口贸易量增长了 7.7 倍；在 1994～2004 年的短短 10 年内，世界出口贸易就增长了 1.77 倍[1]。到 2004 年，全球商品总出口达到 91240 亿美元[2]，服务贸易到达 21000 亿美元[3]，2004 年世界跨国直接投资额为 6120 亿美元[4]。

---

[1] 资料来源：WTO 和 World Bank。
[2] 资料来源：整理自 WTO 年度统计资料（WTO Annual Report, World Trade Report, International Trade Statistics）。
[3] 资料来源：整理自 WTO 年度统计资料（WTO Annual Report, International Trade Statistics）。
[4] 资料来源：整理自 WTO 年度统计资料（WTO Annual Report, International Trade Statistics）。

第六章 当代国际贸易体系下的资本主义经济

表6—1　1995～2004年世界货物贸易情况

(单位：10亿美元,%)

年份	货物出口额			货物进口额
	金额	增长率	贸易量增长率	
1995	5161	19.3	7.4	5278
1996	5391	4.5	5.0	5535
1997	5577	3.5	10.1	5725
1998	5496	−1.5	4.7	5664
1999	5708	3.9	4.4	5901
2000	6445	12.9	11.0	6697
2001	6191	−3.9	−0.5	6452
2002	6455	4.3	3.0	6693
2003	7482	15.9	4.5	7765
2004	9124	21.0	9.0	9458

资料来源：整理自WTO年度统计资料（WTO Annual Report, World Trade Report, International Trade Statistics）

表6—2　1995～2004年世界服务贸易情况

(单位：10亿美元,%)

年份	服务出口额		服务进口额
	金额	增长率	
1995	1189	14.6	1191
1996	1275	7.2	1262
1997	1327	4.1	1303
1998	1341	1.1	1327
1999	1391	3.7	1377
2000	1476	6.1	1461
2001	1478	0.1	1470
2002	1570	6.2	1546
2003	1763	12.3	1743
2004	2100	19.1	2080

资料来源：整理自WTO年度统计资料（WTO Annual Report, World Trade Report, International Trade Statistics）

表 6—3　世界跨国直接投资情况　　　　　（单位：亿美元,%）

年份	吸收外国直接投资		对外直接投资		跨国购并交易额	
	金额	增长率	金额	增长率	金额	增长率
1998	6909.1	41.5	6872.4	43.0	5316.5	74.4
1999	10867.5	57.3	10922.8	58.9	7660.4	44.1
2000	13879.5	27.7	11868.4	8.7	11438.2	49.3
2001	8175.7	−41.1	7215.0	−39.2	5939.6	−48.1
2002	6787.5	−17.0	5964.9	−17.3	3697.9	−37.7
2003	5595.8	−17.6	6122.0	2.6	2969.9	−19.7

资料来源：World Investment Report 2004, United Nations.

2. 世界市场主体结构发生明显变化

第一，组成世界市场的国家类型呈现多样化。二战前世界市场的国别构成比较单一，少数工业发达国家在世界市场上占绝对主导地位。当时的社会主义国家苏联在世界市场上的作用十分微弱，其贸易额很小。广大的亚非拉殖民地半殖民地国家处于帝国主义的附庸地位，其对外贸易差不多完全由宗主国控制。二战后，国际形势发生了根本变化。组成世界市场的国家类型呈现多样化，变成了由经济发达国家、发展中国家和社会主义国家等各种经济类型的国家构成的既统一又对立的复合体。其中，经济发达国家所占比重一直在 60%～70% 之间，发展中国家和地区占 20%～30%，社会主义国家占 10% 左右[1]。

第二，主要经济发达国家在世界市场中的地位和作用也发生了明显改变。美国在世界市场上的占有率呈下降趋势。1950 年，美国所占世界市场份额约五分之一，到 1980 年这一比例降低到十分之一[2]。根据美国商务部资料，2003 年美国出口贸易额为 7138 亿美元，占当年全球出口贸易总额的比例为 9.4%，同期美国进口贸易额为 12632 亿美元，占当年全球进口贸易总额的比例为 15.8%。

第三，在发展中国家中，新兴工业化国家和地区以及石油输出国组

---

[1] 资料来源：整理自 WTO 年度统计资料（WTO Annual Report, International Trade Statistics）.

[2] 资料来源：整理自 WTO 年度统计资料（WTO Annual Report, International Trade Statistics）.

第六章 当代国际贸易体系下的资本主义经济

织成员在世界市场上的占有率呈上升趋势。我国台湾地区和香港地区的对外贸易，1960年分别排在世界第46位和第36位，目前都已进入世界前20强①。

第四，在世界市场上，主要商品的出口仍然为少数资本主义国家所占据。一方面，经济发达国家的出口地理方向主要是它们自身。另一方面，发展中国家的出口地理方向也是经济发达国家。

3. 世界市场商品结构发生显著变化

第一，国际贸易商品结构发生重大变化。①在国际贸易中，初级产品所占比重下降，制成品所占比重急剧增加，与二战前相比发生了根本性的变化。二战前初级产品与制成品的比例是6：4，而现在大约是4：6。②制成品贸易中，机电产品、运输设备所占比重急剧上升。③由于科学技术发展日新月异，新产品大量出现。一方面在世界市场上出现了大量前所未有的产品，如原子能原料和设备、电子产品、自动化仪表、化工原料和设备、火箭及航空航天产品等。这些新产品占世界出口额的1/3以上。另一方面，在新产品贸易迅速发展的同时，老产品的生命周期缩短，更新换代的速度加快，尤其是在化工、电子、机械制造等部门。这些新产品和更新换代产品出口的增长较之其他工业品出口的增长要快2～3倍。④新技术贸易发展迅速。技术贸易的内容包括专利、技术诀窍和商标等。自20世纪60年代以来，世界技术贸易的发展速度不仅超过工业，而且超过世界商品贸易的增长。

第二，在世界各大类的产品贸易中，除石油外，经济发达国家的出口占了主要地位。在制成品贸易中，经济发达国家约占80%；除石油以外的其他初级产品如农业原料、矿产品等的出口贸易中，经济发达国家占60%；经济发达国家占整个世界石油贸易出口的20%，发展中国家占60%以上。尤其是二战前，经济发达国家的粮食主要是从发展中国家进口的，而现在发展中国家已从粮食净出口国变为净进口国，许多经济发达国家每年向发展中国家出口大量粮食②。

第三，经济发达国家出口商品多样化，而发展中国家出口的商品品

---

① 资料来源：整理自WTO年度统计资料（WTO Annual Report, World Trade Reports）。
② 资料来源：World Bank官方网站统计资料。

种则仍然比较单一。在经济发达国家,主要出口商品有:汽车、非电动机械设备、石油产品、电动机械、合成原料、非电动能源机械、通信交通设备、珠宝玉器、小麦、钢铁管材、肉类等。目前发展中国家主要出口品仍为初级产品或初加工产品,这些商品分别是:石油、石油产品、非毛料服装、咖啡、蜂蜜、天然气及其产品、天然橡胶和合成橡胶等。

4. 世界市场上的垄断竞争进一步加强

二战后,世界市场由卖方市场转向买方市场,垄断进一步加强,使得市场上的竞争更为激烈。这主要表现在以下几个方面:

第一,经济发达国家的对外贸易大部分控制在少数大垄断企业手中。以美国和日本为例。当前美国经营进出口贸易的制造厂商有2.5万家,其中250家大厂商控制着全部工业品出口额的85%。在为数众多的外贸专业公司中,起主要作用的是西尔斯、罗伯克、大西洋、太平洋茶叶公司等少数大公司。在日本,经营进出口业务的厂商达万余家,但日本对外贸易的一半以上却是由闻名世界的三菱、三井、丸红、伊藤忠、佳友等几大综合商社控制和垄断。

第二,通过建立出口或进口卡特尔来瓜分和控制世界市场。据统计,在20世纪70年代中期,主要经济发达国家出口卡特尔的数目分别为:日本214个、英国89个,联邦德国81个、美国35个、荷兰60个。每个卡特尔由几家或几十家公司组成。如美国的纸张卡特尔包括17家公司,纺织业卡特尔有24家公司;日本型钢卡特尔包括44家公司,燃料卡特尔有60家公司;联邦德国化纤卡特尔包括34家公司,陶器卡特尔有2家公司[①]。

第三,跨国公司对国际贸易的影响日益增大。二战后跨国公司发展十分迅速,据联合国2002年《世界投资报告》披露,目前全世界跨国公司大约有6.5万家。这些跨国公司拥有大约85万家国外分支机构。它们凭借着特殊的优势,对国际贸易和世界市场实施垄断与控制。根据联合国贸易发展会议的报告,目前,跨国公司在国际贸易中所占份额已超过70%。由于跨国公司实行"经营内部化",即国际间的许多资金、商品、信息和技术的流动,实际是在跨国公司的母公司与子公司之间进行的,

---

① 资料来源:联合国经济研究资料。

第六章 当代国际贸易体系下的资本主义经济

是跨国公司内部的经营活动。同时它们掌握着廉价的原材料，可以利用低成本的劳动力，控制销售渠道，以致造成其产品在国际市场上的垄断状况。除此之外，跨国公司还通过对科学技术的高度控制，以确保其国际竞争的垄断地位。跨国公司在全世界范围内汇集资源，发展高科技；也在全世界范围内共享科技成果，充分发挥科技成果的效益；同时不会让技术秘密外泄。跨国公司在转让技术时，常常通过内部技术转让、外部技术封锁、分期转让、限制转让、出售"截短"技术等策略，长期保持技术的先进性，加强其垄断地位。

5. 贸易保护主义重新抬头

二战后，由于世界政治经济形势的变化，特别是由于生产的迅速发展，对世界市场的进一步扩大提出了新的要求。国际上，无论是经济实力雄厚的美国，经济逐步恢复的西欧、日本，还是取得了政治独立的发展中国家，都有放宽限制、扩大出口、实行贸易自由化的愿望。20世纪70年代前期的贸易自由化具有以下特点：①工业品贸易自由化程度高于农产品贸易自由化程度；②在制成品中，机器设备的贸易自由化程度超过了消费品贸易自由化程度；③经济发达国家间的贸易自由化程度高于经济发达国家与发展中国家间的贸易自由化程度；④经济贸易集团内部贸易自由化程度高于经济贸易集团以外的自由化程度。

但自20世纪70年代中期以来，由于主要西方经济发达国家相继出现两次经济衰退，以美元为中心的布雷顿森林体制的瓦解，西方经济普遍陷入滞胀困境。各国为了保护本国市场，贸易保护主义又重新抬头。新的贸易保护主义有以下明显特征：①保护的范围不断扩大。20世纪70年代末期，西方经济发达国家重点保护对象主要是那些陷入结构性危机的产业，如一般纺织品等。随后，它们不仅进一步加强了对劳动密集型产品的进口限制，而且保护范围扩大到汽车、各种纤维，以至许多高技术产品（如飞机、半导体等）和劳务产品也列入被保护之列，与此同时，还出现了相反的保护行为，对尖端技术严加保护，严格限制出口。②非关税壁垒作用增强。非关税壁垒名目繁多，内容繁杂，不计其数，可以统计的就达1000种以上。由于二战后多轮"关贸总协定"的多边贸易谈判，以及发达国家对发展中国家实行普惠制的优惠关税，使关税的保护作用有所降低，但非关税壁垒的作用则不断增强。因为非关税壁垒具有灵活性（其大多数措施不需经过立法程序即可确立）、针对性（可根据贸易保护的实际需要和政府意图，制定具体的措施）、隐蔽性（推出一项非关税壁垒，不像提高关税那样明显，不易引起别国的报复）等特点。③加强有效关税的设置。西方发达国家在降低名义关税的同时，加强了有效关税的设置和运用。④出现区域性贸易壁垒代替国家贸易壁垒的趋势。区域性贸易壁垒是通过区域内贸易伙伴达成相互开放市场的协定，发展区域内的自由贸易，同时对区域外的国家高筑贸易壁垒而加以排斥。

6.1.3 当前世界市场发展现状及特征

1. 国际贸易增速放缓，但势头仍旧看好

在经济增长和原油、商品价格持续高涨以及电子产品出口复苏的带动下，2004年世界货物贸易发展迅猛，全球货物贸易总额达到8.88万亿美元，增长率达到21%。扣除物价和汇率因素，2004年世界贸易量增长9%。发展中国家的货物贸易占世界比重达到31%，创50年来的高位。其中非洲和独联体国家的出口增幅分别达到30%和35%；亚洲国家和地区的出口增幅达到25%，中国成为亚洲最大的货物贸易出口国，在世界的排名首次进入第三位。欧盟东扩促进了新老成员的贸易交流，以欧元计算的货物贸易额超过上年。油价上涨改善了中东、非洲和拉美石油出口国家的贸易条件，也带动了这些地区的经济增长。WTO预计，2005年世界货物贸易量将增长6.5%，比上年回落2.5个百分点。亚洲地区的出口增长率将由2004年的25.6%下降至2005年的13.8%。主要原因是随着世界经济增长步伐的放慢，特别是欧元区和日本的内需不足，美国和中国的投资转弱，在一定程度上影响到世界经济的发展；另一原因是占世界货物贸易总量近13%的办公设备和信息通讯产品的贸易将放缓；三是美元汇价转弱为强，影响部分国家出口产品的竞争力；四是原油价格高涨对经济产生负面影响，部分国家经济持续疲弱。

2. 投资活跃为经济增长增添后劲

2004年，全球跨国直接投资开始出现恢复性增长势头，估计全年全球对外直接投资总额达6120亿美元，增长9.4%。这是全球FDI自2001年持续减少以来首次回升，标志着全球投资已走出低谷。2004年以来，世界经济的强劲增长和全球股市的普遍回升，使得跨国并购再度趋于活

第六章 当代国际贸易体系下的资本主义经济

跃,而投资盈利水平上升也促使跨国公司继续向新兴市场经济国家和地区进行产业转移和增加投资,全球跨国直接投资有可能再次迎来新的高潮。联合国贸发会议预计,全球对外直接投资的发展前景乐观。尽管 2005 年第一季度全球并购交易额由 2004 年第四季度的 6700 亿美元降至 5130 亿美元,下降了 23%,但这仍是自 2001 年全球并购活动停滞以来最高的单季水平之一,表明跨国公司正再度考虑将并购作为增加企业利润、解决战略性问题的一个重要途径。

未来对外直接投资流向仍将以美、英、法、德和日本等发达国家为主要来源国和流向国;亚洲和中东欧对外资的吸引力继续提高,在发展中国家中,吸引外资最多的国家可能是亚洲的中国和印度、非洲的南非和埃及、拉美和加勒比地区的巴西和墨西哥、中东欧的波兰和俄罗斯。

3. 全球贸易摩擦依然剧烈

伴随全球贸易规模的扩大,发展不平衡的问题难以避免,贸易摩擦增加也是不争的事实。2005 年以来,真正诉讼到 WTO 的新增案例虽然不多。但是,目前正在进行立案调查、复审和终裁的涉及反倾销、反补贴、保障措施和技术性贸易壁垒的贸易纠纷不下 300 件,这还不包括有可能诉诸 WTO 的纺织品贸易纠纷。

发达国家之间:如日本决定从 2005 年 9 月 1 日起,针对美国"伯德修正案"启动反措施。反措施对美国的轴承、钢铁和飞机零件等十几项产品加课 15% 的报复关税;欧盟已经对美国的纸张、纺织成衣、鞋子和机械产品实施了 2800 万美元的增税措施;加拿大对美国进口的香烟、生蚝和活猪增加了 1400 万美元的报复性关税;美国和欧盟就空中客车和波音两大飞机制造商的补贴问题所产生的纠纷;欧盟对原产于韩国的双开门冰箱进行反倾销立案调查;韩国将对原产于日本的工业机器人征收反倾销税;澳大利亚对原产于韩国的灰底箱纸板反倾销案的进一步调查等。

发达国家与发展中国家之间:包括 WTO 裁定支持美国对墨西哥大米反倾销税的申诉;欧盟针对巴西轮胎进口限制措施提起 WTO 申诉;印度商工部对原产于德国和韩国的丁腈橡胶作出反倾销期中复审终裁;美要求 WTO 宣布 OPEC 石油生产商配额制度非法;乌拉圭将美国的稻米补贴正式起诉到世贸组织等。

发展中国家之间:俄罗斯对原产于乌克兰的高碳锰铁合金展开反倾

销调查；乌拉圭将阿根廷政府补贴问题告上 WTO；针对埃及所征反倾销关税，巴基斯坦向 WTO 提起诉讼等。

针对中国的"两反一补"调查有增无减：如印度拟对中国钢铁产品发起反倾销调查；巴西纺织业申请尽快对中国纺织品采取特保措施；中国空调遭到土耳其反倾销调查。欧盟对中国等一些国家的鞋类、彩电以及可刻录 DVD/CD 光盘等发起反倾销调查。2005 年 7 月 27 日，美国众议院还通过了旨在对中国发起反补贴调查的《美国贸易权利执行法案》。该法案要求美国突破 20 多年来不对非市场经济国家提起反补贴调查的法律底线。同时该法案改变了向新出口商提供报关便利的做法，这基本反映了当前美国对中国贸易发展的不平衡心态。

以技术性要求为特征的贸易壁垒增多：如欧盟对动物源生产品（含水产品）进口所含药物残留作出新的更加严格规定；韩国要求对草药的制造和包装要标准化并强制要求通过测试机构测试；新西兰最新通报了有关食品安全的标准等。

一些国家要求对纺织品服装贸易重新设限：从 2005 年起实施全球纺织品服装贸易一体化，本来是归还纺织品贸易公平和宽松的贸易环境。但有些国家出于对国内产业的保护，要求重新设限，这一做法为全球纺织品自由化再度蒙上了阴影，有关配额方面的贸易摩擦难以避免。

6.1.4　世界市场的发展对资本主义经济的影响

世界市场的不断发展，使世界各国的联系更为紧密，其在不同的阶段表现出来的各种特征对资本主义经济运行产生了多方面的影响，就一般意义上而言，世界市场对资本主义经济的影响大致可以概括为以下几个方面。

1. 世界市场使资本主义生产能够在世界范围进行

资本主义生产方式的重要特征，是以机器大工业生产取代工场手工业生产，实现生产的社会化，极大地提高劳动生产率，使生产力以空前的速度和规模发展起来。这种高速发展起来的生产力所生产的，不再是封建时代简单商品生产条件下生产出来的为买而卖的商品（即农民和手工业者为买回自己生活和生产需要的商品而出售剩余的劳动产品），而是以生产资料资本家所有制和雇佣劳动为基础而生产出来的为卖而买的商

第六章 当代国际贸易体系下的资本主义经济

品（即资本家为在市场上卖出全部商品从而占有商品中包含的剩余价值，而到市场上购买用于生产的原材料、劳动力商品）。这种生产方式下生产出来的商品只有售出，才能为资本家带来利润，因此，它需要广阔的市场，市场、世界市场，都是它的内在要求。或者说，只有当广阔的市场或世界市场已经存在的时候，这种为卖而买的生产方式才能建立起来。世界市场的扩大从一开始就是与资本主义生产方式向世界的扩展交织在一起的。

2. 世界市场使得资本主义生产能够按照垄断资产阶级的意志在世界范围内配置资源

众所周知，市场是资源配置最基本的经济手段，尤其在资本主义生产方式下，市场往往决定着原材料、资金、劳动力、科学技术等资源的运用，通过市场供求关系的变化和价值规律的作用，使资源流向效益相对好的部门、国家和地区，排斥并削弱效益不好的部门、国家和地区，使资源得到比较合理的配置。这是资本主义体制下市场机制的一般要求。在资本主义私有制条件下，资本家为了生存不能不竞争，不能不尽最大努力垄断某种商品的生产和销售市场，以获得超额利润。对市场占有率或者说对利润的追求无形中成为促使资源趋向于最佳配置的驱动力。当国内质优价廉的原材料不能满足生产，或者从国外购买原材料由于增加了运费等等而成本过高，或者当国内劳动力价格（工人工资）太高，以及资本在国内投资获利较低时，资本家都会把目光转向世界市场。这样，世界市场又对世界范围的资源配置起到基础的作用。

3. 世界市场使得资本主义的全球剥削得以实现

资本主义生产方式的重要特征，是资产阶级依靠其所占有的生产资料、金融资本等进行各种形式的剥削。世界市场使得资产阶级的剥削从国内扩大到全世界，除早期依靠武力侵略公开抢掠落后国家的财富之外，资产阶级在世界市场上进行的剥削首先是通过商品的国际交换实现的。国际交换需要遵循国际交换的尺度即国际价值，依据相对统一的国际价值尺度，衡量劳动生产率存在差距的不同国家的商品，这是世界市场为资产阶级进行国际剥削提供的永恒空间。

4. 世界市场使资本主义国家之间的关系更为复杂

资本主义世界市场体系是适应经济发展的需要而建立的，同时又促进了经济的发展和世界各地区间的经济联系。这种联系一方面表现为资本主义国家间在较为自由原则基础之上的经济交往，这种双边或多边贸易联系，随着资本主义经济的发展而不断扩大和加强，同时也促进了各国生产技术的共同进步；另一方面资本主义发展始终与"市场"紧密相连，谁占有更广阔的世界市场，谁就有了经济发展的优越条件，就可能占据世界的霸主地位。因此，掌握国际市场的主导权，就成为各资本主义国家特别是经济发达国家的既定目标。在建立资本主义世界市场体系的过程中，争夺世界市场的矛盾和斗争成为资本主义国家经济关系中的一项重要内容。

6.2 当代国际分工的发展及其对资本主义经济影响

随着资本主义商品生产和贸易日益扩展到一国国境之外，世界范围内的国际分工得到了进一步的深化，其产生的影响是多方面的。本节在分析国际分工的形成和发展、影响国际分工的因素等问题的基础上进一步探讨国际分工的发展趋势及其与资本主义经济运行之间的相互影响。

6.2.1 国际分工的形成与发展

国际分工指的是世界上各国之间的劳动分工。所谓劳动分工，就是各种社会劳动的划分与独立化。劳动分工是一切社会生产的一种基本形式，是不同形态的社会所共有的现象。

在人类历史发展的长河中，劳动分工经历了自然分工、社会分工和国际分工等几个不同的发展阶段。在人类社会的早期阶段，亦即在原始氏族内部，人们以性别和年龄等生理特征为基础的自然分工占据支配地位。到了原始社会后期，这种自然分工逐渐被以劳动部门的不同特点为基础的社会分工所代替。从此以后的三次社会大分工，把生产力水平大大地推进了一步，从而导致了阶级社会和国家的产生。但直至资本主义初期，这种社会分工仍然局限于一个国家和地区的范围，而没有超过国家和民族的界限。也就是说，从原始社会末期开始，经过奴隶社会和封建社会，一直到资本主义社会的初期，人类的社会分工一般都带有"国

第六章 当代国际贸易体系下的资本主义经济

内分工"的性质。尽管当时已经有了国家与国家之间的对外贸易活动,但国与国之间的社会分工即国际分工还没真正形成。

一切分工都是生产力发展的必然结果和表现。随着科学技术的进步和生产力的发展,劳动分工无论在广度上还是在深度上都有了进一步的发展,而分工的发展反过来又促进了社会生产力的提高、生产的社会化和专业化。工业分工是震撼旧世界的三个伟大杠杆之一。当近代产业革命发生后,大机器生产所创造的巨大生产力终于使社会分工越过国家的界限,发展成国际分工。马克思曾经强调了机器大工业对国际分工与世界市场的形成所起的这种决定性作用。马克思指出:"机器发明之后分工才有了巨大进步……从前结合在一个家庭里的织布工人和纺纱工人被机器分开了。由于有了机器,现在纺纱工人可以住在美国,而织布工人却住在印度。在机器发明之前,一个国家的工业主要用本地原料来加工……由于机器和蒸汽机的应用,分工的规模已使大工业脱离了本国基地,完全依赖于世界市场、国际交换和国际分工。"可见,国际分工是社会分工由国内向国外的延伸、越出国家界限的结果。

国际分工同社会分工既有相同的方面,又有明显的区别。共同之处在于它们都是劳动分工,都是劳动生产率提高的原因和结果。

不同之处主要体现在以下几个方面:

(1) 形成和存在的历史时期不同。社会分工出现在原始社会末期,并存在于其他社会经济形态。国际分工是在社会生产方式发展到一定阶段即资本主义阶段才出现的。

(2) 商品交换方式不同。社会分工条件下的商品交换表现为国内贸易,国际分工条件下的商品交换则表现为国际贸易。

(3) 发展的决定条件不同。社会分工的发展主要决定于各国本身的生产力发展和技术进步,而国际分工则取决于整个世界范围内生产力的发展和生产的国际化程度。

综上所述,国际分工不仅仅是国内分工的简单延伸和继续,而且是社会分工发展中一个更高级的阶段,是分工的国际化阶段。

国际分工的形成与发展经历了一个漫长的历史过程,迄今已有几百年时间了。在此期间,国际分工经过了萌芽、形成、发展和深化的历程。

当代资本主义经济论

1. 国际分工的萌芽阶段

15世纪末到16世纪上半叶的地理大发现,不仅促进了西欧国家的个体手工业向工场手工业过渡,而且是社会分工向国际分工扩展的一个重要转折。在地理大发现之前,自然经济占统治地位,生产力水平低下,各个国家和民族的生产方式和生活方式的差别较小,商品生产不发达,欧洲各国间的贸易活动只局限于地中海区域,真正意义的国际贸易还没有出现。当时,有的国家之间的分工只是范围有限的区域分工。这种分工关系的实质仍属于国内劳动分工,而不是国际分工。但地理大发现之后,西欧殖民主义者以暴力和其他超经济的手段在美洲、亚洲和非洲进行掠夺,强迫当地居民开采矿山,种植热带和亚热带作物,建立起一种以奴隶劳动为基础,面对国外市场的专业化生产的经济。例如,巴西从这个时候起逐步转变为世界的咖啡种植园。因此,伴随着海外殖民掠夺和奴隶贸易的兴起,各国的经济联系不断扩大。在这一过程中国际分工开始萌芽,从而使国际贸易有了迅速扩大,这就有力地促进了资本主义生产的发展。

萌芽阶段的国际分工的显著特征是宗主国与殖民地之间的不合理的分工。为了保证形成对本国有利的贸易差额,西欧殖民宗主国普遍实行重商主义政策,把殖民地纳入到对自己有利的分工中来,以增加工场手工业产品的出口,保证廉价商品的输入,防止金银的外流。当时盛极一时的"三角贸易",即由非洲提供奴隶劳动力,由西印度群岛生产并出口蔗糖和烟草,由英国生产并出口毛织品、铁器、铜器和枪炮等工业品。通过宗主国和殖民地的分工,也带动了英国航运业的发展。1654年之后,葡萄牙在巴西、非洲和亚洲的殖民地也进行了不平等的国际分工。

2. 国际分工的形成阶段

从18世纪60年代到19世纪中叶,英、法、德、美等主要资本主义国家相继完成了产业革命,亦即第一次科技革命或工业革命,以机器大生产代替了工场手工业,社会生产力得到了空前的发展。大工业首先使各国内部的劳动分工在广度和深度上都得到了拓展,真正的社会化大生产出现了。为适应大工业发展的要求,行业之间的分工日趋完善,地域之间的分工也日渐明显,使社会分工最终越过国家和民族的界限,形成了以世界市场为纽带的国际分工。

第六章 当代国际贸易体系下的资本主义经济

机器大工业对国际分工的形成所发挥的特别重要的作用,具体体现在以下几个方面:①机器大工业使生产的规模和能力不断扩大,源源不断地创造出来的商品不仅需要国内市场,而且需要日益扩大的国外市场。与此同时,生产的急剧膨胀及对原料需求的急剧增加,使开辟廉价的海外原料基地成为必要。②机器大工业带来了交通运输工具的革命性变革,海洋轮船和铁路机车大大改善了运输条件,不仅运输时间大大缩短而且运输费用也显著降低。③电报等现代通讯工具的出现,使得信息资讯的传播日益广泛和迅速,便利了国际贸易的扩展,促进了国家之间的劳动分工。④大机器工业成为开拓国际市场的"重炮"。它轰掉了民族国家工业的基础,使民族工业不复存在,打破了以往国家和民族的自给自足和闭关自守的市场,把各种类型的国家卷入到国际分工的大潮中去。于是,"一种和机器生产中心相适应的新的国际分工发生了"。

这一时期国际分工的基本格局是以英国为首的少数发达国家变为工业国,广大亚非拉国家变成农业国。当时英国处于"世界工厂"的地位,它是农业世界的伟大工业中心,是工业太阳,日益增多的生产谷物和棉花的卫星国都围绕着它运转,而其他广大地区处于"世界农村"的地位。例如,印度成为英国生产棉花、亚麻和羊毛的地方,澳大利亚成为英国的羊毛殖民地。原来在一国范围内存在的城市与农村的分工、工业部门和农业部门的分工,逐渐演变为世界城市与世界农村的分离和对立,演变成以先进技术为基础的工业国和以自然条件为基础的农业国之间的分工。这如同西欧国家的资产阶级使乡村屈服于城市的统治一样,它迫使亚洲、非洲和拉丁美洲从属于它。

3. 国际分工的发展阶段

从19世纪70年代起,资本主义世界发生了第二次科学技术革命。这次革命标志着人类开始从蒸汽时代进入电力和内燃机时代。发电机、电动机和内燃机在生产上的广泛使用所创造出来的巨大生产力,远非蒸汽机所能比拟。一些新兴的工业部门如电力、石油、化工、汽车制造和钢铁等纷纷出现,推动了社会生产力和国际分工的进一步发展。与此同时,资本主义从自由竞争向垄断过渡,通过资本输出进一步加深和扩大了国际分工。在此之前,殖民地与半殖民地国家大都被卷入到世界范围的商品交换中来,但在国内还不一定采用资本主义的生产方式。而资本输出则把资本的统治从一国的范围内扩大到整个世界，建立了金融资本的世界统治，生产国际化和资本国际化的趋势日益增长。这样，第二次科技革命更加有力地"轰开世界上落伍国家的狭隘而闭塞的自然经济的万里长城"，使世界上一切落伍的民族和国家进一步卷入到世界市场中来，迫使它们的生产和消费进入资本主义国际分工和世界市场的轨道。

这一时期国际分工的特征是形成了门类比较齐全的国际分工体系。一方面，原有工业国与农业国之间的分工继续发展，帝国主义国家加紧在殖民地和半殖民地兴办面向国际市场的种植业和采矿业，加深了世界工厂与世界农村的对立关系。另一方面，帝国主义国家之间的分工也日益发展起来，而这主要是工业部门之间的分工。如当时英国首先发明和采用了转炉炼钢技术，因而在钢铁生产中居领先地位；德国却偏重于发展化学工业。世界国际分工体系的形成促进了国际贸易的迅速发展。1870～1913年，世界工业生产增长了4倍，同期国际贸易额增长了3.3倍。

4. 国际分工的深化阶段

二战后发生的以核能、电子计算机、航天航空技术和生物工程发展为主要标志的第三次科技革命，是人类历史上规模最大、影响最深远的一次科技革命。这标志着世界生产力又发展到了一个崭新的时期，一系列新兴工业部门的涌现有力地促进了生产力的发展，结果使国际分工进一步深化。战后国际分工发展的基本格局是：从传统的以自然资源为基础的分工逐步发展为以现代工艺、技术为基础的分工，在继续保留以往的世界工厂与世界农村的对立为表现形式的垂直型国际分工的同时，出现了在技术水平较接近的发达国家之间的水平型国际分工，并且愈来愈占据着重要的地位；国际分工的范围不断扩大，参加国际分工的不仅包括发达的资本主义国家，而且还包括广大的发展中国家和社会主义国家，尤其是在发展中国家中，一些新兴工业化国家和地区也积极加入当代国际分工的体系，并发挥着越来越重要的作用。

6.2.2 当前国际分工的影响因素

国际分工的产生和发展受多种因素的影响。在不同时期以及同一时期的不同阶段因国际分工的内容和特征不同，其具体的制约因素也各不相同，但其中也有一些共同起作用的因素。

第六章 当代国际贸易体系下的资本主义经济

1. 社会生产力的发展是国际分工形成和发展的决定性因素

第一,社会生产力的发展决定了国际分工的形成和发展。一切分工,其中包括国际分工,都是社会生产力发展的必然结果。它突出表现在科学技术的重要作用上。国际分工的历史表明,每一次科技革命都使生产更加专业化、分工更加深化、生产力更加发展。生产力的突飞猛进和科学技术的进步推动生产的进一步社会化,而生产的社会化又必然导致生产的国际化,从而推动国际分工的形成和发展。这一点,我们已在前面作了叙述,这里不再重复。

第二,生产力的发展水平决定了参加国际分工体系各国的地位。历史上,产业革命发生最早、生产力水平最高的英国,成为"世界工厂",在国际分工中长期居于主导地位。后来,美国、日本和欧洲其他资本主义国家产业革命相继完成,生产迅速发展,在国际分工中的地位相应提高,而英国的地位随之相对下降。二战后政治上获得独立的广大发展中国家,积极发展民族经济,生产得到较快发展,尤其是其中的一些新兴的工业化国家和地区经济迅速发展,它们在国际分工体系中的地位正在逐步改善。

第三,生产力的发展使国际分工的产品内容日益增多,其形式更加多样化。国际分工是有用的具体劳动的分工。它具体表现为国际贸易中的各种具有使用价值的商品的生产。随着生产力的发展和技术的进步,在国际贸易商品结构中,初级产品的比重不断下降,而工业制成品的比重则不断提高。从20世纪50年代初期开始,世界工业制成品的比重就超过初级产品。目前工业制成品约占世界贸易商品的2/3,初级产品只占1/3。进入80年代后,国际贸易的内容又一次发生了变化,即世界技术贸易得到迅速发展,并成为当代国际贸易的又一重要内容。这也是当代科技革命对国际分工内容变化影响的表现之一,同时,国际分工的形式也随新的技术和生产力的发展而日益多样化。二战后国际分工的形式由传统的商品交易发展到合作生产、联合开发、合资经营、加工贸易、劳务合作等形式。

第四,生产力和科学技术的发展使交通运输工具和通讯事业更加现代化,这对国际分工的发展和深化起了重要的推动作用。交通通讯的现代化缩短了国与国间的空间距离,节约了劳动时间,降低了运输费用,影响到工业布局的变化以及经营决策效率的提高。

2. 国际生产关系决定着国际分工的性质

国际分工的发展是与一定的生产关系联系在一起的。既然国际分工是社会分工超越国家界限的结果,那么社会生产关系也超越国家和民族的界限而形成国际的生产关系,或生产的国际关系。如果说生产力是国际分工产生和发展的决定性因素,那么国际分工的性质则取决于国际生产关系。自从资本主义生产方式在世界上确立之后,资本主义生产关系就支配着国与国间的经济关系。在当代,由于历史的、经济的原因,在国际经济关系中资本主义生产关系仍然占据着优势地位,因而现存的国际分工在相当程度上具有资本主义性质,体现着资本主义生产方式的内在规律。这种国际分工一方面具有进步性,即资本主义国际分工打破了民族闭关自守状态,把各个民族和国家在经济上联系起来,促进了世界生产力的发展;另一方面,又具有剥削和不平等性质,即它迫使资本主义生产方式不发达的国家,按照和资本主义生产方式发达的国家相适应的程度来进行生产。

3. 上层建筑对国际分工形成和发展的影响

国际分工的深度和性质不仅受到生产力和国际生产关系这两个基本要素的决定和制约,还要受到各个国家政治法律制度以及对外政策等上层建筑的影响。在历史上,资本主义国家曾采用暴力和不平等条约等手段,在加速资本原始积累的同时,推动了宗主国与殖民地之间国际分工的建立和发展。二战后,主要资本主义国家试图在制定有利于它们的贸易政策和投资政策以维持旧的国际分工的同时,也通过一些国际经济、金融机构制定有利于它们的国际条约,力图维护旧的国际生产关系。虽然这种旧的国际分工和国际经济关系经过第三世界国家的斗争已有所改变,但还未根本改变。

4. 自然条件对国际分工的产生和发展起着不可忽视的作用

由一个国家的气候、土壤、国土面积、地上和地下资源、地理位置等要素构成的自然环境,是一切经济活动的必要条件和基础。马克思指出:"正像威廉·配第所说,劳动是财富之父,土地是财富之母。"热带作物只能在处于热带的国家或地区种植,矿产品只能在拥有矿藏的国家生产和出口。

第六章 当代国际贸易体系下的资本主义经济

但应当指出,自然资源对国际分工虽然是个十分重要的条件,然而它不是国际分工产生和发展的惟一条件。自然资源十分贫乏的日本却处于国际分工的有利地位就是一个有力的证明。其他一些发达国家也是如此,而广大发展中国家虽然拥有丰富的自然资源,但却处于十分不利的地位。其原因就在于,自然条件只提供国际分工的可能性,不提供现实性,要把可能性变成现实性,就需要生产力和科学技术的发展。石油不能在没有石油的地区开采,但储存丰富石油的地区,也只有在科学技术和社会生产力发展到一定阶段,才能使之得到充分的开发和利用。而且,随着科学技术的进步和社会生产力的迅速发展,替代品大量出现,自然条件在国际分工中的作用就相对削弱。更何况旧的国际经济秩序必然出现旧的国际分工,使自然资源对国际分工的重要性更是明显下降。

5. 人口状况影响着一国在国际分工中的地位

人口状况包括人口的数量与质量。一般说来,人口数量多但又没有得到充分利用,且人口素质低的国家往往只能生产一些原材料和粗加工产品,或劳动密集型产品,因而在国际分工中处于不利地位。这种情况的国家大多是发展中国家。而人口数量少且素质高的国家则往往生产一些高技术产品,或资本技术密集型产品,因而在国际分工中处于有利地位。这种情况的国家大多是发达国家。显而易见,前一类国家只有降低人口数量、改善人口质量,才能提高在国际分工中的地位。当然,这类国家当前的人口状况仍然是旧的国际分工的反映。要从根本上改善人口状况虽有赖于这些国家的努力,但更有赖于新的国际经济秩序的建立。

6.2.3 当代国际分工的新趋势及其对资本主义经济发展的意义

国际分工在其不断深化发展过程中,一方面对资本主义经济的运行产生较大的影响,并在资本主义运行体系的不同阶段不断呈现出新的特征;另一方面资本主义经济体系的发展和完善过程中出现的一些现象如科学技术革命、跨国公司的兴起和发展等又进一步促进了国际分工的发展变化。

1. 当代国际分工发展的新趋势

二战后,当代科技革命对世界范围内的社会生产力和国际生产关系产生了巨大而深刻的影响,使得国际分工的发展表现出前所未有的新特点,即传统国际分工形式日益向当代国际分工形式过渡。同传统的国际分工相比,当代国际分工发展的新趋势主要体现在以下几个方面:

(1) 当代国际分工赖以存在的基础是现代工艺、技术,而在二战前,国际分工主要是以对自然条件的依赖为基础。因此,一国拥有的自然资源状况决定了它们在国际分工中的地位。与此相适应,就形成了许多亚非拉国家专门生产矿物原料、农业原料以及某种食品,而西方发达国家则生产工业制成品或半制成品的格局。在当今,一国在分工中的地位则主要取决于各国的科学研究与试验工作的水平和工艺水平。由于西方发达国家在科学技术上的先进性,因此,在当代国际分工中,经济发达国家相互之间以现代工业为基础的国际分工占据主导地位。如西欧侧重于汽车工业,日本侧重于家用电器工业,等等。而发展中国家因为科学技术的落后,在国际分工中仍处于被动、从属的地位。

(2) 二战前国际分工的类型基本上属于垂直型,而当代国际分工则逐渐向水平型发展。这种变化在国际贸易的分布格局上得到了充分体现,即经济发达国家相互之间的贸易以及发展中国家相互之间的贸易增长迅速,而经济发达国家与发展中国家间贸易的增长则相对缓慢。

(3) 二战前的国际分工以经济各部门之间的分工,即工业与农业两大部门之间的分工占主导地位。二战后,尽管这种分工依然存在,但已经大大削弱,继之而起的是部门内部的分工,即不同国家同一产业部门内部专业化生产和协作有了较大发展,并发挥着越来越重要的作用。部门内部的国际分工表现为产品的专业化,即把同一部门的同类产品相对集中到不同国家去生产。美国、前联邦德国、英国、法国和日本等国的大公司,根据各自的优势,分别专门生产某些种类的产品,以求得规模经济效益。在某些部门中,甚至同类产品的不同规格型号也正在走向专业化生产。部门内部专业化再进一步发展,是零部件的生产也逐渐地在国际间走向专业化,即在不同国家的工厂分别专门生产某种配件、部件,然后再在别的国家装配成为最终产品。

(4) 二战前的国际分工是在市场机制和竞争规律的作用下自然形成的,而当代国际分工的形成则越来越同企业和国家的有组织的协调密切相联系。跨国公司已成为全世界工业分工的主要组织者和推动力量;经

第六章　当代国际贸易体系下的资本主义经济

济一体化集团的出现，也对国际分工的格局产生了重要影响。

(5) 二战前的国际分工主要是在物质生产领域进行的分工，而当代国际分工则深入到服务或其他非实物生产和流通领域。二战后世界服务贸易的空前发展就是这一变化的具体反映。国际服务贸易占国际贸易额的比重已由 1982 年的 18% 增至 1992 年的 22%。1994 年国际服务贸易额已达 1.08 万亿美元。2004 年世界服务贸易出口额达到 2.1 万亿美元，进口额达到 2.08 万亿美元。[①]

(6) 二战前的国际分工体系是资本主义制度下经济发达国家和殖民地半殖民地国家之间的国际分工。二战后国际分工体系从制度来说既包括了资本主义制度，也包括了社会主义制度；从经济发展程度来说，既有经济发达的西方国家，也有经济欠发达的发展中国家，其中一些国家和地区已成为新兴工业国家。这是当代国际分工的基本特征。

(7) 主要发达国家之间的国际分工由汽车经济时代的水平国际分工逐渐地转变成为信息经济时代的垂直国际分工。其中，美国成为信息产品的发明与生产大国；以德国为首的欧洲国家，部分参与了国际信息产品的分工，但是它们中的大部分仍然在生产汽车经济时代的制成品；日本由于其结构调整不能顺利地推进，至今仍以生产汽车为主。正是这种垂直国际分工格局的形成，造成了美国长达十多年的经济繁荣、北欧国家的异军突起以及欧洲核心国家德国的经济低迷与亚洲最富有国家日本的经济衰退。

(8) 美国、德国和日本等世界经济增长的中心国家所在的区域内的国际分工则发生了反方向的变化，即北美、西欧和东亚地区的国际经济分工日益呈现出扁平化的发展态势。特别是在东亚，日本经济学家小岛清所发现的雁行分工模式已经不复存在，亚洲新兴市场经济体的经济结构越来越相似，到了 1997 年终于爆发了竞争性的货币贬值，从而对建立地区经济共同体产生了强烈的需求。

2. 资本主义经济的运行促进国际分工的深化

国际分工在不同的阶段表现出不同的特征是与世界经济的整个运行状况密切相关的，经济运行过程中出现的各种现象不断促进国际分工的

---

① WTO Annual Report，World Trade Report，International Trade Statistics.

深化和发展。

(1) 新的科学技术革命是促使当代国际分工发展出现崭新变化的最重要因素

第一，科学技术优势日益成为当代国际分工的决定性因素。随着科技发展，生产工艺的革新，新材料的发展不仅可以取代某些农业原料和矿物原料，而且可以减少对原材料的需求量，这就极大地提高了经济发达国家的原材料自给率，减少了对发展中国家的依赖程度。而农业的现代化、工厂化，使农业进入大机器生产阶段，一些经济发达国家改变了过去依赖发展中国家供应粮食的状况，逐渐成为主要的农产品出口国。自然禀赋的重要性大大下降，科学技术对国际分工的决定性作用越来越明显。

第二，科学技术的发展推动了国际分工由二战前的垂直型分工向水平型分工的迅速转变。垂直型的国际分工体系的主导形式是经济结构不同、技术基础不同的工业国与农业国、工业制成品生产国与初级产品生产国之间的分工。但随着经济、技术的迅速发展，许多发展中国家的单一经济结构有了改变，经济发达国家产业结构也不断调整。通过技术转让和对外直接投资，一些工业部门，甚至一些以前是发达国家的支柱行业（如钢铁、机械、化工、电子等）在发展中国家都得到了迅速的发展。这就削弱了传统的工业国与农业国的分工关系，世界范围的工业分工得到了发展。

第三，当代科技革命推动国际分工由部门之间的国际分工发展到部门内部的、产品专业化的、零部件生产专业化的、工艺专业化的国际分工。随着科学技术的发展，技术贸易也迅速发展起来。这种情况使任何一个国家的任何一个行业或工厂，很难维持它们原有的比较优势，也使资本技术密集型产业和劳动密集型产业的分界更加明显。这样，国际分工也就由原有的部门间的分工进一步深化。部门内的分工、专业化的生产扩大到世界范围，成为当代国际分工的一种重要形式。例如，韩国向日本出口普通钢材、生铁和钢锭等，而从日本进口的则是高规格品种钢材，如钢板、钢管等。又如，集成电路的前期工序相当于资本、技术密集型产业，后期工序组装要花费很多的劳动力，相当于劳动密集型产业。美国就把集成电路的前期工序放在国内生产，然后把零件送到发展中国

第六章　当代国际贸易体系下的资本主义经济

家进行组装,再进口成品。

第四,当代科技革命的发展赋予国际分工形式新的内涵。当代高新技术产业的发展,扩大了生产劳动的范围,使以前的一些非生产领域变成了直接生产部门或间接生产部门,如计算机软件产业和信息产业实际上已从研究领域演变成为生产部门,成为了制造业直接生产部门和间接生产部门的分工。这种分工既不是垂直型的分工,也不是水平型的分工;既不是部门间的分工,也不是部门内的分工,而是一种具有新的内涵的分工形式。

此外,高新技术产业的出现还扩大并加强了按产品和工艺的技术等级进行的分工,尤其是扩大和加强了按劳动力素质的差别进行的分工。一些高新技术产业从生产要素上划分也可以说是劳动密集型产业,但从劳动力素质考虑则属于脑力型的劳动密集型产业。它与传统的体力型的劳动密集型产业有很大的差别,比大烟囱工业的资本密集型更为进步。可见,对于高新技术产业,简单地用劳动、资本和技术的密集程度来区分产业类型已明显不够了,已不能准确地反映当代国际分工的性质。

(2) 跨国公司的兴起和蓬勃发展是推动国际分工发展变化的另一股重要力量

二战后跨国公司获得了空前迅速的发展,其海外子公司的数目日益增多。跨国公司以整个世界作为其活动的大舞台,以全球市场作为它追逐的目标;跨国公司利用世界先进的科学技术和国际专业化生产的优越性,按照合理的规模在全球范围内配置专业化生产基地,实行定点生产,分工制造部件,然后集中到有利的地点装配和销售。如美国第二大汽车垄断企业——福特汽车公司的拖拉机的传动装置是在比利时的工厂生产的,引擎装置、变速齿轮系统是在美国的工厂生产的,然后装配成完整的拖拉机。可见,跨国公司的生产经营具有高度的组织性和计划性,各子公司的生产实行专业化分工,相互间联系紧密。跨国公司作为国际化企业,其内部的分工同时也就是国际分工。因此,它必然会对国际分工产生重要影响,而且这种影响的大小同跨国公司的规模相适应。

(3) 二战后帝国主义殖民体系的瓦解和广大发展中国家和地区的经济发展,对于促进战后国际分工体系的发展也起到重要作用

在20世纪60~70年代民族解放运动中获得政治上独立的国家,不

再甘心充当帝国主义国家的"世界农村"的角色，力图改变自己在世界经济中的从属地位，因而走上了发展民族经济的道路。经过多年努力，它们已经取得一定的成效，经济结构得到初步改善。从1960年到1980年的20年间，在世界制成品贸易出口中，发展中国家所占的比重已由3.9%提高到9.2%，增长两倍多。同一时期，发展中国家的制成品出口额增加了17.1倍，而整个世界制成品出口额只增长13.7倍。

（4）二战后在《关税与贸易总协定》（以下简称关贸总协定）主持下的历届关税和非关税减让谈判，以及区域性经济贸易集团的建立等，也有助于当代国际分工的深化发展

自1947年关贸总协定签订以来，在其主持下已进行了八轮谈判。关税及非关税壁垒的降低和贸易自由化，促进了世界多国间的专业化分工和贸易往来，特别是推动了经济发达国家之间及其工业部门内部的专业化分工和贸易的发展。

此外，随着二战后当代资本主义经济生活国际化的迅猛发展，各种组织形式的经济一体化如自由贸易区、关税同盟、部门共同体、共同市场、经济同盟等区域性经济贸易集团的内部也实行具有一定计划性的国际分工。这种分工甚至已超越部门间的范围，发展到企业内部、车间、工序、工艺的分工等等。这种分工既是国际分工的组成部分，同时也对整个世界的分工产生重要影响。

6.3 GATT 与 WTO 的发展及对当代贸易自由化的影响

人类的任何交往行为都需要规则约束，制度经济学认为，当参与商业交易的个体增加后，必须要建立具有约束力的外在制度规范个体的行为，否则整个交易系统将趋于崩溃。世界贸易组织（WTO, World Trade Organization）的前身是关贸总协定（GATT, General Agreement on Tariffs and Trade），该组织是处理国际贸易全球规则的惟一国际组织，其主要功能是保证国际贸易顺利、可预测和自由的进行。当世界贸易组织成员之间出现贸易争端时，贸易摩擦被引导进入世界贸易组织的

第六章 当代国际贸易体系下的资本主义经济

争端解决过程,争端解决过程的核心是解释协议和承诺,保证成员国的贸易政策与世界贸易组织的协议和成员国的承诺一致,由此减少贸易冲突演变成政治或军事冲突的风险。被称作多边贸易体系的世界贸易组织体系的核心是绝大多数贸易国家谈判签字并经各自国会批准的世界贸易组织协议。这些协议是国际商务的基本法律规则。它们约束各成员国政府为了共同的利益把各自的贸易政策限制在协议范围之内。

6.3.1 全球贸易体系的制度安排:WTO 概述

二战给人类带来了无尽的灾难和创伤。大多数经济学家、政治家在反思世界战争爆发的原因时,一致认为二战前国际贸易和国际金融体系安排不利于世界贸易和经济交往的正常进行。在自由放任、失去监督、没有协调的国际制度安排下,各国竞相提高关税以保护国内就业;竞相增加出口,企图将国内失业输出到国外。在和平方案难以达到目的的时候,加上一些国家内部经济的动荡,容易引发国际民族矛盾的升级,这些都是培养希特勒等战争狂人的温床。正是基于对国际经济体系安排的反思,人们开始在二战结束前重新考虑新的有利于世界经济发展和世界和平的国际经济体制安排。以美国为首的国家在构建新的国际经济体制框架时,引入了新的国际机构管理国家之间的货币汇率、结算等业务,该国际机构就是后来的国际货币基金组织(IMF,International Monetary Fund),以及新的帮助落后国家和地区经济发展的国际信贷机构,即后来的世界银行(World Bank);以及管理世界各国贸易正常往来的国际制度安排,即后来的关贸总协定(GATT,General Agreement on Tariffs and Trade)和世界贸易组织(WTO,World Trade Organization)。

大战结束不久,美国向联合国经济与社会发展委员会提议召开世界贸易与就业会议并建立国际贸易组织。1946 年 2 月,联合国经社理事会接受了美国的建议并成立了筹委会,并于 1947 年 10 月在哈瓦那举行的联合国贸易与就业会议上审议并通过了《国际贸易组织宪章》。关贸总协定即是由这个宪章中关于国际贸易的基本内容和后来由各个国家达成的关税减让协议合成在一起形成的。关贸总协定于 1948 年 1 月 1 日生效。

关贸总协定作为一项过渡性的临时安排,原打算等待《国际贸易组织宪章》生效后，由《国际贸易组织宪章》取代，但后来由于国际贸易组织实施条款的自主性等原因，未能被各国政府通过，导致后来建立国际贸易组织的设想落空，而关贸总协定则成为缔约方的国际贸易法律准则的基本文件。这一临时性的制度安排直至1995年1月1日才被世界贸易组织所取代。

世界贸易组织是一个独立于联合国的永久性国际组织。该组织的基本原则和宗旨是通过实施市场开放、非歧视和公平贸易等原则，来达到推动实现世界贸易自由化的目标。从1995年1月1日正式开始运作，负责管理世界经济和贸易秩序，与关贸总协定相比，世界贸易组织管辖的范围除传统的和乌拉圭回合新确定的货物贸易外，还包括长期游离于关贸总协定外的知识产权、投资措施和非货物贸易（服务贸易）等领域。世界贸易组织具有法人地位，它在调解成员争端方面具有更高的权威性和有效性。

该组织作为正式的国际贸易组织在法律上与联合国等国际组织处于平等地位。它的职责范围除了关贸总协定原有的组织实施多边贸易协议以及提供多边贸易谈判场所和作为一个论坛外，还负责定期审议其成员的贸易政策和统一处理成员之间产生的贸易争端，并负责加强同国际货币基金组织和世界银行的合作，以实现全球经济决策的一致性。

世界贸易组织的最高决策权力机构是部长会议，会议至少每两年召开一次。下设总理事会和秘书处，负责世界贸易组织日常会议和工作。总理事会设有货物贸易、非货物贸易（服务贸易）、知识产权三个理事会和贸易与发展、预算两个委员会。总理事会还下设贸易政策审议机构，它监督着各个委员会并负责起草国家政策评估报告。争端解决机制中的上诉机构负责对成员间发生的分歧进行仲裁。

世界贸易组织成员资格分为两种，即创始成员和新加入成员。创始成员必须是关贸总协定的缔约方，世界贸易组织在接纳新成员时，须在部长级大会上由三分之二多数成员投票表决通过。世界贸易组织成员分四类：发达成员、发展中成员、转轨经济体成员和最不发达成员。世界贸易组织的前身关税及贸易总协定的缔约方中已有29个最不发达成员。截至2005年11月，有成员149个，同时，另有32个国家和独立关税区

第六章 当代国际贸易体系下的资本主义经济

正在进行加入世界贸易组织的谈判①。

6.3.2 WTO制度安排的基本内容及其运行方式

作为一项国际贸易制度安排，世界贸易组织推行自由贸易理论的基础仍然是比较优势理论，以及基于比较优势理论的赫克歇尔－俄林的资源禀赋论。这些理论认为自然分工能够促使世界生产资源得到合理利用，自由贸易能够促使世界福利水平提高。因此，世界贸易组织的宗旨、职能、原则都是为了推动世界贸易自由化而设定的。

世界贸易组织的宗旨和关税与贸易总协定的宗旨一样，都是为了提高生活水平，保障充分就业、保证实际收入和有效需求的大幅度稳定增长，同时使世界资源得到最有效利用。在此基础上，世界贸易组织又增加了扩大货物和服务的生产和贸易以及可持续发展的目标。为了实现这些目标，世界贸易组织要作出积极努力，以保证发展中国家，特别是最不发达国家在国际贸易增长中获得与其经济发展需要相当的份额，同时，通过互惠互利安排，实质性削减关税和其他贸易壁垒，消除国际贸易关系中的歧视待遇。

为了有效地实现其宗旨和目标，世界贸易组织规定各成员应通过达成互惠互利的安排，大幅度削减关税和其他贸易壁垒，在国际经贸竞争中，消除歧视性待遇，坚持非歧视贸易原则，对发展中国家给予特殊和差别待遇，扩大市场准入程度及提高贸易政策和法规的透明度，以及实施通知与审议等原则，从而协调各成员间的贸易政策，共同管理全球贸易。世界贸易组织为其成员在处理有关世界贸易组织协定、协议而产生的贸易关系时，提供了一个统一的制度框架。归纳起来，世界贸易组织主要有六大职能：①制订和规范国际多边贸易规则。世界贸易组织制定和实施的一整套多边贸易规则涵盖面非常广泛，几乎触及到当今世界经济贸易的各个方面。随着世界经济和国际贸易的发展，世界贸易组织的涵盖范围已经从原先纯粹的货物贸易、在边境采取的关税和非关税措施，进一步延伸到服务贸易、与贸易有关的知识产权、投资措施，包括即将在新一轮多边贸易谈判讨论的一系列新议题，如竞争政策、贸易与劳工

---

① 资料来源：WTO官方网站。

标准、环境政策和电子贸易等。②组织多边贸易谈判。世界贸易组织及其前身关贸总协定通过八轮回合的多边谈判,各成员大幅度削减了关税和非关税壁垒,极大地促进了国际贸易的发展。乌拉圭回合关税减让完成后,发达国家的平均关税水平已从1948年的40%左右,降到目前的3.7%左右,发展中国家的平均关税已降到14.4%左右。③解决成员国之间的贸易争端。世界贸易组织的争端解决机制在保障世界贸易组织各协议实施以及解决成员间贸易争端方面发挥了重要的作用,为国际贸易顺利发展创造了稳定的环境。随着该机制从法律上和程序的不断加强,越来越多的世界贸易组织成员,特别是发展中国家成员开始积极地利用争端解决机制。从1995年至2003年,世界贸易组织受理了300多起争端投诉。争端解决机制是多边贸易体制有效实施其自由化承诺的一个保障。它不仅为世界贸易组织各成员提供了一个公平公正地解决经贸纠纷的场所,而且通过其裁决的执行,减少了国际经贸领域中爆发贸易战的可能性,维护了多边贸易体制的稳定性。④审议各国的贸易政策。除了提供争端解决机制之外,世界贸易组织还是对成员贸易政策进行定期审议的场所。这些审议具有双重目的。首先,了解成员在多大程度上遵守和实施多边协议(在可能的情况下,包括诸边协议)的纪律和承诺。通过定期审议,世界贸易组织作为监督者,要确保其规则的实施,以避免贸易摩擦。其次,提供更大的透明度,更好地了解成员的贸易政策和实践。对各国贸易政策的监督是世界贸易组织一项贯彻始终的重要工作。这项工作的核心是贸易政策审议机制(TPRM),体现在要对各成员的贸易政策与措施及其对多边贸易体制作用的发挥所产生的影响进行经常性的审议。⑤通过技术援助和培训项目帮助发展中国家制定贸易政策。世界贸易组织明确指出其目标是促进所有成员的经济贸易发展。最不发达国家仅承担与其经济发展水平相当的义务;通过对发展中国家提供技术援助和培训,增强它们参与多边贸易体制的能力,并因此而获益。为此,世界贸易组织专门设立了"贸易与发展委员会"等专门机构,以便为发展中国家提供服务。世界贸易组织对发展中国家成员提供的技术支持和培训,主要具体有:a. 技术援助方面,与发展中国家的研究教育机构合作,开展有关世界贸易组织的教育培训,为发展中国家培训相关师资力量,并通过互联网和电视开展远程教育等。b. 培训方面,世界贸易组织

第六章 当代国际贸易体系下的资本主义经济

在瑞士日内瓦历年均举办贸易政策培训班和其他短期培训班,培训对象主要是各国驻派世界贸易组织的外交官,和发展中国家处理世界贸易组织事务的政府高级官员。⑥与其他国际组织合作。

世界贸易组织运作的依据和基础是一系列多边谈判后,由各国政府签字认可的协议安排。这些协议、规则有一些基本的指导方针,这些指导方针就是通常所说的世界贸易组织的基本原则。它们包括:①非歧视原则(principle of nondiscrimination)。它是世界贸易组织及其法律制度的一项首要的基本原则,也是现在国际贸易关系中最基本的准则。非歧视原则的基本含义是:任何缔约国在实施某种限制或禁止措施、或实施某些贸易优惠或豁免时,必须适用于任何缔约方,不得有歧视或区别对待。互惠互利原则、最惠国待遇原则和国民待遇原则正是这一基本原则的具体体现。②关税保护原则(principle of customs duties as means of protection)。世界贸易组织之所以确立关税保护原则,是因为:与非关税措施相比,关税措施具有较高的透明度,便于其他国家和贸易经营者辨析保护的程度,同时关税措施对贸易竞争不构成绝对的威胁。③公平贸易原则(principle of fair trade)。这个原则的基本含义是,各成员国和出口贸易经营者都不应采取不公正的贸易手段进行国际贸易竞争和扭曲国际贸易竞争,因此,无论是关贸总协定,还是世界贸易组织的有关文件,对于不同方式来自不同国家的补贴和倾销分别规定了相应的规则和纪律。④优惠待遇原则(principle of preferential treatment),又称为"非互惠待遇原则"。乌拉圭回合是优惠待遇原则进一步发展的重要标志,首先,建立世界贸易组织协议的序言明确规定,应确保发展中国家与其经济发展相适应的国际贸易增长的份额,从而将优惠待遇原则融入世界贸易组织的宗旨之中,其次,乌拉圭回合的一系列单独文件不仅在各自的序言部分强调对发展中成员国优惠待遇的重要性和必要性,而且无一例外地在正文中用专门条文加以规定。世界贸易组织的这一原则不仅适用于传统的货物贸易,而且在新兴的服务贸易和与贸易有关的其他领域也具有普遍的指导意义。⑤透明度原则(principle of transparency)。透明度原则要求缔约方对外公开贸易上的政策、措施和规则,非经正式公布不得不实施。透明度原则经过乌拉圭回合又增添了新的适用领域,根据《最后文件》的有关附件规定,世界贸易组织的各成员涉及贸易有关的投资措施、与贸易有关的知识产权方面的措施以及服务贸易领域的法律、规章、政策和其他行政或司法措施，均应遵守透明度原则。⑥协商与协商一致原则（principle of consultation and consensus）。首先，无论是总协议及其实践中产生的法律文件，还是世界贸易组织章程和其他乌拉圭回合协议，都是在各谈判参与方多次、反复、广泛协商的基础上形成。其次，GATT 或者 WTO 的各项协议，都普遍规定了"协商"义务，可以说，协商原则贯穿于总协议及世界贸易组织法调整的各个领域。最后，协商一致是总协定及世界贸易组织决策程序的一项基本准则，总协定 40 多年的实践表明，它的绝大多数决议都遵循了协商一致原则。

为了实现世界贸易组织的目标，管理全球贸易，规范各国贸易行为，世界贸易组织建立了一套比较成熟的运作机制协调世界贸易。这些机制包括决策机制、政策审议机制和争端解决机制。这些机制的建立和运作，可以使整个资本主义经济体系的贸易往来更具有规范性，避免了二战以前世界贸易制度缺失所带来的贸易摩擦和军事冲突等严重的世界问题。①世界贸易组织决策机制。世界贸易组织在进行决策时，主要遵循"协商一致"原则，只有在无法协商一致时才通过投票表决决定。②世界贸易组织贸易政策审议机制。作为一项比较成熟的制度安排，对各国贸易政策的监督是世界贸易组织的一项贯彻始终的重要工作。这项工作的核心是贸易政策审议机制，即对各成员的贸易政策与措施及其对多边贸易体制作用的发挥所产生的影响进行经常性的审议，避免机会主义政府做出一些空头承诺。国别贸易政策定期审议制度，可以随时检查各成员贸易政策与措施是否与世界贸易组织有关协议相一致，是否与他们各自承担的多边义务及其各自所作的承诺相符合。这不仅有助于世界贸易组织加强对各成员履行其义务与承诺的监督，也有助于各成员国之间的相互监督，保证了世界贸易组织规则的实施。在现行的世界贸易组织体制下，贸易政策审议机构的报告所阐述的意见尚不具有强制力，但它可以对受审议的成员产生一定的压力，促进其尽快对不符合多边贸易体制的政策进行必要的修订。③世界贸易组织争端解决机制。争端解决机制是多边贸易体制有效实施其自由化承诺的一个保障。它不仅为世界贸易组织各成员提供了一个公平公正地解决经贸纠纷的场所，而且通过其裁决的执行，减少了国际经贸领域中爆发贸易战的可能性，维护了多边贸易体制

第六章 当代国际贸易体系下的资本主义经济

的稳定性。争端解决机制作出裁决的法律依据是世界贸易组织协议及相关协定、各成员的相关义务,这就要求各成员需将本国现有的国内立法逐步向世界贸易组织各项协定靠拢,同时在制定新的法规时要以世界贸易组织有关规定为参照,从而促使世界各国经贸政策和做法与世界贸易组织规则保持一致。如果没有一个解决争端的办法,以规则为基础的体制将因为其规则无法实施而变得毫无价值。从一定意义上说,争端解决机制的存在和加强正是多边贸易体制比许多其他国际组织能更有效地发挥作用的重要原因之一,也是国际社会之所以重视这一多边贸易组织的重要原因之一。

6.3.3 GATT 与 WTO 下的多边国际贸易体系对当代贸易自由化的推动

多边贸易体制是以多边议定的规则为基础的开放贸易体制。多边贸易体制的建立最直接的好处是简化了多国之间的贸易行为。而这一体制的宗旨就在于通过组织多边贸易谈判来增加国与国之间的贸易、规范贸易行为和解决贸易纠纷,从而使国际贸易更加自由、资源得到更有效的配置。因此在多边贸易体制下,需要与多国发生贸易关系的国家,可同时与多个贸易伙伴进行谈判,达成适用于各伙伴国的统一协议,而不用与各国分别达成不同协议,从而大大简化了国际贸易,促进了国际贸易量的快速增长。虽然世界贸易组织在 1995 年 1 月 1 日才建立,但实际上,多边贸易体制已有 50 多年的历史了。自 1948 年起,关税与贸易总协定就已为多边贸易体制制定了规则。50 多年来,无论是关税与贸易总协定,还是后来的世界贸易组织都在上述诸多方面发挥了重要作用。但是我们也应看到,关税与贸易总协定对多边贸易体制的贡献与世界贸易组织对多边贸易体制的贡献是不可同日而语的。可以说,世界贸易组织发展了关税与贸易总协定确立的多边贸易体制,也是现在正在发挥不可替代作用的多边贸易体制。

关贸总协定和世界贸易组织的自由贸易的理论和政策措施,是保证各国国内市场、国内与国际市场相互连接的关键。只有这样,才能撤除国际贸易的各种割据和障碍,使各国商品在无歧视的平等条件下,进入国际市场进行公平的竞争。尤其是战后,世界贸易组织的前身关贸总协定在美、英两国倡导下推行的贸易自由化,要求关贸总协定缔约国的生产与消费以全球市场为目标,进行自由贸易,实际上是国际分工深化的表现,是跨国公司国际活动的要求。贸易自由化已带有国际经济运行的规律性趋势,现在这个趋势更加明显了。这说明世界贸易组织所代表的不是落后的理论和政策,它所代表的是相对进步的生产力发展的要求。

关贸总协定在历次多边贸易谈判中达成了一系列协议,形成了一整套国际贸易政策与措施的规章和法律准则。这些都成为了世界贸易组织的核心内容。诸如最惠国待遇原则、国民待遇原则、透明度原则、关税保护和一般数量限制原则等,这些都管理和约束着缔约国各方的商业行为,实质上提供了国际商业的"行路规则",为各缔约国商业界提供了一个安全的和可以预测的国际贸易环境,提供了使投资和就业以及商业经营得以繁荣的不断自由化的过程。关贸总协定对推动当代贸易自由化所起的历史作用主要表现为:①促进了国际贸易发展和规模的不断扩大。在关贸总协定主持下,经过八轮贸易谈判,各缔约方的关税均有了较大幅度的降低。发达国家和发展中国家的平均税率分别降至 3.7% 和 14.4%。在第七、第八轮谈判中,对一些非关税措施的逐步取消达成了协议。这对于促进国际贸易的发展和自由化作出了积极贡献。国际贸易的规模从 1950 年的 607 亿美元增至 1995 年的 43700 亿美元。世界贸易的增长速度超过世界生产的增长速度。②发展成为一套国际贸易法律体系,成为贸易的"交通规则"。关贸总协定的基本原则及谈判达成的一系列协议,成为被缔约方处理彼此间权利和义务的基本依据,并具有一定的约束力。关贸总协定要求其缔约方在从事对外贸易和制定或修改对外贸易政策措施、处理缔约方之间的经贸关系时,遵循它确立的基本原则和一系列协议。因此,关贸总协定成为各缔约方进行贸易活动的"交通规则"。③缓和了缔约方之间的贸易摩擦和矛盾。关贸总协定及其一系列协议是各缔约方之间谈判与相互妥协的产物。协议执行中产生的贸易纠纷通过协商、调解、仲裁方式解决。这对缓和或平息各缔约方的贸易矛盾起到了一定的积极作用。④对维护发展中国家的利益起到了一定的作用。关贸总协定条款最初是按照发达资本主义国家和地区的意愿拟定的,但随着发展中国家和地区的壮大和参与,也增加了有利于发展中国家和地区的条款。所以,关贸总协定为发达国家、发展中国家和地区在贸易问题上提供了对话场所,并为发展中国家和地区维护自身利益和促进其

第六章　当代国际贸易体系下的资本主义经济

对外贸易发展起到了一定的作用。

世界贸易组织作为在关税与贸易总协定的基础上发展起来的多边贸易体制，已经把它的触角延伸到世界经济的每个角落，必然对当代资本主义经济贸易产生重大的影响，主要表现在以下几个方面：第一，世贸组织的运作能遏制贸易保护主义的蔓延，促进贸易自由化发展．在一定程度上加速了世界经济贸易的增长。据世贸组织年度统计资料，世界货物出口额从 1995 年的 5.161 万亿美元增加到 2004 年的 9.124 万亿美元，世界货物进口额从 1995 年的 5.278 万亿美元增加到 2004 年的 9.458 万亿美元。第二，世贸组织的运作能促进国际服务贸易和国际投资的加速发展。随着服务贸易和投资措施自由化的加强，国际投资增长将继续快于国际贸易，国际服务贸易的增长速度仍继续高于国际贸易增长速度。第三，世界经济和世界市场的全球化也将因为世贸组织的存在而进一步发展。由于绝大多数国家或地区都加入了该组织，并接受世贸组织各种规则的管辖，这势必增加市场准入，促进各国、各地区之间的经济相互渗透、相互依存和相互为市场的发展，提高世界经济和世界市场的融合度，从而有利于世界经济和世界市场全球化的进展。第四，世贸组织的运作使全球范围内的经济贸易竞争更趋激烈。随着世界贸易自由化向多层次发展，各国之间，特别是贸易大国之间的竞争更趋尖锐化。服务贸易和高科技领域成为竞争的热点。竞争压力迫使各国加速产业结构的调整与优化，加强科研与发展能力。第五，在世贸组织的多边体制之下，跨国公司的经营范围继续扩大。"乌拉圭回合"最后文件的生效和执行，为跨国公司的经营活动开辟了更广阔的空间。跨国公司的经营活动更为活跃，并进一步渗透到世界各地、各领域，成为推动世界经济相互渗透、相互依存，推进货物贸易、服务贸易与投资自由化的重要力量。

随着经济全球化的广泛发展，建立在多边贸易机制基础上的世界贸易组织的各项规则的运作，在多个方面促进了国际贸易的有序发展。

1. 世界贸易组织法规体系的构建使国际贸易走上法制化轨道

世界贸易组织通过八次贸易谈判，通过了二十六个协定或协议。由总纲（关税与贸易总协定）、货物贸易协议、服务贸易总协定和知识产权保护协定所组成。对国际贸易中的主体行为进行了规范，对国际贸易中的客体标准、价格、管理进行了约束，对国际贸易全过程制定了统一的监控措施,有效地克服了国际市场的无序和混乱,使国际贸易走上了法制化的轨道,促进了世界贸易健康有序的发展。

2. 世界贸易组织的基本规定促成了国际贸易自由化的进程

世界贸易组织的一些条款,诸如裁减关税壁垒、取消非关税壁垒、过境自由、反倾销规则、反补贴规则、非歧视规定、贸易政策审议、争端解决条款等都有利于国际贸易中各种障碍的排除,都有利于国际贸易便捷自由地开展。

3. 世界贸易组织的优惠政策推进了发展中国家进出口贸易的发展

世界贸易组织把国际市场的竞争标准分为三个级别或层次,即发达国家是一个标准,发展中国家又是一个标准,最不发达国家基本上只有权利而无需履行义务。世界贸易组织允许发展中成员用较长的时间履行义务,或有较长的过渡期;允许发展中成员在履行义务时有较大的灵活性;规定了发达国家成员应对发展中成员提供技术和信息帮助,以使后者得以更好地履行义务。这当然对发展中国家进出口贸易的健康发展是个推动和促进。

4. 世界贸易组织的保障措施推动了国际贸易的可持续发展

世界贸易组织在运行过程中,既有依法行商的强力监控,又有保障措施的保驾护航,有力地推进了国际贸易的可持续发展。世界贸易组织规定在一国因某一产品进口激增,以致对其国内生产商产生或将产生严重损害时,该成员方可对该产品的进口实施临时保障措施;如果一国因国际收支失衡或外汇储备趋于零,该成员亦可对产品的进口实施保障措施。这样做的结果,就会使一些暂时困难的成员方不会被一棒子打死,有利于他们本国经济的恢复,亦有利于整个国际贸易的可持续发展。

5. 世界贸易组织的政策公布和审议制度促成了国际贸易中的信息畅达

世界贸易组织要求所有成员的贸易政策都要及时公布,不公布者不得实施;定期地审议世界贸易组织各成员的贸易政策。这样做的结果,使国际贸易政策的透明度大大加强,这无疑促成了国际贸易中的信息畅达,有利于国际贸易主体知己知彼、明确目标、科学操作、百战不殆。

6. 世界贸易组织对知识产权的保护,推动了国际贸易的公平竞争

世界贸易组织通过《与贸易有关的知识产权协定》的实施,可以有效地杜绝国际贸易中假冒伪劣商品的泛滥,减少侵权行为的发生,维持

第六章　当代国际贸易体系下的资本主义经济

国际市场秩序，推动公平竞争，消除合法国际贸易经营者的后顾之忧。

7. 世界贸易组织的争端解决机制可以减少国际贸易战的发生

世界贸易组织有一个争端解决机制，一方面，给国际贸易各纠纷方提供了一个磋商、谈判的场所和机会，有利于把国际贸易的一些摩擦消灭在萌芽状态中；另一方面，争端解决机构的仲裁具有法律效力，纠纷各方都得无条件地遵守。这样，就可以有效地减少国际贸易战发生的频率和降低国际贸易战的程度。

8. 世界贸易组织的基本条款有利于国际贸易成本的降低和效益的提高

世界贸易组织很多基本条款的贯彻实施都有利于国际贸易中各项费用的节约。诸如：关税、国内税、规费的降低条款，过境自由条款，争端解决机制条款等。伴随着各项费用支出的减少，当然有利于国际贸易成本的降低和效益的提高。

6.3.4　当代多边国际贸易体系下资本主义经济的矛盾

尽管大多数经济学家都支持自由贸易，但是自由贸易在带来交易双方福利水平提高的同时，也会制造出赢家和输家。对于一国政府而言，参与多边贸易谈判的基本立场乃是维护本国的国家利益，尽可能地减少国内居民和企业因为外部竞争所带来的损失。由于各国的经济发展水平、经济规模各不相同，小国与大国相比，在进行双边贸易谈判的时候明显处于不利地位，多边贸易体系通过创造出一个相互平等、重复博弈的平台，有助于减少小国和发展中国家在和发达大国进行谈判中所遇到的不利局面。然而，由于WTO远非一个民主的国际组织，在很难利用多边贸易谈判的这一便利方面，发展中国家显然处于一种不利地位。在具体议题上，各国之间存在着错综复杂的利益关系，发达国家之间在很多问题上也有激烈的利益冲突，发展中国家阵营中的利益也经常互相冲突。当代多边国际贸易体系下资本主义经济的运行存在着各式各样的矛盾，尽管WTO为世界贸易自由化、经济全球化作出了巨大贡献，但是，发展中成员在其中所作出的贡献并没有得到应有的补偿，发达国家和发展中国家之间的矛盾逐渐演化为主要的矛盾。

当代资本主义经济论

1. 发达国家国际贸易理论与其现实政策的分离——自由贸易大潮下的不和谐杂音

由于发达国家对世界生产和贸易处于垄断控制的优势地位,自由贸易有利于其经济贸易的全球性扩张。因而其一直是自由贸易理论倡导者。然而,在不同的历史时期,经济发达国家国际贸易理论与现实政策常常出现相分离的现象,这样的情况往往在资本主义国家经济出现衰退或不景气的时候显得较为突出。事实上,理论上居主导地位的自由贸易,迄今并没有在哪一个主要发达国家的贸易政策中真正得到完全的体现。正如美国经济学家麦克康内尔(C. R. McConnel)指出的那样:"尽管自由贸易的拥护者在教室里比比皆是,但贸易保护主义者却支配着国会大厅。"[①]

随着经济全球化和区域一体化所带来的世界经济格局的变化,国际贸易竞争日趋激烈,加之发达国家国内利益集团矛盾冲突的需要,使得这种背离即使在乌拉圭回合谈判取得成功,世界贸易组织(WTO)正式运转的这样一种大背景下,仍不时地在各种不同的场合以不同的方式表现出来,成为与经济全球化趋势下自由贸易大潮极不相和谐的杂音,并在一定程度上引起了资本主义经济运行中各种矛盾的产生。发达国家国际贸易理论与其现实政策分离主要表现为:第一,名义上的自由贸易,实质上的保护贸易。在20世纪70年代以后,从发达国家的对外贸易理论与实践中不难发现,他们无不都是打着自由贸易的旗号,把自己标榜为自由贸易的先锋。在理论上,他们大多以凯恩斯国家干预主义反对派的面目出现,宣称信奉自由贸易思想,而实际上,却采取各种措施进行贸易保护。第二,世界范围的自由贸易,单个国家的保护贸易。二战后,在关贸总协定的推动下,世界范围的贸易自由化趋势有了明显的加强,主要表现在整体关税水平不断下降,多边贸易逐步扩大,国际贸易协调机制进一步巩固和完善,从整体上促进了全球经济的发展。但是,自由贸易思想具体到某些国家时却往往会遇到极大的阻力。许多西方国家总是千方百计地绕过关贸总协定的若干原则与规定,设置诸如"有秩序销售"、"自动出口限制"等一类灰色区域,用一种更为隐蔽和更为有效的

[①] 萨缪尔森:《经济学》第八版,麦格劳—希尔图书公司1981年版,第829页。

第六章 当代国际贸易体系下的资本主义经济

手段来保护国内市场。第三,区域内的自由贸易,区域外的保护贸易。从整体上看,区域集团内的自由贸易只能看成是自由贸易的一种个别形式,其特殊性在于许多区域经济集团对内开放性与对外的排他性的同时并存,因而常具有典型的贸易保护色彩。实际上,区域贸易集团内部通常实行的是低关税或者零关税,生产要素可以自由流动,但对外往往是统一的高关税政策,这样客观上就造成了某些国家地区在对外贸易理论与政策上的内外分离现象。第四,一部分商品的自由贸易,另一部分商品的保护贸易。在当代国际贸易中,西方国家在宣传它们的所谓自由贸易主张时,确实在某些领域和某些产品的贸易中实现了较大甚至是完全的开放,但是发达国家宣传自由贸易往往只是针对一部分有利于它们自身利益的商品而言的。第五,对某些国家实行自由贸易,对其他国家实行保护贸易。西方发达国家提倡的所谓"公平贸易"、"公正的自由贸易",实际上只是一种理论宣传而已。在具体的政策措施中,则常常伴有强烈的政治倾向性和民族歧视性。西方的所谓自由贸易理论与政策对于不同地区和国家来说是相分离的。

发达国家国际贸易理论和现实贸易政策之所以存在如此的差异有其特定的原因,同时也正是由于这些原因的存在,导致了世界贸易体系中各种矛盾的产生。第一,发达国家为了解决其社会基本矛盾的结果。资本主义生产方式的基本矛盾,在社会再生产方面的一个具体表现,就是生产的无限扩大趋势与人民群众有支付能力的需求相对缩小的矛盾冲突。为了缓解这一矛盾,增加出口扩大国际市场份额和限制进口保护本国市场,一度成为各国政府宏观经济政策的一个基本出发点。第二,贸易问题政治化的需要。国际贸易理论与现实政策的分离,还在于发达国家的对外贸易政策,不仅要考虑到经济的因素,还要服从于其政治的需要,包括其全球经济战略与政治、军事战略的需要。由此使得经济的问题往往染上浓厚的政治色彩。第三,发达国家国内利益集团的压力。国际贸易政策历来是资本主义国家各个利益集团斗争的焦点,他们站在各自的立场上,对自由贸易理论做出的解释肯定不会相同,在此基础上形成的政策主张也会有很大的差异,有时甚至是完全相反的。国际贸易的发展不但使发达国家的出口增加,而且也会导致它们的进口增加。这样,国内某些生产部门的垄断资本集团将会受到外国商品竞争的压力。为了维护垄断和保持丰厚的既得利益,垄断资本集团就用各种方法影响政府官员,形成强大的"院外活动力量"来迫使政府采取贸易保护主义的政策。而作为资本主义国家的政府为了维护统治地位,必然迎合某些集团的需要,保护其既得利益。最后,对其他国家特别是发展中国家的报复和遏制。二战后,国际上各种主要力量的关系逐渐转向经济与贸易的激烈竞争,世界经济格局发生着巨大的变化。一方面,实行一定的贸易保护,以保护本国幼稚的民族工业发展,减少长期遭受的对外贸易逆差之困扰,成为一些发展中国家经济发展的特定阶段在一定时期内迫不得已的政策选择。另一方面,在经济全球化、区域一体化迅猛发展的新的世界市场竞争中,世界各国之间的力量对比此消彼长的不平衡发展,不但表现在发达国家之间,而且也表现在发展中国家中一些新兴工业化国家的后来居上。后者在国际市场的某些领域所显示出的强大竞争实力,在某种程度直接对发达国家构成了威胁。这些情况,也使得一些发达国家开始重新调整其原有的对外经贸政策:针对前一类发展中国家,实行所谓"反倾销"、"对等的贸易报复或制裁";而针对后一类发展中国家,则以各种形形色色的关税尤其是非关税壁垒,来阻挡来临的竞争,保护本国市场。

2. 当代国际贸易体系下的制度缺陷——发展中国家和地区参与贸易全球化的陷阱

在全球经济一体化过程中,经济发展处于不同阶段、工业化处于不同水平上的国家在参与国际竞争中,必须共同遵守相同的国际经济制度。但这些经济制度是在发达国家主导下制定的,它们与发达国家的经济发展水平相适应,是其国内经济发展的客观需要,故能最大限度地维护发达国家的经济利益,而发展中国家和地区的经济利益未能得到充分体现。这对发展中国家来说,意味着面临的是重大的制度"缺陷"。世界贸易组织取代关贸总协定,成为一个具有法律地位的国际经济组织,其最终判决具有权威性,在很大程度上要求强制执行,这对缔约方具有更大的约束力,这会极大地促进国际贸易自由化的发展。但作为以美国为首的发达国家制定国际贸易制度的机构,它们又具有维护其利益的性质。无论是关贸总协定组织下的八轮多边贸易谈判,还是世界贸易组织组织下的新一轮多边贸易谈判,无不体现了发达国家利益至上的原则,无不暴露出美国推行其贸易霸权的野心。

第六章 当代国际贸易体系下的资本主义经济

(1) 国际多边贸易规则——发达国家最大经济利益的维护者。如在肯尼迪回合中，发达国家减税大约36%~39%，但减税主要集中在美国和欧共体拥有优势的工业制成品以及对它们的工业很重要的一些原料上。因此，许多不能生产、出口此类制成品或此类制成品没有竞争力的发展中国家和地区，就不能从这种关税减让中得到好处。而对发展中国家和地区拥有比较竞争优势的纺织品行业，西方发达国家继续利用"多种纤维协定"将占世界纺织品贸易总额75%的部分置于关贸总协定之外，使之免于受关贸总协定关于非歧视和禁止数量限制的制约，这给发展中国家和地区的出口造成巨大损失。在东京回合中，发展中国家和地区得到的关税减让，平均要比发达工业国家所得到的少25%。而且关税结构的任何变动都能成为发达国家偏爱某些国家而实际上歧视另一些国家的手段，加之非关税壁垒不断增加（已多达2500余种），使广大发展中国家和地区难以从这种贸易规则中获得较大好处。这表明：在所谓"公平"、"非歧视性"贸易中，发展中国家和地区得到的是不公平的、歧视性的待遇。世界贸易组织取代关贸总协定，其最终判决具有权威性，在很大程度上要求强制执行，这就进一步强化了对发展中国家和地区的约束，会使强者更强，弱者更弱。此外，发展中国家还是自动出口限制、有秩序的销售安排等"灰色区域"措施和"公平贸易政策"的最大受害者。

(2) 多边贸易谈判机制——发达国家尤其是美国用以打开其他国家尤其是发展中国家和地区市场，推行其贸易霸权的工具。在乌拉圭回合谈判中，美国利用威胁、拒绝参加第八轮谈判等各种手段频频向广大发展中国家施压，使服务贸易以及与贸易有关的知识产权等问题被纳入谈判议题，最终达成《服务贸易总协定》、《与贸易有关的知识产权协定》。据1996年美国《总统经济报告》估计，美国从乌拉圭回合协议中，每年可获得1000亿~2000亿美元的额外收益。1995年7月，在金融服务贸易谈判中，美国指责亚洲和拉美国家提出的金融服务贸易开放率太低，并在谈判的最后时刻愤然退出。1997年4月重开谈判，在12月日内瓦会议上，70个参加方达成对外开放银行、保险证券和金融信息等市场的协议。这样确保了在银行、证券和保险业中居主导地位的美国能顺利进入占全球金融服务贸易95%的金融市场。

(3) 区域经济集团化——发达国家谋求其战略利益的重要手段。区域经济集团化是 WTO 最惠国待遇原则的例外，其目标是要形成区域内的统一市场。这种具有强烈排他性的区域经济一体化和集团化组织，其实质就是要形成贸易保护区域化。发达国家为谋求其战略利益，一方面以其拥有的雄厚经济实力和强大的国际竞争力，积极推进自由贸易，获取广阔的外部市场；另一方面，积极推动区域经济一体化和集团化的发展，实现区域内贸易、投资自由化，而对外则往往实行统一的关税和非关税壁垒。发达国家利用 WTO 最惠国待遇原则的例外条款组建区域性经济集团，实行区域性贸易保护，有利于发达国家谋求其战略利益。但这对区域外的国家和地区尤其是发展中国家和地区是极其不利的，其影响巨大而深远。

3. 当代多边国际贸易体系变革中发展中国家面临的危机和风险

乌拉圭回合以来的多边贸易进程反映了世界贸易体系的重要变化，这些变化沿袭了 GATT/WTO 规则下贸易自由化的轨迹，并适应了经济全球化带来的挑战。但是另一方面，变革中却潜伏着危机和风险。

第一，现有的国际贸易体制中对成员方待遇的多轨制倾向减弱，从而造成互惠基础的结构性不完善。回顾发展中国家在 GATT/WTO 中的地位变化，不难发现在 20 世纪 80 年代以前，发展中国家基本上扮演着"搭便车"的角色，这体现在"特殊和差别待遇"、"授权条款"等规则。然而随着新兴工业化国家的兴起，在东京回合中首次出现了发展中国家应该重新回到权利和义务对等上来的观点，这就是所谓"毕业条款"的起源。乌拉圭回合对发展中国家来说是一个重要的转折点，从此它们被深深卷入了世界贸易体系，并被要求承担更高和更广泛的义务，这实际上已经大大超过了它们最初参加谈判的设想和承受能力。当协定生效并实施后，发展中国家发现它们与发达国家之间进行互惠贸易的基础遭到严重破坏。尽管乌拉圭回合的一篮子协定客观上有助于形成全球性的贸易与投资扩张，但这种机会不能够被所有国家所公平地利用，因为发达国家与发展中国家在利用贸易机会的能力水平上存在巨大的差别。在这方面，发展中国家具有"先天性"的弱势和"后天性"的障碍，这体现在：较低的国内产品和服务的供给能力；与主要市场之间联系偏弱；为研究创新提供的科学技术的基础设施有限；出口市场上面临来自发达国家的种种贸易限制措施等。

第六章 当代国际贸易体系下的资本主义经济

第二,发展中国家的预期收益在现有的国际贸易体系中没有得到实现,因为发达国家没有真正履行自己的承诺。发达国家针对许多发展中国家最具比较优势的贸易部门的高保护依然持续存在。例如,在纺织品部门,虽然按照乌拉圭回合协定实施已有多年,但是发展中国家并未看到巨大的自由化收益,因为发达国家选择了"最终负担"的实施方法(即多数纺织产品只有到10年过渡期的最后才被解除配额限制);此外,发达国家针对发展中国家的劳动密集型产品和原材料深加工产品的关税升级和关税峰值大量存在,反倾销、反补贴和保障措施等单边措施的使用更是日趋严厉。

第三,发展中国家在按照规则和协定履行义务时面临着复杂性、艰巨性以及伴随高的实施成本。例如,农业协定规定发展中国家必须首先将农产品的非关税壁垒转化为关税,然后在10年内累进式地削减关税率的24%,同时对本国农户进行补贴也受到了严格的约束。相比之下,原本保护水平很高的发达国家的减让却是微不足道的。这一自由化的进程将全球激烈的农产品竞争引入发展中国家的国内农业部门,威胁到许多国家小农户的生存,加重了农业劳动力的边缘化和农村贫困化进程,对食品安全也构成了更大的威胁。与贸易有关的知识产权协定过分地向知识产权所有者的利益倾斜,而发达国家恰恰主宰了世界知识产权的卖方市场。相反,这一制度对发展中国家规定了很高的最低限度标准,这些国家的技术消费者和使用者由于承担了过高的义务而蒙受着社会福利和健康的损失。在投资领域,某些投资保护手段和补贴被禁止使用,限制了发展中国家关键性制造业和高科技产业的发展。

第四,WTO的议题范围经历着从"消极的或浅层次的一体化"向"积极的或深层次的一体化"的转变,特别是越来越多的"与贸易有关"的新议题使WTO的职能权威和管辖范围延伸到贸易以外的领域。"消极的或浅层次的一体化"是指各方达成不做某些事的协定,目的是增强市场的可竞争性并确定出口产品在外国市场上的竞争条件如削减关税和配额等;而"积极的或深层次的一体化"则是成员实行共同的政策或政策的协调,统一目的在于达成相互认可的最低标准,如达成劳工标准和环境标准等。这种变化意味着多边贸易规则已经超越"边界措施",而更多地触及成员方的国内政策,从而使世界贸易体系具有了侵略性。同时,对国内政策的协调和统一将导致国家之间的社会规范与体现这些规范的社会制度之间的冲突。例如在贸易与环境问题上，发达国家认为不但产品而且生产产品的工艺和技术也应该符合环境保护标准，故而产生了"生产加工法"、"环境成本内在化"、"生态倾销"和"商品环境标签"等概念。类似在劳工标准问题上，有差别的社会福利制度使自由贸易的公平性和合法性受到了质疑，自由贸易从而被归结为道义问题。但是"规则之间的竞争"涉及价值判断，因而也是复杂而纠缠不清的，良好的愿望与削弱比较优势的贸易保护主义之间在实践中往往是很难分离的。这也就成为大多数发展中国家反对那些与贸易无直接关系的新议题进入WTO受理范围的主要原因。

最后，WTO的决策体制和程序缺乏透明度及公正性，使得发展中国家难以真正参与。尽管在WTO内采取的是"一国一票"的决策机制，但是不平等的能力导致了不平等的参与。少数工业国始终统治着WTO，而发展中国家实际上没有能力实现它们的决策权。最典型的例子就是所谓"绿屋操作"制度，这种由少数"被邀请"的成员通过参加封闭会议做出最后决议的制度在乌拉圭回合和WTO部长级会议中曾被多次使用。发展中国家在许多关键问题上的观点和立场往往不能被明确地反映在WTO的会议文件或宣言中。WTO秘书处也被指责缺乏中立性和在关键时刻为追求行政效率而牺牲发展中国家的利益。这些导致了众多发展中国家代表团的极度愤怒与失望。

由此可见，以GATT和WTO为代表的全球化多边国际贸易体制，尽管对全球性自由贸易的发展有着不可否认的积极推动作用，但它们并不能从根本上使当代世界资本主义经济的矛盾得以解决；相反，在一定时期或某种程度上使得种种矛盾更为复杂甚至尖锐化。

第七章 国际资本流动与当代资本主义经济

国际资本流动和跨国公司的广泛发展深刻地影响着当代资本主义经济,本章将分析当代国际资本流动的趋势与特点,经济全球化条件下跨国公司的广泛发展和演变,以及跨国公司的发展对资本主义经济的影响。

7.1 当代国际资本流动的趋势与特点

国际资本流动是指资本从一个国家或地区转移到另一个国家或地区。当国际间的资本流动取代国际贸易而成为全球经济发展的主要推动力时,国际资本流动的格局变化显然就不再只是单个国家资本输出输入状况的一个反映标志,而是与世界范围内的经济变化与趋势互为依存互为影响。

第一,工业化国家普遍陷入的经济衰退增加了各国政府的预算压力,资金来源受阻严重限制了官方援助和多边机构的优惠贷款供应。

第二,随着区域经济一体化的发展,国际资本流动中的非集中化倾向加剧,地区性融资势头上升。发展中国家更依赖于地区性的融资,以求刺激国内资本市场的建设及其直接投资。如拉丁美洲寻求北美洲的参与;东欧寻求西欧的参与;东南亚寻求日本和澳大利亚的参与。

第三,私营化和商业化浪潮席卷全球,无论是发达国家还是发展中国家,大多通过国营企业公开发行股票来实现向私有制的转化。

这些因素的共同作用使当代国际资本流动领域呈现出以下特点和发展趋势:

1. 国际资本市场的资金流量不断扩大,国际投资规模迅速膨胀

进入20世纪90年代以后,西方工业国家的经济普遍走出衰退,开

始了较为强劲的回升,特别是美国经济增长呈现一枝独秀。进入20世纪90年代以来,美国经济保持了连续十年的增长,平均增长率为3.2%。1994年西方发达国家的总体经济增长率达3%,1995年又达到了3.5%。发展中国家的经济也得到了持续快速的发展。亚洲的东亚地区自20世纪80年代以来成为全世界经济增长最快的地区,涌现了一批新兴的工业化国家和地区,如韩国、新加坡、中国台湾和中国香港等。在过去的一段时间内,亚洲"四小龙"经济的平均增长速度达6.3%,南美和拉丁美洲的一些发展中国家如巴西、阿根廷和墨西哥的经济也得到了迅速的发展。1997年,世界经济平均增长率为4%,为20世纪90年代的最高增长率,其中美国为3.6%,欧洲为2.5%,日本为1%,亚洲虽然受金融危机的影响,仍为6%,非洲为4.5%,拉美为5.2%。世界经济的复苏与增长,使得国际投资呈现异常活跃的局面,国际投资增长的速度远远超过了世界贸易和生产增长的速度。1995年国际直接投资流量达3150亿美元,比1994年大幅增长;1996年,国际直接投资总额又增长了10%,达到了3490亿美元;到1997年,全球跨国直接投资额突破4000亿美元;在2000年达到了1.27万亿美元的历史最高纪录,比1999年的1.08万亿增长了18%;2002年,全球外国直接投资总额为61500亿美元左右。

2. 国际资本流动的结构发生变化

这种结构的变化表现在国际资本流动的资金结构、产业结构和资金来源结构三个方面。

(1) 资金结构

随着国际银行业信用规模缩小,银行贷款在国际资本市场筹资总额中所占的比例下降,以国际股票和债券发行为主的证券化筹资作用加强。

20世纪80年代中后期,工业化国家的银行在有利的货币政策——放松利率和限制货币总量——和席卷全球的金融自由化、国际化的推动下,信用规模迅速膨胀。商业银行不仅大肆参与企业的举债兼并和收购,还过量投资于价格一度疯涨的股票市场,并向不动产市场超量贷款。据联合国贸发会议1992年的国际资本市场报告显示,1984~1990年间,英、美、日三大投资国银行向地产公司的贷款增长分别达585%、118%和155%。进入20世纪90年代,工业化国家纷纷陷入经济衰退之中,一方面银行资本的投资市值随着不动产和股市价格下跌大幅贬值,以及不

第七章 国际资本流动与当代资本主义经济

景气导致债务拖欠严重使银行储备短缺，直接削弱了贷款的扩张能力；另一方面，1988年签署的巴塞尔协议也间接制约了银行信贷的过热膨胀。国际清算银行根据协议决定自1992年起正式实施80%的信贷资本充足比率，该规定令银行信贷大受震荡。以日本银行为例，由于其非银行分支在股灾和地价暴跌中亏损惨重，致使银行资本距离国际清算银行（BIS）的比例标准亏空15400亿元，不少银行被迫撤调海外投资回国，甚至只能借助日本政府的财政支持以弥补丧失的信贷能力。据联合国的报告显示，工业化国家消费贷款的增长率在1990年时已接近零，不动产贷款的实际下降则也在稍后的1991年年末发生。1991～1992年，由于各国银行间同业提款债权额急速减少，国际银团贷款停滞不前，1993年受再融资的鼓动才略有回升。

与国际银行业贷款萎缩恰成鲜明对照的是全球债券、股票发行和交易的强劲增势。数据显示：20世纪90年代以来债券发行已经成为当今全球资本市场筹资的主要手段。经合组织的报告中还提到，1993年全球普通债券的二级市场交易额达4.3兆美元，同年，空前活跃的全球股票投资再破1991年创下的1006亿美元的纪录，达1592亿美元。根据国际清算银行1994年的报告，1993年国际资本市场债券发行额的增幅是1986年开始统计以来最高的增长率，显示了国际资本流动中证券化资本的主导趋势。2001年3月底，国际负债证券市场净发生65174亿美元[①]（当年3月底存量）始于20世纪80年代初，并在20世纪80年代中期席卷全球的放松金融管制无疑是证券业繁荣并日趋国际化的要因。金融自由化的主要目标既包括引进和接受各类融资、借贷的新方式，诸如股票及债券的异地存款证、浮动利率票据、无息债券等，又包括扩大国内外金融及非金融机构参与金融活动的领域与范围。

20世纪90年代私有化浪潮卷土重来为国际资本市场的发展注入了生机，而东南亚和拉丁美洲中等收入发展中国家的金融改革，更对全球证券化融资起了推波助澜的作用。这些新的生力军凭借国内经济的健康发展，在国际资本市场上恢复或提高了资信评估，又恰遇工业化国家普遍处于利率变动周期的较低及最低点，从而以高收益率和附有降低投资

---

① 资料来源：BIS Quarterly, June 2001。

风险技术的创新债券的发行,大举进军国际资本市场。据联合国贸发会议1992年的报告显示,1991年,亚洲的印度、印度尼西亚、马来西亚和韩国通过发行债券所筹集的外资为当年吸收外资总额的39%,拉丁美洲的阿根廷、巴西、墨西哥和委内瑞拉,此比例更高达58%。反观亚洲、拉丁美洲的新兴股市,其牵动国际资金转移的势头更引人注目。据世界银行所属国际金融公司的统计,由于海外投资者的大举参与,主要分布于东南亚和拉丁美洲的36个新兴股票市场的股票总值已从1982年的670亿美元增至1993年的7741亿美元。1993年环太平洋(除美、加、日)的拉美、东欧、中东、非洲等新兴股市的跨国投资额占全球跨国股票投资总额的34%,接近于欧洲股市的比例(35%),领先于美、加、日的比例。1994年年初经合组织的报告又显示了1993年由于亚洲和拉丁美洲国家股票及债券发行激增,使发展中国家的筹资创历史最高的845亿美元,占世界资本市场筹资额的比例从1991年的7.8%升至10.4%。

也正是由于私有化和国内资本市场的发展进程加快,导致20世纪90年代以来发达国家向发展中国家资金流动的主角易位,民间资金的流入自1990年以来增加了两倍半,占10年前对发展中国家资金总流量的60%,取代了官方资金在20世纪80年代所扮演的主角地位。

(2) 产业结构

国际资本投资的行业由资源开发、劳动密集型产业转向资本、技术密集型产业,由制造业转向高新技术产业与服务业。对发展中国家的投资则主要集中在基础设施领域及制造业领域,对发达国家的投资更偏重于高技术部门和服务部门。

近年来,发达国家对发展中国家基础部门的投资出现增长的趋势,这主要是大多数发展中国家采取开放自由的贸易与投资政策的结果。20世纪90年代初,基础设施尤其是电讯行业每年吸收国际直接投资平均为70亿美元。1995年,主要发达国家对国外基础设施的投资约占其对外直接投资总额的3%至5%。跨国公司成为承担基础设施建设投资的主要力量,一些新型的金融投资方式也因此被创造出来,如建设、经营、转让(BOT)以及建设、拥有、转让(BOT)方式。

在国际资本流动中,国际直接投资行业结构流向的另一个重要特征

第七章　国际资本流动与当代资本主义经济

是向高科技产业和服务业倾斜。其原因就在于新科技革命及其应用。这次科技革命改变了整个人类生存、交往的基本方式，彻底革新了人们的技术、经济概念，带来了支柱产业向高新技术产业转移和产业结构的软化，进而推动了经济全球化的发展，使国际资本流向服务业与高新技术产业的比重不断上升。它不仅带动了相关新兴产业的发展，而且增加了传统产业制造活动的知识成分，使厂商在更广泛的地理分布上重新部署其经济活动的同时，保证了严格的质量控制，实现了较低的交易与合作成本，保证了组织管理的灵活性，以实现高水平的创新和生产率。这些改变推进了发达国家产业结构的软化，推动了生产国际化、全球一体化的深化，导致对国际性有效率服务行业的需求日益迫切。自 1990 年以来，发达国家之间的相互投资 50％以上投放在现代服务业及相关产业上，日本在海外的第三产业投资比例高达 67％，德国是 59％，法国是 49％，美国是 47％，主要发展中国家对外直接投资在服务业上的比重也达到 30％左右，跨国银行是服务业跨国经营中发展最快的。另外，保险业、广告业、会计事务和管理咨询也占较大比重。服务业能在生产、就业、贸易和消费方面产生良性效应，在整个国民经济中发挥着积极作用，这成为服务业国际投资快速发展的重要原因。同时，自 20 世纪 90 年代以来，发展中国家也相继开放服务业，不断增加对服务业投资的比重。

（3）资金来源结构

私人资本流动成为国际资本的投资主体。根据世界银行的划分，国际资本流动按照投资主体分为官方发展融资和外国私人资本两种，20 世纪 80 年代以前，政府和国际金融机构是国际资本流动的主要载体。20 世纪 90 年代以来，私人资本比例增加，渐居主导地位，相比之下，官方资本比例下降，1997 年官方发展援助占发展中国家中长期资本流入总额的比重已由 1990 年的 52％下降到 13.4％，1991 年至 1997 年年均增长率跌至 −3.4％，成为国际资本构成中惟一出现负增长最多的项目。与此相对应，私人资本则有了长足增长，世界银行的数字表明，20 世纪 90 年代以来流入发展中国家的私人投资是国际金融机构、政府投资的 4 倍以上。目前，私人资本的流动已占全球资本流动的 3/4 左右。国际清算银行的统计显示，1997 年，在流向发展中国家的资金中，有 90％来自私人投资。在私人投资中，跨国公司的投资行为在国家直接投资中占主体地位，变得越来越重要。

私人资本市场的发展由于20世纪80年代中期的全球性债务危机而受到较大的影响。但自1993年以来，随着国际基金的复苏和国际间保护投资者权益的协调性加强，国际资本市场中的私人资本开始复苏，并日益占据主导地位。这不仅表现在资本的流量受私人部门控制，而且资本的接受者也是如此。国际私人资本的扩张和发展主要得益于近几年世界经济平稳增长，提高了企业的盈利能力和水平，为增加资本积聚和积累创造了条件。资本积聚和积累的提高使资本过剩成为可能，而新兴市场的兴起和发展为这些过剩资本提供了新的投资机会和盈利机会，特别是许多发展中国家实行经济改革和大规模私有化，为资本流入创造了条件。2002年，流入新兴市场的外国私人投资净额还只有1250亿美元，到2003年就增长到了2128亿美元。[1] 亚太地区达1181亿美元，中东、俄罗斯和土耳其等新兴市场为607亿美元，比2002年多出了140亿美元。[2]

3. 国际资本的流向发生变化

（1）就整体而言，发达国家依然是当今国际资本流动的主体，全球资本市场85%的融资流动仍集中在发达国家，全球直接投资的约80%也为发达国家所相互拥有

①从资金的流入量来看，国际资本流动主要集中在发达国家

发达国家吸引外来直接投资已占到全球国际直接投资总量的70%。20世纪80年代以前，外国直接投资主要通过在东道国的新建项目来形成生产能力。20世纪80年代中期以来，跨国投资则主要以兼并和收购方式实现的，通过同行业并购，跨国公司强强联合、优势互补，增强竞争能力，能更有效地占领市场。比如德国戴姆勒—奔驰公司斥资400亿美元收购美国克莱斯勒公司，英国石油公司出价550亿美元收购阿默科公司等等。1998年发达国家吸收的外国直接投资增长68%，达4600亿美元。据联合国贸发会议统计，目前，在全球范围内，30个最大的东道

---

[1] Institute of International Finance, Inc., Capital Flows of Emerging Market Economics, October 2, 2004, p.3.

[2] 世界经济年鉴编辑委员会：《世界经济年鉴2004/2005卷》，经济科学出版社2004年版，第5页。

第七章 国际资本流动与当代资本主义经济

国和地区吸收了全球外资流入量的95%,而最大的30个对外投资母国和地区占全球流出量的99%。2000年,流入发达国家和地区的外国直接投资,达到了1万亿美元。2001年为5100亿美元,虽比2000年下降49%,但仍具有绝对优势。2001年,美国对外投资1140亿美元,吸收外资1244亿美元,是世界上最大的对外投资国和最大的吸收外资国,或者说,是世界上最大的债权国和最大的债务国。欧盟对外直接投资3652亿美元,吸收外资3230亿美元。日本对外直接投资381亿美元,吸收外资62亿美元。美国、欧盟、日本"大三角"成员国和地区对外直接投资总额达5173亿美元,吸收外资总额达4536亿美元,占世界对外直接投资总额和吸收外资总额的833%和617%。① 许多发展中国家、中东欧国家和经济转型国家的国际直接投资主要都是来自美国、欧盟和日本"大三角"成员国和地区。这反映了美国、欧盟和日本作为全球主要投资力量的雄厚的资本积累、较高的收入水平和竞争优势、广阔的市场规模和日渐完善的区域一体化的特点和趋势。

②从国际资本流动的地区结构来看,国际资本主要是在发达国家之间流动

据统计,全球直接投资的总额有27%流向发达国家,而发展中国家只吸收了20%左右,而国际直接投资在各主要发达国家中呈现出一种双向流动的特点,特别是以美国、欧盟和日本"大三角"成员国和地区之间相互投资为主,显示出全球资本高度集中的趋势。

投资大国中的美国,对外投资中的48.2%流向西欧,其中以英国最多,其次是流向加拿大,占18.4%,而流向发展中国家的比重在20世纪90年代初只有22.8%。在加紧对外投资的同时,美国本土也进一步成为各国和地区争相投资的热点:在对美投资的各国和地区中,20世纪80年代,西欧居首位,进入20世纪90年代日本居第一。近年来,亚洲"四小龙"对美投资也出现了长足的进步,如中国台湾在20世纪90年代大部分资金均投向了美国。随着北美自由贸易区的建立,这种性质的投资还在不断的增长。

---

① 孙卫雄、何骏:《国际FDI的双向流动与我国实际情况的比较研究》,《前沿》2005年第1期,第43页。

当代资本主义经济论

西欧资本主要是投向了欧盟内部和北美,同时,共同体内部各国尤其是英国也成为了其他发达国家的投资目标区。近年来,英国更成为了外商在欧洲投资的首选地,美国在英国投资超过了任何一个国家,亚洲在欧盟的投资也有 40% 落户英国。①

当然,鉴于国际资本的趋利性,它在发达国家内部会出现不同程度的调整。2001 年年初美国是国际资本流动的最为活跃的国家,仅第一季度的净流入就有 1360 亿美元,而欧元区和日本则是净流出。随着 9·11 恐怖事件的发生和 2002 年以来各发达国家经济实力、政策取向和金融市场的一系列变动,美国市场吸引国际资本的魅力正在下降,而日、欧则有所上升。一份数据显示,美国股市 2002 年 3 月出现了一次较大的资本净流出,同时欧洲大陆则出现了较大的资本净流入。

(2) 另一方面,区域一体化对国际资本流向的作用也显而易见

随着欧共体单一大市场的形成、美加墨自由贸易协定的正式签署和东亚经济圈的积极酝酿,美、欧、日三足鼎立的跨国直接投资格局日益清晰。据联合国跨国公司中心的材料,至 1991 年,由欧共体、瑞士和北欧组成的欧洲兵团对外直接投资总额为 6340 亿美元,是全球最大,也是进军北美规模最大的跨国直接投资集团。两个经济大国——美国和日本的对外直接投资重心则分别是欧洲和美国。以此三极为核心,全球直接投资又呈地区群状:欧盟企业以内部各国为主,兼顾北非、拉美和亚洲国家及毗邻的东欧各国;美洲企业集中于美国、加拿大、墨西哥和南美间的相互投资;日本企业的投资重点则是东亚和东南亚邻国和地区,特别是"四小龙"和中国。

①区域内部投资增长快于区域间

进入 20 世纪 90 年代以后,世界经济区域集团化的趋势进一步加强。1992 年,由美加墨三国组成的北美自由贸易区正式建立;1993 年,欧洲统一大市场开始启动,到 1995 年,欧洲统一大市场基本形成;亚洲太平洋地区的亚太经合组织(APEC)在地区投资、贸易自由化方面,已由意向性规划转入实质性的实施阶段。到此,世界三大主要经济区域三足

---

① 世界经济年鉴编辑委员会:《世界经济年鉴 2004/2005 卷》,经济科学出版社 2004 年版,第 142 页。

第七章 国际资本流动与当代资本主义经济

鼎立的态势初步形成。区域经济集团化的结果使得区域内投资障碍逐渐弱化和消除,因此国际投资总是在经济一体化区域内部寻找最佳投资机会,这使得区域内国际投资的增长远远超过了区域间国际投资的增长。以东亚地区为例,近几年,日本对这一地区的投资尤其是对华投资呈直线上升趋势,从 1999 年的 29.7 亿美元到 2001 年的 43.5 亿美元,再到 2003 年的 50.5 亿美元。在欧洲经济区,欧盟国家近 1/3 的对外投资是在欧盟成员国内部之间进行的。随着 1999 年 1 月欧元的启动和统一的欧洲金融市场的形成,欧洲货币联盟成员国之间融资的汇率风险将不存在,这必将极大地促进资本在欧盟成员国间的自由流动,促进欧盟成员国之间直接投资的增长。

②国际资本流向发展中国家数额在下降

由于区域经济一体化的发展,国际资本大部分流向发达国家或区域内的发展中国家。但发展中国家大部分仍然是游离于区域经济组织之外的,再加上东南亚金融危机和俄罗斯偿债危机,国际资金普遍流向更安全的地区,几乎所有发展中国家和地区的国际融资都因此受到了不利的影响。1998 年下半年国际银行继续从亚洲新兴市场撤退,贷款下降了 280 亿美元,对东欧和拉丁美洲的贷款也分别下降了 170 亿美元和 80 亿美元。

(3) 世界经济的不断发展,热点地区不断出现,使得投资热点不断转移

①亚太地区将成为今后投资的重点地区

20 世纪 80 年代中期,西欧特别是英国一度曾是外国直接投资的热点,这状况一直保持到 20 世纪 90 年代初。但是随着东亚经济的复兴,区内中国、东盟等国经济的飞速发展,以及各国和地区丰富的自然资源、廉价的劳动力资源、优惠的投资政策、不断改善的投资环境,亚太地区势必将成为今后吸引外资的重点地区。根据国际直接投资银行摩根大通的研究结果表明,虽然 2003 年上半年全球范围内的并购额减少,且经历了非典,但亚洲的并购活动仍有所增加。在 2003 年上半年公布的包括国内并购在内的交易额中,涉及到亚洲公司的并购比 2002 年上半年增长

6%，达1060亿美元，占全球并购交易总额5200亿美元的20%。①

此外，在20世纪80年代末，发达国家流向亚太地区的国际资本中，40%是集中在"四小龙"和东盟。随着中国经济的崛起，这一现象已经发生了逆转，中国于2000年吸收外资额高达530亿美元，首次超过美国，成为了世界上最大的外资接受国。同时，印度也是值得注意的。作为第二大人口大国，它的引资规模虽远不及中国，但值得关注的就是，伴随着政策的不断放松，越来越多的外资正在不断流入印度，仅2002年，就高达40亿美元。② 东亚其他国家也正在改革资本市场，改善资本流通渠道，降低融资成本和完善投资结构，也将成为全区市场上的有力竞争者。

②拉美的前景不容乐观，流向中东欧的投资将会有所增加

20世纪90年代初，北美经济一体化以及经济的复苏、私有化、自由化改革的成效，促使流入拉美地区的外资增加。但随着私有化浪潮的结束，过去几年外资在该地区的并购活动已经大大降温，加上难以乐观的经济前景，外资的流入正在下降。2003年，流入南美的外国直接投资下降，其中，阿根廷只有2.3亿美元，尚不及1999年的240亿美元的1%。③

近年来，东欧国家持续改革，市场进一步开放，增长潜力逐渐显现，再加上成功加入欧盟，区域内投资会大规模地流向那一地区，成为新的热点地区。以汽车行业为例，按德国汽车研究中心（CAR）2003的研究报告显示：欧盟东扩使得波兰、捷克、匈牙利、斯洛伐克等新成员吸引外资的能力大大加强，德国汽车工业已计划在这些中东欧国家当地增设汽车生产基地或汽车配件组装车间。CAR认为，未来几年里，德国汽车工业移师东欧的规模将会因中东欧国家廉价的劳动力以及欧盟丰厚的津贴而呈现增长势头。现阶段，德国大众、法国标致—雪铁龙都已经开始

---

① 世界经济年鉴编辑委员会：《世界经济年鉴2004/2005卷》，经济科学出版社2004年版，第334～335页。

② 世界经济年鉴编辑委员会：《世界经济年鉴2004/2005卷》，经济科学出版社2004年版，第334～335页。

③ 世界经济年鉴编辑委员会：《世界经济年鉴2004/2005卷》，经济科学出版社2004年版，第334～335页。

第七章 国际资本流动与当代资本主义经济

在欧盟新成员国内大量投资生产。CAR 预言，2006 年后，中东欧国家将成为全球 FDI 的新"宠儿"，将成为中国吸引 FDI 的有力竞争者。[①]

同时，俄罗斯利用 2002 年的能源商机，持续盘活本国市场，促使国际石油巨头如英国石油公司等，纷纷加码投资看好的石油合作项目。此外，在低利率的情况下，俄罗斯国内的债券市场依然活跃，主权级债券每天都创新高，为全球投资者提供了一个避难所和不错的回报机会。这些使得它也成为国际投资关注的地区。

4. 国际资本流动的形式发生变化

20 世纪 80 年代中后期，随着区域经济一体化和各国政府相继放松投资管制，企业的跨国并购成为全球对外直接投资的主要形式。在这一轮浪潮中，不仅老牌的直接投资大国美国成为欧洲和日本企业并购大户，日本也凭借其雄厚的资金成了最大的外来投资国。进入 20 世纪 90 年代后形势却急转直下，经济衰退大大削弱了国际收购与兼并的信心与能力，特别是日本众多企业和金融机构在国内泡沫经济破灭后，急调海外资金回国弥补亏损。至此，直接投资领域中跨国并购势头减弱，合资及战略联合渐趋盛行，间接投资领域的机构化特征日益明显。

(1) 跨国联合投资体——跨国战略联盟日趋增多

学术界对跨国战略联盟的定义众说不一，这里把战略联盟定义为跨国战略联盟，是指两个或者两个以上不同国籍的企业，为了实现共同的战略目标，在保持各自独立性的基础上，通过组建合资企业或者达成长期合作协定建立的合作关系。对任何一个跨国战略联盟都具有三个基本特性：一是联盟的资源投入来自不同母体企业；二是联盟在不同母体的相互协作下运行；三是联盟是为实现不同母体各自的目标而设立和存在的。这三个特性，决定了跨国战略联盟在提升企业竞争力方面具备独特的功能。例如，联想电脑公司的发展就是从同日本东芝、美国 HP 公司的联盟开始的，由联想代理经销东芝、HP 的成熟产品，由于联想出色的市场推广能力，东芝和 HP 的产品销量有了成倍的增长，而联想公司也从合作中熟悉了 IT 领域，为后来独立开发自有品牌的产品奠定了基础。长城电脑公司同 IBM 公司建立联盟，也是将长城的客户资源同 IBM

[①]《欧盟东扩对中东欧国家 FDI 流入的影响》，《中国软科学》2004 年第 11 期。

的技术资源进行整合利用,最终实现了双赢。

据 1993 年 3 月《经济学家》杂志转载的一家创新和技术经济研究所的统计资料,1980~1989 年,全球跨国战略联盟共计为 5842 个,所涉及的行业以信息技术、生物技术、化学、汽车、航空、医疗仪器、消费电器等科技行业为主。20 世纪 90 年代以来,跨国公司缔结的国际战略联盟更多地集中在信息技术、生物制药、汽车制造等高科技产业。联合国《1999 世界投资报告》显示,全球信息技术合作在 1980 年仅有 50 余项,而到了 1995 年高达 300 余项;生物制药业的技术合作在 1980 年不足 40 余项,到了 1995 年即达到 230 余项,汽车业的技术合作也由 1980 年的 20 余项发展到 1995 年的 40 余项。跨国战略联盟以大型跨国公司为主体,形成了规模庞大的国际合作网络。在 1996~1998 年三年间全球大约建立了 32000 个联盟关系,其中 3/4 属于跨国性质。直到现在,90%以上的跨国战略联盟集中于发达国家企业之间,这些联盟的投资和贸易活动也多以发达国家为场所。但是近年来一些新兴工业化国家和前苏联东欧国家出于获取先进技术的考虑也开始加入与发达国家企业的战略联合的行列。

(2) 养老基金、保险公司、信托银行、共同基金等在内的法人投资机构逐渐成为全球跨国界间接投资的主力

据世界银行的估计,截至 1993 年年末,全球法人机构控制的基金资产额高达 14 兆美元。国际货币基金组织的一份资本流向报告则表明:美、欧、日机构所拥有的他国有价证券额由 1986 年的 8000 亿美元上升到 1991 年的 1.3 兆美元。跨国投资领先的欧洲法人机构的海外投资占所拥有资产总额的 20%。以往只固守于国内投资领域的美国法人机构近年来大大扩展了跨国投资的规模和地域范围。据美国投资公司协会的统计,1989~1993 年五年时间内,美国公司养老基金的海外投资稳步上升了 4 倍,其资产中国外股票的持有率已占到 7.9。跨国投资相对落后的美国公共养老基金目前的外国持股率为 5.6,但也十分看好国际证券市场,并已做好大力进军的准备。1993 年美国共同基金的海外投资额较上一年上升了 146%,达 1130 亿美元。

法人机构的跨国投资尽管主要受投资收益的驱动,但也得益于国际金融市场的环境变化。就新兴市场而言,目前拉丁美洲、东南亚和东欧

第七章　国际资本流动与当代资本主义经济

地区占法人机构投资组合的比例尚小，但这些地区的各国和地区积极改善投资政策，开放投资领域，且新兴市场相对简单的投资技术也令西方机构投资者跃跃欲试。1992年，仅汇入拉美证券市场的机构资金就达56亿美元。东南亚的马来西亚、中国香港和泰国也是海外基金关注的焦点。就新的基金品种而言，以特定地区或国家的证券、实业及基础设施项目为投资组合基础的国家基金备受瞩目，通过国家基金，海外投资者可间接进入限制外国人（机构）投资国家的资本市场，而筹资国和筹资项目则获得了无须偿还的长期安定的资金。崛起于20世纪80年代后期的这一投资工具现在已普及全球各地。

（3）融资的证券化

从20世纪80年代中期开始直到现在，在国际资本流动中始终扮演主要角色的是直接债券、欧洲中期票据和辛迪加贷款，尤其是直接债券，一直独占鳌头。1984年国际银团贷款额首次低于国际债券发行额，标志直接融资占据国际资本流动主导地位时代的到来。20世纪90年代，间接融资继续向直接融资转变，表现出日益显著的融资证券化趋势。从1993年到1997年，以证券形式流动的资本增长了75.7%，贷款形式的资本流动则增长了185.6%，贷款增速超过证券，原因主要在于证券市场更容易受金融风波的影响，墨西哥金融危机和东南亚金融危机使私人投资者对新兴市场的投资更趋谨慎，增加了发展中国家私人、政府部门从国际证券市场融资的成本。同时，在20世纪90年代的金融自由化、一体化浪潮的推动下，银行系统进行了一系列的改革与衍生品的开发，以增加竞争力，吸引更多的借款者。另外，金融危机以后，国际机构对危机国家的官方援助性贷款也迅速增加。即便如此，1987~1997年，除个别年份，辛迪加贷款的比重变动一直不大。证券融资在国际资本流入总额中一直占有绝对优势，1993年以来，除1995年外，其余的4年所占份额都在45%以上（1995年为39.60%）。证券融资的主导地位同国际证券融资方式所具有的一些突出特点与优势分不开，诸如流动性强、二级市场发达、风险分散性高、融资条件较为简单等等，也同发达国家各类基金与保险公司的资金增长迅速而对收益与风险分散的需求上升有关。

5. 跨国公司已经成为当今全球对外直接投资的主要载体

跨国公司在全球范围内组织经济活动的一个重要形式就是对外直接投资。据联合国跨国公司中心1992年的《世界投资报告》显示，1992年世界范围内的外国直接投资达1.7万亿美元，而世界范围内跨国公司以及下属子公司的总销售为4.4万亿美元，超过世界范围内的贸易出口总量2.5万亿美元。跨国公司为寻找市场和生产要素的最佳配置，在世界范围内设立分支机构，将工业内部分工扩展为国际分工，在世界范围内组织生产和销售，已成为国际经济发展的趋势。目前跨国公司对外直接投资总额已占全球国际直接投资总额的90%，其贸易额占世界贸易总额的50%以上，跨国公司控制着世界工业生产的80%，国际技术贸易有60%至70%是在跨国公司之间展开的。

20世纪80年代后半期以来，跨国公司国际直接投资的主要形式转变为以收购和兼并为主。1988年至1995年间，世界跨国兼并的收购总额增加了1倍，达到229亿美元。1996年有45起跨国兼并与收购的规模超过10亿美元，如果只考虑外国投资方多数控制的兼并与收购，1996年跨国兼并与收购规模为1030亿美元。2000年全球国外直接投资（FDI）达13000亿美元，比上年猛增18%，其中跨国并购达11000亿美元，比上年增长近50%，占全球FDI的84.6%。根据《2002年世界投资报告》资料所列，按照2000年境外资产排列的世界100家最大跨国公司（跨国银行）的境外资产高达255万亿美元，超过了世界全部跨国公司境外资产总额的1/5多；其境外分支机构销售总额为244万亿美元，相当于世界跨国公司境外销售总额的14%，境外雇员713万，相当于世界跨国公司雇员总数的14%。2000年，英国沃达丰公司（电信）名列100家世界最大跨国公司之首，该公司海外资产达2212亿美元，占其总资产的99.5%。[①]

收购与兼并成为跨国公司对外直接投资的主要手段的原因在于：第一，企业并购的目的在于充分利用规模经济，降低成本，从而提高企业的竞争力；第二，兼并尤其是跨国兼并可以减少企业的纷扰；第三，兼

[①] 孙卫雄、何骏：《国际FDI的双向流动与我国实际情况的比较研究》，《前沿》2005年第1期，第43页。

第七章 国际资本流动与当代资本主义经济

并可以使企业获得某些竞争优势,是企业实行"本地化"的捷径;第四,跨国公司往往能从跨国并购中获得投机收益;第五,出于法律方面的考虑,跨国公司利用并购可以避开东道国的某些法律方面的约束。

6. 国际资本电子化,短期游资流动充斥国际资本市场,冲击着金融市场

随着计算机和通讯技术的发展,资本周转电子化,使全球每天外汇交易高达1.5万亿美元以上,全年外汇交易额约300万亿美元,是全年有形商品贸易额(6万亿美元)的50倍,其中除了少量是贸易和投资结算外,绝大部分属于投机性买卖。

近年来,国际资本市场上出现了一个显著的现象,就是短期资本流动规模迅速扩大,由于其流动性很强,人们形象地称之为游资。随着西方发达国家经济近几年的回升,世界经济全球化和国际金融市场一体化的趋势更加突出。在此背景下,自由竞争的金融自由化理论再度盛行,许多国家采取了大胆地开放贸易、进行金融投资的一系列措施,使得国际资本尤其是短期资本在全球范围内的流动速度加快,规模迅速扩大。20世纪80年代以来,大量游资涌向国际金融市场,仅20世纪80年代以来的17年间,全球累计发行国际债券9714亿美元。1990国际债券的发行量占国际资本流动总额的53%,1993年就达到了59%。1996年,国际债券的发行量高达7196亿美元,比1995年增长了52%,其中由银行和私人公司发行的债券就高达4821亿美元,占当年国际债券发行量的67%。据国际货币基金组织估计,目前以银行短期存款、货币、其他短期存款的形式存在全球货币市场间流动的这类短期资本至少有7.2万亿美元,每天有相当于1万亿美元的游资在全球外汇市场寻找投资机会。由于国际游资具有很高的投机性和流动性,一旦受资国的收益减少或出现资金风险,游资将会因其利益需要而迅速撤离,造成受资国经济金融风险加大。如果受资国对短期资金的依赖程度过高,国内储备率又不足,资本市场开放程度超越本国的实际状况或金融机制不健全,势必造成金融动荡或危机,对经济造成破坏性影响。

同时,由于从20世纪70年代起,国际范围内要求放松管制,实现金融自由化的呼声日益高涨。政府对金融市场监管重心的转移,即监管的目的和出发点是要限制垄断、促进竞争、提高金融市场运作效率,因

而出现利率市场化及在浮动汇率制下最大限度地取消对资本流动的限制等新的特征。随着国际游资的大幅度增长及对利率、汇率的敏感性。在利率、汇率变动与国际资本流动之间出现了极为密切的联动关系：利率、汇率出现波动——国际游资在国际间集中地向同一方向转移——引起某国外汇及资金的供求状况的变动——汇率、利率的波动。这样，汇率、利率波动的日益频繁，必然加大国际资本流动中的利率、汇率风险，给金融市场带来巨大冲击。

此外，随着金融衍生产品的出现，提供了新的风险管理手段，也进一步加大了汇率的动荡。金融管制的放松，加大了从事国际经济交易的风险，因而出现了一系列国际金融工具的创新，如金融期货、金融期权、远期汇率协议等。目的是要为交易者提供更多的风险管理手段。由于这些创新的金融工具存在着巨大的财务杠杆效应，使得人们利用有限的资金可以从事更大规模的交易，放大交易量，在一定程度上也加大了外汇市场的动荡。

7.2 经济全球化条件下跨国公司的广泛发展和演变

经济全球化是国与国的民族经济通过产品、服务、资金和技术的跨国界流动，摆脱国家管制，互为联系、互为依存，并且使这种联系与依存不断深化的一个过程。商品和劳务的国际贸易是国家间经济联系的最初阶段，不涉及所有权变更的国际资本流动也只实现了世界经济浅度的一体化，而跨国公司引导的、以控制所有权为特征的国际直接投资才使得商品和劳务的生产具有国际关联的深度一体化的意义。跨国公司因其在多国拥有或控制价值增值活动，并在内部化市场中处理价值增值所需的、跨国界的生产和交易，极大地改变了商品、劳务、资本和技术等资源国际流动的格局与方式，而跨国公司的内部化市场，已并非是传统上连接国与国经济的世界市场，由此，构成了经济全球化的微观基础。

跨国公司作为一种以全球市场为经营目标的企业形态，在19世纪60年代就已出现。当时，在经济比较发达的美国和欧洲国家，一些大型企业通过直接在海外设立分支机构和子公司，其中比较有代表性的企业

第七章 国际资本流动与当代资本主义经济

有三家：1865 年德国的弗里德里克—拜耳化学公司在美国纽约州的奥尔班尼开设一家制造苯胺的工厂；1866 年，瑞典的阿佛列—诺贝尔公司在德国的汉堡开办了一家炸药工厂；1867 年，美国的胜家缝纫机公司在英国的格拉斯哥建立了一个缝纫机装配厂，进行跨国的生产和经营。这些通常被认为是早期跨国公司的雏形。

在经济全球化的条件下，跨国公司又获得了广泛的发展，正经历着前所未有的扩张。这主要表现在以下几个方面：

1. 跨国公司在数量和规模上的迅猛发展

(1) 跨国公司母、子公司的数量大幅度增加

全球跨国公司母、子公司数分别从 1980 年的 1100 家和 98000 家增加到 1997 年的 53000 家和 45 万家。2001 年，据联合国《2002 年世界投资报告》统计，全世界已有 6.5 万家母公司和 85 万家外国子公司。

(2) 跨国公司直接投资额的扩大

进入 90 年代以来，投资增长速度加快，据联合国的《1997 世界投资报告》，1990～1996 年发达国家对外直接投资从 2225 亿美元增加到 2950 亿美元，占全球投资总额的 85%。① 其海外销售额也从 1990 年的 55000 亿美元增至 1997 年的 95000 亿美元。而在相对量上，目前全球国际直接投资的增幅已明显超出世界总产值和国际贸易的增幅，1997 年，这三项指标分别为 10%、6.6% 和 4.5%，显示了跨国直接投资在全球经济中较为强劲的潜力。

跨国公司引导的国际直接投资在 1979～1981 年和 1987～1990 年也分别经历过两次高速增长的繁荣期。但是 20 世纪 70～80 年代的繁荣主要是受石油美元投资增加的刺激，国际直接投资的流出与流入都只限于少数国家；而 20 世纪 80～90 年代的繁荣也只集中在发达国家。如今发展中国家不仅大量吸收国际直接投资，也输出资本，形成了来自发展中国家的跨国公司群。1993～1995 年，发展中国家最大 50 家跨国公司海外资产的增长达 280%，是同期世界 100 家最大跨国公司海外资产增幅的 10 倍。1996 年，韩国的大宇集团和委内瑞拉 S. A. 石油公司已跻身全球前 100 家跨国公司的行列。自 1995 年以来的国际直接投资的繁荣真正

---

① 王琳：《跨国公司在国际贸易中的地位》，《陕西财经大学学报》2001 年第 1 期，第 21 页。

体现了全球跨国公司的发展新阶段。据联合国贸易与发展会议的有关统计,20世纪80年代中期,FDI年流出额超过10亿美元的国家只有13个(其中仅有1个发展中国家);到了20世纪90年代末,FDI年流出额超过10亿美元的国家达到了33个(其中有11个是发展中国家)。[①]

2. 跨国公司的投资体制由内部化走向外部化

跨国公司的投资体制由内外两部分组合构成。内部投资主要是跨国公司母公司与子公司间的资金流动,比如子公司从母公司获得股权或贷款形式的资金;或从自身未分配的利润和折旧提成。而外部投资则涉及跨国公司母、子公司与外部市场间的资金流动,包括从母国的资本市场或金融机构获得外部融资,从东道国或国际市场获得外部融资;既可从东道国的银行借款或出售债券;也可直接在国际资本市场上获得贷款或债券化融资。

跨国公司分支机构的跨国界分布使跨国公司的资金来源和资金流动具有国际资本的特征。就跨国公司投资体制中内部化的部分而言,由于是公司系统内的资金流动(由母公司为子公司筹措,或经由母公司从子公司向子公司调度),这部分资金的流动是不受国界限制,而且不受地理上分割的市场的限制,即使是在国际资本流动受管制的国家,跨国公司的存在,及其进行的国际直接投资仍是超越这种管制的。

近年来,跨国公司的投资结构中呈现出外部化的倾向。也就是说,跨国公司的投资更多来源于本公司系统外。联合国的投资报告称,目前,跨国公司外部投资约为其内部投资的四倍。目前统计的国际直接投资额实际上只包括内部投资部分,如果将跨国公司海外分支在当地投资或通过其他商业机构、国际资本市场融资也计算在内的话,这一数字将可增加4倍。那么,1997年的国际直接投资额将不是3800亿美元,而是1.2万亿美元。更为重要的是,与以往跨国公司的外部资金多来源于母国资本市场或母国金融机构在投资当地的海外分支机构的情形不同,如今跨国公司外部融资的范围有所扩大,形式也更趋多样,直接构成了当前国际资本流动的重要组成。同时,跨国公司的投资体制对投资东道国的资

[①] 孙卫雄、何骏:《国际FDI的双向流动与我国实际情况的比较研究》,《前沿》2005年第1期,第44页。

第七章 国际资本流动与当代资本主义经济

本市场发育、发展、乃至成熟具有有效的促进作用,全球新兴资本市场的崛起显然离不开跨国公司在当地的分支机构的扩展。

3. 跨国并购浪潮加速了国际证券的市场化

自 1994 年后,跨国并购大幅度升级。1997 年,全球跨国并购额占全球国际直接投资总额的比重高达 79%,突出显示了跨国并购已取代新建投资,而成为当今国际直接投资的最主要方式(见表 7—1)。

由于近年的跨国并购更多是采用股权转换实现,规模庞大的跨国并购交易依赖并刺激了股权资本的相互渗透,紧密联系,使各类股票、债券的国际发行比重逐年上升。并购规模的不断攀升一方面反映了国际资本市场的价格攀升,另一方面则明显是因为并购双方的市场地位和企业规模所致。

表 7—1 20 世纪 90 年代跨国兼并及收购额　　　（单位：百万美元）

年　份	1990	1991	1992	1993	1994	1995	1996
发达国家 1	107128	46544	61611	54956	96669	127880	142292
发达国家 2	132762	71439	83712	97832	129123	168420	186411
发展中国家 1	7785	1425	8460	9648	9297	9166	18433
发展中国家 2	18177	10659	32174	48670	60983	52746	83396
全球总额 1	115637	49062	73769	66812	109359	140813	162682
全球总额 2	159959	85279	121894	162344	196367	237184	162682
占全球直接投资比重 1	21.52%	49.96%	27.49%	21.91%	13%	24.68%	21.32%
占全球直接投资比重 2	78.48%	50.04%	72.51%	78.09%	87%	75.32%	78.68%

注：表中带 1 的各项为股权控制的兼并与收购额
　　表中带 2 的各项为兼并收购总额
资料来源：据联合国贸易与发展会议《1996 世界投资报告：投资、贸易和国际政策安排》、《1997 世界投资报告：跨国公司、市场结构与竞争政策》内表格整理。

4. 跨国公司全球化促使跨国银行的出现

进入 20 世纪 90 年代以来,世界金融业的跨国兼并和收购事件接连不断。欧洲银行数量较多,但规模不大,实力与美国尚有差距,欧洲银行迫切希望联合起来,组成更大的金融集团与美国抗衡,如瑞士信贷银行与瑞士联合银行合并后成为欧洲最大的银行。当中长期资金的国际借贷主要采取银行信贷方式时,这种跨国商业银行无可争辩地成为国际资本市场上的活动主体。随着国际资本日益证券化，投资银行、非银行金融机构和各类新生的投资机构转而成为证券化倾向明显的国际资本市场上的主角。据世界银行的统计，截至1993年，证券公司、各类基金组织、保险公司等机构投资者所控制的全球资产达14万亿美元。金融机构的跨国经营不仅仍然是国际贸易持续扩张的金融基础，而且更是跨国公司向全球化发展的坚强后盾。全球范围的大规模并购与跨国金融机构的国际化筹融资安排能力、国际范围的信用支撑能力直接相关。

5. 跨国公司扩展了国际贸易的范畴

跨国公司对国际贸易的创造及促进使得当代国际投资和国际贸易呈现出互为关联、互为补充的状态。[①] 这种创造及促进既涉及跨国公司与外部企业的贸易，也包括对跨国公司内部贸易的作用。事实上，跨国公司一方面犹如一般企业，由母公司或子公司直接从事世界范围的进出口；另一方面，跨国公司在公司系统内进行着技术、物品和服务的交易。

大量实证研究表明，与一般国内企业相比，跨国公司具有更高的贸易倾向，跨国公司及其海外分支所占进出口的比重超出其所占销售的比重。这不仅是因为跨国公司通常集中在贸易密集的行业，而且也因为其生产分布跨国化所必然引起的机器设备、原材料和零部件等的进出口。由此，一方面在跨国公司的母国，跨国公司成为进出口的主要创造者。另一方面，跨国公司的海外分支借助于公司拥有的国际销售网通常是投资当地或投资东道国最主要的国际贸易创造者。

内部贸易构成了跨国公司超乎一般国内企业对当代世界贸易所作出的突出贡献。据联合国的统计，目前约1/3的世界贸易为跨国公司的内部贸易。企业内跨国界的贸易活动是跨国公司国际化经营中的重要组成。这种贸易虽然同样引起商品的跨国界交易，但是交易双方实际是同一所有者，交易的价格也由公司内部确定，这种贸易既具有国际贸易的特征（跨越国界），也含有内部转移的因素（在公司内进行），事实上是通过企业跨国化的组织机制将世界市场内部化了。因此，内部贸易的发展不仅

---

① 传统论述中，国际贸易与国际投资的关系大多被认为是互为替代的。产品周期理论典型地将国内生产、出口、出售许可和国外生产分割为逐个推进的不同过程，认为只有当出口无利可图时，对外直接投资才会发生。

第七章 国际资本流动与当代资本主义经济

改变了国际贸易的原有范畴,而且使得当今的国际贸易进一步向中间投入品和知识产品推进。某些研究认为,就企业层面而言,内部贸易还是反映国际化程度的重要标志,如内部贸易比重高,反映企业生产国际一体化程度高。

在跨国公司生产一体化不断深化的过程中,内部贸易的内容和结构也发生着相应的变化。在多国战略时期,内部贸易的主体是母公司向子公司输出必要的设备;在简单一体化时期,处在下游的子公司主要是从母公司进口(筹集)中间投入品,处在上游的子公司则主要向母公司出口(供应)零部件;进入区域一体化和复合一体化时期后,子公司与子公司间的贸易联系大大增强。表7—2是美国跨国公司在20世纪70~90年代中内部贸易的有关数据。尤其体现了最近10多年来,子公司与子公司间进出口在其全部贸易中的比重上升。

表7—2 美国制造业跨国公司内部贸易及其结构分类 (单位:%)

	母公司内部出口	母公司内部进口	海外子公司间出口	海外子公司间进口	子公司间出口	子公司间进口
1977				30		37
1983	33.8	37.9	55.2	82.8	40	53
1993	44.4	48.6	64.0		85.5	44

资料来源:据联合国《1996世界投资报告》第104、105页,表TV-2、IV-3内数据整理。

在经历了整整一个多世纪的漫长岁月后,跨国公司由小到大、由少到多,获得了举世瞩目的发展。但需要指出的是,跨国公司真正加速发展主要是20世纪50年代以后的事情。二次大战后,由于整个世界的政治、经济环境发生了变化,生产力水平的不断提高,技术更新速度的不断加快,运输、通讯条件的不断改善等诸多因素,使跨国公司获得了空前的发展,成为当今世界经济发展的主要推动力。据联合国跨国公司中心统计,20世纪60年代后期,西方发达国家有跨国公司7276家,受其控制的国外子公司27300家;到20世纪70年代末80年代初,跨国公司的数量已增到10000多家,由其控制的国外子公司和分支机构已达104000家。而到2001年,跨国公司则增至6.5万家,受其控制的子公司则达28万家,其在全世界的雇员也增长到7000多万人。正如前文所述,这些跨国公司控制了世界生产的40%,国际贸易的50%~60%,国际技术贸易的 60%～70%，对外直接投资的 90%。可见，跨国公司的存在与发展，对世界经济具有举足轻重的影响。这好比 1973 年美国国会税制委员会所形容的那样，跨国公司的发展，"如同蒸汽机、电力的应用、汽车的推广一样，是近代经济史上一件十分重大的事件"。

毋庸置疑，在 20 世纪末以前的 130 多年里，跨国公司成功而迅速的发展对世界经济的发展及人类生活方式的改变起了极大的促进作用。那么，21 世纪初跨国公司的发展将会出现怎样的趋势，这正是人们认真研究和思考的问题。在 20 世纪 80 年代中期跨国公司所进行的战略调整的作用下，21 世纪初跨国公司的发展将会出现以下一些走势：

第一，企业兼并、强强联合仍将成为跨国公司扩大规模、提高竞争力的重要形式

近几年来，经济全球化的迅速发展，各国经济对国际贸易和国际投资的依存度普遍提高，国际市场的相互开放程度也相应大大提高。在 WTO 等国际经济组织的多年努力下，过去一些国家难以开放的市场如金融、投资、电信等市场也逐渐开放，原来开放的领域则更加开放，统一的世界市场正在逐渐形成。经济全球化和逐渐开放统一的世界市场，一方面使跨国公司面临着更为广阔的市场容量，使他们更有必要和可能展开更大规模的生产和销售，以充分实现规模效益；另一方面，也使跨国公司面临着全球范围内的激烈竞争，原有的市场份额及垄断格局将不可避免地遭受战役重组。跨国公司一向追求全球战略，要求实现全球范围内的最高价格销售，尽可能提高全球市场占有率和取得全球利润。大型跨国公司纷纷提出要"打破民族与国家界限"，建立"无国籍经营实体"和"全球公司"，要在"世界舞台上演戏"。国际经济环境的外部压力和跨国公司的内在战略要求都迫使企业必须加快扩大规模、抢占市场的步伐，强强联合与战略性兼并就是为实现这一目标的具体路径。这种"大鱼吃小鱼式"的购并行动在 20 世纪 90 年代开始频频发生，影响巨大。如国际电信业是近几年在国际上刚刚开放的产业，美国电信业的跨国公司为了在日趋开放的国际电信市场中取得较大的市场份额，积极利用兼并手段向前景广阔的欧洲市场进军。美国 Ameritech 公司与德国电信公司合作兼并了匈牙利的 Matow 电信公司，1996 年美国第二大电信公司 MCI 与美国 BT 公司联手收购了以色列电信公司和法国 Cegetel 电

第七章 国际资本流动与当代资本主义经济

信集团的主要股权。美国电信业跨国公司通过战略性购并抢先完成了资金重组,在竞争力方面作了充分的准备,在欧洲电信市场上取得了主动权。同样,1997年美国波音公司对麦道公司的兼并,也是飞机制造业激烈竞争的必然结果和新一轮竞争开始的标志。波音、麦道和空中客车是国际民用飞机制造业的三巨头,各有一定的优势,但近年麦道公司在资金和市场上越来越力不从心,而欧洲的空中客车则抢去了波音公司不少市场。波音和麦道公司为了加强其全球战略竞争地位而实施了战略性合并,合并后的波音公司大大提高了大型和超大型民用飞机的研究和制造能力,在竞争力上压过了它在世界上惟一的竞争对手空中客车公司。纵观历史,我们还可以清楚地看到,20世纪60年代的国际企业合并浪潮以跨行业的混合兼并为主要特征,并由此形成了众多的多样化经营公司。20世纪80年代的国际企业合并总体而言是从行业内的横向兼并或逆多样化为特征,如石油行业发生了大规模的横向兼并,一些多样化大公司则出卖经营不善的非主管部门,重归专业化经营。而20世纪90年代的兼并浪潮则是跨行业混合兼并与行业内横向兼并同时进行,一起发展,且以大鱼吃小鱼、强强联合为特征。例如,在银行业、电子与计算机行业、飞机制造业、钢铁业、汽车业、石油业及制药业,均发生了大规模的横向兼并。这种横向兼并加强了大企业的市场垄断能力,充分地发挥了规模经济的效益,有利于实现跨国公司的内部化、网络化、集团化及全球战略目标。另一方面像娱乐的迪斯尼公司兼并美国广播公司,通用汽车公司兼并哥伦比亚广播公司及美国无线电公司均是跨行业混合兼并的大案,而且跨行业兼并主要集中在传媒行业,这也许反映了在信息时代,传媒业具有特殊的重要性。未来世界经济的竞争,主要是规模和实力的竞争,谁的规模大实力强,谁就能在竞争日趋激烈的经济中占领市场,取得主动地位。因此,强强联合与战略兼并仍将是21世纪初跨国公司发展的一个重要特征。

第二,跨国公司的研究与开发合作更趋国际化

20世纪90年代以来,随着经济全球化趋势的迅猛发展和国际竞争的日趋激烈,跨国公司技术研究与开发的组织形式也发生了相应的变化。西方发达国家中一些颇具实力的大型跨国公司,为了适应世界市场的复杂性、产品的多样性以及不同国家消费者偏好的差异性的要求,同时,

也为了充分利用世界各国的科技资源，降低新产品研制过程中的成本和风险，以谋求产品价值链各环节的总体最大收益，在生产国际化水平不断提高的基础上，更加重视在全球范围内进行生产要素的优化配置。跨国公司一改以往以母国为技术研究和开发中心的传统布局，根据不同东道国在人才、科技实力以及科研基础设施上的比较优势，在全球范围内有组织地安排科研机构，以从事新技术、新产品的研究与开发工作，从而促使跨国公司的研究与开发活动朝着国际化、全球化的方向发展，这种趋势在20世纪90年代表现得尤为突出，并在一定程度上推动了世界各国在高科技领域的交流与合作，对世界经济的发展和科学技术的进步都产生了极其重大而又深远的影响。

近几十年来，跨国公司之所以能够迅速发展、壮大，成为全球经济中最活跃的角色，这不仅是因为其自身所拥有的雄厚资本实力、精湛的工艺设备和本国完善的科研基础设施等有形资产，更为重要的是跨国公司拥有研究与开发的能力，以及专利技术、商标、组织管理和营销等多种无形资产，正是凭着以上两种资产所有权的垄断优势，跨国公司才得以在激烈的国际竞争中立于不败之地，而其中研究与开发的能力对于跨国公司的生存和发展是至关重要的。因此，加强研究开发力度，不断开发出具有高科技含量，高附加值的创新产品已成为垄断资本获取高额利润，提高竞争力的主要手段。然而，随着现代科学技术的飞速发展，高、精、尖技术产品的研制过程也往往表现为一项庞大而又复杂的系统工程，对科研资金、技术、人才以及组织管理等各个方面的要求越来越高。在这种情况下，任何一家跨国公司如果只仅仅以自身有限的科技资源和创新能力来从事这种富有战略的重大科研项目开发是难以取得预期效果的。但是如果各家跨国公司能够在平等互利的基础上开展国际间的科技交流与合作，共同联手开发新技术、新产品，就不仅可以弥补科技力量在国家和地区间的分布不平衡的缺陷，提高研究与开发的效率及创新产品的质量，而且能够实现经营范围和地区的多样化，获取稳定的市场份额和高额的投资回报率，充分发挥各自专业化水平的长处，实现双方优势要素的互补。因此，跨国公司研究开发的国际化、全球化将成为21世纪跨国公司发展的重要特征。

第三，跨国公司对发展中国家的直接投资将进一步加强

第七章 国际资本流动与当代资本主义经济

20世纪70年代以前，跨国公司对外投资主要在发达国家中进行，很少涉足发展中国家。进入20世纪80年代，随着一些发展中国家和地区的经济增长迅速，发展中国家逐步成为跨国公司的投资热点，1994年发展中国家利用外国直接投资额高达700亿美元，其中来自跨国公司的直接投资占40%。近年来，随着自身经济的发展，发展中国家利用外国直接投资的重点逐渐由吸引小规模投资转向吸引跨国公司的投资。促使发展中国家吸引外资重点转移的原因在于跨国公司的投资与一般小规模投资者的投资相比有以下优势：①跨国公司的投资项目和规模比较大；②跨国公司在某地的直接投资往往同时带来资金、生产技术、管理和出口市场；③跨国公司在某一地区的投资往往要求高品质的配套服务；④跨国公司注重技术的研究与开发。

与此同时，跨国公司出于直接获取海外市场和生产基地的目的，对发展中国家直接投资的方式也在发生变化，对发展中国家的企业兼并和收购已成为直接投资的重要方式。对此，一些发展中国家也深表担忧：其一，外国公司的收购会对原有组织结构形成冲击，以致竞争加剧；其二，跨国公司对当地企业的收购会导致本国经济利益的让渡和跨国公司在本国的垄断地位增强。但是一般认为，跨国公司对发展中国家企业合并也可以使发展中国家得到以下好处：一是收购引发资本、生产技术和管理技术的流入，有利于提高技术水平；二是如果被收购的企业是状况不良的企业，东道国则可以因此避免企业亏损或破产而带来的不良后果；三是被收购的企业可能因跨国公司的有效管理而给东道国带来规模经济、就业和降低产品价格等方面的利益。有鉴于此，一方面发展中国家竞相采取各种优惠政策，积极改善本国的投资环境，以更多地吸引外国直接投资；另一方面，跨国公司为了争夺市场，获取更大利润，也在加紧对发展中国家投资的部署，尤其是那些遭受金融风暴打击的亚洲发展中国家和地区，由于货币贬值，资产价格急剧下降，股市大跌，估计损失约7500亿美元。美欧跨国公司充分利用这一契机，纷纷兼并和收购陷入困境的银行、公司和企业。据《亚洲兼并和收购》杂志1998年7月9日发表文章说，1998年上半年，美国和欧洲跨国公司收购亚洲的案件急剧增加，交易额比1997年同期增加5倍以上，仅收购韩国和日本的企业、公司和银行的金额就达74亿美元。另据国际金融学会最近估计，1998年流入印尼、马来西亚、菲律宾和泰国的资金仍将保持高水平,净投资将达170亿美元。可以这样判断,在21世纪初期相当长的一段时期内,发展中国家,特别是亚洲发展中国家将成为跨国公司投资的重要对象。

第四,跨国联盟将成为跨国公司发展的新趋势

由于新技术革命的加快和国际市场竞争的加剧,世界各国尤其是西方发达国家跨国公司之间进行广泛合作而发展到结成联盟,成为跨国经营中的一个突出现象,同时也反映了跨国公司发展的一个新趋势,引起本国企业界的关注。

企业跨国联盟是指两个以上的跨国公司采取联合结盟的形式在投资、科研、生产和开拓市场等方面进行密切合作去对付其他竞争对手的一种战略。随着世界经济区域集团化与国际化倾向的加强,跨国公司为了保持和发展自己的生存空间,纷纷组织跨国联盟。1980～1990年,欧洲企业每年缔结的合作协定成倍增加,美国企业跨国联盟发展更快。近年跨国联盟之所以发展很快,其主要原因是这种联盟有利于突破贸易壁垒,有利于分散投资风险,有利于引进新技术及开拓新事业。应该说,跨国联盟是社会化大生产高度发展的产物,是经济活动国际化的代表。从现状看,企业跨国联盟主要有以下几种形态:①合并式联盟。合并是指两个以上的跨国公司出于对整个国际市场的预期目标和公司自身总体经营目标的意愿,采取一种长期性合作与联盟的经营行为方式。②互补式联盟。这种联盟通常是将各自优势方面联合起来,既发挥各自的优势,又与联盟伙伴密切配合,共同以最佳服务来满足客户的需求。③项目式联盟。这种联盟通常是跨国公司为获取高附加值及高科技领域发展而采取单个项目或多个项目合作的形式。此外,企业跨国联盟也表现出其鲜明的特征。其一是,目前主要是西方发达国家同等规模、同等市场力量的大型跨国公司结成联盟,但也采取公司群的形式。少数新兴工业国家的公司也开始加入联盟行列;其二是,以汽车、航空、电子、石油等高技术密集型产业的跨国公司结成联盟居多;其三是,多为加强产品项目的研究与开发,以分担高昂的研制费用或为分散因竞争激烈和产品生命周期缩短而产生的投资风险而结成联盟;其四是,互相依赖,取长补短,共存共荣。

目前跨国联盟的发展势头正旺,主要表现在:①跨国公司全球竞争

第七章　国际资本流动与当代资本主义经济

日益加剧，一些原先是竞争对手的跨国公司结成联盟以对付新的竞争对手。如英国路宝汽车公司与日本本田汽车公司曾经是竞争对手，1990年两大公司结盟，互相投资，各自转让20%的股权，到1992年推出了共同生产的新车，双方都获得了巨大利益，路宝为本田提供了欧洲的通道，并让本田在英国投资设厂，本田则为路宝提供了资金，并把本田式的经营管理引入路宝，从而获得了勃勃生机。②同业跨国公司之间组成跨国联盟。一些大公司通过合资、承包、协议等形式，把多个中小跨国公司联合起来，以提高在全球范围内的竞争能力。如世界第一油轮公司——日本大阪三井商船公司为摆脱全球海运班轮航线的不景气，适应日益激烈的竞争，决定与美国总统海运公司、荷兰扎华公司、马来西亚国际航运公司和香港东方海外轮机公司实行大联合，建立由56艘海轮组成的联合船队。新组建的航线被命名为"全球航线"。这表明跨国联盟已由单纯竞争走向互相协商、协调，开始实行规模不等的联合，以提高竞争实力。③把相关跨国公司联合起来，互相利用优势，扩大业务活动，以合作求发展。如德国汉莎航空公司在大力改进自身管理工作的同时，也主动与其他公司广泛结盟。现在汉莎领导了由25家以上不同公司组成的跨国联盟，以"合作求增值"的联盟模式正越来越得到肯定。总而言之，企业跨国联盟作为一种发展趋势在21世纪将会得到进一步的发展。

第五，全球性公司正在兴起

随着经济与科学技术的飞速发展，一批跨国界的、不同于20世纪60年代跨国公司的全球性公司已在悄然兴起。全球性公司是一种新型的打破国与国界线的多国合营公司，是一种较跨国公司层次更高的跨国形式。它要求领导层国际化，领导成员和经理人员由不同国家的人员担任，这是现有跨国公司所不易做到的。瑞典的ABB公司的经理人员由瑞典、瑞士和德国的人员组成，从领导层成员保证了公司不能只为一个国家的利益服务。日本公司的高级管理人员历来由清一色日本人担任，现在也开始国际化了。海外营业额占66%的索尼公司，1997年破天荒第一次吸收了一名美国人和一名瑞典人进入董事会。松下公司也在其美国所属的电器公司任命了一名美籍总经理。

全球性公司作为未来世界经济发展的一种趋势，正引起国际社会的重视。之所以如此，是因为首先在于这种多国合营有利于相互合作，采用新技术；其次有利于突破贸易限制，进入市场；再次联合企业，也为各自进入对方市场提供了便利，从而节约了一笔进入市场调查和建立市场网络的费用。虽然全球性公司的出现及发展加强了各国经济的互相依赖，向统一的世界市场迈进了一大步，但这种国际化趋势对各国经济的利弊究竟如何，是否有利于国际安全，等等，还有待于深入的研究。从已得到的反映来看，大多数经济学家都普遍认为，全球性公司的兴起，是国际经济活动中的健康现象，并预言这将是21世纪世界经济发展的重要特征。

7.3 跨国公司的发展对资本主义经济的影响

20世纪80年代中后期，在以信息技术为中心的高新科技迅猛发展的背景下，世界经济进入了全球化时代，世界各国经济相互依赖、相互交织的程度进一步加强。经济全球化以世界经济信息化、世界经济市场化、世界经济自由化为特征，是世界经济发展的必然趋势。随着经济全球化的发展，跨国公司也获得了广泛的发展。跨国公司的发展对资本主义国家经济来讲是一把"双刃剑"：一方面，对经济发展有正面影响，使其在经济发展过程中获得更大的利益；另一方面，又对经济发展造成负面影响，使资本主义经济发展面临新的挑战。

7.3.1 跨国公司的发展对资本主义国家经济的正面影响

1. 跨国公司对外扩张是资本主义国家经济快速发展的保障

跨国公司是经济全球化时期资本主义国家经济全球扩张的急先锋。目前全球经济活动的各个领域主要由各个国家的跨国公司进行，据联合国跨国公司中心公布的材料显示：1998年发达资本主义国家跨国公司的产值占世界经济生产总值的40%，世界贸易总额的50%，国外直接投资的90%，高新技术专利的80%以上；目前全球跨国公司大多来自于发达国家。跨国公司在国家帮助下，对外直接投资并实行跨国购买和兼并，在世界范围内进行资源配置，推动了世界性的产业结构大调整，进一步优化和提升了发达国家的产业结构。跨国公司凭借其强大的经济实力推

第七章　国际资本流动与当代资本主义经济

动了科技的发展,凭借全球化的科研、信息机构,提高了劳动生产率,扩大了资本运营规模,提高了公司效益,加快了资本积累,为发达资本主义国家经济发展和生产关系的调整提供了广阔的天地。跨国公司通过不断提高自己的经营战略,加强对全球经济的控制,使世界经济力量的对比进一步向发达国家倾斜,强化了西方发达国家对世界经济主导权的控制。发达国家的跨国公司控制着全球主要产品的生产和销售,他们用低廉的价格去购买发展中国家的原料和劳动力,而以高价出售自己的高新科技产品,从中谋取高额垄断利润,它们极力压低主要由发展中国家生产和出口的初级产品价格,提高由它们自己生产和加工的工业制成品价格,通过价格"剪刀差"获得更多利润。这种严重不合理的"剪刀差",以及由此带来的发展中国家的物质财富和人力资源的巨大流失,发达国家和发展中国家的不平等的交换关系,缓解了资本主义内部生产力和生产关系的矛盾,有效地保障了主要发达资本主义国家经济的繁荣与稳定,但却在本质上反映了发达国家凭借雄厚的资本和发达的科技优势剥削发展中国家的不合理的国际经济关系。

2. 跨国公司的发展推动了主要发达资本主义国家产业结构的调整和升级

跨国公司的发展是经济全球化的微观基础,经济全球化在本质上是生产社会化和分工在全球范围的延伸和扩展。在生产社会化和分工跨国发展的过程中,以发达国家为主导,以跨国公司为活动主角带动产业转移,以信息化推进产业结构高级化,用放松管制与制度创新为结构调整创造宽松的环境,在全世界范围内发生了一场产业结构调整的运动,使发达国家的产业结构得到了合理调整并向高级化发展。在新一轮结构调整过程中,信息产业正在成为发达国家的主导产业,信息产业的迅速发展带动了相关产业的发展。过去产业结构调整大多发生在一个国家内部,经历的时间比较长,所需的代价比较大,现在产业结构调整则建立在全球观念的基础上。目前世界范围内产业结构调整,基本上采取了两种形式:一是发达国家之间,通过跨国公司之间的相互交叉投资、企业兼并,在更大的经济规模基础上配置资源、开拓市场、更新技术,从而实现发达国家间的技术和资金密集型产业的升级。二是发达国家与发展中国家之间,发达国家把劳动和资源密集型产业向发展中国家转移,特别是把这些产业的生产环节向发展中国家转移,使得资本主义国家可以以较低的成本获得较大的收益。而却把世界尖端科技产品的生产即技术密集型、知识密集型产业留在自己国家内，以使自己长期引领高新科技的潮流。全球范围内经济资源的自由配置，对发达国家的经济增长带来了强劲的推动。

3. 跨国公司正在重塑全球经济新秩序，强化了西方大国在世界经济中的主导地位

（1）跨国公司不断调整自己的经营战略，逐步加强了对全球经济的控制。跨国公司的国际化生产趋势使各国在经济上相互依赖的程度加深，其结果必然是投资国和东道国重新协调关系，从而打破国与国之间原有的政治、社会、宗教、文化、风俗习惯等种种限制，使资本在各国间自由流动，资源在全球范围内自由配置，逐步构建新的全球经济秩序和全球市场规则。西方跨国公司凭借其强大的实力和政府的强力支持，在新秩序和新规则中居主导地位。

（2）西方跨国公司的迅速扩张进一步增强了西方大国的实力，使世界经济力量对比进一步向美欧发达国家倾斜。英国《金融时报》按公司市值计算的全球最大500家公司中，美国占219家、欧洲158家、日本77家。而在发展最快的信息产业和新技术领域，西方跨国公司更居绝对垄断地位，其前150家公司中，信息与新技术公司达50家，其中有48家属于西方国家。美国《财富》杂志公布的全球500家大公司中，1997年美国占175家，1999年为179家。在前10大企业中，1997年美国占4家，2004年占5家。美国跨国公司实力的增强，有力地支撑了美国在全球经济中的霸权地位。以美国为首的西方大国，借助于跨国公司实力的膨胀，在全球推行经济霸权，对构建公正合理的国际经济新秩序构成了巨大的挑战。

（3）跨国公司也强化了西方发达国家对世界经济主导权的控制。跨国公司实力雄厚，世界上100个最大的经济体中，有51个是跨国公司，49个是主权国家。1999年，《财富》杂志所列500强的前8家跨国公司销售额总和已超过我国的国内生产总值。过去20年中，全球跨国公司并购交易额平均每年增长42%。20世纪90年代以来，跨国公司的并购活动更趋频繁，巨型跨国公司不断涌现，1998年超过500亿美元的并购活动为5起，1999年达到10起之多。这种巨型并购活动使世界上出现了

第七章 国际资本流动与当代资本主义经济

多个"经济航母"。1997年,美国波音公司兼并麦道公司成为世界最大的航空工业公司;1999年,美国在线与时代华纳公司合并而成为全球最大的综合传媒企业;去年初,英国沃达芬收购德国曼尼斯曼公司,成为世界最大的电讯公司。大规模的并购加强了跨国公司在一些主导产业中的垄断地位,进一步巩固了西方大国在世界经济中的主导权。大型跨国公司在推进全球化经营的同时,也把自身的生产、经营、管理规则乃至文化价值观等带到世界其他国家,从而促进了西方游戏规则的全球化,进一步夯实了美国等西方大国制定全球规则的实力基础。

7.3.2 跨国公司的发展对资本主义国家经济的负面影响

资本主义国家是经济全球化的最大受益者,同时也受到经济全球化的冲击。这些冲击主要表现在跨国公司在全球扩张过程中造成的生产与消费的矛盾、政府宏观调控的局限、国内产业空洞化、福利制度实施的障碍、全球化中经济衰退时的连锁反应及两极分化等。

1. 资本主义由国家垄断转变为国际垄断

由于资本的再生产过程已经超越了国界的限制开始在世界范围内进行,资本循环和周转要通过世界市场来实现,国际垄断资本愈来愈多地依赖于世界市场。这时的世界市场消费力,既不取决于世界各国绝对的生产力,也不取决于世界各国绝对的消费力,而是取决于世界范围内的分配关系。但是世界范围内的分配是不平等的,由于资本主义国家的主导地位及其对发展中国家的剥削,造成了世界各国的贫富差距拉大。一方面使世界绝大多数国家的绝大多数人口的消费缩小到最低限度;另一方面,世界上少数富裕国家受到资本积累和扩大资本生产规模的限制,消费水平提高速度减缓,于是当全球化的资本生产速度远远超过了市场的形成速度,人们对产品有效需求的增长率赶不上产品的生产率时,资本生产无限扩大与世界市场之间就存在着尖锐的矛盾,这就使得资本主义经济的发展潜伏着经济危机的可能。同时,随着跨国公司扩张,使得生产、交换、分配和消费在全球范围内展开,无论是生产过程、流通过程还是消费过程,都超出了国界,社会的分工与合作的范围扩大到全球,产品的剩余价值的分配或利润的分配与再分配也在不同的环节和不同国度展开,生产的社会化程度要比"民族的"历史时期大大提高。这在客观上要求生产资料以及由生产资料所决定的分配形式也应由社会或公共所有。但残酷的现实却是，生产资料及分配形式严重向国际垄断资本倾斜，它以牺牲绝大多数人的利益为代价，换取跨国公司的更高的利润，跨国公司可以在全球范围内进行资源的"最佳配置"，实现利润的最大化，而这种利润最大化的好处被垄断资本家所独占。跨国公司的发展分别在国际和国内制造了越来越严重的贫富两极分化。与此同时，在国际上形成一个占支配地位的跨国资本阶层，而全世界跨国的劳动者阶层作为一个阶层虽然已经成为现实，却还处于自在的阶段，没有形成统一的力量，不能有效地与跨国资本阶层相抗争。因此，跨国公司的发展不仅未消除生产的社会化和生产资料的资本家私人占有的矛盾，反而使这种矛盾在更高的层次和更大范围表现出来，矛盾也更为尖锐和难以解决。与此相应，劳动者阶层和资本阶层的矛盾并未由此而"消解"，而是在更广阔的范围和更深的层次上展开。

2. 跨国公司的发展也改变了传统的生产要素受地域的限制，从而冲击到资本主义国家的传统调节机制

一方面，跨国公司的国外投资使传统的国家政府大权旁落，其调控经济的功能显得软弱无力。过去可以通过利率、汇率、税收等手段调节经济，但在经济全球化和生产要素全球流动性增加的情况下，这些曾经被人们津津乐道的宏观调控手段失去了往日的光彩。另一方面，政府的调控手段愈来愈屈从于全球竞争的需要，为了在全球竞争中处于有利地位，更多地吸引外资，各资本主义国家不得不放松控制、减少税收，甚至不惜降低社会成本，这必然冲击它们的国内就业水平和福利制度，更为严重地引发了在放松管制下的微观主体的营私舞弊以及层出不穷的企业丑闻。跨国公司把发达国家的资金和技术优势与低工资国家的成本费用优势有机地结合起来，将其生产过程分解到不同国家。这种全球生产网络的形成使得国家在与资本的对垒中越来越处于不利的地位，决策者不断丧失诸如利率控制和公共支出水平等关键经济管理领域的控制力。各国政府不仅无法利用提高资本收益率来筹措公共管理职能所需费用，而且，为了鼓励投资，各国政府卷入了一场世界范围内为公司企业及资本所有者降低纳税标准的竞争，这无疑侵蚀了一部分重要税源。据统计，在德国，1995年公司的纳税款与上一个10年相比，几乎减少40%。德

第七章 国际资本流动与当代资本主义经济

国股份公司的税收在全国税收收入中所占的份额由 1960 年的 9.5% 下降到 1998 年的 3.8%，而工资收入税所占的比例则由 12% 上升到 12.8%。德国执政的社会民主党人曾试图通过法律修正以增加税收，有关的公司企业就威胁说要把成千上万的劳动岗位转移到国外。最后，因为担心资本的流出会增加本国的失业，施罗德政府不得不做出让步。

3. 经济全球化条件下，由于高新技术的发展，导致发达国家就业结构发生了变化，技术密集程度提高，劳动密集程度降低，使包括"白领"在内的整个就业群体发生分化，一些未能掌握新技术手段的工人受到冲击，他们工资大幅下降，甚至失去就业岗位

发达国家的失业率呈上升趋势。另外，产业转移造成了国内某些产业空洞化，使国内就业局势更加严峻，给经济的正常发展背上了巨大的包袱。

4. 资本的跨国流动对资本主义的社会福利政策造成冲击

跨国公司的扩张使资本大量外流，减少了社会福利国家的国内投资和就业岗位，同时也减少了国家财税收入，使社会福利资金困难而陷入困境。由此，导致了发达国家的"马太效应"，即富者愈富，穷者愈穷，贫富差距不断加大。美国公司首席执行官和工人的收入差距，1995 年是 140 倍，1999 年达 416 倍。这种畸形分配方式将在一定程度上直接或间接地制约着资本的高效运行，最终形成世界体系内资本主义发展的危机。同时，根据马克思关于资本积累的一般规律的论述，随着资本积累的进行，资本跨国流动愈来愈强，在与国家谈判关系中具有更强的讨价还价能力。因此，发达国家内部贫富差距的扩大难以避免。例如，美国从全球化和新经济中获利最多，但其内部的贫富差距却雄踞发达国家之首。据统计，从 1979~1997 年，美国最上层 1/5 家庭的与最下层 1/5 家庭的收入差距从 9 倍扩大到 15 倍。即使在收入较为均衡的犹他州，最富家庭与最穷家庭的收入之比也达到了 7 比 1。

2001 年 1 月，美国联邦储备银行对家庭财富积累的变化情况进行了一次调查，调查的数据表明，年收入在 10000 美元以下的家庭在过去 3 年中家庭总财富量下降了 6600 美元。这种两极分化式发展暗示着资本主义正孕育着严重的社会危机。我们完全有理由说：物质财富的积累并没有也不可能填平资本主义的贫富鸿沟，资本和劳动之间的矛盾不但没有

随着资本主义的新发展而缓和,而且还有所加剧,以新的方式继续孕育着资本主义的敌对力量;资本主义在当今时代的发展并不意味着它的永生,反而可能意味着它未来的死亡。这一点正如列宁所言:"辩证发展过程在资本主义范围内确实就包含着新社会的因素,包含着它的物质因素和精神因素。"①

5. 经济全球化中经济周期的同步性,造成了经济衰退的连锁反应

各个国家的经济息息相关,有人比喻说,美国打喷嚏,日本就会感冒,岂止日本,整个世界的经济都将受到影响,但影响最大的是开放较高的发达资本主义国家。美国、日本和欧盟三大经济体,目前就出现了同时陷入低潮的状况,这主要因为全球经济的增长很大程度上依赖美国这一台发动机的带动,现在发动机出现了问题,其他国家也难免受到影响。在经济开放度较高的情况下,一体化经济必然是一荣俱荣、一损俱损,当危机到来时,必然波及各个资本主义国家乃至全世界。

---

① 《列宁选集》第11卷,人民出版社1987年版,第371页。

第八章 国际货币金融体系的发展与当代资本主义经济

国际货币金融体系（International Monetary & Financial System），是指为适应国际贸易与国际支付需要，世界各国对货币在国际范围发挥作用所确定的原则、采取的措施和建立的组织机构。它是国际货币制度、国际金融机构、国际金融市场和金融工具，以及由习惯和历史沿革所约定俗成的国际货币秩序的总和。国际货币金融体系是一个历史的概念，它是资本主义生产方式的产物，并伴随着资本主义经济的发展而不断演变。反过来，它的形成和演变，又对资本主义经济的发展产生着重要的影响。本章在归纳回顾国际货币金融体系的发展演变及当代特征的基础上，论证了当代国际货币金融体系的运行机制和矛盾，以及其对当代资本主义经济的影响；并就经济全球化条件下当代国际货币金融体系的调整和发展趋向作了进一步的分析。

8.1 国际货币金融体系的形成和发展

8.1.1 国际货币金融体系的形成及主要内容

国际货币金融体系是历史的产物，它相伴以货币为媒介的国际经贸往来的产生而出现，只是在早期，它主要是依靠约定俗成的做法而形成。随着资本主义生产方式的确立和世界市场的形成，国际经济交往日益密切，国际货币金融体系的法律和行政色彩也相应增加。现代国际货币金融体系，就是这样一种既包括有法律约束力的有关货币国际关系的规章制度和相应的国际货币金融机构，又包括具有传统约束力的由各国约定俗成的某些规则、做法,以及国际金融市场和金融工具的整合体。围绕着促进世界经济和各国经济的平衡发展及稳定这一中心任务,就构成国际货币金融体系的主体即国际货币制度本身而言,主要包括以下几方面的内容:

第一,国际本位货币的确立。国际本位货币是在国际上占据中心货币地位的可自由兑换的货币。它首先必须能在国际上自由兑换;其次,还必须占据国际中心货币的地位,能充当国际商品的价值尺度或价格标准,并成为各种货币汇率计算的中心。充当这种中心货币的曾经有贵金属——黄金,也有因历史、经济和现实原因形成的某些国家的纸币。国际本位货币的确立是国际货币制度的核心和基础。

第二,各国货币比价的确定。为了进行国际支付,各国货币必须确定一定的兑换比例。这就涉及货币比价确定的依据、比价波动的界限、维持比价所采取的措施等。而要确定各国货币相互间的比价,首先要确定各国货币与国际本位货币比价,然后才能确定各国货币相互间比价。

第三,各国货币的兑换性与对国际支付所采取的措施。国际本位货币是世界上最具自由兑换性的货币,也是国际支付货币。但国际货币制度或自发地形成了或明确规定了各国货币的自由兑换性。与此相适应,各国政府一般都颁布金融法令,规定本国货币对外兑换与支付的条件、范围,如规定本国货币能否对外自由兑换、对外支付是否进行限制等。

第四,国际储备资产的确定。保存一定数量为世界各国所普遍接受的国际储备资产,是国际货币制度的一项主要内容。充当国际储备资产的除了国际本位货币以外,在一定条件下,一些国家的纸币或国际金融机构、国际经济组织创设的货币也可充当国际储备资产。

第五,国际结算的原则。受国际储备货币和国际清偿手段供需因素的制约,所形成的国际上债权、债务结算的原则和方式。比如是实行自由的多边结算还是实行限制的双边结算;是资产结算还是负债结算;是自由外汇支付还是协定记账支付等等。

第六,黄金的地位与流动。黄金是否能充当国际本位货币(货币黄金)、是否能自由流动与转移,是分别不同类型的国际货币制度的一个标准。

国际货币体系在不同的历史时期有着不同的类型,与之相应的汇率

第八章 国际货币金融体系的发展与当代资本主义经济

制度也有所不同。国际货币体系按其构成的基础即本位货币的差别来划分,可分为国际金本位制、黄金—美元本位制,以及与黄金完全脱钩的多元信用纸币本位制;与之相应的汇率制度亦可分为固定制度制、浮动汇率制,以及介于这二者之间的可调整的盯住汇率制或管理浮动汇率制等多种类型。

8.1.2 国际货币金融体系的历史演变

1. 金本位条件下的国际货币金融体系

金本位制是以一定重量和成色的黄金为本位货币,并建立起流通中各种货币与黄金间固定兑换关系的货币制度。金本位制有广义与狭义之分。广义的金本位制是指以一定重量和成色的黄金来表示一国本位货币的货币制度,包括金币本位制、金块本位制和金汇兑本位制。狭义金本位制仅指金币本位制。

(1) 金币本位制 (Gold Specie Standard)。这是金本位制的最初形态。其特点是:银行券可自由兑换金币;金币可自由铸造;黄金可自由输出入;货币储备全部使用黄金;国际结算使用黄金。在这种制度下,货币等同于黄金,与黄金直接挂钩,价值比较稳定。

(2) 金块本位制 (Gold Bullion Standard)。这是在金币本位制崩溃以后出现的一种货币制度。其主要内容是:金币虽然是本位货币,但在国内不流通,只流通银行券,不允许自由铸造金币,但仍规定货币的含金量,并规定有黄金平价;银行券不能自由兑换金币,但在国际支付或工业方面需要时,可按规定数量向中央银行兑换金块。

(3) 金汇兑本位制 (Gold Exchange Standard)。又称"虚金本位制",是与金块本位制同时盛行的货币制度。其主要内容是:国内不流通金币,只流通不能直接兑换黄金、只能兑换外汇的银行券;本国货币与另一实行金本位制的国家货币保持固定比价,并在该国存放外汇和黄金作为储备金;通过买卖外汇来稳定外汇行市。

金本位条件下的国际货币汇率机制运行主要表现为:

其一,实行以不同国家货币的含金量为基础的固定汇率机制。各个国家每一单位货币的含金量所构成的铸币平价之比是固定的。

其二,各国货币汇率受市场自发调节机制的制约,波动幅度很小,十分稳定。汇率的波动幅度一般限制在"黄金输送点"范围。后者即两国货币的铸币平价加上或减去国家间黄金的运输费用。这是因为在国际金本位制度下,黄金可以自由输出和输入国境。当一国兑它国货币的汇率上升或下跌并超过黄金输送点时,人们便不愿使用外汇,而愿直接使用黄金作为国际结算和支付的手段。

金本位条件下的国际货币汇率机制的最重要特点,主要表现为汇率安排和汇率运行机制的自发性,即它主要是在世界经济交往中自发形成的,其运行是通过市场机制的自动调节来实现的。由于各国货币以贵金属黄金为共同的基础,而黄金输送点的制约又使得金本位条件下的汇率运行具有波动幅度小的特点。因而有利于国际贸易与国际投资、国际信贷的发展。

金币本位制始于1816年的英国,此后其他欧美国家纷纷效仿,直到1914年,由于第一次世界大战爆发而终止。"一战"结束后,金块本位和金汇兑本位的货币制度开始流行。这个阶段金本位制的基础与战前相比已被严重削弱。

1929~1933年爆发的世界性经济危机,使得西方国家统一的国际金本位制终于彻底瓦解。随后,纸币流通制度开始盛行,各西方主要发达国家与黄金不相挂钩的纸币流通制度开始盛行,各西方主要发达国家纷纷成立了以各自为核心的货币集团,如英镑集团、美元集团、法郎集团。在货币集团内部,以该国的货币为中心,以这种货币作为集团内部的储备货币,进行清算。集团内部外汇支付和资金流动完全自由,集团内部的货币比价、货币波动界限及货币兑换与支付均有统一严格的规定,但是对集团外的收付与结算则实行严格管制,常常要用黄金作为国际结算手段,发挥其世界货币职能。货币集团的形成和发展,加剧了集团之间的矛盾冲突,以及整个世界经济的不稳定。

国际金本位制对世界经济的发展起到了积极的作用,主要表现在:

首先,有利于保持各国货币对外汇率和对内价值的稳定。在金本位制下,各国货币都规定有含金量。各国货币之间的汇率是建立在黄金平价基础上的,即由各国本位货币所含纯金数量之比决定。外汇市场的实际汇率由于外汇供求关系的影响而围绕黄金平价上下波动。但这种波动是有限制的,即不能超出黄金输送点(黄金平价加黄金运送费用),最低

第八章　国际货币金融体系的发展与当代资本主义经济

不得跌破黄金输入点（黄金平价减黄金运送费用）。另一方面，各国发行货币均以一定的黄金作保证，因此可限制政府或银行滥发纸币，不易造成通货膨胀，保持货币对内价值的稳定。

其次，为国际贸易和国际资本流动创造有利条件。在金本位制下，黄金能自由发挥世界货币职能，各国汇率的基本稳定可以保障对外贸易与对外信贷的安全，有利于国际贸易和国际资本流动。另一方面，也促进商品的流通和信用的扩大，从而促进各国经济增长和充分就业。

第三，有利于各国经济政策的协调。一国管理经济的主要目标是尽量达到对内平衡和对外平衡的统一。对内平衡是指国内物价、就业和国民收入的稳定增长；对外平衡是指国际收支和汇率的稳定。但是内外平衡常常是矛盾的。当二者发生矛盾时，实行金本位制的国家首先考虑对外平衡，而将对内平衡置于次要地位，因此国际金本位制有利于这些国家经济政策的协调。

当然，国际金本位制度下的汇率机制也存在缺陷，主要表现在两个方面：一是货币的供应受到黄金数量的限制，缺乏灵活性，不能适应经济增长的需要。二是当一国发生国际收支逆差，由于黄金输出、货币紧缩以及有可能出现的国内经济活动被迫服从外部平衡的需要而引起国内经济的恶化。当失业增加和经济增速下降时，一国国际收支的逆差需要长期的调整过程才能逐步改善。

2. 布雷顿森林体系下的国际货币制度

（1）布雷顿森林体系的建立

二战结束前夕，为了改变由于国际金本位制的崩溃而出现的国际金融经济秩序混乱局面，促进战后经济的恢复和贸易的发展，美、英等国经济学家积极着手研究重建国际货币体系问题。

1943年4月7日，英、美两国政府分别在伦敦和华盛顿同时公布了英国财政部顾问凯恩斯拟订的"国际清算同盟计划"（又称"凯恩斯方案"）和美国财政部长助理怀特（H. D. White）拟订的"联合国平准基金计划"（又称"怀特方案"）。这两个方案虽然都以"设立国际经济合作机构、稳定汇率、扩大国际贸易、促进世界经济发展"为目的，但由于各自体现其本国利益，内容大不相同。

凯恩斯方案，又称"清算制"方案（Clearing System）。该方案的要点是：建立一个起世界中央银行作用的国际清算同盟；各会员国同中央银行在"同盟"开立往来账户，各国官方对外债权债务通过该账户用转账办法进行清算；当一国国际收支发生顺差时，将其盈余存入账户，当发生逆差，可按规定的份额向"同盟"申请透支或提取存款；各国在"同盟"账户的记账单位为"班柯"（Bancor），"班柯"以黄金计值，"同盟"可调整其价值，会员国可用黄金换取"班柯"，但不得用"班柯"换取黄金；各国货币以"班柯"标价，非经"同盟"理事会批准不得变更；各会员国在"同盟"的份额按照战前3年进出口贸易平均额的75%来计算；"同盟"总部设在伦敦和纽约，理事会议在英国和美国轮流举行。这一方案反对以黄金作为主要储备，还特别强调顺差国与逆差国共同负担调节的责任，这显然对当时国际收支发生逆差的英国十分有利。此外，关于"同盟"总部与理事会会议地址的规定，更暴露出英国同美国分享国际金融领导权的意图。

怀特方案由美国财政部长助理怀特于1943年4月提出。该方案采取存款原则，建议设立一个国际货币稳定基金，资金总额为50亿美元，由各会员国用黄金、本国货币、政府债券交纳，认缴份额取决于各国的黄金外汇储备、国民收入和国际收支差额的变化等因素，根据各国交纳份额的多少决定各国的投票权。基金组织发行一种名为"尤尼它"（Unita）的国际货币作为计算单位。"尤尼它"可以兑换黄金，也可以在会员国之间互相转移。各国要规定本国货币与"尤尼它"之间的法定平价，平价确定后，非经基金组织同意，不得任意变动。基金组织的主要任务是稳定汇率，并对会员国提供短期信贷以解决国际收支不平衡问题。可见这个方案有利于美国操纵和控制基金组织，迫使其他会员国的货币"盯住"美元，剥夺其他国家货币贬值的自主权，解除其他国家的"外汇管制"，为美国的对外扩张与建立美元霸权扫清道路。

两个方案提出后，英、美两国政府代表团在谈判中就国际货币计划展开了激烈的争论。由于英国经济、军事实力不及美国，双方于1944年达成了基本反映怀特方案的"关于设立国际货币基金的专家联合声明"。遂于5月，参加筹建联合国的44国政府代表在美国新罕布什尔州的一个小镇——布雷顿森林举行联合国货币金融会议，史称"布雷顿森林会议"。经过三周的激烈讨论，通过了以怀特方案为基础的《联合国货币金

第八章　国际货币金融体系的发展与当代资本主义经济

融会议最后议定书》及两个附件,即《国际货币基金协定》和《国际复兴开发银行协定》,总称"布雷顿森林协定"。由此形成了战后运转达25年之久的以美元为中心的国际货币体系——布雷顿森林体系。

(2) 布雷顿森林体系及其汇率机制的主要内容

1) 布雷顿森林体系的主要内容之一,是建立了两个国际金融机构,即国际货币基金组织 (IMF) 和国际复兴开发银行 (IBRD),维持布雷顿森林体系的运行。IMF属于短期的融资机构,宗旨是重建国际货币秩序,稳定外汇,促进资金融通及推动国际经济繁荣。IBRD属于长期的融资机构,宗旨是从长期资金方面配合 IMF 的活动,促进国际投资,协助战后受灾国家经济的复兴,协助不发达国家经济的发展,解决国际收支长期失衡问题。

2) 实行可调整的盯住汇率制度,是布雷顿森林体系汇率机制的主要内容。各 IMF 会员国确定 1934 年 1 月美国政府规定的 35 美元等于 1 盎司黄金的官价,美元的黄金平价为 0.888671 克黄金,其他会员国按照本国货币平价与美元保持固定比价,其汇率波动的上下限各为 1%。这一比价不经基金组织批准不得变动,但当一国出现国际收支极度不平衡时,可向基金组织申请调整,经批准后可进行升值或贬值,这就是所谓的"可调整的盯住汇率制度"。

3) 布雷顿森林体系的内容还包括:美元等同于黄金,作为国际间主要清算支付工具和储备货币,发挥国际货币的各种职能。美国政府承担美元作为可兑换货币的义务,各国中央银行可随时申请用美元按官价向美国政府兑换黄金。

4) 通过基金组织和调整汇率来调节国际收支,是布雷顿森林体系的有机组成部分。它意味着会员国如果出现国际收支暂时不平衡,可向基金组织申请借款;如果出现长期持续的逆差,则要通过改变货币平价,即改变汇率的办法加以调节。

布雷顿森林体系上述内容的核心是美元与黄金挂钩,各国货币与美元挂钩,因而又称"双挂钩"。通过这一系列安排,确立了美元在世界货币体系中的中心地位,使它发挥着世界货币的职能,其他国家的货币则依附于美元。所以,有人称"二战"后以美元为中心的国际货币体系为"新金汇兑本位制"或"黄金—美元本位制",以区别于 20 世纪 20 年代末30年代初曾实行的金汇兑本位制。

应当看到,布雷顿森林体系下的国际金汇兑本位制,同二战前的国际金汇兑本位制是全然不同的。其一,战前金汇兑本位制,是以英镑、法郎、美元等多种货币为主导货币,而布雷顿森林体系下的主导货币仅美元一种;其二,战前的金汇兑本位制缺乏一个全球性的协调机构,而布雷顿森林体系下的国际金汇兑本位制却有IMF发挥这一职能;其三,与战前相比,布雷顿森林体系下的国际金汇兑本位制中,美元的国际储备货币的作用得到了加强。

(3) 布雷顿森林体系的作用

布雷顿森林体系及其汇率机制的建立和运转,对战后国际贸易和世界经济的发展起到了一定的积极作用。主要表现在:

第一,确立了美元与黄金、各国货币与美元的双挂钩原则,结束了战前国际货币金融领域动荡无序的状态。

第二,实行可调整的固定汇率制度,使货币汇率保持相对稳定,有利于国际贸易的扩大以及国际投资和信贷的发展。

第三,美元成为最主要的国际储备货币,弥补了国际清偿能力的不足,在一定程度上解决了由于黄金供应不足所带来的国际储备短缺问题。

第四,使会员国国际收支困难得到暂时性缓解。IMF通过向会员国提供各种中、短期贷款,一定程度上缓和了会员国的国际收支困难。

最后,促进了国际贸易合作和多边货币合作。该体系条件下,要求各成员国取消外汇管制,客观上推动了战后国际贸易合作、国际货币合作的建立和发展。

(4) 布雷顿森林体系及其汇率机制的缺陷和崩溃

布雷顿森林体系从其产生伊始,就面临着四个不可回避的问题。

其一,各国政府必须有足够的外汇与黄金储备来缓和国际收支的短期波动,维持与美元的固定汇率。随着二战后世界经济快速发展,国际贸易和国际投资的急剧扩大,趋于加大的国际收支差额的波动幅度,要求各国不得不加大本国的外汇及黄金储备额。结果必然会对本国经济宏观调控的自主性和有效性产生不利影响。

其二,美国政府必须拥有足够的黄金储备,以保证美元与黄金的可兑换性。要维持布雷顿森林体系下金汇兑本位制的稳定,世界黄金产量

第八章 国际货币金融体系的发展与当代资本主义经济

的增长应能满足黄金储备需求的增长,尤其是美国的黄金储备的变化应能适应世界其他国家持有的美元数量的变化。但是事实上,无论是从全球范围的黄金产量的增长,还是从美国的黄金储备量的变化,都远远不能达到上述要求。黄金在世界各国的国际储备中的比重,由1959年的66%下降到1972年的30%;而美国1960年以来的常年国际收支逆差,导致美国黄金大量外流,其结果是,到1971年,美国黄金储备下降到不足所欠外国短期债务的1/5。

其三,布雷顿森林体系所奉行的固定汇率制导致的国际收支调节机制失灵。由于IMF贷款能力有限,汇率调整次数很少,各国国际收支失衡的调整,常常只能消极地以牺牲国内宏观经济政策自主权为代价。在这一国际货币体系下所出现的国际收支调节压力的不对称现象,导致了巨大的世界性国际收支失衡。

其四,对付由外汇投机引致的国际金融动荡或危机,成为各国政府的棘手问题。

除了上述存在的问题,作为建立在黄金—美元本位基础上的布雷顿森林体系的根本缺陷还在于,美元既是一国货币,又是世界货币。作为一国货币,它的发行必须受制于美国的货币政策和黄金储备;作为世界货币,美元的供给又必须适应于国际贸易和世界经济增长的需要。由于黄金产量和美国黄金储备量增长跟不上世界经济发展的需要,在"双挂钩"原则下,美元便出现了一种进退两难的境地:为满足世界经济增长对国际支付手段和储备货币的增长需要,美元的供应应当不断地增长;而美元供给的不断增长,又会导致美元同黄金的兑换性日益难以维持。美元的这种两难,是美国耶鲁大学教授罗伯特·特里芬(Robert Triffin)于20世纪50年代率先提出的,故又被称之为"特里芬两难"(Triffin Dilemma)。"特里芬两难"指出了布雷顿森林体系的内在不稳定性及危机发生的必然性,该货币体系的根本缺陷在于美元的双重身份和双挂钩原则,由此导致的体系危机是美元的可兑换的危机,或人们对美元可兑换的信心危机。

正是由于上述问题和缺陷,导致该货币体系基础的不稳定性,当该货币体系的重要支柱——美元出现危机时,必然带来这一货币体系危机的相应出现。

布雷顿森林体系的危机及其瓦解，经历了一个特定的历史过程。1960年二战后首次爆发的美元过剩危机，是以当年美元对外短期债务首次超过它的黄金储备额为条件的，它亦标志着美元——黄金挂钩机制的开始动摇。此后约两年当中，美国分别与若干主要工业化国家签订的"互惠信贷协议"（Swap Agreement）、"借款总安排"（General Arrangement to Borrow），以及"黄金总库"（Gold Pool）等，无非是为使该货币体系摆脱困境所做出的非制度性的操作措施。由于这些措施的局限性，其作用是十分有限的。

第二次规模较大的美元危机发生在1968年。由于越战扩大，美国财政金融状况趋于恶化，美国国内通胀加剧，美元同黄金的固定比价再次受到严重怀疑。全球范围的抛售美元风浪，使得继续维持美元与黄金固定比价已无可能，美国政府不得不在当年3月宣布实行"黄金双价制"（Two-tier Gold Price System），即在官方基金市场和私人黄金市场，实行不同的美元兑黄金比价。美国不再承担维持后一市场美元兑黄金的固定比价。

此次美元危机的爆发后，各国已经认识到布雷顿森林体系的缺陷和危机的性质。为此，经各国长期商讨，IMF于1969年创设了特别提款权（SDR），作为同黄金、美元和IMF头寸并列的补充性国际储备资产。SDR作为成员国在IMF特殊账户上的记账单位，它不以黄金或其他货币为基础，但代表了IMF创造的有价值的国际储备，对此称为"纸黄金"。SDR按各国在基金中的份额进行分配，可用作会员国国际储备、归还IMF贷款，以及中央银行之间的国际结算。它的创立分配使用，一定程度上缓解了美元过剩危机及布雷顿森林体系危机。

尽管如此，美国国际收支状况的恶化，特别是进入20世纪70年代后美国经济的进一步衰落，使以美元为中心的布雷顿森林体系无可挽救地走向了全面的崩溃。

1971年爆发的第三次美元危机，较之前两次更为严重。在国际汇市抛售美元、抢购黄金和其他硬通货风潮的冲击下，美国尼克松政府不得不在1968年8月15日宣布停止美元与黄金兑换；并在1971年12月18日与主要工业化国家达成的"史密森协议"中，提出美元兑黄金贬值，日元、西德马克、瑞士法郎等欧洲货币兑美元汇率升值，扩大其他货币

第八章 国际货币金融体系的发展与当代资本主义经济

盯住美元的准固定汇率波动幅度等诸多措施。

史密森协议协定虽然勉强维持了布雷顿森林体系下的固定汇率,但美元与黄金的可兑换性的冲击,意味着"双挂钩"的布雷顿森林体系的实质性瓦解。当1973年2月国际外汇市场美元危机的再度出现时,这个协定便寿终正寝,布雷顿森林体系亦随之彻底崩溃。

8.1.3 当代国际货币金融体系的基本特征

以美元为中心的布雷顿森林货币体系崩溃后,IMF最高权力机构——IMF理事会即着手研究国际货币体系的改革问题。早在1971年10月就提出修改IMF组织协定的意见;1972年7月,又决定建立"20国委员会",作为IMF的咨询机构,对这方面的改革进行具体研究。该委员会于1974年6月提出的一份"改革纲要",对黄金、汇率、储备资产和国际收支调节等问题提出了一些原则性建议,为后来改革的实施奠定了初步基础。1974年7月,IMF成立的一个新的国际货币制度委员会,简称"临时委员会",接替"20国委员会",并于1976年1月在牙买加首都金斯敦举行会议,讨论IMF协定的修改。经过激烈的讨价还价,终于就汇率制度、黄金处理、储备资产等问题达成一些协议;同年4月,IMF理事会通过《国际货币基金组织第二次修正案》,并于1978年4月1日正式生效。这样,以"牙买加协定"为基础的新的国际货币体系得以形成。

牙买加协定基础上形成的新的国际货币体系,并非是对布雷顿森林体系的全盘否定。一方面,布雷顿森林体系建立的IMF组织仍在发挥着重要作用;另一方面,美元地位的大大下降,但尚未影响到它作为主要国际储备货币的地位。与此同时,作为一种新的国际货币体系,牙买加体系也有着与布雷顿森林体系全然不同的特点。

第一,黄金非货币化。黄金与货币脱钩,即不再是各国货币的平价基础,会员国之间以及会员国与国际货币基金组织之间须用黄金支付的义务一律取消。基金组织将其持有的黄金总额的1/6(约2500万盎司)按市场价格出售,超过官价的部分成立信托基金,用于对发展中国家的援助;另外1/6则按官价归还各成员国。

第二,国际储备多元化,特别提款权(SDR)拟成为主要国际储备手段。布雷顿森林体系美元一枝独秀的局面被以美元为首的包括日元、西德马克、英镑等多种储备货币本位所取代。这在相当程度上解决了过去国际货币储备和国际清偿手段提供对美国国际收支变动的过分依赖。

第三，国际收支调节机制多样化。汇率机制、利率机制、基金组织的干预和贷款、国际金融市场的媒介作用以及有关国家外汇储备、债权债务调整等多种调节机制的相机抉择作用，一定程度上改变了布雷顿森林体系国际收支调节渠道有限，调节机制经常失灵而导致的长期出现全球性国际收支失衡现象。

第四，汇率安排多样化，实行以有管理的浮动汇率为主体的，包括单独浮动、盯住浮动、联合浮动等多种汇率制在内的多种汇率安排机制。在服从 IMF 指导和监督的前提下，各成员国可以根据本国的实际选择各种不同的汇率制度。增强了各国宏观经济政策的自主性和灵活性。

上述几个方面与扩大基金组织份额、增加对发展中国家资金融通数量和限额等，共同构成了牙买加协定的主要内容，并成为当代国际货币体系及其汇率机制的基础。这一国际货币体系下汇率机制的主要特点，除了上述以有管理的浮动汇率为主体的汇率安排多样化，还表现在各国货币之间已不存在法定的黄金平价，在国际外汇市场供求所决定和影响汇率波动的基础上，各国政府有推行本国货币与汇率政策的自主权。

8.2 当代国际货币金融体系的运行机制

国际货币金融体系运行机制，是指构成国际货币金融体系的各基本要素及不同部分之间相互联系、相互作用和协调的方式。它主要包括国际货币本位机制、国际货币储备机制、国际货币汇率机制，以及国际货币金融体系的协调机制。

8.2.1 当代国际货币金融体系运行机制的基础

国际货币金融体系运行机制的基础，主要取决于全球范围内的科技进步和社会经济发展，以及与此相适应的国际货币金融制度性规定。

第八章 国际货币金融体系的发展与当代资本主义经济

国际货币金融体系运行机制的基础，首先取决于全球范围内的社会经济发展水平。二战后20世纪50年代以来，以原子能、电子计算机及空间技术的应用为主要标志的第三次科技革命，以及80年代开始的当前世界上正在兴起的以微电子信息技术、生物和海洋工程、新型材料应用等高科技为代表的新科技革命，所带来生产力的巨大飞跃不仅使世界各国之间生产的国际分工和协作达到空前水平，还使得商品资本、生产资本、金融资本及其他生产要素的国际流动大大加快。以制造业与服务业的增长来考察，1950~1995年，用不变价来衡量的全球制造业增长了5倍，年平均增长率为10%。世界前15名的国家生产了全球工业制成品的86%。1953~1995年，虽然发展中国家在全球制造业生产中所占比重从5%上升到20%，但主要集中于东南亚国家和拉美国家。全球制造业和服务业生产的格局，塑造了全球投资的贸易格局和投资格局，在本源的意义上，它也塑造了全球的金融格局。同一时期，全球贸易则增长了16倍多。在对外贸易中，区域化的趋势十分明显。在欧盟，区域内国家的大约68%的出口对象国是区域内国家。在北美，加拿大出口的90%集中于美国，美国出口的24%输往加拿大。在东亚，日本出口产品的42%集中在亚洲国家，同时，日本也是其他东亚国家的主要出口对象国。服务贸易增长又比一般商品贸易迅速。再以国际直接投资的扩张来考察，1950~1999年，全球对外直接投资增长超过了国际贸易的增长。全球对外直接投资的增长，使得外国直接投资逐渐成为影响各个国家国内投资的重要力量。国际分工超越传统的以自然资源为基础的产业部门间的分工，发展到以现代工艺、现代技术为基础的功能分工，以及产业内部的沿着生产要素界限形成的分工。国际分工的加强、全球性经济贸易及投资的发展，必然要求建立一定的与之相适应的国际货币金融体系。

国际货币金融体系运行机制的基础，还与现代科学技术的进步密切相关。以电子信息技术为代表的现代科学技术革命的迅猛发展，一方面大大促进了金融业务的网络化和信息化，为金融机构传统的业务手段的更新和现代化提供了物质基础，促进了全球性金融市场的发育；另一方面，为以金融期货、指数期权、掉期、货币互换与利率互换等各种形形色色的金融创新提供了便利，使得金融产品在数量、种类和复杂程度等各个方面，都与以往发生着翻天覆地的变化。这些，都对国际货币金融体系运行及调控机制的发展产生着重要的影响。

国际货币金融体系运行机制的基础，还受制于全球范围内不同国家和地区政治、经济发展的差异，以及与此相关的收益在各国的分配。如前所述，真正意义的国际货币金融体系形成于资本主义生产方式占统治地位时期，并伴随着资本主义经济的发展而不断演变。与此相对应，在过去和今后相当一个时期，它是在当代资本主义的主导下进行的。少数经济发达国家利用它们在国际经济领域内的有利地位，制订出不公平的国际货币金融秩序，首先表现在由此带来的收益和损失在不同国家分配的不平等。发达国家受益最多，许多发展中国家则受益较少甚至得不到好处。这种状况下的国际货币金融体系，显然难以得到世界最广大国家的认同和衷心拥护，其运行机制的作用也就难免受到制约。

国际货币金融体系运行机制的基础，最终离不开不同国际经济条件下所形成的国际货币金融体系的特点或制度性规定。如前所述，金本位条件下的国际货币运行机制主要表现为两个不同方面：实行以不同国家货币的含金量为基础的固定汇率机制，各国货币汇率受市场自发调节机制的制约而波动幅度很小。该国际货币金融体系运行机制的最重要特点，主要表现为汇率安排和汇率运行机制的自发性，即它主要是在世界经济交往中自发形成的，其运行是通过市场机制的自动调节来实现的。同时，由于各国货币以贵金属黄金为共同的基础，加上黄金输送点的制约，金本位条件下的汇率运行还具有波动幅度小的特点。

布雷顿森林体系下国际货币运行机制，其核心是美元与黄金挂钩，各国货币与美元挂钩，因而又称"双挂钩"。美元在国际货币金融体系中居中心地位，发挥着世界货币的职能。布雷顿森林体系所建立的国际货币基金组织（IMF）和国际复兴开发银行（IBRD）这两个国际金融机构，则从组织保障的角度，起着维持和协调该体系运行的作用。

以牙买加协定为基础而形成的当代国际货币体系，其黄金非货币化、国际本位货币暨国际储备多元化、汇率安排多样化，以及国际收支调节机制多样化等制度性规定，则共同构成了当代国际货币金融体系运行机制的基础。

第八章 国际货币金融体系的发展与当代资本主义经济

8.2.2 当代国际货币金融体系的本位机制

货币作为经济活动的一个极为重要的要素和变量,起着媒介交换(Medium of Exchange)、衡量交换对象比价(Unit of Account),以及价值储藏手段(Store of Value)等基本功能。经济活动从一国内部扩展到国与国之间,并没有使货币的这些基本功能改变。然而,正如国际经济活动有别于国内经济活动一样,作为国际经济活动使用的货币,与一国国内经济使用的货币又有一定的区别,这体现在:首先,国际经济货币交换中介功能的发挥要以货币本身的交换为前提;其次,国际经济中的货币,是以外汇,即国际上通认的国际经济交易活动的支付手段形式表现出来的货币;其三,国际经济活动中对货币的交易需求,是从对国外商品和劳务的需求,或对外国资产的需求所派生出来的。

回顾人类社会经济的发展历史,亦是货币本质逐渐凸显及信用秩序不断扩展变迁的过程。国际货币体系的核心或运转的基轴是国际本位货币。所谓国际本位货币,是指在国际经济活动中,世界各个国家出于经济条件或政策上的考虑,用法律的形式将本国货币与之固定地联系起来,作为衡量本国货币价值的标准,以及国际交易的最终清偿手段。国际本位货币是在国际上占据中心货币地位的可自由兑换的货币。它首先必须能在世界上自由兑换;其次,还必须占据国际中心货币的地位,能充当国际商品的价值尺度或价格标准,并成为各种货币汇率计算的中心。充当这种中心货币的曾经有贵金属——黄金,也有因历史、经济和现实原因形成的某些国家的纸币。

从理论上讲,能够充当国际本位货币的国际交易的最终清偿手段,应当具备如下条件或性质:

耐久性。具有的自然属性必须经久耐用,不因频繁的流通和岁月的流逝而丧失其重量或改变其质量,从而保证其所包含的价值量的稳定不变。

可分性。为保证贸易和借贷活动的顺利进行,要求各种不同面额货币的发行和流通。

轻便性。货币的轻巧便携有利于各种经济交易的进行,较小的体积和较轻的重量但却可以包含较大的价值量,亦成为其特征之一。

同质性。货币由其发行国别和面值所产生的差别是客观的,但在质上却是相同的。即作为商品交换发展到一定阶段的媒介和一般等价物,它们本身都有价值,都是人类社会抽象劳动的凝结。

正如马克思所说那样:"耐久性、不变性、易于分割和重新合并,因较小的体积包含着较大的交换价值而便于运送这一切使得贵金属在较后阶段特别适于充当货币。"[①] 贵金属——黄金、白银等由于本身所具有的自然属性,使之成为国际本位货币的最佳选择。纵观国际货币体系产生和发展的历史,在一个相当长的时期里,贵金属特别是黄金都充当着国际本位货币的职能。与之相应的是金本位制的国际货币体系。

金本位制是以黄金为本位货币的货币制度,该制度下各国都规定金币的法定含金量,不同货币之间的比价是由它们各自含金量的对比来决定的,例如在1925~1931年期间,1英镑所含纯金量为7.3224克,1美元则为1.504656克,两者之比为4.8665,即1英镑等于4.8665美元,这种以两种金属铸币含金量之比得到的汇率又称为铸币平价(Mint Parity),它是金本价(Gold Parity)的一种表现形式。

金本位制度下作为决定汇率的基础的铸币平价,是外汇市场上由于外汇供求变化而引起的实际汇率波动的中心,其上下波动的幅度要受制于黄金输送点(Gold Points)。这是因为金本位条件下黄金可以自由跨国输出或输入,当市场汇率与法定铸币平价之间的偏差达到一定程度时就会导致有关国家不用外汇而改用输出黄金的办法,来办理国际结算。决定黄金输送点的量的界限,是用于替代外汇直接用于国际支付的黄金的铸币平价加上(或减去)该笔黄金的运送费用(如包装费、运费、保险费和运送期的利息等)。黄金输送点的存在起到了金本位制条件下国际收支的重要的自动调节机制,它起到了保持汇率波动稳定的作用。

随着国际货币金融体系的发展演变,金本位制先后被以"黄金—美元"本位为特征的布雷顿森林体系,以及以美元为主体的多元纸币信用本位制所取代。建立在怀特方案基础之上的布雷顿森林体系,一方面,基本锁定了各国货币与美元的外汇平价;另一方面,确定了美元与黄金的兑换比例,各国政府可将所持有的美元与美国政府兑换黄金。这种美

---

① 《马克思恩格斯全集》第46卷,人民出版社1979年版,第113页。

第八章　国际货币金融体系的发展与当代资本主义经济

元与黄金挂钩，各国货币与美元挂钩的双挂钩机制，其本质是一种以黄金为价值基础的固定汇率制度。与金本位制比较，布雷顿森林体系崩溃后的与贵金属黄金已无直接联系的纸币信用本位制下，国际本位货币的内容发生了根本的变化。在这一体系下，各国货币之间已经不存在法定的黄金平价，尽管各国特别是国际本位货币的发行国都持有相当数量的货币黄金，但货币的发行与相应的商品准备从理论上来讲已无必然的联系。作为布雷顿森林体系后国际货币体系所确立的黄金非货币化的结果，货币黄金在世界国际储备中所占比重呈总体下降的变化。拥有世界黄金储备总量84%的发达国家，其所持有的黄金储量亦只占这类国家官方国际储备的21%左右[1]。黄金非货币化，以及各国货币的发行再不必与某种特定商品保持法定的比价关系，其结果是各国货币之间比价的客观依据不复存在，这亦成为布雷顿森林体系之后国际货币体系浮动汇率机制产生和存在的温床。

表8—1　国际储备结构表　　（单位：亿SDR）

	1950年	1970年	1985年	1995年	2000年	2001年	2002年	2003年
国际储备总额	484.40 (100.00)	931.80 (100.00)	4385.00 (100.00)	9800.26 (100.00)	15784.67 (100.00)	17276.84 (100.00)	18817.65 (100.00)	21465.57 (100.00)
黄金储备	334.4 (69.10)	370.27 (39.70)	332.29 (7.60)	317.62 (2.860)	332.72 (2.10)	329.50 (1.90)	325.69 (1.70)	319.59 (1.50)
外汇储备	133.3 (27.50)	453.33 (48.60)	3483.25 (79.40)	8958.31 (91.40)	14794.05 (93.70)	16183.62 (93.70)	17634.58 (93.80)	20281.72 (94.50)
在IMF中储备头寸	16.7 (3.40)	96.97 (8.30)	387.31 (8.80)	366.73 (3.740)	473.77 (3.00)	568.61 (3.30)	660.64 (3.50)	665.08 (3.10)
SDR	—	31.24 (3.40)	182.13 (4.20)	197.73 (2.00)	184.89 (1.20)	195.57 (1.10)	196.72 (1.00)	199.15 (0.90)

注：1. 括号内数字表示该项占当年国际储备总额的百分比。
　　2. 黄金按每盎司35特别提款权计算。
资料来源：IMF《国际金融统计》1995年、2002年年报、2004年6月刊。

---

[1] IMF：IMF Annual Report 2001，p101.

当代纸币信用本位制条件下,各国政府有推行本国货币与汇率政策的自主权。与传统的金本位制比较,当代以美元为主体的纸币信用本位制的特点在于:第一,国际本位货币呈现多元化。即伴随着世界经济全球化和国际经济区域一体化的大趋势,不仅美元,当代世界其他主要国家或一体化经济体的信用货币,如欧元、日元和英镑等,都在不同程度上扮演着国际本位货币的角色。尽管这些多元化国际本位货币各自所起的作用,因其国家或经济体在世界经济格局中地位的调整而发生着动态变化。第二、国际本位货币的内容发生了根本的变化,"耐久性、可分性、轻便性、同质性的国际经济交易一般等价物"已经不被视作充要条件,国际经济交易的价值符号,则成了当代国际本位货币的共同特征。这些由少数国家或一体化国家集团发行的国际信用本位货币由于没有黄金等贵金属作基础,其运行在很大程度上取决于货币发行国或一体化经济体的情况。这些国家或一体化经济体相对经济实力的强弱变化,以及其财政、货币金融政策的倾向等诸多因素,都会影响到其所发行货币的强弱和人们对该国际本位货币的信心,进而影响到不同国家特别是众多选择以某种或某几种国际本位货币为本国货币汇率盯住目标的发展中国家实际汇率的稳定。

8.2.3 当代国际货币金融体系的储备机制

一定的国际储备是维持开放条件下国际货币运行机制正常运转所不可或缺的。不同的国际本位货币机制下,国际货币金融体系的储备机制是不尽相同的。在国际金本位制时期,黄金是一国国际储备的主要内容,随着英镑地位的加强,英镑逐渐成为各国国际储备的主要组成部分,形成了黄金—英镑储备体系。二战后,根据布雷顿森林会议建立的国际货币基金组织的协定规定,黄金是国际储备的基础,美元按照黄金官价自由兑换黄金,并赋予国际储备货币的特殊地位,形成了黄金—美元储备体系。20世纪70年代初期,布雷顿森林货币体系崩溃后,美元继续作为国际储备货币,但由于浮动汇率制取代固定汇率制,美元汇率极不稳定,世界各国为减轻持有单一货币外汇资产的风险,逐步代之以采取分散持有几种相对稳定的货币作为外汇储备,从而进入了一个国际储备多元化的时期。

第八章 国际货币金融体系的发展与当代资本主义经济

根据国际货币基金组织的表述，一国的国际储备包括黄金储备、外汇储备、会员国在国际货币基金组织的储备头寸和基金组织分配给会员国尚未动用的特别提款权等四个部分。

1. 黄金储备

黄金作为国家储备资产已有较长的历史。从19世纪初到第一次世界大战爆发，在国际金币本位制下，资本主义国家一直把黄金作为官方储备，同时，黄金也是一国国际支付的最后平衡手段。从1936年荷兰等最后一批国家放弃金币本位制而实行金汇兑本位制以后，黄金仍然是国际储备资产和国际清算的重要手段。二战结束后，随着布雷顿森林货币制度的建立，规定美元与黄金挂钩，其他货币与美元挂钩，再一次肯定黄金是国际货币制度和国际储备的基础。但是，战后黄金在国际储备中所占的比重，则呈现不断下降趋势。进入20世纪70年代，黄金已成为次要的国际储备，20世纪80年代以后，黄金储备在国际储备总额中的比重已降至10%以下，其中2003年更降低到1.5%。黄金国际储备的地位步步下降的原因首先是由于布雷顿森林货币制度瓦解后，黄金由直接弥补国际收支逆差变为备用的二级储备，即通过将黄金卖为外汇才能用来弥补国际收支逆差。黄金储备作用的降低，导致黄金的国际储备地位下降。其次是黄金"非货币化"政策。1978年3月31日国际货币基金组织正式宣布从1978年4月1日起基金组织协定中取消黄金条款，其目的是要人为地削弱以至取消黄金在国际货币制度中的作用，要使黄金与货币完全脱离关系，成为与普通商品一样的商品，这在很大程度上削弱了黄金的储备作用。第三，黄金储备本身的一系列缺陷也是促使各国不愿持有过多黄金的原因。这些缺陷有：①黄金产量有限。黄金是大自然的产物，产量和产区的地理分布存在极大的局限，无法满足储备和各方面的需求，1950年世界黄金产量1011吨，到1988年世界黄金产量才增长到1803吨，其中南非占48.7%，前苏联占16%，加拿大占6.2%，美国占5.7%，中国占4.8%，巴西占4.6%，澳大利亚占4.1%，这些国家的黄金产量就占了世界黄金产量的92.8%；②黄金的占有和掌握极不平衡。根据国际货币基金组织的统计资料，1950年20个发达国家持有黄金储备总额的90.56%，其余121个国家和地区只占9.44%。截至1996年9月，发达工业国家在黄金储备总额中的比重有所下降，其余国家和地区则略有上升，但前者仍达到 84.44%，后者为 17.51%，其中美国一个国家就占 28.82%；③黄金价格波动频繁。自布雷顿森林国际货币制度瓦解以来，黄金市场价格一直处于波动之中。世界黄金现货金价曾在 1981 年 1 月升至 599.25 美元，后来逐步下跌到 1985 年 11 月 327 美元一盎司的谷底；1987 年黄金市价又上涨到一盎司 482 美元的高峰，随后又不断下滑，90 年代徘徊在 350 美元左右；进入 21 世纪，黄金价格又开始回升，截止到 2006 年 1 月 9 日，亚洲市场早盘现货金价突破每盎司 544 美元，创下 25 年来新高[①]。④黄金天然缺乏盈利能力。持有黄金储备，不仅不能生息，而且还要支付保管费用。

但是，黄金作为国际储备的历史使命还将会有相当长的一个时期，目前世界各国仍把黄金作为国际储备构成的重要组成部分，这主要是因为它有高于其他任何储备资产的安全性，这表现在两个方面：一方面在纸币本位制下，黄金是一种最可靠的保值手段，因为它可以避免通货膨胀带来的贬值风险，每当国际金融市场上某种货币疲弱或危机时，有关国家都争相抛售疲弱的货币，购进黄金或其他较坚挺的国际货币进行保值。另一方面，黄金直接就是一种价值实体，所以可以完全不受任何超国家权力的支配和干扰，持有黄金储备就成为维护本国主权的一个重要手段。

2. 外汇储备

外汇储备是目前国际储备中最主要、最活跃的部分，同时也是各国国际储备资产管理的主要对象，它是指一国政府所持有的可以自由兑换的外币及其短期金融资产。

在金本位制下，外汇储备处于极其次要的地位。布雷顿森林货币制度创立以后，外汇储备的地位虽有提高，但同黄金储备相比，直到 1960 年仍处于次要地位，仅占总额的 30.8%，黄金储备占 63.2%。之后，外汇储备在国际储备总额中的比重迅速提高，1970 年达 48.6%，超过黄金储备的比重而占首要地位，1980 年后更扩大至 82% 以上。外汇储备迅速增长的原因主要有三点：

（1）为了满足国际贸易增长的需要。随着黄金储备地位的下降，外

---

① http://finance.sina.com.cn，2006 年 1 月 9 日。

第八章　国际货币金融体系的发展与当代资本主义经济

汇储备已成为各国国际收支主要的支付和调节手段，必须同国际贸易保持相应的增长速度。以 1978~1987 年间的情况为例，国际贸易总量从 24841 亿美元，增加到 47685 亿美元，增加将近一倍（世界劳务交流不包括在内）；同期，外汇储备从 2240.44 亿 SDR 增长到 4547.59 亿 SDR，增长幅度为 1.052 倍，与世界贸易的发展速度大致相同。

（2）外汇市场汇率波动频繁，各国政府为了提高外汇市场的干预能力，不断扩大外汇储备的规模，同时对于货币汇率持续上涨的国家来说，频繁干预外汇市场抛出本币，购入外币，从而产生新的储备。

（3）外汇储备的迅速增长还同国际信贷总额的迅速膨胀有主要联系。国际信贷的迅速膨胀与其所产生的派生存款，使世界外汇储备总额急剧扩大。如在 1970~1980 年期间，国际信贷总额年平均增长率高达 25.7%，远远高于这以前的任何时期，相应的，其间外汇储备的年平均增长率也特别高，为 22.5%；1980~1985 年期间，国际信贷总额年平均增长率仅为 12.3%，同期外汇储备也增长缓慢，平均增长率为 3.5%。

另外，在外汇储备的发展过程中还呈现一个显著的特点，那就是储备货币多元化；与此同时，基金组织中的储备头寸也称普通提款权（General Drawing Rights），以及特别提款权（SDR）亦成为国际储备的组成部分。

3. 普通提款权

指国际货币基金组织的会员国按规定从基金组织提取一定数额款项的权利，它是国际货币基金组织最基本的一项贷款，用于解决会员国国际收支不平衡，但不能用于成员国贸易和非贸易的经常项目支付。

4. 特别提款权

是国际货币基金组织创设的无偿分配给各会员国用以补充现有储备资产的一种国际储备资产。基金组织于 1969 年创设特别提款权，并于 1970 年按成员国认缴份额开始向参加特别提款权的成员国分配特别提款权。迄今为止，基金组织已分配约 214 亿特别提款权。特别提款权作为各国国际储备资产的补充，较其他储备资产具有以下几个特点：第一，特别提款权获得更为容易。普通提款权的获得要以成员国的缴足摊额（份额）为条件，而特别提款权是由基金组织按参加国的摊额予以"分配"，不需交纳任何款项，且这项权利的动用也不必事先定什么协议或事先审查。第二，普通提款权的融通使用需要按期偿还，而特别提款权无需偿还，是一种额外的资金来源。第三，特别提款权是一种有名无实的资产，虽然被称为"纸黄金"，但不像黄金那样具有内在价值，也不像美元、英镑那样以一国政治、经济实力作为后盾，而仅仅是一种用数字表示的记账单位。第四，特别提款权仅仅是一种计价结算工具，不能直接用于流通手段。

8.2.4 当代国际货币金融体系的汇率机制

1. 当代国际汇率制度安排的基本形式及利弊分析

由国际货币体系发展的历史过程和制度安排的基本特征，汇率制度大致上可划分为两种基本类型，即固定汇率制度和浮动汇率制度。这亦构成了我们考察经济全球化趋势下的国际货币金融制度的一个重要方面。

（1）固定汇率制度安排的特点。所谓固定汇率制，是指一国政府将本国货币与外国货币的兑换比例，以法定形式固定下来，并将汇率的波动限制在较少的范围内。政府在对外宣布本国货币的法定平价的同时，还要承担在外汇和货币市场上维持法定平价的责任。政府主要通过宏观财政政策和利率、外汇储备缓冲、外汇管制等货币政策手段，来达到汇率的固定稳定目的。金本位条件下的固定汇率制和纸币流通条件下的固定汇率的共同点表现在：两者均有平价和波动范围的限制。但两者亦有明显区别，主要表现在：其一，金本位条件下，固定汇率所要求的平价和波动范围是自发形成的；而纸币流通条件下，固定汇率所要求的平价和波动范围则是通过各国共同协商而人为建立起来的。其二，金本位条件下，汇率受黄金输转送点的制约而波动幅度很小，十分稳定；而纸币流通条件下，汇率受诸多因素影响而经常出现较剧烈的波动。

在资本充分自由流动的条件下，实行固定汇率制度，政府的财政政策和货币政策作用的力度有着很大的差别。就对产出的影响效果看，固定汇率制度下的政府财政政策是相对有效的；而货币政策则相对无效，但可起到改变基础货币构成的作用。

（2）浮动汇率制度安排的特点。所谓浮动汇率制度，是指汇率不受平价制约，主要以市场供求为基础，由市场机制自行调节的汇率，政府既不规定本国货币与外国货币的兑换比例，也不限定汇率波动幅度。

第八章 国际货币金融体系的发展与当代资本主义经济

在资本充分自由流动的条件下实行浮动汇率制度,政府财政和货币政策对产出的影响作用也有所不同。就对产出的效果而言,浮动汇率制度下,货币政策相对有效,而财政政策相对无效,但可起到改变总支出构成的作用。

(3) 固定汇率与浮动汇率两类汇率制度优劣的争论。浮动汇率和固定汇率这两类汇率制度,各自有着不同的优点和弊端。究竟哪类更适合国际经济运转的要求,成为国际经济学界一个长期争议的问题。

主张浮动汇率制的观点认为,浮动汇率制有着许多固定汇率制所没有的优点:

第一,自动的调节机制。浮动汇率制度下,汇率由外汇市场供求关系决定,能真实地反映国际经济交往的实际。当外汇供过于求时,外汇汇率下降,本国货币汇率上升,相应地本国进口增加出口减少,外汇需求上升,国际收支得以恢复平衡;反之,当外汇供不应求时,外汇汇率上升,本国货币汇率下降,进口减少出口增加,外汇供给增加。浮动汇率可以自行地调节国际收支,使外汇汇率达到大致上的均衡。

第二,明显的政策优势。浮动汇率制下由于外部经济的均衡可以通过汇率的变动,自行加以调节,因此政府一般不再依赖贸易管制和外汇管制来解决国际收支问题,而能够充分运用其他可以使用的各种政策措施,集中力量实现经济增长、充分就业和公平分配等国内的经济目标。

持这种观点的人认为,浮动汇率能增强货币政策的功能。例如,浮动汇率制下政府所采取的反通货膨胀措施往往会导致本国货币升值,进而起到鼓励进口、抑制出口的作用,从而加大降低国内通货膨胀的力度。

浮动汇率制下的政策优势还表现在它能防止汇率被人为地扭曲而造成利益的再分配,避免政府为某一部门或某些利益集团利益,而做出不公平的政策决策。比如,在固定汇率制下,当一国政府为了提高发展速度而鼓励资本品进口时,可能有意让本国货币汇率高估,进而对本国出口部门产生不利影响;与此同时必将出现国内外汇的过量需求,又会导致政府外汇管制等途径的政策干预,结果使各种寻租行为应运而生,腐败现象难以消除,而这些情况在浮动汇率制下却难以呈现。浮动汇率制通过市场机制的作用,将外部均衡调节的负担较为均等地分摊到逆差国和顺差国,因而有着其合理性。

第三,较高的市场效率。浮动汇率制下,政府主要是以外汇市场活动的观察、协调者而不是以直接参与者身份出现。一个汇率能够自由升降、具有充分竞争性的外汇市场的存在,其效率或非扭曲性远比在固定汇率制下政府为纠正国际收支失衡,维持汇率稳定而做出的种种努力要高得多。这对各国参与国际分工、扩大对外贸易有重要意义,因为只有当汇率本身是合理时,才能正确地确定一国商品的比较优势,形成合理的贸易模式,实现生产资源的有效配置。除此以外,浮动汇率制下汇率的自发调节,使得各国国际收支的差额及持续时间相对减少,因此,从理论上可以降低平衡国际收支和干预外汇市场对各国中央银行所需持有的国际储备数量的要求以及进行外汇市场干预的操作成本。这有助于缓和国际清偿力不足的矛盾,客观上使得资源的配置和使用更加合理化。

第四,对外汇市场和国际金融市场动荡的制约。浮动汇率制对外汇市场汇率的调节进程带有连续性、渐进性的特点,汇率上下浮动所代表的是由市场供求力量变化带来的价格的边际移动,这在一定程度上避免了固定汇率制下偶尔发生的平价变更对经济造成的强烈冲击,同时还能减轻外汇市场上因贬值预期而导致的大规模短期投机资本的冲击。浮动汇率还能起到阻碍通货膨胀和经济周期国际传递的作用。

主张固定汇率制的观点,其主要根据在于:

第一,较低程度的不确定性。针对浮动汇率制下汇率的频繁变化,固定汇率的拥护者认为这实质上是不断改变着国际相对价格体系,从而搅乱了对国际贸易和国际投资决策来说至关重要的价格信号。因为汇率波动的不确定性,加大了经营性风险,不利于人们对国际经营活动成本和利润的准确估价,严重妨碍了生产的国际分工和专业化发展。虽然在外汇市场上可以通过套期保值、汇率互换、掉期交易等金融创新工具来减少外汇市场风险,但这些交易的费用支出,无疑成为经营者的额外负担。相比之下,固定汇率则可在相当程度上避免汇率的频繁波动所带来的不确定性,以及由此带来的国际经济活动的风险。

第二,较少的不稳定投机。外汇市场存在着不稳定性,这为投机提供了条件。如果投机能促使外汇市场走向稳定,则称之为稳定投机;否则则称之为不稳定投机或破坏性投机。在固定汇率制下汇率的波动有上下界限的限制,当汇率波动接近上下界限时,投机者多会预测汇率将反

第八章 国际货币金融体系的发展与当代资本主义经济

向变动,因此,投机通常是稳定性的。在浮动汇率条件下,投机往往是破坏性的。这是因为此时的投机会使汇率波动幅度大于原有的可能幅度。由于没有汇率波动的限制,出于对汇率变动的可能性的预期,投机者往往是在汇率上升时加速买进,因为他们的预期汇率还会上升,而在汇率下跌时大量抛出,因为他们预期汇率还将下跌。这种破坏性投机可用图8—1加以表示。

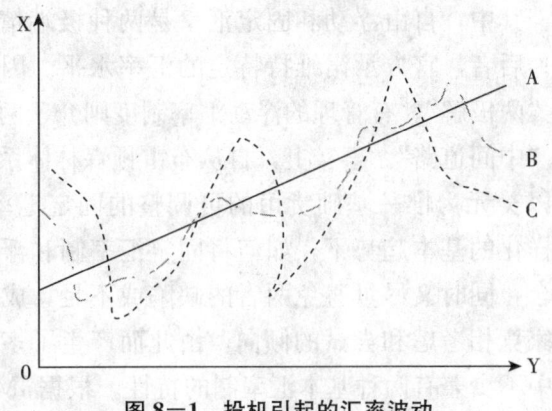

图8—1 投机引起的汇率波动

图中纵轴X代表汇率,横轴Y代表时间,曲线A代表伴随商业循环而来的汇率波动,并不存在投机现象;曲线B表示存在稳定投机情况下汇率较小的变动;曲线C表示有不稳定投机时汇率发生的较大变动,这种伴随不稳定投机而产生的大幅度汇率变动增加了国际贸易的风险和不确定性。这种情况在固定汇率制下则较少发生。

第三,规范政府宏观经济政策。固定汇率制下,如果一国的通货膨胀率高于其他国家,就会面临持续的国际收支逆差和本国货币贬值压力,进而导致外汇储备的流失。因此政府必须重视对通胀的控制,这就是说,固定汇率实际上起着规范一国政府物价纪律的作用,过度扩张的财政政策和货币政策的运用受到了制约。相比之下,浮动汇率制下各国政府则没有相应的约束机制。当一国内部发生较高通胀而引起国际收支赤字时,汇率会自动发生变动以消除这种失衡的后果。因此可能为追求国内充分就业而持续实行扩张性的财政和货币政策,由此出现的通胀还会传递到其他国家。不仅如此,浮动汇率还容易使各国滥用汇率政策,通过干预汇率,形成货币竞争性贬值,或听任货币汇率朝有利于本国的方向变动,形成以邻为壑的汇率政策和国与国之间的汇率战,从而影响国际经济的运行。

2. 经济全球化条件下的当代国际汇率制度安排

理论上的争论并没有也很难对浮动汇率和固定汇率孰优孰劣做出完全肯定或完全否定的结论。在现实国际经济领域,像金本位制时期那样严格的固定汇率制,或者完全自由的浮动汇率制,几乎都只是一种理论上的假定。传统上,汇率制度一般被分为自由浮动、有管理的浮动和固定汇率三大类。其中,自由浮动和固定汇率是两种极端情况。前者,官方基本不干预;后者,官方承诺维持特定的汇率水平。因此,它们被视为汇率制度的"两极解"。有管理的浮动汇率制度则介于两者之间,被称作汇率制度的"中间道路"。事实上,自从布雷顿森林体系,世界上这种与黄金挂钩的以美元为惟一基础货币的可调整的固定汇率制瓦解以后,在汇率安排多样化的基本趋势下,如何将固定汇率制和浮动汇率制的优点加以提炼结合,同时又尽量避免两者的缺陷或不足,成为世界各国特别是发展中国家竞相考虑和尝试的倾向。由此而产生了多种不同的汇率制度安排,其中不少兼有两种基本汇率制的特性。根据IMF在亚洲金融危机发生以后对成员国汇率安排的研究、分类,将汇率制度细分为八种类型(见表8—2)。

表8—2 IMF成员现行汇率安排的分类

年份 分类	1999年	2000年	2001年	2002年	2003年	2004年
无独立法定通货的汇率安排	37	38	40	—	41	41
货币局	8	8	8	—	7	7
其他传统的固定盯住安排(水平盯住)	39	44	40	—	41	41
水平区间盯住	12	7	5	—	4	5
爬行盯住	6	5	4	—	5	6
爬行区间盯住	10	6	6	—	5	1

第八章 国际货币金融体系的发展与当代资本主义经济

续表

年份 分类	1999年	2000年	2001年	2002年	2003年	2004年
无事先公布干预路径（目标）管理浮动	26	32	42	—	50	51
独立浮动	47	46	41	—	34	35
总计	185	186	186		187	187

资料来源：IMF《国际金融统计》1999～2004、IMF 网站《Classification of Exchange Rate Arrangements and Monetary Policy Frameworks 2003. 12.31》。

其中实行独立浮动的成员 1999 年最多时达 47 个，到 2004 年年底退居到第四位仅 35 个；同期比较实行传统的盯住汇率制度和无独立法定通货汇率安排的成员均有一定增加，各有 41 个，并列第二位；而实行无事先公布干预路径（目标）的有管理浮动汇率安排的成员则有明显增加，由 1999 年的 26 个，上升到 2004 年年底的 51 个。汇率安排前三位的成员合计占到 IMF 成员总数的 70％左右。此分类方法突出了汇率的形成机制以及政策目标的差异。例如，欧元区国家被列入无独立法定货币的汇率制度；原来实行管理浮动制的中国、埃及、伊朗以及单独浮动的瑞士等，因为汇率基本盯住美元波动幅度很小而被列入固定盯住制。

从 IMF 成员汇率安排的变动，可以看出在浮动汇率合法化、有管理的浮动汇率制度成为许多国家汇率安排的选择。在这种情况下，这些国家的货币当局并不规定法定的平价，而只是对外汇市场进行必要的干预，使汇率的短期波动保持在一定的范围内，汇率的长期走势不受政府管理的影响。也就是说，这里汇率水平的决定是由市场供求关系所决定的，但汇率的短期波动要受到货币当局干预的影响。

有管理的浮动汇率的特点，首先在于它保留了浮动汇率制度下由市场供求决定汇率高低这一基本的机制，也就是要继续发挥汇率变动在校正国际收支失衡中的主导作用。前面的分析已经指出，当一国的国际收支出现根本性失衡时，最终总是要求助于对汇率的调整来加以调节。平常要判断一国是暂时性失衡还是根本性失衡存在许多困难，所以固定汇率制度下对汇率进行的调整往往滞后，即国际收支失衡问题往往相当严重,而浮动汇率有利于防止类似问题的累积。当货币当局能对短期的汇率波动幅度加以有效的控制时,市场的不稳定也就大大降低了,这样对贸易和投资就比较有利。可见,有管理的浮动汇率制在力图综合两种汇率制度的优点时,侧重点与前面的两种汇率制度明显不同。

从实际生活中来看,把汇率固定下来本身也是不合理的。因为实际的经济因素不断变化,它不仅取决于本国的条件和意愿,亦受制于其他国家的情况,把不同国家之间的货币兑换比例严格限死显然是不合实际的。可调整的盯住汇率有了弹性,但前提是政府能对汇率的长期变动趋势做出准确的和及时的判断,不幸的是,政府往往缺乏这方面的必要知识和手段。职业投机者、投资商和贸易商对外汇长期变动趋势的估计,常常要比货币当局更准。所以,对长期汇率的趋势不加干预,也许是明智的选择。政府如能真正把短期汇率的波动限制在较小的范围内,就能为贸易和投资提供相当的有利的市场环境。

在有管理的浮动汇率制度下,需要政府进行必要而适时的市场干预。当市场存在对外汇的过度需求时,政府必须运用外汇储备来支持市场;而当外汇出现短期的供给过剩时,政府就应当将多余的外汇储备起来。除了要有相当规模的国际储备,货币当局还需要相应的组织机构、必要的知识和领导决策的能力。有管理的浮动汇率制度能否正常的运转,政府的能力是很关键的。

许多国家在1973年后逐步实行了有管理的浮动汇率制度,应当承认这不是出于各国货币当局的审慎选择,而是在外汇市场混乱、破坏性外汇投机达到不可忍受的程度而布雷顿森林体系也崩溃后的无可奈何的结局。初期,人们曾试图为有管理的浮动汇率制度设计国际性的规则,但并没有取得有效的成果。总的来说,有管理的浮动制度运行得还可以。如表8—2所示,选择包括水平区间盯住、爬行盯住、爬行区间盯住和无事先公布干预路径等在内的多种管理浮动汇率安排的成员总体呈稳定或增加的态势。这些成员包括了许多发达国家和一些最大的发展中国家,全球4/5的国际贸易是在这些国家之间进行的。

当然,有管理的浮动汇率制度也面临一些重大的挑战。例如,在有管理的浮动汇率制度下,一国汇率可能持续几年出现较大幅度的波动,以至于市场长期处于非均衡的状态,从而难以判断汇率的长期趋势。一

第八章 国际货币金融体系的发展与当代资本主义经济

个国家的政府也可能有意地长期让本国的货币贬值,以刺激出口,增加本国的就业,而当其他国家也面临同样的问题时,上述政策实际上就是以邻为壑,可能引起国家之间的经济冲突。缺乏明确的界限和可普遍遵循的行为规则,是有管理的浮动汇率制度存在的一个内在的缺陷,这在一定的场合中可能导致严重的危机。

除此而外,以货币联盟为代表的无法定货币汇率制度,亦因为欧洲货币体系及欧元的成功运作而开始更多地引起许多国家的关注。

作为最佳货币区理论和逻辑延伸的货币联盟,各成员国国内开始放弃自己原有的货币,并创造了新的货币联盟内统一流通使用的货币。这样在联盟内,再无汇率的问题,但对外仍有汇率。当代货币联盟的典型代表是欧洲货币联盟(EMU)。在该联盟内,成员国之间统一的欧洲中央银行及单一货币欧元业已成为现实。

1979年正式建立的欧洲货币体系(European Monetary System,简称 EMS)既是该地区的关税同盟及其共同农业政策得以稳固和健康发展的重要保证,又是为了摆脱美元波动对该地区国家经济冲击而采取的共同措施。EMS 由欧洲货币单位(European Currency Unit,简称 ECU)、欧洲货币合作基金(European Monetary Cooperation Fund)和欧洲货币汇率运行机制(Exchange Rate Mechanism,简称 ERM)三个有着有机联系的部分构成。

作为 EMS 的中心,是指各参与国的货币之间保持一种可调整的固定汇率,允许相互间货币上下保持 2.25% 的波动幅度(意大利、葡萄牙等少数经济承受力较弱国家货币的波幅可放宽为上下各 6%);对 ERM 以外国家的货币则实行联合浮动。这当中,ERM 成员国货币间的固定(或准固定)汇率,是通过 ECU 所确定的中心汇率及规定的波动幅度,以及必要的外汇市场干预措施实现的。当干预措施不能奏效时,则调整中心汇率来达到新的稳定。

就其实质而言,EMS 是一个以 ECU 为核心,以 ERM 为主体,以信贷体系为辅助手段的区域性可调整的固定汇率制度,它与国际金本位制下严格典型的固定汇率制的最大区别,首先在于它是以特定经济条件为客观基础,人为制定并共同执行,为保持汇率稳定而形成的;其次在于它的这种固定汇率制度是可调整的,有别于国际金本位制的严格固定而有序变动的特征。EMS 的建立和运转，对欧洲经济一体化建设显然起到了积极的作用。这表现在：加入 ERM 的各成员国货币汇率波动的幅度大大缩小，通货膨胀率明显降低，多数成员国际收支状况总体趋于改善等不同方面；除此而外，该货币体系起到的对国际金融市场的稳定作用，不仅使成员国受益匪浅，且对整个国际金融市场的动荡起到了一定的平抑作用。

正是基于这一现实，为巩固和进一步推进经济一体化的成果，1991年12月，在荷兰的小镇马斯特里赫特（Maastricht）召开的欧盟首脑会议上，就欧共体政治、经济和货币同盟的深化所达成的《马斯特里赫特条约》（Maastricht Treaty，简称"马约"），进一步将建立欧洲经济和货币联盟（EMU）提到议事日程。按此条约关于货币联盟的最终要求，至迟在 1999 年要在欧共体建立一个负责制定和执行欧共体共同货币政策的欧洲中央银行（ECB），并实行单一货币。

《马约》要求分三个阶段来实施上述目标。

第一阶段，从 1990 年 7 月 1 日到 1993 年底，主要任务是实现所有成员国加入欧洲货币体系的汇率机制；实现资本的自由流动，协调各成员国的经济政策；建立相应的监督机制。第二阶段，从 1994 年 1 月 1 日到 1997 年，进一步实现各国宏观经济政策的协调；建立独立的欧洲货币管理体系，称为"欧洲中央银行体系"（European System of Central Banks，ESCB），作为欧洲中央银行的前身；各国货币汇率的波动要在原有的基础上（上下 2.25%，意大利、西班牙和英国的幅度为上下 6%）进一步缩小并趋于固定。第三阶段从 1997 年至 1999 年 1 月 1 日之间开始，其目标是在这段时间内最终建立统一的欧洲货币和独立的欧洲中央银行。在 1996 年底的时候，由欧共体理事会对各国的经济状况按加入第三阶段的条件进行一次评估。如果至少有 7 个（不包括英国）国家达标，并且当时欧共体的情况允许，则这些达标的国家将首先进入阶段三，其余国家则等到以后条件成熟时再加入。如果到 1997 年 12 月 31 日，达标的国家仍少于 7 个，或者欧共体理事会认为于 1997 年实施阶段三不合宜，则改为于 1999 年 1 月 1 日起将已达标的国家先进入阶段三，其余国家待以后条件成熟时再加入。

为了保证上述目标的顺利实施，《马约》还明确规定了进入第三阶段

第八章 国际货币金融体系的发展与当代资本主义经济

的欧元区国家的经济趋同标准以此作为欧元成员国货币一体化的共同基础。这些标准包括：

①通货膨胀率不能高于欧共体 3 个最低国家平均水平的 1.5%；②政府长期债券的利率不能高于欧共体 3 个通货膨胀最低国家平均水平的 2%；③财政赤字占国内生产总值的比重必须小于 3%；④公共债务的累计额必须低于国内生产总值的 60%；⑤货币汇率必须维持在欧洲货币体系规定的幅度内，并且至少有两年未发生过贬值；⑥其中央银行的法则、法规必须同《马约》规定的欧洲中央银行的法则、法规相兼容。

从实际情况看，经济趋同的实施主要是从 1993 年以后开始的。绝大多数欧盟成员国为了赶上欧元头班车，作了积极的努力，使上了种种绝招，在较短的几年时间内，克服了重重困难，到 1998 年，除希腊外，都基本达到了《马约》规定的趋同标准。1998 年 5 月 2 日，在布鲁塞尔召开的欧盟特别首脑会议，正式批准除了不愿首批加入欧元区的英国、丹麦和瑞典以及离达到趋同标准甚远的希腊外的欧盟其他 11 个国家，比利时、德国、西班牙、法国、爱尔兰、意大利、卢森堡、荷兰、奥地利、葡萄牙和芬兰首批参加欧洲货币联盟，成为欧元的创始国。该次首脑会议经艰难的磋商，并就欧洲中央银行行长等主要人事安排达成一致。欧元于 1999 年 1 月 1 日正式启动，从这一天起，欧元和各参加欧元区国家货币间的兑换率不可更改地固定下来，并将以 1∶1 的比价替代欧洲货币单位（ECU），成为各国企事业单位、政府部门以及个人标价核算交易的工具。从欧元启动到 2002 年 1 月 1 日之间的货币转换时期，个人可以使用本国货币进行日常交易。此后欧元的纸币和硬币开始正式面市，并与欧元各国原有货币同时流通，经一定的过渡期，至迟到 2002 年 7 月 1 日各成员国货币彻底退出市场，欧元成为欧元区国家市场交易惟一的价值尺度，流通手段和支付中介手段（事实上到 2002 年 2 月底这目标就提前达到）。国际区域性欧洲中央银行的建立，国际区域性单一货币——欧元的正式启动和运行，均已成为当代国际经济中举世关注的事实。这不论是对欧盟经济一体化的深化，还是对当代国际货币体系及汇率制度，乃至整个世界经济，都产生着重要的影响。

8.2.5　国际货币金融体系的协调机制

国际货币金融体系的各基本要素及不同部分之间相互联系、相互作用的有序性和正常运转，客观上不仅要求参与其中的不同国家或区域性国际经济一体化集团之间的协调，超国家的国际货币金融组织的协调作用，也随着经济全球化及金融全球化的发展而显得日益必要。

在不同的国际货币金融体系下，国际货币金融体系协调机制的特征是迥然不同的：

1. 在金本位条件的国际货币体系下，国际货币的运行是通过市场机制的自动调节和各国货币金融当局自发的合作来实现的

包括规定法偿货币含金量、各国货币兑换率以贵金属黄金为共同的基础、允许黄金的输入与输出等国际金本位机制运行的基本规则，成为各国货币金融当局行为的共同准则。而黄金输送点的制约又使得金本位条件下各国货币的兑换率具有波动幅度小的特点。

2. 在以黄金—美元"双挂钩"的布雷顿森林货币体系下，国际货币金融体系的协调主要是通过国际货币基金组织和世界银行集团等全球性的国际货币金融组织实施

与此同时，以亚洲开发银行、非洲开发银行、泛美开发银行、阿拉伯货币基金组织以及欧洲货币体系等为代表的国际区域性的货币金融协调和各国政府间的货币政策协调，亦发挥着重要的作用。当然应当看到的是，由于历史上和政治上的种种原因，少数经济发达国家利用其在国际经济事务中所处的中心地位，国际货币金融体系的协调更多的是考虑他们自身的利益，而广大发展中国家及众多贫困人民的利益，往往得不到足够的重视。

3. 布雷顿森林货币体系崩溃后，建立在以牙买加协定基础上的当代国际货币体系，国际货币金融体系的协调是在动荡和混乱的背景下进行的

伴随着金融全球化和自由化的发展，汇率安排多样化、国际储备及国际本位货币多元化等情况下，国际货币汇率波动加剧，国际收支调节失控频繁，各国之间的贸易战、汇率战和利率战愈演愈烈，国际性的债务偿付危机和国际金融危机更成为国际货币金融领域引人关注的现象。

第八章 国际货币金融体系的发展与当代资本主义经济

为了维持和保证国际货币金融的基本秩序,以主要经济发达国家为主体,辅之以全球性和区域性国际货币金融组织的作用,成为当代国际货币金融体系协调机制的主要特征。然而,当代国际货币体系作为"无体系的体系",在某种意义上只是各个国家特别是少数发达国家对外货币政策和法规的简单集合,其特征表现为:各国对外货币政策转向自由放任,取消各种限制性制度,允许货币逐步走向自由流动和货币价格的自由浮动,市场成为调节经济的主要手段。这种体系的制度性缺陷主要体现于"超国家"国际货币金融组织作用的缺位或缺乏约束力,以及现行国际货币体系的制度安排具有非均衡性。

首先,IMF的功能缺陷。IMF作为现行国际货币体系的重要载体之一,未能发挥出其应有的作用。主要表现在:一是独立性和权威性,被美国等少数发达国家操纵,其宗旨和金融救助规则反映的是发达国家的意志,不能体现发展中国家的利益,从而制约了国际金融机构作用的发挥。二是对金融危机的预防和援救不当。国际货币基金组织的金融援救属于"事后调节","事前"并没有充分关注各国的金融和经济状况,缺乏一种有效的监控机制,无法对走向危机的国家进行早期预警,并提供条件宽松的贷款尽可能预防金融危机的发生。在危机发生后,IMF只是关注成员国维持自由汇兑的能力,因此提供的援助是货币性质的,仅仅是帮助危机国恢复对外清偿力,而不是克服经济衰退。三是缺乏充当国际最终贷款者的功能,无法行使调节国际收支失衡、防范与化解金融危机之职。四是缺乏有效的监管措施,难以肩负监督成员国经济政策、维护金融市场稳定的职责。

其次,相关配套制度的缺乏。一方面,在日益深化和广化的金融全球化背景下,各国的相互依赖性及相互影响程度正在加深,各国间高度的贸易和金融一体化使得局部性风险常常会转化为系统性风险,但由于目前的国际货币体系中"超国家"制度因素的缺位,各国相机抉择的、变换频繁的经济政策又常常缺乏相应的协调和合作,为此世界各国间的博弈解常常是零和性的,协同战略无法有效实施,协作性利益也无法取得。另一方面,现有的国际货币体系中仍缺乏能够承担监管国际金融市场、扮演最后贷款人及最后清算人角色的组织性建构,即使IMF和WB能够承担部分角色,但其绩效也很差。

再次，世界各国尤其是众多的发展中国家还没有形成平稳的与金融自由化、金融全球化相匹配的国际资本市场对接机制。在席卷世界各国的金融全球化浪潮面前，包括一些新兴工业化国家在内的许多发展中国家在国际收支的调节、货币的自由兑换、外汇储备的选择与管理等不同方面，均还不能适应国际资本流动与国际金融市场变化的新格局。这一方面是国际资本运动非核心国与核心国之间在经济制度安排上的不衔接，同时也是发达国家与发展中国家经济制度的不衔接，国际经济金融组织与各国经济制度的不衔接。迅猛发展的金融自由化进程，使得国际金融市场的无序、恶意投机和剧烈波动成为经常现象。金融全球化趋势下的金融自由化进程中，投机性成分超过投资性成分、金融经济的虚拟化发展超过真实经济太大太多、金融自由化引致发达国家失控而发展中国家经济安全受到威胁，等等，成为困扰当今国际货币金融体系协调的多方面问题。

8.3 当代国际货币金融体系的矛盾及对资本主义经济的影响

如前所述，以牙买加协定为基础的当代国际货币体系的实践，对维持国际经济的正常运转，推动世界经济的持续发展，其积极作用是应当肯定的。它在一定程度上摆脱了国际本位货币国家与其他国家相互牵连的弊端，其汇率制度的多样化安排亦使得各个国家的汇率政策和货币政策能较灵敏和实际地反映不断变化的客观经济情况，在一定程度上解决了布雷顿森林体系中面临的特里芬难题，以及国际收支配置机制失灵的困难。但同时，该体系作用的结果也存在着消极的一面。这主要表现在它使得国际货币格局错综复杂，缺乏统一稳定性。国际金融的动荡加剧，国际贸易和金融市场受到严重的冲击。牙买加体系并未从根本上消除布雷顿森林体系的弊端和缺陷，主要表现在：美元的本位货币地位虽然遭到削弱，但它在国际货币中的领导地位和独特的储备货币职能仍得到延续；浮动性汇率机制并未改变成员国仅从本国的偏好和利益决定汇率和干预管理的现状。因此，现存国际货币体系又被人们称为"无秩序的体

第八章　国际货币金融体系的发展与当代资本主义经济

系"或"无体系的体系",而这种"无秩序"的国际货币体系在新的国际金融环境下已越来越成为国际金融市场动荡的根源之一。经济全球化趋势下当代国际货币体系及其汇率制度的矛盾,主要从以下几个方面表现出来:

8.3.1　经济全球化使得现行汇率制度的稳定性受到冲击

经济全球化趋势下现行国际货币体系下的汇率制度,难以建立起稳定的汇率形成机制,存在发达国家对汇率制度的主动安排与发展中国家被动选择的矛盾。发达国家凭借其政治经济实力,大多实行浮动汇率制,其汇率的形成和变动,反映了发达国家的经济金融利益,并且能左右国际汇率水平和变动的趋势。而大多数发展中国家由于其经济发展的依附性,只能被动地选择盯住美元等少数几种货币的盯住汇率制,这种汇率制度的致命缺陷是汇率缺乏弹性,且极具脆弱性,汇率的水平难以反映发达国家与发展中国家经济发展的实际水平,削弱了汇率杠杆对经济发展的调节作用。

在现行货币体系下,汇率并不是根据世界经济发展的需要以及国际金融发展的形势来确定的,而是根据各国主要是发达国家自身的需要和利益来确定的。各国的中央银行经常干预外汇市场,从而使汇率制度呈现出一种无序状态,竞争性贬值或竞争性升值的现象时有发生,汇率的急剧变动在所难免。以浮动汇率为主体的汇率安排多样化,引致汇率波动的加剧乃至国际金融危机的频繁发生。尤其是作为当代全球汇率体系基础的美元、德国马克(及后来的欧元)、日元等主要货币之间汇率的过度频繁、大幅度波动,加大了国际贸易和国际投资的不确定性风险,有碍于世界经济的健康发展。浮动汇率所导致的对各国财政政策约束的放宽,难免导致一些国家无限制地实行膨胀性的财政货币政策,从而加剧世界性的通货膨胀压力。除此而外,浮动汇率还为外汇市场的投机提供了活动的空间,亦成为20世纪90年代以来国际金融危机频繁爆发的一个原因。

现行的混合国际金融体系,是发达国家与发展中国家在汇率政策上利益冲突的反映,也反映出国际汇率的无序运行。在金融全球化、自由化,资本流动规模日益增大和新的国际汇率协调稳定机制还没有形成的状况下,整个国际外汇市场频繁大幅度波动,进而引发金融危机,这不仅牺牲了发展中国家经济发展的成果,也严重损害发达国家的利益,1997 年的东南亚金融危机就证明了这一点。

8.3.2　经济全球化趋势下国际资本的大规模流动给各国汇率管理带来新的问题

经济全球化趋势下,越来越多的国家实行了金融开放的政策,IMF 协定第 8 条款关于经常项目自由兑换的要求几乎在 140 多个成员国都得到了贯彻;拉美和亚洲不少发展中国家在 20 世纪 90 年代还相继实现了资本项目的自由兑换。与此同时,伴随着发达国家的金融自由化和全球金融市场一体化,资本的跨国大规模流动成为一个普遍现象。资本流动的全球化由于资本日益脱离实物经济独立运行而酝酿了国际金融市场许多新的不稳定因素。这些不稳定因素首先表现为信息不对称使无效率现象时有发生。信息不对称会产生逆向选择、道德风险和群体性行为,从而使得一个自由的资本市场无法提供有效率的资源分配,实际金融中介服务和实际投资水平大大低于可能的最优水平,导致市场出现正向反馈机制,价格水平远远脱离其实际均衡水平,在外汇市场则导致汇率"超调"现象的出现。其次表现为各国管理当局对于汇率的管理和控制能力显著削弱。资本大规模流动下主要工业国的货币汇率波动率持续上升,使与其保持相对固定汇率关系的发展中国家的相对竞争力波动和内外经济的失衡成为常态,其宏观管理政策进退维谷,各国政府的市场干预活动(其中很多是违背市场规律的)心余力绌。80 年代以来,各国中央银行联合采取了若干次旨在挽救美元、日元和英镑的行动,以及东亚危机中许多中央银行都几乎耗尽了自己的外汇储备以阻止其货币贬值,但都收效甚微。随着金融市场的全面开放,资金在全球市场的流动规模不断扩大,致使外汇交易基本脱离了与商品贸易和直接投资有关的经济活动。各种短期资金的移动和衍生交易已成为外汇交易的主体,这使一国在外汇市场上的风险加大。而汇率制度的无序无疑使这种外汇市场上的风险雪上加霜。在无序的汇率制度下,当一国的货币遭到大幅度贬值或升值时,其管理只能靠本国的中央银行动用外汇储备来进行干预,在大量的短期资金和各种衍生工具的冲击下,这只能是杯水车薪,并不能真正解

第八章 国际货币金融体系的发展与当代资本主义经济

决问题，发生金融市场的动荡和危机是必然的。

8.3.3 经济全球化还导致国际储备多元化与各国国际储备资产管理的难度增加

当代以美元为中心的多元化国际储备体系，固然有着有利于减少各国对单一基础货币美元的过度单纯依赖，进而降低国际储备资产管理风险的一面，但同时这种建立在国际信用货币基础之上的多元化国际储备体系并未使"特里芬难题"得到根本解决，而是将原有的矛盾暂时分散化。在现行国际货币储备体系中，一国家货币同时充当国际货币的矛盾依然存在。对世界上大多数国家特别是广大发展中国家来说，其国际储备货币仍是来自这些储备货币发行国的国际收支逆差，是在国际支付的过程中被创造出来的，其稳定性要以相关国家相互协调宏观政策为条件。由于主要国际储备货币国之间目前尚缺乏统一的稳定货币标准，各国在制定货币政策时，往往根据各自的偏好和本国的经济利益行事，相互间汇率波动频繁加剧，无疑加大了各国特别是发展中国家储备货币管理的难度。

8.3.4 国际收支调节机制的多样化与国际收支问题严重化，也是经济全球化趋势下的现行国际货币体系矛盾的反映

牙买加体系下的国际收支调节机制，主要包括汇率机制、国际金融市场和利率机制、国际金融机构调节，以及国际储备资产运用等多个方面。多样化的国际收支调节机制虽然对国际收支的不平衡采取了多种调节方式，但是除了IMF和世界银行的调节外，其他几种调节方式都由逆差国自行调节，并且对这种自行调节没有任何的制度约束和制度支持。其中浮动汇率条件下，汇率机制虽然可被作为逆差国自行调节国际收支的主要方式，但它要受到进出口商品的弹性等的限制；利率机制的使用，亦要受到各国宏观经济面的制约；而国际收支逆差国和顺差国的对称性调节，则长期缺乏有权威和成效的引导监督。IMF和世界银行的调节虽然有一定的作用，但是在现行的国际货币体系下，维护汇率稳定及对成员国干预汇率提供资金援助，已不是这些国际金融机构的主要义务。这样，当逆差国国际收支出现严重逆差，汇率机制的调节由于存在着"J

曲线效应"而不能立即产生效果时，逆差国就大多靠引进短期资本来平衡逆差，而大量短期资本的引进正是 20 世纪 90 年代以来发展中国家金融危机频繁爆发的重要原因之一。

8.3.5 经济全球化趋势下现行国际货币体系的矛盾，还表现在金融创新纷纷涌现与国际金融风险不断加大

随着金融全球化步伐的加快，金融市场的阻碍消除，银行之间、银行与非银行金融机构之间的界限日趋模糊，业务交叉成为普遍现象。为规避金融风险而纷纷涌现的各种新的金融衍生工具或金融手段，其本身的特点就蕴藏着巨大的潜在风险，在金融监管机制尚不够完善的情况下，往往成了国际金融外汇市场投机性交易的重要手段，因而使得国际金融市场风险进一步加大。这些衍生工具主要包括：远期外汇交易、外汇期货交易、掉期交易、总回报掉期交易以及期权交易，等等。

在这个过程中，衍生工具的作用具有双重性质：一方面，衍生工具在引导资金从发达资本市场向发展中经济流动过程中的建构性作用。即它在套期保值和风险管理中发挥了重要的作用，从而促进了资本向发展中国家流动。伴随着衍生工具引入资本市场而来的金融创新，使得风险的传统协议能够重新设计，以更好地满足这些资本工具的发行者和持有者所期望的风险环境，减少金融风险。另一方面，衍生工具的出现和广泛发展，又有着刺激非生产性活动、减弱安全性监督的结构性作用，为金融危机的发生埋下祸根。衍生工具的运用，使得交易双方、规则制定者和市场参与者之间的透明度降低。它们可以被用于诸如规避资本金需求、应对会计规则和信用等级评定、合理避税之类的非生产性活动，也可用于提高与追逐高产出（当然风险也会相应提高）投资策略相关的资本市场风险可容忍水平。由于杠杆效应和规避谨慎性规制监控作用的发挥，衍生工具又为与资本相关的风险提高提供了适应的环境。它还可以使固定汇率体系稳定性降低，一旦贬值爆发，它就会进一步加快贬值的步伐，深化贬值的冲击作用。这使得金融市场系统风险增加，风险扩散的可能性增加。危机过后它又使得危机后重建政策的制定过程变得更为困难。在此意义下，衍生工具的运用将会提高市场的系统性风险水平，进而动摇金融部门和整体经济的稳定性。

第八章 国际货币金融体系的发展与当代资本主义经济

8.3.6 现行国际货币体系中最终贷款者的缺位及国际金融监管协调机制的不力,是经济全球化趋势下现行国际货币体系的矛盾的另一个重要表现

现代银行信用经济体制下,中央银行作为一国国内的最终贷款者的作用,随信用关系的扩展、深化而不断加强,起着有效地减少因资金周转不灵而引起的金融体系危机的可能性。在金融全球化的当今时代,国际金融活动规模空前扩张,国际资本(尤其是短期资本)的快速流动和投机性资本的迅速增长,无疑增大了各国金融的波动幅度,全球性的最终贷款者的存在和作用开始显得越来越有必要。然而,现行国际货币体系下,尚没有这么一个能起到在金融危机发生前防范和预警,金融危机发生时提供资金帮助的最终贷款者。这突出表现在对国际金融市场的动荡乃至危机,缺乏行之有效的"预警"机制。当问题严重化并引起普遍重视时往往已为时过晚,错过了遏止危机的最佳时机。例如,IMF在1997年5月出版的《世界经济展望》中,对东南亚金融危机竟毫无觉察,甚至还对"泰国出色的经济运作情况和当局坚持正确的宏观经济政策"大加赞扬。另外,亦表现在金融危机爆发时,传统的处理危机的"一篮子"救助措施常常不能对症下药,并且通常附带有利于西方发达国家的经济、社会和政治改革条件。此外更表现在对金融全球化和自由化背景下每天活跃在世界市场上数以亿万计的庞大游资,缺乏有效的监督和约束机制,使之成为国际金融市场动荡的一个重要因素。

8.4 经济全球化条件下当代国际货币金融体系的调整

结合经济全球化的趋势及当代国际货币体系的实际,我们认为,立足现行国际货币体系基础之上的根本性改革是必要而可行的,这也是适应经济全球化、南北货币金融关系调整的基本要求。这种改革之所以要立足于现行国际货币体系基础之上进行,是因为1976年1月通过的"牙买加协定"为基础的《国际货币基金协定第二次修正案》所确定的当代国际货币体系的一些主要内容,如:汇率制度多样化,国际储备多元化,国际收支调节机制多样化以及扩大对发展中国家的资金融通等,仍将得到保留或发展。在此基础上,探讨经济全球化趋势下的国际货币体系改革和南北货币金融关系的调整,可着重从以下方面着手加以推进。

8.4.1 经济全球化条件下国际本位货币的重新定位

1. 经济全球化条件下国际本位货币的重新确立

面临着经济全球化的急速发展的挑战,尤其是20世纪90年代以来,国际资本流动和国际货币投机引发的货币金融危机及国际货币金融市场的动荡,使得当代国际货币金融体系的一些深层次问题进一步暴露出来,人们往往将导致国际货币金融市场动荡的根源归咎于现行的纸币信用本位制,同时也对当代国际货币价值基础重新思考。

纸币信用本位条件下的汇率决定与调整,要受制于众多的因素。究其性质和特点,可以从长期和短期角度考察。不同国家货币实际代表的价值量对比,是决定汇率的一个基本的长期因素。

在实行纸币流通制度的初期阶段,各个国家一般都规定过纸币的金平价。即纸币名义上或法律上所代表的含金量。在纸币实际代表的金量与国家规定的含金量一致的情况下,金平价无疑是决定不同货币汇率的价值基础。

然而随着纸币流通制度的演进,纸币的发行开始与黄金的准备及兑换相分离,黄金非货币化的纯粹纸币信用本位制条件下,货币作为价值的符号,其发行在相当程度上,是以各国的经济实力和经济发展需要为基础,其实质是由本国的各种商品和劳务的价值组合为基础。不同国家的单位货币所实际代表的价值量对比,成为其汇率决定的基础。当然,不同国家货币的价值量对比,主要是由其购买力相对地表现出来。通过比较不同国家纸币的购买力或物价水平,可以较为合理地决定两国货币的汇率。

不同国家之间的宏观经济状况,是影响汇率变动的另一个长期因素。一国货币的强弱,是以该国宏观经济的大背景为重要依托的。经济增长率、失业率、通胀率、国际收支及外汇储备状况等宏观经济指标构成了衡量这一大背景好坏的综合指标。

除了上述导致长期汇率波动的因素,作用或影响短期汇率波动的因

第八章 国际货币金融体系的发展与当代资本主义经济

素也很多,其中主要包括:

(1) 相对利率的高低。利率作为资金使用的价格或放弃资金使用的收益,对汇率水平的高低有着较直接的影响。汇率的短期决定在一定程度上取决于资产市场的均衡状况和预期作用。在资本充分流动的条件下,当一国的实际利率相对他国较高时,意味着使用本国货币资金的成本上升,以及放弃使用资金的收益上升;在外汇市场上则在本国货币供应相对减少的同时,外国货币的供应相对增加,由此导致本国货币汇率的上升。利差发生变化所引起的货币供求发生变化会立即反映到外汇市场中,从而引起汇率的变动,直到每种货币总的预期收益相等为止。这就是说,在其他条件一定时,一国利率高就会引起资本流入,本国货币汇率上升,反之,一国利率低于其他国家,就会导致资本流出,引起本币汇率下跌。

(2) 货币供应量。在纸币信用制度下的汇率,决定于两国纸币各自所代表的价值量的变动。而纸币体制所代表的价值量的变动,通常是由于纸币供应量变化引起的。在一国货币供应量增长较快的情况下,该国公众持有的货币存量如超过了其愿意持有的数量,超过的部分就会溢往外国,导致该国汇率下降,相反会导致该国汇率上升。此外,货币供应量增长过快,还会增加一国通货膨胀的压力,削弱该国商品的国际竞争力,间接地使其汇率受到影响。

(3) 政府或中央银行汇率政策和其他干预行为。自牙买加货币体系运转以来,以浮动汇率为主体的各国汇率安排多样化,对多数国家或央行而言,政府宏观货币金融政策的运用有着特殊的意义。在对外汇市场的影响和干预方面,政府或央行主要通过汇率制度的选择、汇率的调整以及货币兑换性的管理几个方面发挥作用。汇率选择是指在多样化汇率安排上,是在包括各种形态的盯住汇率制、货币局汇率制等在内的固定汇率制中做出选择;还是在自由浮动汇率制、有管理的浮动汇率制或区域性货币联盟的联合浮动汇率制等多种浮动汇率制中做出选择。汇率调整则指政府汇率调控政策的倾向,是基于市场供求决定,还是基于本国宏观经济目标需要,对外汇市场进行干预,人为地使本国货币汇率高估或低估。货币兑换性的管理则指政府对本国货币的可兑换性的规定,是完全的自由兑换,还是仅限于经常项目的可兑换?可兑换性程度的高低,尤其是政府对资本项目可兑换性的规定,在相当程度上对资本的国际流动产生着重要的影响。因此，它与汇率制度的选择、汇率的调控一道成为政府或央行影响外汇汇率短期性变动的重要因素。

（4）心理预期因素。汇率的变动还与人们对某种货币的信心及偏好，即基于各人对政治、军事、国际收支、金融等心理预期有着一定的关系。在外汇市场上，人们买进还是卖出某种货币，同交易者对各种货币汇价走势的心理预期密切相关。如果人们预期某国的通货膨胀率将比别国高，实际利率将比别国低，国际收支的经常项目将有逆差，以及其他因素对该国经济将发生不利影响，那么该国的货币就会在市场上被抛售，它的汇率就会下跌；反之，汇率就会上升。

外汇交易心理预期的形成，不仅取决于一国的经济增长率、国际收支情况、通货膨胀水平及货币供应量等基本的经济因素分析，还取决于对政府经济政策、国际政治形势及中央银行干预等临时性因素的影响的判断。因此，心理预期因素的存在及作用使得汇率的变动更为复杂多变。

（5）信息因素。外汇市场作为高度风险的交易场所，因为人们的预测能力有限，很多不可预测因素造成市场的随机性波动。在金融全球化和自由化的条件下，市场上出现的任何微小的盈利机会，都会引起资金大规模的国际移动，直至这种盈利机会趋于消失。在这种情况下，谁先获得有关能影响外汇市场供求关系和心理预期的信息，谁就可以在他人之前做出反应，从而获取盈利。信息因素在外汇市场日趋发达的情况下，对汇率变动的影响既强烈又微妙。每当世界上有重要新闻出现，都会在外汇市场上引起强烈反应，几种主要货币的汇价也随之发生变动。

此外，国际上政治、军事等方面的因素也会在短期内对汇率变动产生影响。

既然相对金本位制而言，纯粹的纸币信用本位制与国际货币金融市场的动荡有着太多牵连，那么重归金本位制或布雷顿森林体系的"黄金—美元"金汇兑本位制是否可行呢？回答是否定的。纯粹的纸币信用本位制仍将是、亦不得不是经济全球化条件下国际本位货币制的选择。

当然，纯粹的纸币信用本位制的存在，与现行以浮动汇率为主体的国际货币汇率机制，并不存在着必然的联系。国际经济学界关于浮动汇率与固定汇率利弊的争议表明，尽管浮动汇率也有其有利于经济发展的一面，但倾向于汇率相对稳定的观点还是占据了优势。因为后者不仅更

第八章　国际货币金融体系的发展与当代资本主义经济

有利于国际贸易和国际投资的健康发展，亦是经济全球化条件国际经济一体化向广度和深度上发展的需要。

在实行纯粹的纸币信用本位制的同时，保持汇率的相对稳定，离不开国际本位货币的重新确认。布雷顿森林体系瓦解后现行的以美元为主体，包括欧元、日元等在内的多元化国际本位货币，本质上仍是少数国家或国家集团的信用货币。这种国际本位货币机制由于没有黄金作基础，其运行在很大程度上取决于货币发行国或国家集团的情况。发行国相对经济实力的强弱变化，以及其财政、货币金融政策的倾向等诸多因素，都会影响到该种货币的强弱和人们对该国际本位货币的信心，进而影响到国际汇率的稳定。应当承认，现行的以美元为主体的多元化国际本位货币制，在一定程度上缓解了布雷顿森林体系"黄金—美元"本位下基础货币发行国与其他国家相互牵连、国际清偿手段不足的弊端，在某些方面促进了世界经济的发展。但是与此同时，它并没有使"黄金—美元"本位制下所存在的根本问题得到解决，相反，国际汇率的波动大为加剧，国际货币金融秩序更加混乱，各国间特别是经济发达国家与发展中国家之间的矛盾冲突日趋尖锐。

要从根本上改变这一状况，就必须摆脱国际本位货币对少数国家国别信用货币的依赖。这种新的各国货币的共同定值标准，应当是某种与 SDR 相类似的由一个类似于 IMF 的国际金融组织发行和掌管的纯粹的货币符号。这种货币符号，是由若干国家和国家集团（如欧盟）的通货所组成的"篮子"（Basket），或者说是由一个多种货币的复合体为依托。参与该"篮子"或复合体的货币，按各自国家 GNP 在世界经济所占比重的大小，确定在该"篮子"或复合体中所占权数。当然，这种新的作为各国货币的共同定值标准的多种货币复合体，是与黄金脱离联系的，与之联系的只是"篮子"组成国的货币的购买力。所有其他国家的货币均与该篮子货币挂钩，与之保持某种形式的固定的或可调整的法定比价。

在国际经济领域，一切交换归根到底，实际上仍然是以货币为媒介的商品及服务的交换。由金本位制发展到与贵金属黄金不发生联系的现代纸币信用本位制，作为一般等价物的货币，本身并非必须是价值实体，更多的是被作为一种流通手段或价值符号而发挥作用。一篮子形式的国际货币符号所代表的价值，源于组成该货币篮子的可自由兑换的各国货币所代表的价值。既然后者可以成为国际流通和支付的手段，那么前者类似职能的发挥也是顺理成章的。当然，这离不开一个由在世界经济中具有较大影响的国家所共同认可的、组织较为健全的国际通货管理协调机构的存在。

2. 经济全球化趋势下国际本位货币重新确立的渐进性和过渡性

上述经济全球化趋势下国际本位货币的重新定位，尽管是必要和理想的，但要最终成为现实，将是一个较为漫长的历史过程。这是因为经济的全球化及一体化作为一种趋势，在相当一段时期内尚不能消除国家的界限和差别。世界经济领域里不同国家经济、社会和政治发展的不平衡规律，客观上仍在发挥着作用。脱离了对国别信用货币有依赖的纯粹的国际本位货币的出现，与拥有高度统一权威的国际金融组织的运作一样，势必在较大程度上与许多主权国家的利益产生矛盾和冲突。这不仅在当代南北的国际货币金融关系中得以表露，更在经济发达国家特别是美国、日本和欧盟，轻易不会放弃作为现行主要国际本位货币发行国所享有的铸币税好处及国际储备货币发行国特权的行为上得到充分反映。

由此决定了经济全球化趋势下国际本位货币的重新确立必然带有渐进性和过渡性的特点。一方面，现行以美元为主体，包括欧元、日元和特别提款权（SDR）等在内的多元化国际本位货币体制，在今后相当一个时期内仍将有其存在的空间；另一方面，积极创造条件使脱离了对国别信用货币依赖的国际本位货币的运作早日成为现实。作为一种机制创新，新的国际货币本位机制的建立要考虑现实的基础和创新成本的高低。可以考虑从进一步扩大和改进特别提款权的作用或职能入手，使之逐步成为各国外汇储备的主要构成和国际清算的主要手段。要改变按份额分配特别提款权的原则，而根据世界经济发展和贸易投资往来的需要，根据各国GNP在世界生产中的比重，以及各国国际贸易和国际投资占世界贸易与投资的比重进行分配；并使特别提款权成为各国货币的共同定值标准，各国货币均与其挂钩，保持某种形式的、固定的或可调整的法定比价。除此而外，改革现有的国际金融组织，特别是国际货币基金组织，扩大基金组织在监督协调成员国货币、汇率政策及全球性国际收支调整中的作用，使之成为发行和掌管新的国际本位货币的权威的全球性国际金融组织，并作为未来统一的世界中央银行的前身或过渡。应给予发展

第八章 国际货币金融体系的发展与当代资本主义经济

中国家在基金组织中以平等地位参加重大事项讨论与决定的权力。参照战后建立的关贸总协定（GATT）及现在的世界贸易组织（WTO）所确定的多边国际贸易体制，积极探索并寻求逐步建立相应的适应于经济与金融全球化发展要求的现代国际货币金融体系和国际金融组织。

8.4.2 国际货币汇率机制的重塑

1. 把握经济全球化趋势下国际货币汇率机制改革创新的原则

国际本位货币的重新定位明确，为相应的新的国际货币汇率机制的重塑奠定了基础。顺应当代国际经济一体化和金融全球化潮流，经济全球化趋势下国际货币汇率机制的改革创新，应把握两项原则：其一，在各国货币汇率机制安排的形式选择上，应由现行的多样化、分散化，逐渐走向整体化和趋同化；其二，在各国货币汇率波动的幅度控制上，应由现行的自由化、随意化，逐渐走向约束化和规范化。导致该两项原则得以成立的根据在于，当代经济全球化、国际经济一体化和金融全球化的客观存在，以及与贵金属黄金不再挂钩的纯粹纸币信用本位制的不可逆转性。一方面，国际货币汇率的相对稳定，以及国际货币汇率机制的走向趋同，是经济全球化所实行的商品、资本、劳务和技术等生产要素全球流动和最佳配置的内在要求；也是国际经济一体化发展进程中成员国经济乃至社会文化趋同的必然归宿。另一方面，重归国际金本位制的固定汇率机制的设想又无现实的可能性，如何在既有的纯粹纸币信用本位制条件下，保持国际货币汇率的相对稳定，显然有着特殊的意义。

2. 经济全球化趋势下国际货币汇率机制的改革创新选择

与国际本位货币重新确立的渐进性和阶段性相适应，国际货币汇率机制的趋同化也将是一个相对漫长的进程。作为这一进程的过渡，经济全球化趋势下新的国际货币汇率机制的改革和创新，可考虑从以下若干方面着手进行：

首先，根据经济与金融全球化趋势的要求，将有管理的浮动汇率制度作为主要选择。如前所述，自20世纪70年代中期布雷顿森林体系解体后，传统的固定汇率一统天下被打破，汇率制度安排多样化，使单独的自由浮动、联合浮动、盯住某一货币或一篮子货币等的浮动汇率，以及仍保持固定汇率等多种形式的汇率制度，成为各主权国家的自行选择或安排。就 90 年代以来的实践来看，实行固定汇率或盯住固定汇率机制的国家和地区逐年减少，实行管理浮动汇率制的国家和地区明显增多。

实行固定汇率或盯住某一货币浮动的准固定汇率制的国家和地区，主要是发展中国家或地区。其中的相当一部分恰恰是受到 90 年代频繁发生的国际金融动荡或危机冲击的国家。这些国家汇率制度的这种安排，其出发点是在于稳定汇率促进贸易增长。但现实当中，随着国际资本流动规模的增大，资本账户在汇率决定过程中的作用上升，特别是短期资本的急剧增大和频繁流动，对汇率的稳定造成巨大冲击，使得盯住某种单一货币的固定汇率难以维系，浮动汇率制开始成为世界更多国家的选择。然而，浮动汇率制的实践表明，在资本账户充分开放的条件下，汇率的变化很难真实和有效地反映经济基本变量的变化，而通常在很大程度上受短期市场心理预期及投机等因素的作用，并形成汇率的过度波动，进而无法有效地保证贸易和实际经济的有效运行。相比之下，在有管理的浮动汇率制度下，汇率在货币当局确定的区间内波动，有助于消除短期因素的上述不利影响。只有当短期因素的作用导致汇率波动超出了确定区间时，才由货币当局对外汇市场进行必要的干预。同样，对实行盯住汇率制的发展中国家，宜实行盯住一篮子货币的有管理的浮动，即选用与本国经济联系较为密切、且在国际金融外汇市场有重要地位的若干种货币，各占一定的比重或权数，组成本国货币所盯住的"篮子货币"进行浮动。当这新的国际本位货币开始运作，自然也就成为盯住汇率的中心目标或参照物。这样做有利于抵消或降低国际外汇市场主要国际货币波动对本国货币的冲击。

其次，对许多国家而言，汇率目标区制作为汇率机制的选择有着现实的积极意义。汇率目标区制在某种程度上包括了浮动汇率和固定汇率两种汇率制度的优点，即浮动汇率的灵活性和固定汇率的稳定性。建立汇率目标区的现实意义还在于，它向市场发出明确的信号，增强公众对汇率保持稳定的心理预期，提高了汇率政策的有效性。汇率水平在目标区内的适度波动可调节外汇市场供求，减少不合理的资金流动套利行为，使各种不利因素的冲击在目标区得以缓解和释放。汇率目标区的建立也有利于保持货币政策操作的独立性，有节奏地隔离资本流动对货币政策的冲击。当汇率在目标区内小幅度波动时，中央银行不进行或很少进行

第八章 国际货币金融体系的发展与当代资本主义经济

干预,这样就保证了货币政策稳定。扩大汇率浮动范围后,汇率变化将更加灵活。由于预期的汇率变化不再是单向稳定的,套利行为的风险成本就会增大,从而削弱了投机性资本流入套利的动机。较大的浮动范围可较早预示资本流入逆转的信号,增强货币当局的调控能力。

在一般的管理浮动汇率体制下,中央银行为维持汇率的稳定,不得不运用货币政策在一个相对固定的水平上频繁地调节汇率。在汇率目标区体系下,由于汇率水平的灵活性,中央银行无需在目标区内经常调节汇率,有助于货币政策相对独立地实现国内宏观经济目标。目标区汇率灵活性和稳定性兼顾的特点使汇率政策能有效地调节国际收支,实现外部平衡,而汇率政策效率的提高又促进货币政策有效地达到宏观经济内部平衡目标,不必过多受制于外部因素,这将有利于资金的合理流动、配置,求得货币市场和外汇市场的价格均衡,促进宏观经济内外协调、均衡并持续地发展。

虽然汇率目标区制并不能彻底解决汇率不稳定的问题,但如果主要发达国家能在此基础上协调宏观政策,那么这个方案还是有助于促进汇率的稳定,推动汇率制度的改革。

8.4.3 国际货币合作机制的加强

推动区域性国际货币合作,作为迈向世界单一货币和执行全球统一的货币管理体系的过渡,以适应世界经济全球化、多极化的现状。欧盟、北美自由贸易区以及亚太经合组织这三大区域性一体化经济圈,责无旁贷地将成为21世纪范围最为广泛、经济实力及影响最为强大的国际经济一体化的代表,并以既相互联系合作,又鼎足对峙的态势,把当代国际经济关系中矛盾的错综复杂性提高到一个新的阶段。作为一体化性质的经济集团内部,随着商品、劳务、资本与技术的跨国流动自由度的加大,为稳定成员国之间货币汇率,降低区域外其他国际货币波动的冲击,建立一体化区域内货币的特定汇率机制显得很有必要。欧盟经济一体化进程中欧洲货币汇率机制(ERM)的成功经验表明,这种特定汇率机制,是以区域内各国货币汇率实行可略有调整的准固定汇率,对外则实行区域货币"一篮子"的联合浮动为主要特征。尽管这种区域性货币联盟的实施,对该区域内成员国经济发展水平差异及宏观经济政策的相互协调,有着较高的要求,但作为一个方向,区域性货币政策的推动,不失为介于由传统国际货币体系走向未来的实现单一世界货币和世界中央银行管理体系的一种可行的过渡形式。当然,由于不同区域经济一体化水平的差异,区域性货币合作方式可以采取不同的选择,如联系相对松散的货币区、支付同盟等多种形式。当区域内经济一体化达到较高程度时,再走向货币联盟,即实现区域内的单一货币,并建立区域性中央银行执行统一的货币政策。

8.4.4 全球性国际货币金融监管协调的完善

在微观上循序渐进地继续推进金融的自由化、国际化的同时,从宏观上加强国与国之间全球性的国际金融监管和协调。

经济全球化的进程不能单纯听任市场力量的支配,而必须有驾驭其中的相应制度安排,否则全球化对人类带来的负效应或社会成本太高,将在根本上制约全球化的进一步发展。为此,有必要形成相应的制度创新的多维化:在国内,各国要把加强适应经济全球化的制度建设放在重要位置;在国际,加快现有国际经济组织特别是 IMF 等国际货币金融机构的改造,增加机构与工作的透明度并接受世界各国政府和公众舆论的监督。面对经济与金融全球化一体化严峻挑战,加紧 IMF 和世界银行为主导的国际金融机构的政策调整、结构改革和职能转换,已经到了较为迫切的时候。尤其是 IMF,在今后一段时期应着重抓好以下方面的问题:

其一,扩大 IMF 提供援助的范围,增强其应对国际货币危机的职能。现代信用经济的存在,决定了信用危机发生的可能性。就一国范围而言,在信用危机发生时该国中央银行以最终贷款者身份,向受危机冲击的商业银行提供贷款,可以起到缓解危机冲击的作用。在经济全球化和国际金融一体化迅猛发展的当代国际经济条件下,货币信用危机发生的范围早已超越了传统的国家界限。在尚不具备世界中央银行存在和运转的目前情况下,由 IMF 扩充其职能在某种程度上扮演国际经济领域的最终贷款者,是有其必要性和现实可能性的。

其二,适应经济全球化趋势下国际经济规模日益扩大的实际,不断增强自身的经济实力,重塑自己在国际事务中的形象。这一方面包括不

第八章 国际货币金融体系的发展与当代资本主义经济

断扩大基金份额,以增强对危机国资金援助的能力。按 IMF 的规定,成员国的份额应每 5 年调整和扩大一次。尽管迄今 IMF 的份额已经历了 10 次调整,较成立初期有了近 40 倍的增长,但这仍远远赶不上世界经济规模增长的要求。到 1998 年底,国际贸易总量已较 1950 年增长了近 114 倍,同期国际金融市场的交易总量则相当于国际贸易总量的 60 倍。因此,要发挥 IMF 的职能,必须根据世界经济的发展,确定一个适当的增长指标,不断提高 IMF 这个"最后贷款人"的经济实力。另一方面,应改变基金的分配方案,逐步增加发展中国家的份额,以满足发展中国家经济发展和对外开放进程中稳定汇率、缓解国际收支失衡的需求。

其三,加强金融监管、防范金融风险。为了加强各国经济运行的透明度和可测性,消除"虚拟经济"的影响,防止危机的发生,IMF 必须坚持依靠及时准确的数据对成员国经济进行监测,及时发现成员国经济中潜在的风险,建立汇率危机的预警系统,提高成员国对国际游资投机的抵抗力。这种监督,既包括对成员国经济的监督,也包括对国际资本流动的监督,注重监督的灵活性、及时性与持续性。当然,IMF 该方面职能的发挥,离不开各成员国的共同配合。

其四,加强与其他经济组织的协调合作。这不仅包括加强与欧盟、北美自由贸易区、东盟等区域经济一体化组织的协调、合作,亦包括加强与 WTO、世界银行、国际清算银行和巴塞尔委员会等其他国际经济组织的合作。IMF 应从全球化的角度加强与相关的国际组织的沟通与协调,及时根据金融一体化的需要调整自身政策,与它们携手合作,共同促进世界经济的繁荣与发展。

要加大发展中国家在国际货币金融体系改革与创新中的发言权,并给予发展中国家尤其是最不发达国家政策倾斜,使之能在经济全球化的进程得到相应的发展。在全球与国家之间,地区是联系与沟通的中间环节,有关国家应在地区一级积极探讨多边经济合作和区域一体化的模式,争取使类似欧盟、东亚这样的地区在经济全球化的制度结构中扮演更加重要的角色。在这方面,重点要放在建立全球性的透明度高、公平公正的金融风险监控机制及管理体系,实现由传统的对微观金融企业或行为的直控管制,向以间接调控为主要方式的宏观金融活动监管的转换。各国政府和金融管理当局、国际金融组织应联手抑制或打击国际金融领域的过度投机活动，并采取有效措施来限制金融衍生资产的过度膨胀，缓解金融经济与实际经济的过度脱离，以保证经济全球化的健康发展。

为了人类的共同未来，为了一个更均衡的、可持续发展的世界，改革现有的不合理的国际经济秩序，建立民主、公正与合理的全球治理是非常必要而紧迫的。因为经济全球化的治理关乎世界各国的切身利益，各国之间要达成一些能付诸实施的有关全球化问题的框架往往存在着许多困难，这在诸如世界贸易组织及其前身关税与贸易总协定（GATT）的多边贸易谈判，以及关于限制全球温室气体排放的《京都议定书》的国际协商当中，都不难窥其一斑。国际货币体系的改革及南北货币金融关系的调整显然也不例外。尽管如此，经济全球化趋势的内在要求，世界最大多数国家和民众的长远利益所在，使之有其成为现实的必然性。当然，这离不开包括发展中国家在内的世界各国的共同努力。拿出足够的政治勇气追求主权国家体系存在下的全球化治理，以建设性的务实态度争取国家利益与全球利益的协调，应当成为新的世纪里南北方国家的共同目标。

第九章 国际经济一体化与当代资本主义经济

在当今世界资本主义经济体制安排当中,同时并存全球性的以世界贸易组织为代表的多边贸易体制和层出不穷的区域性经济体制安排。自20世纪中期以来,区域经济一体化的发展越来越引人注目。进入20世纪90年代以后,经济一体化浪潮更是铺天盖地,迅速席卷了全球。区域经济一体化已成为当今世界经济贸易发展的一个重要特征,对以世界贸易组织为代表的多边贸易体制产生了多方面的重要影响。这里便产生了两个关键性的问题,即:资本主义的经济一体化是怎样产生的?资本主义区域经济一体化和资本主义经济全球一体化是具有一致性,还是存在冲突?

本章主要以欧盟的形成和发展为例,从国际经济一体化的含义、特点、效应、发展趋势等方面来探讨上述问题,试图考察国际经济一体化对当代资本主义经济的影响。

9.1 国际经济一体化的形成及主要特点

本节从一般性的角度,理解资本主义国际经济一体化的形成及主要特点,阐述已有关于国际经济一体化的理论,介绍国际经济一体化的主要形式和特点,最后从联系与区别的角度探讨经济全球化与区域经济一体化关系。

9.1.1 国际经济一体化的涵义及形成

经济一体化（Economic Integration），目前主要表现为区域经济一体化（Regional Economic Integration）。一般来说，其内涵是两个或者两个以上的国家或地区为了获得共同的经济和政治利益，通过逐步让渡部分甚至全部经济主权，采取共同的经济政策，一致对外，形成一定排他性的经济集团。其中，"共同的经济和政治利益"既是各国走向一体化的动因，也是一体化的重要目标。从区域经济一体化实践来看，世界上大大小小的区域经济一体化组织无不缘于竭力谋求有利的国际环境，以提高自身在世界经济、政治舞台上的地位，增强与外部强大势力抗衡的实力。

区域经济一体化的形成是"通过逐步让渡部分甚至全部的经济主权"来实现的。这种"超国家的经济调节"，是指在共同的价值和共同的利益基础上，通过共同机构的机能来对各成员国的主权形成某种程度的约束：1. 该集团成员国作为一个整体承认共同的价值或共同的利益，同时各成员国在一定程度上接受对其主权的限制；2. 共同机构对上述共同价值或利益的实现，拥有可以收到实际效果的权能；3. 此种实效权能不同于成员国的权能，它是一种立足于整个集团的全体利益基础上，能实现自动调节的权能。

经济一体化的雏形可追溯到1921年，比利时和卢森堡结成经济同盟，后来荷兰加入，组成卢比荷同盟。1932年，英国与英联邦成员组成英帝国特惠区，成员国彼此之间相互减让关税，但对非英联邦成员的国家仍然维持原来较高的关税，形成了一种特惠关税区。但是，区域经济一体化真正得到迅速发展，却是始于二战后。

国际经济一体化的产生和发展，与战后世界许多国家政府对经济生活的广泛干预有着密切的联系。在西方发达国家，这主要表现为普遍奉行以凯恩斯主义为主导的经济理论，并以此作为国家扮演着资本主义"守夜人"的根据，而且亦通过政府的经济计划化和宏观财政、货币政策，乃至直接创办国有企业等对社会再生产的全面参与。在国际经济领域，为解决以跨国公司为代表的私人垄断资本全球扩张中日益激烈的竞争，以及在争夺世界市场中的矛盾冲突，客观上也要求国家政权出面协调乃至共同调节国与国之间的相互经济关系。

第九章　国际经济一体化与当代资本主义经济

国际经济一体化的产生和发展，也是战后世界经济、政治在不同国家和区域发展不平衡的必然结果。经济与政治发展的不平衡性，作为一条客观规律贯穿于近现代资本主义各国发展的全过程。二战以后，它主要表现为西欧、日本经济的恢复和崛起，美国地位的相对衰落，以及许多发展中国家在国际经济舞台上地位的提高。经济一体化的优势，对于相对那些超级大国而言幅员较小、国力较弱的西欧各国，无疑是在现有基础上增强国际竞争实力的捷径，这也是发达国家的经济一体化最早在西欧出现的原因之一。对众多的发展中国家而言，则表现为利用可能的国际条件（包括发展中国家之间以结为区域经济一体化组织的"南南合作"与协调形式），来达到增强其在改变旧的国际经济秩序斗争中的力量，加快经济发展，进而尽快缩小与发达国家之间差距的目的。

国际经济一体化的产生和发展，在相当程度上还受到经济关系地缘化的影响。由于相邻国家和地区在历史文化、宗教信仰、社会习俗、消费偏好等方面的趋同性较强，由此产生了建立一体化经济集团的社会文化基础；地理位置的邻近，又使得这些国家和地区之间商品、劳务、资本、信息和技术等要素的流动相当便利。加之历史上往往已形成的交往，使得较之其他国家，国际经济一体化较容易在这些经济关系地缘上较为密切的国家和地区出现，并常常带有区域性烙印。

按各国经济制度和发展战略的不同，二战结束后国际经济一体化的发展可分为三种不同类型：

(1) 西方资本主义国家区域经济组织

这种组织形态是以迅速发展的国际分工和国际贸易为基础的。一般采取自由贸易区和关税同盟为主要形式，以建立共同市场为主要目标。

(2) 发展中国家区域经济一体化组织

这种组织的目的是为了摆脱对原宗主国的经济依附，实现经济独立和工业化。在对外经济联系方面，还处于同发达国家的垂直分工体系中，相互缺乏横向联系。这就决定了它们一体化起点较低，多数采取逐项产品减免关税的办法。

(3) 社会主义国家经济组织

这是前苏联和东欧国家组成的经济互助委员会，它是按计划原则进行专业分工和产品交换的组织。正像这些国家国内的计划经济运行状况一样，这类区域性经济制度安排在配置资源的时候被证明是没有效率的，很多时候各国的经济实际上只依靠原材料的流动进行联系，货币结算制度十分僵硬。进入 20 世纪 90 年代，随着前苏联和东欧国家的经济制度转轨，这类经济一体化组织也宣告终结了。

二战后，经济一体化出现过两次较大的发展高潮。

第一个高潮发生在 20 世纪 50 年代至 60 年代。二战给世界政治经济格局带来了划时代的变化。参战国（除美国以外）的消耗达到了空前的程度，特别是西欧几乎遭到毁灭性的破坏。二战后，资本主义国家与社会主义国家形成了在政治军事上对峙的两大阵营，世界经济出现了"两个平行市场"；殖民体系也分崩离析，亚非拉各殖民地国家纷纷脱离宗主国走上了民族独立的道路。在这种大背景下，无论西欧资本主义国家，还是东欧社会主义国家，以及新兴的发展中国家，都在不同程度上面临着民族生存危机和维护国家民族利益、发展民族经济的艰巨任务。因而，在 20 世纪 50 年代至 60 年代，许多国家走上了"横向联合"的发展道路，出现了大批区域经济集团。"经互会"、欧洲经济共同体和欧洲自由贸易联盟，以及中美洲共同市场、安第斯公约、拉丁美洲自由贸易协会等相当一部分发展中国家区域经济一体化组织，都是在这一时期建立的。

第二个高潮发生在 20 世纪 80 年代后半期至 90 年代。在此之前资本主义世界出现"滞胀"，区域经济一体化也一度处于停滞不前的状态。到了 1985 年，欧共体通过了关于建立统一市场的"白皮书"。以此为契机，区域经济一体化的发展出现了第二次高潮。欧共体的这一突破性进展，产生了强大的示范效应，极大地推动了其他地区经济一体化的建设。在北美，1989 年 1 月 1 日《美加自由贸易协定》正式生效，包括美国、加拿大、墨西哥在内的北美自由贸易区在积极筹备中。在亚洲，日本加强了与东亚国家的经济联盟，加速了东亚经济圈的建设步伐。欧洲自由贸易联盟也和欧共体携手共建欧洲经济区。进入 90 年代，区域经济一体化的发展突飞猛进。据世界贸易组织统计，从 1948 年到 1994 年，世界先后出现过 109 各地区经济合作组织，其中 2/3 是 90 年代的产物。

第九章 国际经济一体化与当代资本主义经济

9.1.2 国际经济一体化的理论

区域经济一体化理论是在二战以后才成为国际经济学的一个新的研究领域。其研究的重点在于关税同盟对资源配置效果引起的影响。1950年维纳(J. Viner)系统地整理了关税同盟理论。这一理论给区域经济一体化理论的发展提供了重要的基础。20世纪50年代的经济理论对经济一体化现象，如贸易、货币、财政、分配等许多问题没有做综合性的分析，到了60年代以后，出现了经济一体化的综合性的效果分析。以维纳的贸易创造和贸易转移效果为基础，不仅在关税同盟引起的生产效果方面，而且对消费效果和贸易条件引起的效果也进行了广泛的分析研究。以1957年的罗马条约为起点，不仅在经济一体化的静态效果分析，而且动态效果的分析也受到重视，其结果是确立了大市场理论。区域经济一体化的动态效果在60年代以后促进了发展中国家的经济一体化的形成，区域经济一体化成为工业化政策的一个手段。到了80年代中期以后，欧盟发表的《92年计划》及《德洛报告》，以及美国对关贸总协定的失望，寻求属于自己的区域经济一体化组织，这些使许多有关经济一体化的研究得到了发展。事实上，经济一体化的中心地一直在欧洲，欧盟是惟一成功的区域经济一体化的代名词。所有的理论都以欧盟作为模型，而且现实也支持了这些理论。另一方面，美国改变一向坚持的多边主义政策，转为共同采取多边主义跟区域主义的所谓二重政策，给经济一体化理论提供新的启示。区域经济一体化已经成为国际性关注焦点，多边和区域之间各种关系成了国际经济中重要的争论点。

这样，进入80年代中期以后，区域经济一体化研究的主要对象，可分为以下三种。

1. 随着经济一体化形式的多样化和发展，摸索新的模型，测定其效果的方法也越来越复杂，假定的前提更为接近现实

例如，欧盟《92年计划》的宗旨是消除物理性、技术性和关税性壁垒，并具体列举了将近30条措施，到1992年底基本完成其大部分措施。包括切基尼(Ceccheni)报告书的许多研究，都在测定各部门的贸易壁垒的消除和采取共同规定所带来的经济效果。这不仅是在宏观的成果方面，还包括微观的和制度上的成果。另一个例子是北美自由贸易区。虽

然北美自由贸易区包含了大量的 1989 年美加自由贸易协定，但是北美自由贸易区具有与其他自由贸易区不同的特征。除了它是发展中国家和发达国家之间成立的最初的自由贸易区之外，还包括了商品以及服务贸易的自由流通的特点。

2. 欧盟分阶段地促进成员国之间的经济、市场的一体化

经济一体化理论不同于 50 年代的一般理论。它引用了其他领域的理论，表现出试图用各种理论接近的倾向。研究最多的领域是货币一体化（Monetary Integration）理论的发展。从 80 年代中期开始研讨的《德洛尔报告》，因 1993 年的欧洲联合条约而具有可能性。以欧盟这个实体为研究中心，非常现实地开展理论研究。以金融、通货理论为基础的这些经济一体化理论的前提就是欧盟的目标。为具有统一的金融、货币体制，统一货币的实行，统一的中央银行制度及固定汇率制度的确立等构成理论核心。此外，欧盟的市场一体化继续发展，将会促进其成长，但也有可能导致其利益在成员国之间分配不均。还有随着经济一体化的国际劳动分工的深化带来的成长效果测定方面的研究，也重新受到重视。这种理论除了研究动态性效果以外，还要阐明为什么国家间的相互让步比一个国家的单方面开发政策更具优势。

3. 最近出现的所谓新区域主义的主要重点在于区域主义和多边主义对国际福利的关心

如前所述，美国的二重政策只是实现国家利益的手段。与欧盟的实现欧洲统一的政治、经济目标相比，美国只是在扩大的角度上促进北美自由贸易区的发展。1996 年美国除了促进全美自由贸易区（FTAA）继续进行政府间会议之外，还要在亚太经济合作组织内在 2010～2020 年为止实现贸易投资自由化。在另一方面，一直以区域内市场一体化及成员国扩大为主的欧盟，似乎把自由贸易区的形成作为一项对外政策。它已经向地中海沿岸诸国、美国及拉丁美洲诸国提出类似的邀请。1996 年 3 月在曼谷首次亚—欧首脑会议上，主要议题也是加强两个地区间的经济合作。区域经济一体化出现了新的局面，理论上再次面临的问题是区域主义跟国际主义的关系是互相竞争还是互相补充？经济一体化是区域主义，理所当然具有排他性，但是积极的区域主义有可能成为实现国际主义实质性手段。这个争论的答案在于经济一体化自身的性质，即这些经

第九章　国际经济一体化与当代资本主义经济

济一体化组织的对外政策是保护主义还是积极参加国际贸易自由化。甚至还有多少个区域经济集团会有利于促进国际贸易自由化的讨论。

9.1.3　国际经济一体化的主要形式和特点

1. 国际经济一体化的主要形式

一般情况下，从宏观经济政策、商品流通和生产要素自由流通等经济区域组织的合作程度的不同，可分为如下的五个阶段。

（1）自由贸易区（Free Trade Area）

在政治和经济上有密切关系的两个以上的国家通过条约降低或消除关税，解除贸易上的数量限制，在区域内实现自由贸易，而对域外国家实行差别待遇，如高关税和贸易上的数量限制等。自由贸易区组织的各成员国对域外国家仍保留独立的关税体制，所以非成员国利用贸易壁垒较低的成员国输入或输出商品仍然可以占领市场。从这个意义上说，它没有保护域内市场的功能，对外的经济政策上也不能发挥凝聚性力量。

（2）关税同盟（Custom Union）

关税同盟是完全废除成员国之间的关税及数量限制等贸易壁垒，对外则实行共同的关税政策，对非成员国的贸易实行统一的保护性措施的经济一体化组织形式。在关税同盟区域内促进自由贸易的方面，与自由贸易区相似。但关税同盟有效地防止了非成员国利用低关税的成员国出口或进口商品，在国际经济社会上发挥凝聚力量。

（3）共同市场（Common Market）

共同市场是比关税同盟更高级的经济一体化组织形式。在区域内除了实行自由贸易外，还允许包括劳动和资本等生产要素的自由流通，对外实行共同的经济政策方面。所以，共同市场的成员国在政治、经济、文化及社会等方面具有同源性，成员国通过经济政策的调整，向更高层次的经济和货币的经济联盟发展。

（4）经济联盟（Economic Union）

经济联盟比共同市场更高一层，成员国之间通过相互调整所有的经济政策，实行统一的货币、财政、金融、社会、福利以及生产要素自由流动。经济联盟为了防止成员国之间的贸易摩擦，在整个经济政策方面达成协议，调整各部门的经济政策，采取共同的经济步调。

(5) 完整的经济联盟（Complete Economic Union）

完整的经济联盟比经济联盟更高一层，成员国相互之间设立一个超国家的中央权力机构来调整和管理各成员国的社会、经济政策。这是最高级、最完整的经济一体化组织形式。各成员国事实上成为实行单一经济的一个国家。但是设立超国家的中央权力机构存在一些问题。所以，完整的经济联盟是当各个成员国放弃自己的国家主权，统一成一个国家时才有可能实现。所以在这种意义上，完整的经济联盟实质上是政治、经济完全一体化的组织形式。

综上所述，如果两个以上的国家要形成区域经济一体化组织，必须满足经济结构的类似性、互补性、期待利益的存在、政策目标的共同性、社会文化的同源性、地理的接近性等许多具体条件。形成经济一体化的条件中，各个国家的经济结构是竞争性还是互补性是一个非常重要的问题。一般认为互补性的经济结构之间的经济一体化比竞争性的经济结构之间的经济一体化可带来更大的经济利益。产生这种认识的原因在于互补性的经济具有不同的资源和生产方式，各个国家通过经济一体化，在最适条件下促进生产力的发展。但是维纳认为，如果在同种产业上的成本相差很大时，竞争性的经济一体化会减少贸易转移效果，这时竞争性的经济结构之间的经济一体化比互补性的经济结构之间的经济一体化有利。因为如果经济发展程度不同的国家之间实行经济一体化时，区域内发达的成员国和发展中的成员国之间存在经济发展的差异，经济一体化就不能发挥积极作用，即可能有利于发达国家的经济发展，但发展中国家却成为初级产品如粮食和原材料的生产国，不可能实现工业化。而且互补性经济结构之间的经济一体化，虽然根据比较成本理论可以得到一定程度的静态效益，但会失去市场扩大的动态利益，会阻碍发展中国家的工业化，从而歪曲经济一体化本身的作用。所以，如果要成功地实现经济一体化，成员国经济之间必须存在既有互相竞争的一面，又有潜在互补性的一面。这种互补性的经济结构将会发展成以不同的产业结构为基础的垂直分工关系。

2. 国际经济一体化的特点

(1) 区域经贸组织数量不断增加

世界各国在政治体制、经济水平、文化传统、宗教信仰等方面存在

第九章　国际经济一体化与当代资本主义经济

巨大差异,各国对外政经发展战略和所追求的政经利益也有很大不同,因而,经济实用主义原则成为指导人们行为规范的有效武器:一些国家特别是发达国家业已明白,既然不能实现全球经济一体化,不能与世界上所有国家进行全面经贸与技术合作,那么就建立区域经贸组织,实现区域经济一体化(如欧盟);既然不能实现区域经济一体化,那么就建立次区域小范围的经贸组织,实现次区域小范围的经济一体化(如北美自由贸易区、东盟等)。

因此,从 20 世纪 50 年代以来,以西欧经济共同体为主要代表的区域经贸组织相继建成。1958 年 1 月西欧经济共同体成立并生效,1960 年 6 月欧洲自由贸易联盟正式运行,1960 年中美洲共同市场建立,1961 年 6 月拉美自由贸易联盟成立,1961 年东非共同体建立,1964 年中非各国联盟建立,1965 年阿拉伯共同市场建立,1967 年东盟成立,以后又陆续建立了拉美南锥共同市场、加勒比共同体、里海经济共同体、中亚经济共同体等。1994 年,欧盟及北美自由贸易协定同时正式生效。总之,区域经贸组织种类、数量不断增加。区域经济集团化已成为一种世界经济新潮流。根据世界贸易组织的统计,到 2001 年底,全球签订的旨在实现双边或多边自由贸易的协定累计有 120 多个。现在仍然有效的自由贸易协定有 80 多个,人们经常听到的区域经贸组织有 20 多个。

(2) 区域经贸组织具有封闭性、排他性、歧视性和保护性

对内自由及对外封闭是区域经贸组织的一个重要特点,即在区域范围内实现商品、劳务、资本和人员的自由流动,减少关税和非关税贸易壁垒,使本区有限资源得到最佳配置,并深化自由贸易程度,获取区域经济一体化的比较成本收益。

共同的对外经贸政策加强了区域经贸组织对外谈判时的讨价还价的能力,客观上强化了对区域外非成员国商品与劳务进口的限制和歧视,使非成员国面对的是"言行一致"的封闭市场。此外,区域经贸集团统一了对外关税税率和非关税贸易壁垒,包括商品的卫生检疫标准、技术标准、环保标准及其他商检标准,使同为 GATT 成员的国家面临着程度不同、方式各异的不公平竞争和贸易歧视,也阻碍了世界范围内贸易自由的进一步深化,在客观上形成了区域经贸垄断,导致对内保护和对外封闭,使国与国的经贸竞争变成了区域集团间的贸易壁垒,并使世界各

国各地区都致力于建立自己的区域经贸组织。可以说，区域经济集团化至少在近期内阻碍了世界经济的一体化进程和多边贸易体制的发展。因为"用一个声音说话"的势力强大的区域经贸集团增加了其在国际多边贸易体制谈判中讨价还价的能力。

但另一方面，如果区域经贸集团的形成，能使集团内部贸易的增加额大于非成员国与其贸易的减少量，那么，这种区域经济一体化还是应该肯定的，从长期和全球范围来看，也必将增加世界贸易总量。因此，从这点上看，成员有限、反应敏捷、一体化程度高的区域经贸组织是对成员广泛、反应迟缓、一体化程度低的世界多边贸易体制的有益补充。

(3) 对外扩大成员，对内加深一体化

无论是世界多边贸易组织还是区域经贸集团都在不断增加成员和扩大规模。1957年3月，欧共体成立时成员国只有法、德、意、荷、比、卢6国，1973年元旦接纳英、丹、爱3国，欧共体第一次实现了规模上的扩大。70年代后期，希腊（1975年）、葡萄牙和西班牙（1977年）先后申请正式加入欧共体，到1988年初，3国先后成为欧共体的正式成员国，使欧共体成员国由6个增加到12个。1995年元旦，经芬兰、瑞典和奥地利的全民公决，3国加入欧盟，使欧盟成员国达到15个，实现了向欧洲自由贸易联盟扩大成员的目标。此外，欧盟还在向中东欧发展。1991~1993年，欧盟先后与波、匈、捷、斯、罗、保6国签订了为期10年的经贸合作和联系国协议，1994年7月欧盟决定加快中东欧国家加入欧盟的计划，提出了使中东欧国家的立法同欧盟相适应的150项措施。欧盟在广纳成员的同时，也在不断加深其内部的一体化。从1995年3月26日开始，西欧7国实行申根协定：人员往来免办护照与签证。现在，欧盟各国之间已基本上消除了商品、劳务、资本和人员自由流动的边界限制，实行了统一的跨国公司税和增值税体制，开放公共采购部门，实行自由竞争，实施欧洲证券服务法，并于1995年底建立了欧洲最大的证券交易所，以筹措资金增加投资。此外，欧盟的政治、经济、货币联盟也有不少进展，一体化进程的客观形势也有所改观。例如，已使法、意、西的中央银行具有较大的独立性，扩大其权力范围和自主权。同时欧洲议会的权力也有所扩大。2004年5月1日，欧盟新增了10个成员国——波兰、匈牙利、捷克、斯洛伐克、爱沙尼亚、拉脱维亚、立陶宛、斯洛

第九章 国际经济一体化与当代资本主义经济

文亚、马耳他和塞浦路斯。欧盟扩大到 25 国后,面积达到了 400 万平方公里,人口增至 4.5 亿,国内生产总值超过 10 万亿美元。总之,现在的欧盟不仅成员越来越广泛,而且一体化程度越来越高,影响越来越大,地位日显重要,力量日显强盛,在国际事务中"用一种声音说话",并且声音愈来愈响,成为与美日抗衡的重要经济与政治力量。

其他区域经贸组织也如欧盟一样,一方面,广纳成员,扩大势力范围;另一方面,又在不断加强其自身的凝聚力,加深内部的一体化。并且,一体化程度的提高较其规模的扩大成效更为显著、意义更为重大、影响更为久远。

(4) 在区域经贸组织的建立及其一体化过程中,实行"同意者先行,不同意者缓行;条件成熟者先行,条件不成熟者缓行"的原则

现今的欧盟,在一体化过程中,并不是每一步骤和政策法令都取得所有成员国一致的赞同和行动,有的需要多次全民公决才能通过(如丹麦对马约的表决),有的国家则要暂缓几年实行(如英国对欧洲货币汇率机制及货币联盟的选择)。1957 年,西欧共同体成立时,也并不是所有西欧国家都一致同意参加区域经济组织,当时只有 6 个国家同意组建西欧共同体。由此可见,在区域经贸组织的建立及其发展过程中,有一条重要而有效的行动原则:即同意者先行,不同意者缓行;条件成熟者先行,条件不成熟者缓行。也就是说,他们并不是书生论政、坐而论道,一味等候条件成熟,环境改善,等候所有成员国都一致同意才着手建立区域经贸组织和加深一体化进程。这一原则对于指导东亚诸国成立东亚经贸组织具有重要的现实意义。

(5) 政治体制不同、经济水平悬殊的国家同样可以加入区域经贸组织

在东南亚,越南实行的是共产党统治,搞的是社会主义,信的是马列主义,政治体制及思想意识形态与东盟其他成员国根本不同,而且在经济发展水平上也有很大差距:1992 年越南人均 GNP 为 210 美元,而同年新加坡为 14210 美元,泰国为 1570 美元,马来西亚为 2520 美元,菲律宾为 730 美元,印度尼西亚为 610 美元,文莱更高,但这并不妨碍越南于 1995 年 7 月底成为东盟的第 7 个正式成员国。对越南而言,加入东盟可以利用更多外资、扩大外贸、增加就业、促进经济成长,也会促

使越南加快市场经济改革步伐，使其外贸体制与立法措施早日与国际接轨，因为资本、技术和信息的流动可以超越国界，可以传递市场行情和民主价值，成为加快区域经贸合作的催化剂。

（6）区域经贸组织成为发展中国家提高政治经济地位，加强区域团结与合作，反对西方霸权，提高国际声望的有效手段

马来西亚强烈呼吁亚洲国家加强团结与合作，以适应冷战结束后的新形势和各国把发展本国经济作为最优先选择的国际协调新时代；认为过去支配世界经济的7国集团已落后于时代要求，对发展中国家产生了不良影响；强调构筑拥有平等发言权的南北关系，倡导新亚洲主义；反对发达国家建立排他性的俱乐部，批评美国反对建立东亚经贸组织；对驻日美军和美日安全保障条约也表明了否定态度。

在地区问题上，东盟也发挥了重要作用。如在对南沙群岛的主权争执中，中国同菲律宾的矛盾尤为突出，但东盟成员统一立场，统一行动，结果与中国讨论南沙主权问题的不是菲律宾而是东盟6国的代表。可见，区域经贸组织的建立和一体化程度的加深，增强了成员国的谈判能力，提高了其国际地位。

（7）同一个国家可以参加不同的区域经贸组织

在区域经贸集团的建立和发展过程中，同一个国家参加不同的区域经贸组织，可以加强更为全面的对外经贸联系和技术合作，取得更多更大的比较成本收益。如美国既是北美自由贸易区的成员国，又参加亚太经合组织，同时还将参加与欧盟共同筹备建立的欧盟——北美自由贸易区。也就是说，对世界上三个最重要的经济区域——北美、西欧和东亚，美国都力争加入，并致力于发挥领导作用，以取得最大经济和政治利益。

9.1.4 国际经济一体化与经济全球化的关系

国际经济一体化与经济全球化是既相互联系又相互区别的两个范畴。国际经济一体化所表达的是各国经济在机制上的统一，而经济全球化所表达的是世界经济在范围上的扩大；国际经济一体化所指的是世界各国经济高度融合的状态，而经济全球化则反映了各个相对独立的国民经济之间的联系越来越密切的事实。国际经济一体化是经济全球化的发展趋势，是全球经济一体化的前提条件，国际经济一体化是经济全球化的内

第九章　国际经济一体化与当代资本主义经济

在机制，经济全球化则是经济一体化的外在形式。可以形象地将经济一体化与经济全球化比喻为纵向深化与横向扩张的关系，也可以将经济一体化看成是经济国际化发展的质变，经济全球化则是经济国际化和一体化过程中的量变。

作为经济全球化与国际经济一体化，都是经济生活国际化（即生产国际化、资本国际化）高度发展的结果。经济生活国际化，是与世界市场的出现和发展相伴而行的。在二战结束后现代科技革命的推动下，全球范围内世界各国的生产力普遍得到快速发展，人类社会在20世纪下半叶所创造的物质财富和知识财富，超过了以往时代的总和，世界各国在经济上的相互依赖和相互渗透达到空前高度，由此而导致经济生活国际化等重大变化，主要表现在生产的国际化、专业化进一步发展，现代国际分工所采取的形式开始出现从传统的垂直分工向水平分工转变，并且与此相适应，国际贸易与国际投资获得前所未有的增长。国与国之间的经济联系与合作呈日益加强趋势，本质上反映了现代科技和生产力高度发展的经济生活国际化及经济的全球化，客观上使得全球经济一体化或世界经济一体化的趋势成为必然。但是，当代世界经济在不同国家和地区发展的不平衡性，以及各不同民族国家主权及其经济利益的差异性，又决定了这种趋势实现过程的长期性和曲折性。也就是说，在可以预见的未来相当长时期内，经济的全球化尚不可能达到完全消除生产要素在全球范围内自由流动的一切障碍，真正实现全球经济的一体化。而作为这一历史进程或发展趋势长河中的一个过渡形式，国际经济区域一体化（或集团化）的应运而生有其客观必然性，它在一定程度上适应了生产力发展所带来的经济全球化与传统的民族国家主权所带来的生产要素、资源配置跨国流动障碍的矛盾。因而可以说，一方面，国际经济区域一体化的产生是以经济的全球化为基础或前提条件；反过来，国际经济区域一体化的形成和运作，又从广度和深度上为经济全球化的发展提供了新的动力；二者是密切相关、相互促进的。另一方面，国际经济区域一体化作为全球经济一体化的初级形态和必经阶段，在世界不同国家、不同区域有其不同具体形式，完成其最终向全球的过渡，将是一个相当长的历史时期。

国际经济一体化的发展，必然引起国际经济关系的相应调整和变化。

传统的国与国之间的经济关系与交往,开始逐渐削弱;国际区域经济一体化集团之间、一体化集团组织与其他国家之间,以及一体化集团组织内部成员国之间的经济关系的产生和发展,使得当代国际经济关系具有更加丰富缤纷的色彩,并引起当代资本主义生产关系的新变化。

1. 经济全球化与区域经济一体化的联系

(1) 区域经济一体化是经济全球化的过程,是最终达到全球经济一体化的必经阶段

世界上为数众多的国家和地区不可能同时实现贸易一体化,更不用说更高层次的生产一体化和金融一体化。而一些在地域上、文化传统上、经济上密切相关的国家和地区首先实现区域经济一体化,有助于推进经济全球化进程。因为与分散孤立的各国经济联系相比,组成区域性经济一体化组织不仅在实际上已在全球经济的不同部分、不同层次实现了经济一体化,而且也更有可能和更容易通过联合或合并的方式向经济全球化的完成形式全球经济一体化过渡。正如欧洲的经济一体化组织不断扩大,最终将形成全欧洲的经济一体化一样,全球经济一体化也将以同样的形式得到实现。

此外,区域经济一体化的发展为经济全球化进一步发展提供了范例和模式,也有助于推动经济全球化进程。未来的全球经济将向何处发展?全球经济一体化包括哪些内容、它能够实现到何种程度?区域经济一体化组织、特别是欧盟所作的巨大努力和尝试,为其探索了发展方向和实施步骤。无论是统一大市场的建议,还是单一货币的设想与启动,区域性中央银行的建设,都是由欧盟首先提出和实施的,并已取得重大进展。这些都为经济全球化过程的发展指明了一个可供借鉴的发展方向。因此,经济全球化过程最终发展为世界经济一体化,首先是在全球化的各经济区域实现的。正是区域经济一体化的出现,才有实际的、超出国界的经济全球化过程的不断发展。

(2) 区域经济一体化和经济全球化是相互适应的

初级阶段的经济全球化以贸易全球化作为核心内容,此时区域经济一体化也处于开始起步的阶段,主要采取关税同盟或自由贸易区等形式,基本目标是解决一定范围内的贸易自由化问题。早期的区域经济一体化理论与经济全球化理论也是基本一致的。比如,区域经济一体化理论中

第九章 国际经济一体化与当代资本主义经济

也包括了对资本和中间产品流动的分析,并且基本上不涉及从事跨国经济活动的基本单位的企业。当经济全球化进入到生产全球化、金融全球化阶段时,区域经济一体化理论也就把国际直接投资以及跨国公司、经济全球化过程中有关国际宏观经济政策协调作为自己的核心对象与研究范畴。

(3) 区域经济一体化和经济全球化是相互促进的

从某一个角度看,经济全球化与区域经济一体化所追求的目标是一致的,即实现规模经济、提高经济效率和增强产品竞争力,只不过是范围大小的不同而已。区域经济一体化是经济全球化过程的有机组成部分,既是经济全体化的一个步骤或阶段,又是经济全球化进一步发展直至形成全球经济一体化的基础。

以世界贸易组织所倡导的经济全球化和以众多区域经济一体化组织倡导的区域经济一体化实质上都是世界经济向一体化发展的过程,即超出国界而进行的国际分工、国际投资、国际生产、国际贸易等使各国经济成为一个相互依存的整体的过程。区域经济一体化不仅使成员国之间的贸易额大大增加,而且区域内外之间的贸易额也有增长,其比重也在提高。

区域经济一体化对经济全球化的促进作用表现在:区域经济一体化内部实行生产要素的自由流动,必将加速资本的相互渗透,深化成员国之间的相互依存和国际分工,从而进一步推动全球的生产和金融一体化的过程。此外,各区域经济一体化组织除了追求区域内要素自由流动,还追求从整个世界贸易中获得更多的好处。以北美自由贸易区为例,北美地区的内部贸易只占美国、加拿大和墨西哥三国贸易总额的36%。所以,区域经济一体化会加速世界经济全球化过程,最终形成全球经济一体化。

尽管区域经济一体化组织具有某些内向性、保护主义的色彩,但如果区域性经济一体化组织的成立不对区域外国家和地区形成额外的经济自由交往壁垒,那么,它在世界经济全球化过程中就是起着积极而不是消极的作用。况且,区域经济一体化组织接受世界贸易组织(前身为关税和贸易总协定)的领导,因此,在全球多边经济合作体系的保护、协调、控制和管理之下,其消极作用得到限制,而积极作用得到肯定和支持。因此，经济全球化的努力，将保障日益兴起的区域经济一体化浪潮的健康发展，并使之成为全球经济一体化发展的推动力。

2. 经济全球化与区域经济一体化的差异性

经济全球化系指世界各国的经济运行在生产、分配、消费等方面所发生的一体化趋势。区域经济一体化是经济全球化的一个中间过程。但是区域经济一体化与经济全球化的区别十分明显。

(1) 区域经济一体化产生于相邻近区域或经济结构相近或互补区域内的主权国家的制度安排，是区域内各国突破了主权国家的界限，放松主权约束，以国家出面签订的协约为基础而建立起来的一种国际经济合作的组织形式。它以主权国家为核心，还渗入了政治因素。与区域经济一体化不同的是，经济全球化是一种自发的市场行为，是一种超主权的概念。市场经济无限高度发展的结果，就是经济全球化。因此，经济全球化要求最低限度的政府干预，是一种超国家主权的概念。经济全球化的超主权性质决定了它缺乏区域经济一体化中那种有效的政府间的协作与对市场的监督。

(2) 经济全球化与区域经济一体化范围不同。有时区域经济一体化趋势与经济全球化趋势也不完全一致，区域经济一体化经济组织的某些规定在一定程度上不利于经济全球化的发展。如欧共体对亚洲产品实行配额制和反倾销措施，使日本等国深受其害。北美自由贸易协定对成员国商品的免税待遇实行原产地规则，导致其贸易具有内向性，并对区域外贸易产生排他性。

(3) 经济全球化是以跨国公司为微观经济行为主体，在市场力量作用下的生产、贸易、投资、金融等经济行为在全球范围内的大规模活动，是生产要素的全球配置与重组，是世界各国经济逐渐高度依赖和融合的过程。因此，经济全球化主要由企业带动，是从下到上的一种微观经济行为，有人称之为企业逐步走出原有国境的离心运动。区域经济一体化要求成员国之间消除各种贸易壁垒以及阻碍生产要素自由流动的政策，通过一系列协议和条约形成具有一定约束力和行政管理能力的地区经济合作组织，因此，主要由政府出面推动，是一种以政府参与制定双边或多边协定，微观经济主体在协定框架内活动的向心运动。所以，经济全球化又叫功能性一体化，是现实经济领域中各种壁垒的消除，形成市场

第九章 国际经济一体化与当代资本主义经济

的扩大和融合,是各国市场经济在生产力发展的推动下向外扩张的内在要求。区域经济一体化又叫做制度性一体化,是通过签订条约和建立超国家组织的主动协调,由国家出面让渡那些阻碍经济行为跨国界活动的主权,以保证该过程顺利进行的高级形式。可以说,区域经济一体化已经造就了维护自己存在的上层建筑,而经济全球化的上层建筑仍在进一步探索、形成之中。

此外,经济全球化与区域经济一体化的理论依据不同。经济全球化的主要理论是李嘉图的自由贸易理论,区域经济一体化的主要理论依据是产业结构相似理论、关税同盟理论。

9.2 从欧共体到欧盟:当代国际经济一体化的典型实例

本节以欧盟为例,探讨资本主义国际区域经济一体化的过程,及其对各国经济的影响。

9.2.1 从欧共体到欧盟:背景和历史

二战结束以后,西欧各国为经济上的繁荣及政治上的独立,要求联合起来,共同发展,尽快建立欧洲统一大市场。经过几十年的努力,统一大市场已经形成,欧盟成为世界上最大的、经济一体化程度最高的经济贸易集团。

欧盟的建立经历了一个逐步扩大、一体化逐步加深的过程。欧盟的前身是欧共体。20世纪50年代初,法国、西德、意大利、荷兰、比利时、卢森堡6国签署了《欧洲煤钢共同体条约》,首先在重要的工业生产部门实行联合。1957年3月,上述6国又签署了《欧洲经济共同体条约》和《欧洲原子能共同体条约》(通称《罗马条约》)。1958年1月1日,欧洲经济共同体宣告成立。1967年7月,欧洲经济共同体与欧洲煤钢共同体的主要机构合并,统称为欧洲共同体或欧洲共同市场。1973年1月,英国、丹麦和爱尔兰宣布加入,使共同体由6国扩大为9国。1981年11月希腊宣布加入,1986年1月西班牙、葡萄牙宣布加入。这样共同体经过第二次扩大,由6国增加为12国。1991年12月,在荷兰马斯特里赫特欧共体12国首脑会议上,通过了《经济与货币联盟条约》和《政治联盟条约》,亦即《欧洲联盟条约》(简称马约),欧共体发展成为欧盟。1993年11月1日,马约开始生效,欧盟正式诞生。1995年1月,芬兰、瑞典和奥地利加盟。经过第三次扩大之后,欧盟成员国增加到15个。此外,原东欧国家波、匈、捷、斯、保、罗,也成为欧盟的联系国。1999年1月1日的欧元启动进一步促进了欧洲政治一体化进程。因为随着欧元的发行,欧盟才真正开始成为一个命运共同体。独立的欧洲中央银行是西欧历史上第一个真正意义上的联邦机构,它的启动运作在很大程度上改变了欧元国家传统的国家职能,使欧洲联盟的超国家机构开始具有政治功能,这意味着欧洲政治一体化开始进入实质性阶段,欧盟在国际政治中的影响日益扩大。欧盟形成以后就开始考虑东扩,欧盟东扩主要是从地缘政治和经济利益的现实出发,一方面,欧盟希望促进中东欧国家的稳定和繁荣,并最终实现整个欧洲的持久和平与稳定,另一方面,从经济利益上看,中东欧国家与欧盟为邻,劳动力素质较高,但劳动成本低于欧盟国家,是欧盟较为理想的投资场所。此外,中东欧国在历史背景和文化心理上始终自视为欧洲的一部分,加入欧盟不仅可以获得心理上的认同感,更可以获得多方面的安全保障,同时能捞到实实在在的经济实惠,因此入盟和东扩是双方互有所需的结果。2002年哥本哈根首脑会议顺利完成入盟谈判,从2004年5月1日起波、匈、捷、斯洛伐克、斯洛文尼亚、拉脱维亚、立陶宛、爱沙尼亚、马耳他、塞浦路斯等10国正式加入欧盟。现在,欧盟已经形成了一个横跨东西欧25国、面积400万平方公里、人口4.5亿、GDP约达10万亿欧元的新欧盟[①]。

9.2.2 欧盟一体化进程概述

欧盟的发展过程,既是欧洲经济一体化的过程,也是欧洲统一大市场形成的过程。20世纪50年代签署的《罗马条约》是欧洲联盟的奠基石,其主要目标是在共同体范围内创建共同的经济区,在主要的经济部门逐步实行共同政策,保证商品、人员、劳务和资本在成员国内部自由流动;60年代形成了共同的农业政策;70年代建立了关税同盟,实现了

---

① 资料来源:EU官方网站。

统一的对外关税,取消了成员国之间的关税和进出口数量限制;70年代末形成了欧洲货币体系,建立了欧洲货币单位;80年代一体化进程虽较慢,但没有停止。90年代后,欧共体一体化进程加快。1992年底建立了欧洲统一大市场,实现了商品、人员、资本和劳务的自由流动。2002年1月1日,欧元正式流通。欧盟一体化进程的加快,大大促进了统一大市场的形成与扩大。

欧洲统一大市场的建立,对成员国乃至整个欧洲经济的发展,产生了深刻的影响。

首先,扩大了市场,降低了生产成本,提高了规模经济效益。在欧共体阶段,工业生产成本平均下降了7%;其次,使企业可在更大范围内进行竞争,从而提高了效率;第三,不断优化资源配置,促进了产业结构的调整;第四,成员国间大规模的经济合作,促进了科技的进步;第五,扩大了就业机会;最后,增加了对外国投资的吸引力。

欧盟已成为世界上最大的国际市场,欧洲统一大市场的建立,大大促进了发展中国家的制成品出口贸易。欧盟的经济一体化不仅给成员国带来很大好处,也给发展中国家的经贸发展带来了机遇。尽管欧盟内部矛盾重重,但一体化趋势不可逆转,欧盟将进一步扩大,全球将面对一个强大的欧洲。

9.2.3 欧盟一体化进程对世界经济的影响

欧盟成立之后,成员国经济实力增强,对外需求扩大,从而促进了世界贸易总量的增长,也为区外国家的经济发展提供了更多的机遇。此外,其在科技领域出现的新成果具外在性,随着出口的增长向区外国家扩散,使世界经济受益。但欧盟内外有别的歧视性政策,对区域外国家更多的是消极的影响。

1. 欧盟针对区外国家的保护加强

欧盟的优惠条款都仅适用于区域内成员国,而对外仍保持一定的贸易壁垒。在一定程度上说,共同体内贸易的扩大是以牺牲与区外国家的部分贸易额为代价的,这是区域一体化排他性和歧视性的体现,恶化了区域外国家尤其发展中国家的贸易环境。

2. 改变了国际投资的地区流向

内外有别的差别待遇，使区外企业产品处于相对的竞争劣势，迫使区外企业以直接投资取代出口贸易，在欧盟内部投资设厂进行生产，以绕过关税和非关税壁垒，力保其传统市场，潜在的投资大量向欧盟内部转移。

3. 不利于多边贸易体制的改进和完善

欧盟给其成员国提供优惠条款显然违背了WTO的非歧视性原则，WTO之所以采取睁一只眼闭一只眼的宽容态度，部分原因是由于欧盟对非成员国未提高现行关税，维持原状甚至有所降低。

9.3 国际经济一体化的发展趋向

在前两节的基础上，本节分析国际经济一体化的影响因素，继而预测资本主义国际经济一体化的发展趋向。

9.3.1 国际经济一体化的影响因素

二战后，国际经济一体化现象风起云涌。这绝非偶然，其中有其深刻的社会经济原因和政治原因。总括而言，主要有以下几点：

1. 科学技术进步和生产力发展，加速了国际分工与合作的进程，是区域经济一体化产生迅速发展的客观基础

二战后，出现了以原子能、电子计算机和空间技术的发展与应用为标志的第三次产业革命。这场科技革命极大地影响了世界经济格局的变化。由于社会生产力的迅猛提高，再加上各殖民地国家纷纷独立，以及这些国家商品经济迅速发展，所有这些都加速了新技术的扩散，因而导致了全球经济生活国际化和商品经济与市场机制的全球化。正如奎斯比特在《2000年大趋势》中指出："现在我们已进入国家之间进行经济发展的新阶段，亦即正迈入各国在经济上相互依赖的时期。"第三次科技革命的兴起与扩散改变了国际分工的格局，使世界经济结构发生重大变动，变动的核心问题是：比较优势类型的重心从L—N型分工转向L—C型分工。L—N型分工是指劳动和自然资源要素的分工，L—C型分工是指

第九章　国际经济一体化与当代资本主义经济

劳动与资本要素的分工。这种转移给一直依赖于生产要素比较优势的发展中国家造成的致命困难是明显的。发达国家与发展中国家之间的贸易相对减少，发达国家之间的贸易相对增加。当前，以微电子和自动化为标志的新技术革命正在兴起，工业发达国家正在围绕三大基础技术进行产业结构的调整，并开始从工业化社会逐渐向信息化社会过渡。发达工业国正在逐渐改变过去以高能耗来支持经济增长的做法，积极寻求依靠技术进步带动经济增长。在这种经济增长中，发达国家之间经济关系所起的作用要大大超过发达国家和发展中国家之间的经济关系，也就是说发达国家之间的相互依赖度将高于一般国际经济依赖。这就导致了发达国家之间"生产的国际关系"（马克思语），并以区域经济一体化形式来解决它们在生产、贸易、金融中所出现的矛盾与问题。

对于广大的发展中国家来说，随着生产力发展，国际分工由垂直型逐步向水平型发展，它们的出口更加困难，在世界经济体系中的地位进一步受到威胁。为了增强自己的竞争能力，克服工业化过程中市场过于狭小、资金技术短缺等困难，谋求自身的生存与发展，发展中国家也纷纷成立了一些区域经济一体化组织，加强了区域内部国家的经济合作。

生产力发展带来的国际分工不断深化。传统的产业部门的国际分工逐渐向产业部门内部分工扩展，出现了产品专业化、零部件专业化和工艺过程的专业化。国际分工不仅表现在发达国家之间，也表现在发达国家与发展中国家及发展中国家相互之间进行，各国相互依赖和联系程度日益加深。生产的社会化和国际化趋势的加深，必然要求生产力的发展突破国界，要求各种生产要素在更大范围内流动。但另一方面，各国都有自己的疆界，各国政府都希望通过制定经济和社会政策来维护本国的利益。尤其是随着世界市场竞争的加剧，各国为了维护国内市场和谋求更高的经济利益，设置了各种关税与非关税壁垒，这些壁垒的存在严重阻碍了经济一体化的发展。为了能更好实现生产要素在世界范围内自由流动和自由配置，在一些生产力发展水平相近，经济、政治体制与意识形态相似的国家之间出现了联合，如欧共体和东盟。随着国际分工的深入发展，发达国家与发展中国家的联合也日益紧密，80年代中期以后出现了一些经济发展水平不同的国家之间的联合，最典型的有北美自由贸易区。

由此可见，生产力发展和经济生活国际化是促成区域经济一体化迅速发展的客观基础。

2. 国际竞争发展的需要，是推动区域经济一体化迅速发展的助推器

从资本主义自由竞争——垄断竞争——国家垄断资本主义产生的历程看，竞争推动了联合的发展，而联合又使竞争更加激烈。自由竞争是厂商之间的竞争，而国家垄断资本主义之间的竞争则是国际之间的竞争。这种竞争在共同利益的驱使下又进一步发展为集团之间的竞争和区域间的竞争。国际竞争不仅是政治上的竞争，也是经济上的竞争；不仅是资本主义国家之间的竞争，也是资本主义国家与社会主义国家这两种不同制度国家之间的竞争。二战后，世界格局出现以美苏为首的资本主义阵营和社会主义阵营的对抗，随着二战后发展中国家争取民族独立斗争，原有的殖民地、附属国纷纷取得政治上的独立。在这一时期的区域一体化组织带有较强烈的政治色彩。1958年成立的欧共体在这一时期的经济合作，更多的是出于在国际政治舞台上竞争的需要。二战后，由于美国商品竞争能力强，使欧洲国家出现了美元荒和国际收支困难的状况。通过关税同盟，以共同关税的方式把竞争力极强的美国排斥开，这是促成欧洲经济共同体形成的主要原因之一。此外，1949年成立的经济互助委员会（简称经互会，该组织已于20世纪90年代解体）和60年代成立的东盟都有较强烈的与资本主义国家或发达国家对抗的因素。进入20世纪80年代，世界竞争格局发生了较大变化，西欧、日本经济崛起，美国经济相对削弱。80年代末随着苏联的解体、东欧的崩溃，导致冷战结束，军事对抗和竞争变得相对缓和。随着生产力的发展，国与国之间的经济矛盾上升，各国的竞争更多地转向经济竞争。一些国家为了谋求经济竞争中的优势，也主动放弃某些局部利益而相互建立区域经济一体化组织，以共同应付世界经济环境下的竞争，而那些没有进入一体化组织的国家在国际竞争中就显得势单力薄。二战后的美国一直处于世界经济强国的地位，但随着西欧国家经济一体化组织的发展，西欧经济实力大大增强，此外，日本经济也迅速崛起，美国在世界经济的霸主地位受到严重的挑战。为了增强同西欧和日本的竞争，80年代后半期，美国开始积极着手区域经济一体化的建设，组建美加自由贸易区和北美自由贸易区。目前又在积极地推动亚太地区的经济合作。西欧、日本也不甘落后，为了保

第九章　国际经济一体化与当代资本主义经济

持经济的发展势头，欧共体加快了经济一体化的步伐，使欧共体发展成为欧洲联盟；日本则在积极倡导建立亚洲、尤其是东亚地区的经济一体化组织。而广大的发展中国家面对发达国家工业品的强大竞争力和初级产品出口困难等问题，国际收支经常陷入困难之中，他们一方面积极筹建发展中国家内部的一体化组织，另一方面也在努力寻求加入一些发达国家的集团组织，以进一步提高其经济与政治实力。可以说，以美、欧、日为首的发达国家为了巩固和发展他们在国际经济、政治舞台上的竞争地位，积极地推进区域经济一体化的进程，由此掀起了80年代以来区域经济一体化发展的新浪潮。

3. **一体化带来的贸易创造效益等，是其产生并持续发展的经济源泉**

区域经济一体化会给成员国带来巨大的经济利益。这些利益包括：贸易创造和贸易扩大效益、减少行政开支、减少走私、增强成员国集团的谈判能力、实现专业化分工、提高规模经济效益、促进生产要素合理配置等。

4. **维护自身的经济利益和政治利益是形成区域经济一体化的内在动力**

区域经济一体化，说到底，就是各国在生产力发展客观需要的基础上，谋求自身经济利益和政治利益的必然结果。二战后，世界经济和政治都呈现出多元化的发展趋势。发达国家要维持其在世界政治和经济舞台上的领先地位；发展中国家要谋求政治上的独立和经济上的发展，以摆脱贫困和发达国家的控制。但任何国家仅仅依靠自身的力量，封闭起来不与其他国家进行经济技术联合与协作，都是难以奏效的。因此，在各自利益的驱动下，各种类型、各种形式、不同层次的一体化组织应运而生，并不断发展。一般来说，一体化组织可以成为政治联合的基础。有的一体化组织不仅可以成为一个经济集团，而且可以成为一个政治集团。这是因为，经济是政治的基础，而政治又是经济的集中表现。因此，一些在国际经济、政治斗争中所处的地位相近的国家，就会在共同利益的基础上结成一体化组织，以维护他们的自身经济和政治利益。

5. **区域经济一体化是各国调节经济的需要**

区域经济一体化的最早样板为"欧洲煤钢联营"，即欧共体的前身，产生于资本主义国家。二战后，由于发达国家的政府经济职能加强，国家垄断资本主义已经影响与支配着社会经济生活的各个方面。随着经济生活的国际化发展,在国际竞争日益激烈的情况下,单靠国家对内经济的调节已不能适应国际竞争的需要。发达资本主义国家为了使本国或本地区在国际竞争中处于有利地位,为了减少彼此竞争所造成的损失,便产生了相互联合的愿望和对策,以此来协调成员国之间的国际经济活动,共同对付国际竞争对手。

在区域经济集团中形成的这种超国家机构和多边协议,要求各国让渡一部分国家权力,取消或减少贸易壁垒,这并非政治经济职能的弱化,而是政府对经济的干预采取了特殊的形式。与私人资本组织的国际垄断同盟相比,政府组织的贸易集团更能够考虑本国资本的整体利益和长远利益。

9.3.2 国际经济一体化的发展趋势

1. 区域经济一体化组织成员的同质性减弱,异质性或混合型趋势愈益明显

20世纪80年代以前,人们总是以社会经济制度和政治制度同一、经济发展水平相近、地理位置相邻和具有共同历史文化背景为建立区域经济一体化组织的基本条件,即同质的国家之间易于建设区域经济一体化,开展经济协调合作。90年代以来,这一传统的框架逐渐被打破,北美自由贸易区的建立及其顺利运行,向世人表明经济最为发达的美国和发展中国家墨西哥可以同在一个区域组织中相处并相互得益;而亚太经合组织内成员国更是在社会政治制度以及历史、文化、宗教和意识形态都差异很大的情况下走到一起,共同开展经济协调合作活动;又如东盟扩大到10国,接纳了越南、缅甸和柬埔寨等国,这种纷繁复杂背景的成员国联合在一起,谋求推进区域经济合作和一体化,在过去简直无法想像。这表明随着国际形势的发展和变化,区域经济合作和一体化中的意识形态因素和色彩越来越淡化了,区域经济一体化组织在体制和机制上有了新的重大开拓和突破。这一突破是加强南南合作,尤其是加强南北协调和实现均衡发展的一种新探索。但区域经济组织内部成员国间的异质性和差距拉大必然会产生不少矛盾和弊端,影响到区域经济一体化的发展。

第九章　国际经济一体化与当代资本主义经济

2. 区域经济一体化组织的地理空间迅速扩展，出现泛洲性或跨洲性规模的发展趋势

区域经济一体化组织虽然有一定的地域限制，但并不是固定不变的。20世纪90年代以来，国际经济一体化组织出现了泛洲性或跨洲性规模的发展趋势。欧洲经济共同体在一体化程度不断深化的同时，其成员国也在不断扩大，已从最初的6国扩大到目前的15国。90年代以来，欧盟扩大计划又有新的突破，计划进一步东扩和南下，把战后分裂的东西欧正式统一在欧盟的旗下，分几个步骤把几乎所有中东欧国家包括波罗的海三小国在内统统吸纳进来。使欧盟扩大成30国左右的、真正泛欧洲联盟的蓝图已经拟定就绪，正在付诸实践中。美国在90年代也行动迅速，一环扣一环地把美加自由贸易区扩展为北美自由贸易区，并进而计划在2005年建立泛美洲自由贸易区。亚太经合组织在短短的几年内也一再吸纳新成员，目前已扩大到21国，地理范畴包括了亚洲、北美洲、拉美和大洋洲，甚至吸收了政治经济重心在欧洲的俄罗斯为其成员，成为一个囊括环太平洋国家，东西横跨11个时区，南北纵穿寒、温、热带，成员国的国内市场总值总和超过世界总产值一半以上的、跨洲际的超级区域经济一体化组织。发展中国家的泛拉美和泛非洲的经济一体化进程也加快了节奏。

3. 区域经济一体化组织突破了单一契约型出现了平等协商型

亚太经合组织的建立打破了区域经济一体化组织总是建立在一定正式契约基础上的传统模式，APEC采取平等、自愿、协调一致的方式开展贸易自由化和经济技术合作，不建立超国家的制度和机构，成员国不受超国家的体制规章的约束，尽管定期召开首脑会议，但仍然还是非正式的，成员国之间通过协商处理彼此间的经贸关系和各种问题，实行自愿承诺和协商一致的原则，从而为国际经济合作开拓了一种新型的有活力的单边行动和集体行动相结合的模式。

4. 区域经济一体化组织的开放性趋势日益加强

过去区域经济一体化组织的建立，往往把原先单个国家的贸易保护主义演变扩展为更大范围的区域保护主义。随着区域经济一体化组织形式多样化的发展，区域组织对成员国的开放性特点日趋明显，APEC把坚持对外开放作为其组织的宗旨和原则之一，其在《茂物宣言》中强调，

"亚太经合组织成员强烈反对成立一个同全球贸易自由化目标相偏离的内向型贸易集团"。欧盟也一再强调其否定封闭性和排他性，实行开放性。拉美国家首脑会议在其原则宣言中也强调，在美洲建立泛美自由贸易区，决不是要建成一个封闭的贸易集团。显然，越来越多的区域经济组织都强调开放性与合作的多样性，认为区域经济一体化组织与多边贸易体系决非对立的和相互排斥的，这一态势有利于促进经济全球化的发展。

5. 区域经济一体化组织之间开展对话和加强联合的趋势愈益发展

区域经济一体化是国际经济竞争日益激化的产物，反过来区域经济一体化的建立和发展又在一定范围内起着协调竞争的作用，但总体上说，国际竞争不但不会被减弱或消除，反而会在更大的范围内激化。20世纪90年代孕育产生了"亚欧会议"、欧盟与南方共同市场、欧盟与拉美48国首脑会议等一系列洲际性区域组织之间对话和合作不断加强并制度化的事件；25国亚欧会议宣布建立"亚欧之间的伙伴关系"，并开展一系列机制性对话与合作。后者也宣布建立"面向21世纪的经济互助伙伴关系"，共同致力于建设开放型区域一体化，进一步加强经济、政治、社会等各个领域的合作等。这既从一个侧面反映出欧美之间全球竞争关系的强化，以及国际竞争在集团间这一层面正在加速正面地展开，同时也是经济全球化的一种典型表现，证明区域经济一体化与经济全球化并非相互排斥，而是并行不悖的。

6. 区域经济一体化组织出现多层次性，成员交叉重叠

随着区域经济一体化的蓬勃发展，一些较大区域经济组织内部又出现了若干较小范围的次级区域经济圈，有的国家既参加某一大区域组织，又成为其中某一个或某几个次级区域组织的成员。形成一种"大圈套小圈，小圈扣小圈，圈圈连环套"的格局。欧共体内曾存在荷、比、卢经济联盟，90年代组成的特大型亚太经合组织的多层次性则是一个更为典型的例子。在其中不仅早有东盟这样的区域性组织，而且还出现了一些参与主体可以是主权国家也可以是主权国家某地区"自然形成"的"经济成长三角"。这类次级区域经济合作圈目前业已形成气候并颇有成效。另外，一国脚踏几只船的现象也很多，例如美国既是北美自由贸易区的成员，又是亚太经合组织的成员，还在筹组泛美自由贸易区。又如澳大利亚不仅与新西兰达成一体化协议，又参与亚太经合组织，还与印度、

第九章 国际经济一体化与当代资本主义经济

南非等国协商筹组印度洋经济圈。这种现象无疑是经济一体化和经济合作充分发展与相互渗透的表现，也是经济全球化的侧影映照。

9.4 国际经济一体化对当代资本主义经济的影响

区域经济一体化已成为当今世界经济贸易发展的一个重要特征，对以世界贸易组织为代表的多边贸易体制产生了多方面的重要影响。本节在前面分析的基础上，重点回答了这样一个问题：资本主义区域经济一体化和资本主义经济全球一体化是具有一致性，还是存在冲突？试图理解国际经济一体化对当代资本主义经济的影响。

9.4.1 国际经济一体化安排对国际多边贸易制度安排的影响

在《关税及贸易总协定》第 24 条第 4 款中规定："通过自愿签订协议发展各国之间经济的一体化对扩大贸易的自由化是有好处的。"在第 5 款中规定："本协议各项规定，不能阻止缔约各方在其领土之间建立关税同盟或自由贸易区，成为建立关税同盟或自由贸易区的需要采取某种临时协定。"就是说《关贸总协定》支持各种区域性的自由贸易组织，认为区域经济的一体化有利于自由贸易的扩大，它符合多边贸易体制的目标。从这个意义上说，区域经济一体化与多边贸易体制所追寻的目标是一致的，只是贸易自由化程度和范围的差异，区域经济一体化基本上实现了商品的自由贸易，但是它仅限于某个地区，而多边贸易体制从实际出发，走逐步的或渐进的贸易自由化之路。

同时，《关贸总协定》的某些条款限定了其所倡导的区域经济一体化不能借组成或参加某个经济一体化组织，提高关税壁垒及其他贸易壁垒，即区域经济一体化组织只能在《关贸总协定》已取得的贸易自由化成果的基础上进一步走向贸易自由化，而不能反其道而行，借机提高对外保护程度。

由此可以认为，从《关贸总协定》条款出发，在约束条件有效的情况下，区域经济一体化与多边贸易体制所追寻的目标是一致的：区域经济一体化是实现多边贸易体制目标的重要步骤。

从理论上看,区域经济一体化组织与关贸总协定之间是没有矛盾的。首先,区域经济一体化组织所实施的成员国之间的自由贸易就是关贸总协定所倡导的。其次,区域经济一体化是比较彻底的贸易自由化,而关贸总协定尚未达到这一程度,还在为贸易自由化而努力(关贸总协定安排的八轮回合是这种努力的集中表现)。第三,关贸总协定约束着区域经济一体化组织所实施的对总协定其他缔约国的贸易自由化进程。总协定规定区域一体化组织给予其他缔约国的贸易优惠只能进一步增加而不能减少。

但是,区域经济一体化组织的另一面是其对外贸易的排他性,各国参加区域经济一体化组织实际上要达到双重的目的,一是通过参加一体化组织获得稳定的本国出口商品的市场;二是通过参加一体化组织增强保护本国市场的力度。首先,参加一体化组织有助于增强自己的抗衡力量,欧洲共同体就是借助集体的力量与美国相抗衡的。其次,参加一体化组织的成员国不易受到别国的报复。在正常情况下,一个单独的国家在实施某种贸易保护措施时,容易受到其他国家的报复,而一个国家集团则不易遭到别国的报复,因为在任何情况下,一个单独的国家是不愿意与一个国家集团对立的,除非一个国家的力量足以有实力这样做。因此参加区域经济集团总比不参加这种集团要好。第三,区域贸易集团是各成员国减轻由别国对贸易保护采取反措施的缓冲地带。一旦一国参加了某种一体化组织,即使别国对其主要商品的进口采取了限制措施,但是作用并不太大,因为受报复的一体化组织成员国可以将这些产品转向一体化组织内部市场。

9.4.2 国际经济一体化的国际贸易效应

1. 影响国际贸易的地区分布

区域经济一体化的发展,逐步改变了各地区在世界贸易总额中所占的比重。战后初期形成的以美国为主导的国际贸易格局,随着欧洲经济一体化的加速和发展中国家一体化的加速已被逐步打破。以欧共体为例,1958年成立时,6个成员国的工业出口贸易和美国相近,到1979年,欧共体9国的出口贸易超过美国两倍以上。1992年,美国进出口总额为9809亿美元,而欧共体已达3万亿美元,是美国的3倍多,占世界进出

第九章　国际经济一体化与当代资本主义经济

口总额的 40%。另一方面,区域经济一体化的发展为成员国之间的贸易创造了更多的便利条件,无论属于哪一层次的一体化组织,建立的第一个目标就是实现集团内的贸易自由化。经济一体化的发展,促使一些成员国的一些区外贸易转向区内贸易,使国际贸易地理结构越来越明显地呈现为高度凝结的区域性板块结构。此外,区域经济一体化的保护主义倾向,会增加贸易转移效应。比如欧共体由于实行共同的农业政策,德、英等国就会转向法国而非农产品生产成本更低的美国进口。

2. 促使成员国内部生产专业化和国际分工的进一步深化

任何一个国家或地区的经济运作,都有其既定的资源基础,在国土边界分割的情况下,各国所拥有的生产要素资源是很不平衡的,自然地理条件差异性很大,这使各国经济发展具有不平衡性。从集团内部看,各成员国之间,无论从经济发展水平,还是资源占有情况和产业结构分布,都存在很大差异。因此,各国在经济上存在互补性。由于区域经济一体化取消了成员国之间的关税和非关税壁垒,实现了生产要素的自由流动,集团成员可以结合本国的生产技术、资金及劳动力等优势,在区域内形成更有效的资源配置,由此获得更多的比较利益。另一方面,由于一体化市场的扩大也有利于各国扩大生产规模,实现专业化分工和合作,获得规模经济效益。如欧共体除了在一些工业制成品中形成不同型号、规格的水平分工外,对那些一国力量难以胜任的重大科研项目如原子能利用、航天技术、超音速运输机、大型电子计算机等方面都进行严密的分工和合理的协作,形成了更具竞争力的新兴工业部门。

3. 导致区域内经济和贸易的快速增长

区域经济一体化通过建立关税同盟、共同市场和经济同盟等形成一体化集团。在集团内部实现贸易自由化,促进集团内部贸易发展。实行一体化后各国专业化国际分工向深度发展,使之在经济贸易上的依赖性加强。成员国之间工业品的销售条件比非成员国的商品有利得多,而且通过分工使商品销售渠道稳定,这就推动了集团内部成员国间贸易往来的迅速增长。就目前形势看,各主要经济一体化组织内部贸易在世界贸易额中的比重已经相当可观,对外贸易额 70% 以上是在内部完成的。

4. 扩大了不同类型国家之间的经济差距

经济一体化会在一定程度上扩大发达国家与发展中国家甚至发展中

国家与发展中国家之间的经济差距。

一般而言，一体化带来的优势随着经济发展水平的较快提高而增加。也就是说，经济发展水平较高的国家，一体化给其带来的好处大于经济发展水平落后的国家。这是由于经济发达国家拥有资金、技术等优势，加入一体化组织后，随着各国贸易壁垒的消除，生产要素流动更为便捷。发达国家可以更加充分地利用和发挥自身优势，充分享受一体化所带来的市场扩大、专业化分工加深和规模经济效益等好处。而经济落后的国家由于产品竞争力有限，又大量存在技术薄弱、资金缺乏等问题，一体化虽然对他们的经济发展有一定促进作用，但在一体化方面所获得的优势必然不如发达国家。显然，在一体化作用下，经济发达国家与经济落后国家的差距在一定时期内有进一步扩大的趋势。而对区外的发展中国家来说，由于地区经济一体化组织内部产业结构、专业分工向高层次发展及内部互补性加强，而发展中国家技术水平落后，多以出口劳动密集型的初级产品为主，加上区内贸易保护主义的影响，使发展中国家长期难以进入一体化市场内部，这对区域外的发展中国家极为不利。

另一方面，由于区域经济一体化创造的内部贸易便利条件，使一些发达国家更多地转向与同一集团内的发展中国家的贸易合作。发达国家的资金、技术首先投向集团内的发展中国家，其次才是集团外的发展中国家。由于广大发展中国家普遍处于资金和技术的缺乏，都急需引进技术和资金来发展本国经济。区域经济一体化的形成，必然使区域外的发展中国家处于不利地位，从而有可能扩大集团内外的发展中国家经济发展差距。例如，北美自由贸易区形成后，美国和加拿大的资金和技术将大量涌向墨西哥，同时墨西哥的劳动密集型产品将因为各种优惠而增加对美国、加拿大出口，这势必影响其他生产同类产品的发展中国家对美、加的出口。墨西哥的农产品一直以来与我国农产品存在较大竞争，由于北美自由贸易区的建立，美国更多地从墨西哥进口农产品，对我国农产品的出口造成极为不利的影响。

5. 在一定程度上强化了贸易保护主义

区域经济一体化由于区域内实行的差别待遇，区内贸易加强，必然在一定程度上排斥其他集团和国家的贸易活动。地区经济一体化天生具有排他性，可以说没有排他性就没有地区经济一体化。这种排他性具有

第九章　国际经济一体化与当代资本主义经济

双重性质：一方面促进集团内部的协调和统一，尤其是使贸易自由化得以实现，促进了各成员国的经济增长和贸易发展，但这种内部自由化只有对外建立了贸易壁垒才可能出现；另一方面，一体化加强了该区域与外部世界抗衡的力量，致使贸易摩擦愈演愈烈。一体化将世界市场割裂成若干个相互缺乏联系的区域市场。世界市场的分割，破坏了各区域间的经济联系，阻碍了世界经济资源配置的一体化进程，而且使各区域市场形成对峙局面，严重腐蚀多边贸易体制。

另外，由于区内成员之间经济水平存在差距，经济发展落后的成员必然要求加强对区内的保护，这也在一定程度强化了贸易保护主义。比如欧共体执行共同农业政策就是对其他国家的农产品出口造成障碍。

第十章　当代资本主义经济的不平衡发展与国际经济新秩序

发展不平衡是资本主义经济发展的重要规律之一，这一规律从资本主义诞生之日起就已经存在。列宁就曾指出："经济政治发展的不平衡是资本主义的绝对规律。"① 在当代资本主义经济的发展过程中，这一规律依然存在，首先，发达资本主义国家之间存在着明显的经济发展不平衡现象，这一不平衡导致了当代资本主义乃至整个世界经济格局的演变；其次，发展中资本主义国家之间经济发展的不平衡也成为这一规律的重要内容，这一不平衡导致了资本主义国家经济发展水平的严重分化；再次，发达资本主义国家和发展中资本主义国家之间经济发展的不平衡是战后资本主义经济发展不平衡规律最主要的内容，正是这一不平衡决定了战后基本的国际经济秩序；最后，战后资本主义经济发展的不平衡不仅仅体现在经济发展的速度和水平上，还体现在国际贸易、国际投资等各个方面，因而使这一规律的内容更加丰富。和战前一样，当代资本主义经济发展的不平衡也引起了资本主义国家之间的矛盾冲突，包括发达资本主义国家之间的矛盾、发展中资本主义国家之间的矛盾以及发达资本主义国家与发展中资本主义国家之间的矛盾。这些矛盾自然也引起了各资本主义国家之间的斗争，但是，和战前不同，战后的这种矛盾并没有导致战争，这种斗争主要只是发达资本主义国家之间的经济摩擦和发展中资本主义国家与发达资本主义国家之间为改变和维护国际经济秩序而进行的斗争，其中以后者最为重要。发展中资本主义国家为建立国际新秩序而进行的斗争在殖民体系瓦解就已

---

① 《列宁全集》第21卷，第321页，转引自《世界经济思想文库》，吉林人民出版社1992年4月第1版，第62页。

第十章　当代资本主义经济的不平衡发展与国际经济新秩序

经开始，几十年的努力虽也取得了一定成果，发展中国家在国际上的经济地位有一定改善，但总的来说，国际经济秩序仍无根本性的改变，发展中国家仍须继续努力。

10.1　当代资本主义经济不平衡发展规律的新动向

作为资本主义经济发展的绝对规律，经济发展的不平衡规律在当代资本主义的发展过程中依然存在，但其作用的范围、表现的形式以及对资本主义乃至整个世界发展的影响等都发生了重大的改变。

10.1.1　当代资本主义经济发展不平衡规律作用的范围突破了原帝国主义体系

二战前，世界资本主义总体上是以几个帝国主义国家为中心的殖民体系，作为殖民地、半殖民地国家，其经济的发展从属于它们的宗主国，自身基本上没有独立进行经济决策的可能，因此，这些国家的经济发展的状况对整个资本主义体系经济的发展不可能产生太大的影响。另有一部分经济落后的国家（主要为拉美国家），尽管保持了政治上的独立，也可以在一定程度上独立进行经济决策，但一方面是力量过于薄弱，另一方面它们经济发展中决策的独立性非常有限，所以它们经济发展的状况对于整个资本主义体系经济发展的影响也非常有限。故而，研究战前资本主义经济发展的规律时，一般只考虑那些帝国主义国家，也正因为如此，战前资本主义经济发展的不平衡规律作用的范围，主要也是那些帝国主义国家。这一规律体现的是几个主要的帝国主义国家之间经济发展速度的严重不平衡导致的实力对比的变化和在殖民体系下由此导致的矛盾冲突。但是，在当代，这一规律作用的范围则发生了重大的变化。二战后，世界殖民体系迅速瓦解。从二战结束至20世纪60年代中期，先后有近70个原殖民地国家取得独立，加上二战前就已经独立的20多个相对落后的国家，共出现了100个左右欠发达的国家。这些国家20世纪60年代后称为发展中国家，其中绝大部分走的是资本主义道路。到1990年，非洲的最后一块殖民地——纳米比亚独立，新独立的国家基本上都加入了发展中资本主义国家的行列,从而使发展中资本主义国家数目达到130多个。20世纪90年代初,苏东巨变之后出现的27个国家都走上了向资本主义转变的道路,称为转型经济国家,这些国家就经济发展水平而言,也基本上可纳入发展中国家之列,这样发展中资本主义国家的队伍再次扩大,达到160多个。而原帝国主义国家在战后二三十年的时间内基本上丧失了以往的殖民地,但它们的经济发展水平仍明显地领先于发展中国家,这些国家再加上少数战后迅速实现工业化的加拿大、希腊、澳大利亚、新西兰等国,统称为发达资本主义国家。所以战后世界资本主义经济体系由原来的帝国主义——殖民地经济体系转变为发达国家与发展中国家经济体系,由于发达国家基本上分布在北半球,而发展中国家很大一部分分布在南半球,所以这一体系又称为南北经济体系。在这一体系中,尽管发达国家占据了明显的优势,在整个世界经济体系中居于主导地位,但发展中国家的作用也不再像战前的殖民地一样可以忽略不计,因为尽管发展中国家在一定程度上其经济决策还会受到那些主要的发达资本主义国家的影响,但总体上还是维持了政治、经济的独立。此外,这些国家虽然落后,但由于国家数目的众多,其总体实力不容低估。故而,在考虑当代资本主义经济发展的规律时,则不能不考虑这些国家的情况。这样,当代资本主义经济发展不平衡的规律,也就彻底地突破了原有的帝国主义体系的范围,而在整个世界资本主义体系中发生作用。根据这一规律作用的范围,当代资本主义经济发展不平衡规律的表现总体上可分为如下三个方面:

第一,发达资本主义国家之间经济发展的不平衡及其矛盾冲突与协调。这主要表现为美国、日本、西欧各国经济发展的不平衡及其矛盾冲突与协调。这些国家二战前都是帝国主义国家,主宰了帝国主义时代的世界经济秩序。尽管其中西欧诸国和日本在二战中大伤元气,并一度满目疮痍,但凭着较高的国民素质和正确的政策,再加上美国的帮助,这些国家大都在20世纪40年代末50年代初恢复了国民经济,并在随后的几十年间取得了较快的经济增长,从而重新成为主宰世界经济秩序的大国。但这些国家在战后几十年的经济发展中,明显呈现出不平衡现象。而也正由于这种不平衡,这些国家之间的矛盾冲突时有发生。应该说,在当代,发达资本主义国家之间发展的不平衡虽然不再是世界资本主义

第十章　当代资本主义经济的不平衡发展与国际经济新秩序

经济发展不平衡规律表现的全部，但依然是这一规律表现的重要内容。

第二，发达资本主义国家与发展中资本主义国家之间经济发展的不平衡及其矛盾冲突与协调，这是当代资本主义经济发展不平衡规律的主要内容。二战后，原有的帝国主义国家与殖民地、半殖民地国家和地区组成殖民经济体系转变为发达国家与发展中国家组成的南北经济体系。由于发展中资本主义国家原有的基础与发达资本主义国家差距太大，战后除了少数国家或地区因经济的跳跃式发展而接近甚至达到发达资本主义国家水平外，大部分发展中国家与发达国家的差距没有明显的缩小甚至差距越拉越大，从而使二者发展层次的不平衡一直存在。同样，二者在经济发展速度上也呈现出明显的不平衡。这两类不平衡产生了很大的矛盾冲突，这是战后资本主义发展不平衡导致的主要矛盾冲突。

第三，发展中资本主义国家内部经济发展的不平衡及其矛盾冲突与协调。战后的发展中资本主义国家尽管在总体上都比较落后，与发达资本主义国家在经济发展水平上大都存在着较大的差距，但是，由于战后的经济起点、自然资源以及经济发展的政策上存在着很大的不同，故而经济发展速度上存在着很大的差异，也正因为如此，这些发展中资本主义国家在发展水平上的差距愈来愈大，呈现出明显的两极分化。一部分国家无论是人均收入水平还是经济结构上都已经接近甚至赶超一部分发达国家，但绝大多数依然非常落后。在经济发展差距拉大之后，虽然除极少数外，这些国家绝大多数仍属于发展中国家，有着发展中国家的共同利益，但是，其内部之间的矛盾冲突也越来越明显，这成为当代资本主义经济发展不平衡规律的又一重要内容。

10.1.2　当代资本主义经济发展不平衡的表现日趋多样化，矛盾愈加复杂

帝国主义时代，资本主义经济发展的不平衡主要体现为几个主要的帝国主义大国之间经济发展速度的不平衡和发展水平的相对均衡化以及由此导致的各大国经济实力对比的巨大变化，在当代，这种发展速度的不平衡仍然存在，并且仍然是当代资本主义经济发展不平衡规律的重要内容。但是，由于当代资本主义经济发展不平衡规律中包含了发展中资本主义国家，这种发展速度的不平衡就不再是简单地导致发展水平的均

衡化，而是还包括发展水平差距拉大的情况。总的来说，在发展速度与发展水平差距的组合上，出现了如下几种情况：(1) 发展速度不平衡导致发展水平差距缩小。这主要体现在发达资本主义国家之间和一部分发展中资本主义国家与发达资本主义国家之间。从二战结束至 20 世纪 80 年代，在发达资本主义国家之间，总的来说，日本发展速度最快，西欧次之，美国最慢，他们之间的发展水平呈缩小趋势。不过这一情况在 20 世纪 90 年代后发生了新的变化。另有一部分发展中国家或地区，由于采取了良好的发展策略（如东亚"四小龙"）或利用了自身资源的优势（如中东石油输出国），经济发展速度远远地超过了大部分的发达国家，从而使它们的发展水平与发达国家的差距大大缩小。(2) 发展速度不平衡导致发展水平差距明显扩大。这主要体现在发展中资本主义国家之间和发达国家与一部分发展中国家之间。在二战结束至 20 世纪五六十年代发展中国家刚刚独立发展之时，尽管各国的发展水平上也存在一定的差距，但差距总体较小，而经过几十年的发展，由于东亚与拉美采取了较好的发展战略，取得了较高的发展速度，而非洲与南亚的很大一部分国家发展速度极其缓慢，最终使发展中国家发展水平上的差距越来越大。而对于非洲与南亚的很大一部分国家来说，它们的发展速度不仅远远不及同属于发展中国家的东亚和拉美国家，而且还低于发达国家，所以它们与发达国家的差距在原有的基础上进一步扩大。(3) 发展速度上基本平衡，发展水平的差距有一定的扩大。这是大多数的发达资本主义国家与发展中资本主义国家之间的情况。战后，对于大多数的发展中资本主义国家来说，二战后与发达国家的发展速度基本维持均势，或者略微超过发达资本主义国家，但由于一方面发达国家经济增长的质量上远远好于发展中国家，另一方面发达国家战后人口的增长上低于发展中国家，所以二者经济发展水平的实际差距有一定的扩大。

除了发展速度与发展水平的不平衡之外，当代资本主义经济发展的不平衡还体现为经济发展的其他各个方面，例如，产业结构的不平衡，二战后，发达资本主义国家全面实现了工业化，并逐渐向知识经济过渡，产业结构上已转变为服务业、高新技术产业为主的阶段。不过在这场新的产业升级过程中，美国、日本、西欧诸国之间步伐明显不平衡，总的来说美国又占据了明显的优势。发展中资本主义国家在产业结构上表现

第十章　当代资本主义经济的不平衡发展与国际经济新秩序

出更加的不平衡发展。少数国家在 20 世纪 80、90 年代已经完成了工业化,成为新兴工业化国家,大部分国家仍处于农业社会向工业社会过渡的阶段,另有一部分最不发达的国家工业化水平极低,基本上还停留在农业社会。再如,国际贸易发展的不平衡,在这一方面总体上发达资本主义国家占据了主导地位,贸易量一直占据世界总贸易量的 70% 左右,而且决定着国际贸易的游戏规则。但发达资本主义国家与发展中资本主义国家内部这方面发展的不平衡也非常明显,并且这种不平衡不一定与经济发展速度的不平衡同步。因为这方面的不平衡既与发展中国家经济发展速度的不平衡有很大关系,也在很大程度上取决于各国经济发展的模式。此外,还存在国际投资的不平衡与国际货币体系中的不平衡等等,从而使当代资本主义经济发展的不平衡的表现日趋多样化。

和帝国主义时代一样,经济发展的不平衡必然导致各方经济实力对比的变化,原有均衡的改变必然会引起资本主义国家之间的矛盾冲突,由于当代资本主义经济发展不平衡规律作用的范围扩大到了包括发展中资本主义国家和地区在内的世界整个资本主义体系,所以这种矛盾冲突的范围也扩大到了整个资本主义体系。而且,由于发达国家与发展中国家和地区的不平衡是当代资本主义经济发展不平衡的主要表现形式,所以,当代资本主义经济发展不平衡导致的主要矛盾也是南北经济矛盾,其突出表现是发展中国家争取建立国际经济新秩序的斗争。但发达资本主义国家之间的矛盾仍然是这一矛盾的重要内容。不过,和帝国主义时代发展不平衡的矛盾必然导致帝国主义国家之间用"战争来周期性地重分世界"[①] 以求得新的平衡不同的是,由于殖民体系的瓦解,当代发达资本主义国家之间已失去了重分世界的基本条件,故而这种矛盾不可能再导致战争,而主要体现为争夺世界市场的贸易摩擦。此外,发展中国家由于在经济发展中严重的两极分化,原有的均势也不再存在,故而其内部的矛盾也日益尖锐,这也成为当代资本主义经济发展不平衡矛盾的一个不容忽视的部分,不过,这种矛盾的主要表现也是贸易摩擦。

当然,由于当代资本主义经济发展不平衡规律不仅作用的范围扩大,

---

① 《斯大林全集》第 10 卷,第 86 页,转引自《世界经济思想文库》,吉林人民出版社 1992 年 4 月第 1 版,第 63 页。

而且表现形式日趋多样化，因而由此导致的矛盾冲突的形式也日趋错综复杂，除了贸易摩擦与南北之间围绕国际经济秩序的斗争之外，在国际投资、国际货币体系等领域的斗争也是这种矛盾的重要内容。另外，这种矛盾在近二十年来日益突破单个国家之间，而越来越以区域竞争的方式表现出来。在区域竞争之中，区域经济集团的成员国既可能发展水平接近，都是发达国家或都是发展中国家，也可能水平相差极大，既有发达国家也有发展中国家，这样不同国家之间经济发展的不平衡与不同区域之间经济发展的不平衡以及区域内部经济发展的不平衡混合在一起，由此产生的矛盾的复杂程度远远超过了帝国主义时代。

10.1.3　协调与对话日益成为解决发展不平衡矛盾冲突的主要方式

无论发达资本主义国家之间发展不平衡还是发达资本主义国家与发展中资本主义国家之间的发展不平衡所引起的矛盾冲突都曾经造成激烈的对抗。就发达国家之间来说，自从 20 世纪 70 年代形成美、日、欧三足鼎立之势以来，三者之间的贸易战时有发生。特别是美日之间、美欧之间，由于日本、西欧相对地位的提高，特别是在国际市场上竞争力的迅速增强，美国一再向日本、西欧施压，甚至制裁，日本、西欧则采取反制裁措施，故而经常造成激烈对抗的局面。南北之间的对抗则更为明显，这以 20 世纪 70 年代石油输出国与发达国家的对抗最为典型。但是，当代资本主义体系中的这种矛盾冲突，不仅没有再导致战争，而且对抗的程度总体上是越来越走向缓和，协调与对话日益成为解决这种矛盾的主要方式。发达资本主义国家之间，在出现了贸易争端之后，一般会先进行双边或多边的磋商，或者在主要的国际经济组织如世界贸易组织、国际货币基金组织中进行协商。此外，自从 20 世纪 70 年代开始，"七国集团"（后由于俄罗斯的加入而成为"八国集团"）的首脑每年定期会晤，这些协商机制确实大大缓和了各国之间的矛盾冲突。至于南北之间的对话与协调，20 世纪 60 年代就已经出现，20 世纪 70 年代则日益普遍，并出现了多种形式。如专题磋商，典型的有 1975 年 12 月的"巴黎南北对话"，南北双方共 27 个国家的代表在巴黎举行"国际经济合作会议"，就建立国际新秩序的问题进行磋商；区域性对话，即每一个发达国家与自身关系最为密切的地区经济联系与对话，在这方面，日本对话的重点放在东南亚，美国对话的重点放在拉丁美洲，英国与其前殖民地以英联邦的形式保持

第十章 当代资本主义经济的不平衡发展与国际经济新秩序

关系,法国则与其法属非洲殖民地之间定期召开"法非会议";跨区域对话,如欧洲共同市场与非洲、加勒比和太平洋地区国家之间定期对话,现已签订了多个洛美协定。20世纪90年代后,双方越来越多的采取在国际经济组织中对话的方式。特别是世界贸易组织(原关贸总协定),现已成为双方对话和协商的主要场所。

协调与对话能够成为解决当代资本主义发展不平衡矛盾冲突的主要方式,原因是多方面的。除了殖民体系瓦解后丧失了为争夺殖民地进行战争扩张的基础之外,还有如下几个方面:首先是战后曾出现两大阵营对峙的局面,社会主义阵营经济曾在较长时期内高速发展,为了不至于在与社会主义的和平竞争中落败,主要的发达资本主义国家自觉地加强团结,以对话和协调的方式解决内部的冲突自然成为趋势。另外,为了与苏联争夺第三世界,发达资本主义国家也加强了与发展中资本主义国家之间的对话,对发展中国家做出一定的让步。其次,由于世界经济的一体化的加速,各国经济之间的依存度日益提高。世界经济越来越出现一损俱损、一荣俱荣的局面,在这种情况下,惟有加强对话与协调,才能有益于任何一个国家的经济发展。最后,在当前的经济发展中,出现了很多全球性的问题,惟有整个世界加强合作,才能使这些问题得到解决,这也是对话与协调成为趋势的重要原因。

10.2 当代发达资本主义国家经济的不平衡发展及其矛盾冲突与协调

尽管由于发展中国家的崛起,战后发达资本主义国家在整个世界资本主义经济体系中的地位较战前有所下降,但是,由于战后发达资本主义国家的重新繁荣,其在世界经济中仍然占据着主导地位,故而,在考察当代资本主义经济不平衡发展规律时,也应该首先考察发达资本主义国家之间经济发展的不平衡。

10.2.1 当代发达资本主义国家经济发展不平衡的主要表现

当代发达资本主义国家经济发展不平衡主要表现为各主要国家经济

增长速度上的不平衡,另外也表现为这些国家在国际贸易、国际投资等领域的不平衡发展。

1. 经济增长速度呈现出明显的不平衡

从经济增长速度上来看,战后发达资本主义国家经济发展呈现出明显的不平衡,这种不平衡在不同时期有不同的特点,而这些特点又呈现出明显的经济模式化倾向。所以,在考察这种不平衡时,必须从时间与经济发展模式两个方面来考察。

首先,从时间上来看,战后发达资本主义国家的经济发展大致可以分三个时期。

第一时期是二战结束至20世纪50年代初,这是美国经济霸主地位确立,西欧、日本经济迅速恢复的时期。战争结束时,作为战败国的西德、日本、意大利满目疮痍,几乎成了一片废墟。作为战胜国的英国、法国也是遍体鳞伤,在原主要发达资本主义国家中只有美国经济大大超过战前。为了对抗以苏联为核心的社会主义阵营,也为了给自身积聚膨胀的资本寻找出路,美国战后迅速实施了对西欧和日本的援助,以帮助它们恢复经济。同时推动建立了以美元为中心的国际货币金融体系即布雷顿森林体系,组建了国际货币基金组织和国际复兴开发银行即世界银行,并于1947年筹组"关贸总协定",1948年1月1日正式启动。美国的这些措施既奠定了美国在资本主义世界的经济霸主地位,同时也使西欧、日本经济得以迅速恢复。西欧各国(除西德外)到1948年左右工业生产已基本恢复到战前水平,日本、西德也在20世纪50年代初基本恢复。该时期另一值得注意的现象是,战前尚未成为发达国家的加拿大、澳大利亚、新西兰等国由于受战争的影响较小,又充分利用了战后初期的有利形势迅速完成工业化,成为新兴发达资本主义国家。

第二时期是20世纪50年代至20世纪80年代末,这一阶段总体上是美国的经济地位相对衰落,日本、西欧及新兴发达资本主义国家追赶美国的时期。在这一时期,除英国外,世界其他主要发达资本主义国家在增长速度上都超过了美国。但从经济发展速度的优劣势变化过程来看,又可分为两个阶段,20世纪50年代至20世纪70年代初为第一阶段,这是美国在经济增长速度上与除英国外的主要发达资本主义国家相比明显居于劣势的阶段。这一阶段是整个发达资本主义经济的黄金时期;美国

第十章 当代资本主义经济的不平衡发展与国际经济新秩序

经济本身也获得了较快的经济增长,从 1953~1962 年,其年均经济增长率为 2.8%,从 1963~1972 年,其年均增长率达到 4.0%。[①] 但是西欧主要国家和日本在 20 世纪 40 年代末至 20 世纪 50 年代初经济恢复到战前最高水平后,迅速进入高速增长,除英国外年均经济增长率明显超过美国。

表 10-1 1953~1972 年主要发达资本主义国家 GDP 年平均增长率

(单位:%)[②]

起止年份	美国	加拿大	法国	西德	意大利	日本	英国
1953~1962	2.8	4.2	5.1	6.8	5.8	8.7	2.7
1963~1972	4.0	5.5	5.5	4.6	4.7	10.4	2.8

从表 10-1 可以看出,这一时期,不仅法、德、意、日等老牌发达资本主义国家的经济增长明显快于美国,而且新兴发达资本主义国家加拿大的经济增长也明显快于美国,另外澳大利亚、新西兰等国的经济增长也快于美国,澳大利亚 20 世纪 50 年代和 20 世纪 60 年代的 GDP 年均增长率分别达到 4.3% 和 5.0%[③],惟有英国的年均增长率低于美国。

20 世纪 70 年代至 20 世纪 80 年代末为第二阶段,这是发达资本主义国家经济发展相对平衡的阶段。进入 20 世纪 70 年代之后,由于能源危机的爆发,整个发达资本主义经济的增长速度都明显下降,但是下降的幅度各不相同,总的来说,美国、英国的下降幅度较小,其他发达资本主义国家下降的幅度较大,尤以原来的两个特优生日本、西德下降的幅度最大。日本从原来的 10% 以上的高速度下降到 5% 左右,西德则从 5% 左右下降到 3% 以下,这样一来,原来增长速度极不平衡的局面悄然改变,美国与其他主要发达资本主义国家的经济增长速度已经基本平衡。

---

① OECD 统计资料,转引自李琮著《当代资本主义的新发展》,经济科学出版社 1998 年 5 月第 1 版,第 25 页。

② OECD 统计资料,转引自李琮著《当代资本主义的新发展》,经济科学出版社 1998 年 5 月第 1 版,第 25 页。

③ 转引自钱俊瑞著:《当代世界经济发展规律探索》,经济科学出版社 1984 年 9 月第 1 版,第 61 页。

当代资本主义经济论

表 10-2　1971~1990 年主要发达资本主义国家 GDP 年均增长率

(单位:%)①

起止年份	美国	日本	西德	法国	意大利	英国	加拿大
1971~1980	2.9	4.8	2.8	3.6	3.1	1.8	3.9
1980~1990	3.6	4.0	2.2	2.4	2.4	3.2	3.3

从表 10-2 可以看出,进入 20 世纪 70 年代后,在主要发达资本主义国家中,经济发展速度仍明显高于美国的只有日本,西欧诸国已基本失去了以往的优势,少数国家,如西德,由于经济增长速度的急剧下降,以往的优势甚至转为劣势。进入 80 年代,除英国外的其他主要发达资本主义国家增长速度继续下降,而美国则开始恢复强劲的增长势头,在 GDP 增长速度上,除日本还有微弱的优势外,其他国家与美国的优劣势已经基本转换。与此同时,以往一直不起眼的英国开始出现强劲的增长势头,其发展速度在西欧诸国中明显地由劣势转为优势。

第三阶段,即 20 世纪 90 年代至今,这一时期总的来说是美国经济持续走强,西欧(除英国外)、日本经济经济增长持续疲软,其他主要发达资本主义国家与美国经济差距重新拉大的时期。

表 10-3　1990~2003 年主要发达资本主义国家 GDP 年均增长率

(单位:%)②

年份	美国	日本	德国	法国	英国	意大利	加拿大
1990~1999	3.3	1.3	1.3	1.5	2.5	1.4	2.7
2000	4.1	1.5	3.0	3.4	3.1	2.9	4.4
2001	0.3	−0.3	0.6	1.8	1.9	1.8	1.5
2002	2.2	−0.5	0.5	1.2	1.9	0.7	3.4
2003	2.6	2.0	0	0.2	1.7	0.4	1.5

这一时期,美国的经济增长率明显超过了其他主要发达资本主义国家,西欧诸国(除英国外)在 20 世纪 80 年代的基础上继续下降,日本

---

① 资料来源:《世界经济年鉴:1982 年》,中国社会科学出版社 1983 年 12 月第 1 版,第 657 页;刘国平主编:《世界经济统计》,经济科学出版社 2002 年 12 月第 1 版,第 16~19 页。

② 资料来源:刘国平主编:《世界经济统计》,经济科学出版社 2002 年 12 月第 1 版,第 16~23 页;王洛林、余永定主编:《2003—2004 年世界经济形势分析与预测》,社会科学文献出版社 2004 年 2 月第 1 版,第 269~271 页。

第十章　当代资本主义经济的不平衡发展与国际经济新秩序

在进入20世纪90年代后迅速陷入衰退，其经济状况由最佳转为最糟，近十几年一直没有起色，直到最近才宣布已经走出衰退。不过，同样值得注意的是，英国经济继续保持20世纪80年代以来的良好发展势头，其经济增长速度在主要发达资本主义国家中仅次于美国和加拿大，明显高于西欧其他主要大国和日本。

其次，从发展模式上来看，当代发达资本主义的三种主要经济发展模式在经济增长速度上也存在明显的差异。

当代发达资本主义在经济发展的过程中，逐渐形成了各具特色的经济发展模式，根据政府、市场、社会在经济运行中地位的不同，这些发展模式主要可以分为三种：一种是以美国为代表的、政府干预程度低，经济自由度比较大的"自由市场经济模式"，英国、加拿大亦属此模式；一种是以日本为代表的，政府的干预程度较高、市场基本上在政府的产业政策的指导和促进下运行的"政府主导型市场经济模式"；一种是以德国为代表的，政府作用介于二者之间，有强大的工会组织参与和实行高福利的"社会市场经济模式"，法国、意大利以及北欧国家也属此类。这三种模式在20世纪50~60年代就已经出现雏形，20世纪70年代正式形成。从前面对不同时期各主要资本主义国家经济增长速度的比较来看，可以明显地看出三种模式之间发展的差异。总的来说，在各国追赶美国的时期，以日本为代表的"政府主导型市场经济"模式呈现出明显的优势，以德国为代表的"社会市场经济模式"也有不错的表现，以美国为代表的"自由市场经济模式"表现最差，所以20世纪50~70年代日本、西德、法国、意大利的经济增长速度明显高于美国、英国，甚至在很长一段时期高于作为新兴发达国家的加拿大。但在各国经济发展水平趋近之后，三者的优劣势就基本调换过来，日本在20世纪90年代后最终成为主要发达资本主义国家中表现最差的国家，奉行"社会市场经济模式"的德国、法国、意大利等则在80年代就已经表现出明显的颓势，90年代后尽管经济状况好于日本，却与美国日益拉大了差距，而倡导"自由市场经济模式"的美国、英国、加拿大等则在80年代后日益呈现出强劲的发展势头，并在90年代后成为表现最好的发展模式。另外，从整个战后50多年的经济发展来看，可以看出，奉行自由市场经济的国家经济发展相对比较平稳，而奉行另两种发展模式国家经济的波动很大。美国在战后几十年中发展最快的时期（60年代）年均也不过是4.0%，最低的时期（50年代和70年代）也达到2.8%，差距只有1.2个百分点；英国战后最高的时期（80年代）为3.2%，最低的时期（70年代）也接近2%，差距也只有1.4个百分点，加拿大的波动也比较小。然而奉行"社会市场经济模式"的法国、德国等这一差距都达到4个百分点以上，日本更高达9个百分点左右。由此看出，尽管导致当代发达资本主义经济发展不平衡的因素很多，但经济发展模式的差异应该是其中最为重要的因素。

2. 国际贸易、国际投资等领域也存在明显的不平衡发展

除了经济增长速度不平衡之外，在一些具体的经济领域，当代发达资本主义国家的发展也极不平衡。首先是在国际贸易领域。由于现代经济的扩张性，对外贸易，特别是出口对于一个国家的经济发展极为重要，所以战后发达资本主义国家都非常重视对外贸易。但是战后主要发达资本主义国家在对外贸易的发展上是极不平衡的，这种不平衡与经济增长的不平衡大体上正相关，例如战后经济增长速度最快的两个国家日本和德国也基本上是对外贸易领域增长最快的两个国家，它们在整个世界出口贸易中的比重，分别由20世纪50年代初的1.5%和3.6%上升到20世纪90年代初的9.0%和12.5%，而20世纪90年代以前经济发展相对较慢的两个国家美国和英国对外贸易的发展也相对较慢，它们在世界出口贸易中的比重分别由20世纪50年代初的18.3%和11.0%下降到20世纪90年代初的11.2%和5.4%。美国将第一出口大国的地位拱手让给了德国，英国则下降到第五位。20世纪90年代之后，发达资本主义国家经济发展的优劣势发生逆转，对外贸易的形势也相应的发生了变化，到21世纪初，美国出口贸易占世界的比重又上升到11.8%，重新成为世界第一出口大国，而日本和德国则分别下降到7.8%和8.8%。但是这种不平衡也不与经济总量增长完全一致，有时也出现不同步现象，例如，20世纪80年代德国的经济增长明显不如日本和美国，但是它的对外贸易上的增长却明显快于日本和美国，日本从1968年起经济总量上就已经超过了德国，但是对外贸易上却一直落后于德国。

第十章 当代资本主义经济的不平衡发展与国际经济新秩序

表10—4 当代主要资本主义国家在世界出口贸易中的比重

(单位:%)①

年份	美国	日本	德国	法国	英国	意大利	加拿大
1950	18.3	1.5	3.6	5.5	11.0	2.5	5.3
1960	16.0	3.2	8.9	5.3	7.8	2.9	4.3
1970	13.6	6.1	10.3	5.7	6.2	4.2	5.1
1980	11.0	6.4	9.6	5.5	5.7	3.8	3.2
1990	11.2	8.6	12.2	6.3	5.4	5.0	3.9
1995	11.0	8.9	10.5	5.7	4.8	4.6	3.9
2000	11.8	7.8	8.8	5.0	4.5	3.9	4.5

注:1950~1990年德国数据为原联邦德国数据。

其次,在国际投资领域,发达资本主义国家发展的不平衡也非常明显。

表10—5 当代主要资本主义国家对外直接投资的存量及所占世界对外直接投资的比重②

资本来源	年末累计额(亿美元)					占世界总投资的比重(%)				
	1960	1975	1980	1990	1997	1960	1975	1980	1990	1997
美国	319	1242	2203	4231	9075	47.1	44.0	40.0	26.2	25.6
英国	124	370	814	2447	4132	18.3	13.1	14.8	15.2	11.7
日本	5	159	365	3108	2846	0.7	5.7	6.6	19.2	8.0
德国	8	184	431	1551	3260	1.2	6.5	7.8	9.6	9.2
法国	41	106	208	748	2268	6.1	3.8	3.8	4.6	6.4
意大利	11	33	70	561	1251	1.6	1.2	1.3	1.5	3.5
加拿大	25	104	216	747	1377	3.7	3.7	3.9	4.6	3.9

注:1950~1990年德国数据为原联邦德国数据。

从表10—5可以看出,尽管战后发达资本主义国家对外直接投资都有很大的增长,但是,增长的速度差异极大,总的来说,美国的增长速

---

① 资料来源:郭吴新、洪文达、池元吉、冯舜华主编:《世界经济》修订本第四册,高等教育出版社1990年8月第2版,第288~291页;王洛林、余永定主编:《2000—2001年:世界经济形势分析与预测》,社会科学文献出版社2001年1月第1版。

② 资料来源:郭吴新:《当代世界经济格局与中国》,第128页;1997年数据根据联合国贸发会议《1998年世界投资报告》英文版,第379页资料计算;转引自陈昭方著:《战后世界经济发展不平衡研究》,武汉大学出版社2000年10月第1版,第122页。

度相对较慢，从 1960 年到 1997 年，其对外直接投资总量共增长了 28.4 倍，年均增长率为 9.5%，日本、德国（1990 以前为联邦德国）最快，增长的倍数分别为 568.2 倍和 406.5 倍，年均增长率分别达到 18.7% 和 17.8%，另外法国、意大利、加拿大等国也有不错的表现。由于增长速度的差异，各国在国际投资领域的地位也发生了很大的变化，美国虽然保住了第一的地位，但相对地位明显下降。它在世界直接投资总额中的比重，由 1960 年接近一半下降到 1997 年的 1/4 左右，日本和德国则从一个在国际投资领域微不足道的国家成长为一个重要的投资国，1990 年的比重分别达到 19.2% 和 9.6%，分别占世界第二和第四位，20 世纪 90 年代后由于两国经济的不景气，在国际投资领域大受影响，特别是日本，不仅所占比重大大下降，而且绝对额也有所减少，但两国依然是国际投资中非常重要的国家。另一值得注意的现象是英国，尽管从增长速度来看在七国集团中仅高于美国，远不如日本、德国，但凭着在英联邦国家的投资，它在国际直接投资中一直占有很大的比重，除在 20 世纪 90 年代初一度被日本超过而位居第三位外，它一般都处于第二投资大国的地位。

另外，发达资本主义国家在各产业部门的发展、生产技术的提高等方面也存在明显的不平衡现象。

10.2.2 资本主义世界经济格局的变化

发达资本主义国家经济发展的不平衡，最直接的结果是资本主义世界经济格局的变化。战后初期，由于美国在二战中经济的急剧膨胀，其经济实力在资本主义乃至整个世界中都处于超强的地位。1948 年，美国在资本主义世界经济中的比重分别为：工业生产占 53.4%，出口贸易占 32.4%，黄金储备占 74.5%，国内生产总值占资本主义世界的一半以上。当时工业生产是发达资本主义国家经济的主体，而美国一国所拥有的工业生产总值是另外四个主要的资本主义国家——英国、法国、联邦德国、日本总量的 2.7 倍。[①] 这样的实力，不仅远远超过当时其他所有的

[①] 陈昭方著：《战后世界经济发展不平衡研究》，武汉大学出版社 2000 年 10 月第 1 版，第 164 页。

第十章 当代资本主义经济的不平衡发展与国际经济新秩序

资本主义国家,而且也非当时的社会主义大国苏联所能相比。所以当时的资本主义乃至整个世界经济的格局都是一个单极格局。美国经济实力的这种巅峰状态维持了十几年的时间。在整个20世纪50年代,欧洲不仅单个国家无法与美国抗衡,就是由联邦德国、法国、意大利、卢森堡、比利时、荷兰组成的欧洲经济共同体(简称欧共体)经济总量也不及美国的一半,日本的国民生产总值更是仅为美国的6%,完全不可相提并论。

20世纪60年代,由于苏联的崛起,在很多经济指标上美苏之间的差距大大缩小,苏联经济开始具备一极的地位,所以整个世界经济格局开始发生变化,基本上可以称为两极格局。不过,就资本主义世界而言,基本上还是可以称为单极格局。这时欧共体尚未扩大,经济实力与美国还有明显的差距,日本尽管在1968年成为了资本主义世界的第二经济强国和整个世界第三经济强国,但经济总量还不足美国的30%,也未具备一极的实力。不过此时的经济对比已经发生了明显不利于美国的变化。

资本主义经济格局的变化首先出现在20世纪70年代。1973年,欧共体第一次扩大,加入了英国、爱尔兰、丹麦三国,经济实力大大增加,该年欧共体的国民生产总值达到1.07万亿美元,与美国(1.31万亿美元)差距已经不大,而在出口贸易总量(2100亿美元)上甚至超过了美国(702亿美元),黄金储备达606.2亿美元,更是大大超过美国的116.6亿美元。[1] 在衡量经济发展水平的重要指标——人均产值上,欧共体成员国与美国的差距也已经大大接近。1975年美国的人均为7148美元,德、法、英、意的这一指标分别为6798美元、6419美元、4123美元、3440美元,[2] 完全已经具备一极的实力。同时,布雷顿森林货币体系崩溃,标志着美国一家独尊的霸主地位正式丧失,所以这时的资本主义世界经济成为了两极格局。20世纪80年代初,由于日本经济的持续高速增长,其经济实力大大增强,很多经济指标上与美国、欧共体大大接近,如1980年日本国内生产总值达到美国的40%,工业生产达到美

---

[1] 陈昭方著:《战后世界经济发展不平衡研究》,武汉大学出版社2000年10月第1版,第165页。

[2] 《世界经济年鉴:1982年》,中国社会科学出版社1983年12月第1版,第639~644页。

国的 48.5%，出口贸易达美国的 59.1%，① 人均产值也与美国、欧共体主要国家大体相当。由此看出，这时的日本已具备了一极的实力，这时的资本主义世界经济开始变成三极，加上苏联，整个世界经济变成了四极格局。

20 世纪 80 年代后，世界经济格局又开始发生改变，首先是 20 世纪 80 年代中期以后，苏联经济持续下滑，1988 年被日本超过，逐渐失去了一极的资格，并于 20 世纪 90 年代初最终解体，世界经济又变成三极格局。但这时资本主义世界经济格局的变化仍然不利于美国，一方面是日本这时的经济增长速度仍然明显高于美国，日美之间的经济差距继续缩小，另一方面欧共体则一再扩大，到 20 世纪 90 年代初，经济总量上甚至超过了美国。1990 年三方国内生产总值分别为：美国 58030 亿美元、欧共体 67520 亿美元、日本 30520 亿美元。在人均国内生产总值上，日本（24718 美元）、德国（24458 美元）等已经超过美国（23208 美元），（见表 10－6）可以说，美国在资本主义世界中的相对经济地位达到二战结束以来的最低点。

表 10－6　主要资本主义国家 GDP 与人均 GDP 的变化②

国家或地区	GDP（亿美元）					人均 GDP（美元）				
	1970	1980	1990	2000	2003	1970	1980	1990	2000	2003
欧盟	—	34560	67520	79160	103750	—	—	—	—	—
美国	9811	27960	58030	98250	108750	4789	12282	23208	34796	37312
日本	2046	10730	30520	47660	41910	1961	9189	24718	37574	32859
德国	1854	8260	15470	18750	23820	3055	13419	24458	22844	28930
法国	1409	6820	12200	13130	17380	2775	12701	20970	21674	28279
英国	1219	5370	9950	14410	17620	2199	9527	17377	24571	29642
意大利	927	4550	11040	10780	14540	1727	8058	19155	18656	24998
加拿大	828	2690	5830	7240	8600	3884	10988	21081	23552	27199

注：1990 年以前德国为联邦德国的数据，欧盟为欧共体的数据。

---

① 陈昭方著：《战后世界经济发展不平衡研究》，武汉大学出版社 2000 年 10 月第 1 版，第 166 页。
② 资料来源：《世界经济年鉴：1982 年》，中国社会科学出版社 1983 年 12 月第 1 版，第 639～644 页；王洛林、余永定主编：《2003—2004 年世界经济形势分析与预测》，社会科学文献出版社 2004 年 2 月第 1 版，第 273～277 页。

第十章 当代资本主义经济的不平衡发展与国际经济新秩序

但是20世纪90年代后,由于日本经济陷入衰退,它与美国的经济差距又重新拉开,欧共体尽管一再扩大并成为欧盟,但由于经济增长速度上与美国的差距在20世纪80年代的基础上继续扩大,经济实力与美国相比反而有所下降,到新世纪初,经济总量竟然少于美国。所以资本主义经济格局又开始出现了有利于美国的变化。当前,美国占世界经济总量达30.5%,欧盟占29.1%,总体实力基本相当,日本占11.8%,[①]是实力相对较弱的一极,另外,美国的人均GDP重新超过了日本和欧盟中的主要国家,且有日益拉大趋势,所以,当前美国在资本主义世界中又开始处于超强的经济地位。不过,美国当前的经济地位也只能说比20世纪八九十年代有所改善,和五六十年代的经济霸主地位不可相提并论。另外,当前美国的经济还存在不少的隐忧和挑战,如在国际贸易领域,尽管近10来年一直保持住了第一出口大国的地位,但是欧盟作为一个整体,所占市场份额远远超过美国,而且20世纪90年代以来美国的贸易逆差并没有随其经济形势的好转而改善,相反愈来愈严重。在国际货币体系领域,美元已开始遇到了新诞生的欧元的强劲挑战。此外,在国际投资领域,尽管美国一直是世界上最大的对外投资国,但从1983年起,外国流入的资本就开始超过了美国对外输出的资本,1987年起美国就由债权国转变成了债务国,20世纪90年代中期以后就一直是世界最大的债务国。

10.2.3 当代发达资本主义国家之间经济领域的矛盾冲突与协调

尽管当代资本主义世界经济格局的变化一波三折,但就经济发展水平与经济实力来说,主要发达资本主义国家之间总体上是一个均衡化的过程。而由于发展速度的不平衡所造成的经济发展水平与经济实力的均衡化,必然会造成这些国家之间的矛盾冲突。这点在战前如此,战后亦如此。只不过与战前不同的是,战后发达资本主义国家并没有向战前一样最终转换为军事冲突,而是停留在经济领域。

[①] 据王洛林、余永定主编:《2003—2004年世界经济形势分析与预测》,社会科学文献出版社2004年2月第1版,第273~277页中2003年数据计算。

当代资本主义经济论

  二战结束至 20 世纪 60 年代初期，美国在资本主义世界经济中处于绝对的霸主地位，不论是反映总体经济实力的国内生产总值还是反映经济发展水平的人均国内生产总值都占有绝对的优势，在国际贸易领域也基本上都是顺差，在国际投资领域基本上是美国向日本、西欧投资，再加上布雷顿货币森林体系的存在使美元处于唯一的国际货币地位，所以美国基本上控制了日本和西欧，因而三方之间的矛盾冲突尚未展开。但是这一形势从 20 世纪 60 年代中期开始就悄然发生改变，首先是日美贸易形势的逆转，1965 年，日本对美国出现战后第一次贸易顺差，顺差额为 4.4 亿美元。[①] 此后，日本在对美国的贸易中基本上都是顺差，而且顺差额越来越大。1971 年，美国贸易开始全面逆差，其国际收支形势日益恶化，而日本、西欧的经济实力则日益增强，同时，作为美国经济霸主地位象征的布雷顿森林货币体系开始动摇，1978 年彻底解体，美元丧失了唯一的国际货币的地位，日元、马克成为新的国际货币，于是，发达资本主义国家之间原有的均衡彻底打破，日本、西欧开始在各个经济领域与美国展开竞争，三方之间在经济领域的矛盾冲突也由此全面铺开。当然，这种冲突最突出的表现还是贸易摩擦，其中主要是日美之间和欧美之间的贸易摩擦。

  日美之间的贸易摩擦从 20 世纪 60 年代起就已经出现，20 世纪 70 年代后由于日本在贸易领域的优势越来越明显，日本对美国的贸易顺差越来越大，双方之间的摩擦就越来越严重，摩擦的领域越来越广。早期主要是纺织纤维品，后来转向钢铁，家电、汽车等领域。20 世纪 80 年代，美国提出日美贸易不平衡的原因主要是日元被低估，要求调整日元对美元的汇率，最终于 1985 年通过了《广场协议》，日元汇率完全浮动，结果日元大幅度升值，但即便如此，也未能迅速改善美国的贸易状况，于是，美国又指责日本倾销和实行贸易保护主义，于 1987 年 3 月宣布对日本部分电子和电器产品征收 100％的惩罚性关税，并要求日本在农产品贸易方面开放牛肉、柑橘、大米等市场，在工业品方面要求日本多进口美国的超级计算机、汽车零部件等，日本则认为，美国的这些要求是不

[①] 陈德照、安和芬、王鼎咏著：《世界三大经济圈——漫谈世界经济区域集团化趋势》，世界知识出版社 1996 年 2 月第 1 版，第 210 页。

第十章 当代资本主义经济的不平衡发展与国际经济新秩序

合理的,美国应该提高自身产品的竞争力,而不是对其他国家横加指责。从而使双方之间的贸易战愈演愈烈。20世纪90年代后日本经济竞争力明显下降,但对美国的贸易顺差却依然维持在很高的水平,双方的贸易摩擦依然存在。

欧美之间的贸易摩擦也经常出现,20世纪80年代初,双方之间发生了钢铁战,美国针对欧共体钢铁产品大举进入美国市场的情况,指责欧共体倾销,对欧共体的钢铁制品征收高额的反倾销税,逼迫欧共体实行出口限额。后来美国又在1993年向包括欧共体在内的19个国家和地区征收惩罚性反倾销税,这些措施给欧共体带来了巨额损失,欧共体国家非常气愤地指责美国"大规模地骚扰"国际钢铁市场。20世纪90年代,双方又在飞机贸易、汽车贸易等领域发生了激烈的摩擦。

除贸易摩擦外,发达资本主义国家在国际投资、国际金融等领域也经常发生摩擦,其中以美日之间的摩擦最为频繁。在投资领域,日本战后很长一段时期实施的都是20世纪40年代末20世纪50年代初制定的"外汇法"和"外资法",根据这些法令,所有外国对日本的直接投资都必须提前30天向日本政府申报,并接受日本政府的审查,在审查中,如果存在对日本国内某些产业部门和整个国民经济的不良影响,就限制其投资。由于这些法令的实施,包括美国在内的外国资本进入日本存在很大的障碍。对此,美国极为不满,从20世纪70年代起,就强烈要求日本修改这些法令,改善外国资本进入日本的条件。在美国的压力下,日本政府被迫于1980年对这些法令进行修改,原则上将限制外国投资转变为外国投资自由,但日本坚持了许多对其国内企业的保护政策,所以,20世纪80年代之后,美国对日本的投资依然增长缓慢,而同时日本对美投资却增长迅速,故而,美国对日本依然不满,并于20世纪80年代中期起再次向日本施加压力。为此,美日之间就此问题一再协商,在美国压力,日本被迫于1991年再次修改"外汇法",将外商直接投资活动由事前审批制度改为事后报告制度。后来,两国又从1994年年初开始就此问题进行了大约18个月的谈判,最终于1995年7月签订了"日美相互投资协议",至此,两国之间在投资领域的摩擦才明显减轻。在国际金融领域,从20世纪70年代后期开始,日美之间也一再发生摩擦,美国急切要求日本开放其金融市场以缓解双方贸易领域的不平衡问题,但日本则从自身经济的稳定出发拒绝过快地开放这一市场,为此,两国在这一领域又发生了激烈的冲突,这一冲突直到1984年5月双方达成"日美金融协定",日本承诺开放金融市场后才有所缓解。

发达资本主义国家之间的贸易以及其他经济领域发展的不平衡所导致的矛盾,固然有时也出现诸如征收惩罚性关税等激烈的斗争,但是,这种斗争并没有如同战前一样转化为军事领域的冲突,而且这些冲突的程度总体上趋向于缓和,在解决的方式上总体上倾向于进行经济协调。协调的方式主要有以下三种:

第一,国际经济组织的协调。这主要是三大国际经济组织:关贸总协定(1996年以后为世界贸易组织)、国际货币基金组织和世界银行中的协商。这三大国际经济组织是战后资本主义乃至整个世界经济协调的基本框架,在解决发达资本主义国家之间的经济摩擦方面也起着重要作用。

第二,七国首脑会议。七国首脑会议产生于20世纪70年代中期,是发达资本主义国家之间定期进行经济与政治协商调节的机制。这一机制的出现主要原因是主要发达资本主义国家之间经济实力对比的变化。20世纪70年代初,由于美国相对实力的下降,无力也不愿再独立挑起资本主义乃至整个世界经济的重担,又由于美、日、欧经济发展水平接近后三方经济领域出现了日益激烈的贸易摩擦,为了协调彼此之间的矛盾与分歧,以及应付诸如能源危机等共同面对的难题,1971年美国国务卿基辛格就向西方发达资本主义国家提出召开首脑会议的设想,但开始没有得到欧洲国家的积极回应。1974年,由于石油危机的爆发,使欧洲国家也充分认识到发达国家之间进行经济和政治协调的必要性。于是该年12月,法国总统德斯坦正式提出召开西方五国(美国、法国、德国、英国、日本)首脑会议,意大利听到消息后也强烈要求加入,于是,1975年11月,六国召开了第一次首脑会议,这一定期协商机制正式开启。1976年后加拿大加入,七国首脑会议正式成型,从此七个主要资本主义国家的首脑们每年定期协调彼此之间的分歧,并共同探讨发达国家乃至全世界面临的政治、经济等方面的问题。应该说,这一机制不仅对缓和美、日、欧之间的经济摩擦,而且对解决全球面临的一系列共同问题都起到了重要作用。1997年后,俄罗斯也以正式成员国身份与会,七

第十章　当代资本主义经济的不平衡发展与国际经济新秩序

国首脑会议变成了八国峰会,协商的内容越来越多。

第三,双边或多边经济协商。这一般是在双方或多方之间出现了严重的矛盾冲突时,彼此之间即进行磋商,这种磋商的形式多种多样。可能是部门之间的磋商,也可能是高级官员的会谈,有时也通过首脑会晤的方式。如 20 世纪 80 年代末 20 世纪 90 年代初日美之间进行较长时期的贸易摩擦之后,为了缓和这一局面,1992 年美国前总统老布什利用对亚太地区访问的机会,与日本首相宫泽喜一举行首脑会谈,会谈后发表了一份题为《日美两国首脑关于世界经济增长战略》的联合声明。提出两国应相互理解,消除分歧,加强彼此之间的经济协调与合作。这次会谈还解决了诸如日本扩大向美国购买汽车零部件等具体问题,对于缓和两国之间的经济摩擦确实起到了一定的作用。

10.3　发展中资本主义国家经济发展的不平衡及其影响

战后资本主义世界总体上分为发达国家和发展中国家,如果说经济发展的不平衡规律在发达资本主义国家中就有明显的表现,那么,这一规律在发展中资本主义国家中的表现则更为突出。

10.3.1　当代发展中资本主义国家经济不平衡发展的主要表现

当代发展中资本主义国家经济发展的不平衡主要表现为地区经济发展的严重不平衡,各地区内部经济发展的不平衡以及由此导致的严重分化。

1. 地区经济发展的不平衡

发展中资本主义国家就地区分布来说,大致可以分为如下几个地区来考察:(1) 拉丁美洲地区;(2) 亚洲地区(含东亚、东南亚、南亚);(3) 中东地区(含西亚和北非);(4) 非洲地区(主要指撒哈拉以南非洲);(5) 东南欧及中亚的转轨经济国家。除东南欧及中亚的转轨经济国家外,其他地区大部分国家在 20 世纪 50 年代至 60 年代完成民族独立后即走上了资本主义道路,并开始进行独立的经济发展。在几十年的独立经济发展过程中,各地区发展的不平衡非常明显,而且,和发达资本主义国家一样,发展中资本主义国家经济发展的不平衡在不同时期也有不同的表现。根据这一规律表现的不同,当代发展中资本主义国家的发展大致可以分为四个时期:

第一时期,从战后独立至20世纪70年代中期,这一时期是发展中资本主义国家快速发展且齐头并进的时期。发展中资本主义国家在20世纪50、60年代取得政治独立之后,即开始进行独立的经济发展,由于这一时期各国的经济政策大都适合本国的国情,再加上该时期发达国家的经济发展正处于"黄金时代",对发展中国家初级产品的需求旺盛,所以,该时期基本上各个地区的发展中国家经济都获得了较为快速的发展。该时期表现最为突出的是中东的石油出口国。其GDP的年均增长率达到8.8%,[①] 其中1965~1973年沙特阿拉伯年均增长率达11.2%,阿曼达21.9%,伊朗达10.4%,[②] 这些奇迹般的增长使这些原来的殖民地迅速成为高收入或上中等收入国家。其次是拉丁美洲,年均经济增长率也达到6%左右,其中主要大国都获得了较快的经济增长。1965~1973年巴西年均GDP增长率达到9.8%,出现了"巴西奇迹",墨西哥、委内瑞拉同时期分别达7.9%、5.1%,较低的阿根廷、智利也分别达到4.3%、3.4%。[③] 亚洲地区此时虽然还未表现出明显的优势,但很多国家已经出现了强劲的经济发展势头,1965~1973年间,新加坡年均增长率达到13.0%,韩国达到10.0%,中国香港达到7.9%;这些国家或地区已经为后来成为新兴工业化国家或地区奠定了一定的基础;另外印度尼西亚、菲律宾、马来西亚、泰国同时期也分别达到8.1%、5.4%、6.7%、7.8%。[④] 非洲在该时期也取得了良好的经济业绩,年均增长率超过5%;[⑤]很大一部分非洲国家获得了较快的经济发展。1965~1975年间尼日利亚、津巴布韦、刚果、肯尼亚、科特迪瓦、博茨瓦纳经济增长率分别达到9.7%、

[①] 转引自陈昭方著:《战后世界经济发展不平衡研究》,武汉大学出版社2000年10月第1版,第88页。

[②] 资料来源:《世界银行1986年世界发展报告》,中国财政经济出版社1986年9月第1版,第182~183页。

[③] 资料来源:《世界银行1986年世界发展报告》,中国财政经济出版社1986年9月第1版,第182~183页。

[④] 资料来源:《世界银行1986年世界发展报告》,中国财政经济出版社1986年9月第1版,第182~183页。

[⑤] 朱重贵:《非洲经济发展的曲折历程与希望》,《西亚非洲》1998年第1期。

第十章 当代资本主义经济的不平衡发展与国际经济新秩序

9.4%、6.8%、7.9%、7.1%、14.8%。① 从上面的分析可以看出,该时期各地区发展中资本主义国家经济发展速度上尽管也存在一定的不平衡现象,但表现并不突出,总体上是一种齐头并进的局面。

第二时期是20世纪70年代中期至20世纪80年代初,这是地区经济发展的不平衡开始表现的时期。该时期总的特点是亚洲(主要是东亚、东南亚)依然保持强劲发展势头,并在增长速度上开始领跑世界,该地区很大一部分国家正是在这一时期由原来的低收入国家进入了中、高收入国家行列,不过南亚地区虽然也维持了一定的经济增长速度,但人口增长过快,人均收入的增长并不多,依然未能摆脱低收入、落后国家的地位;石油输出国凭着丰富的资源优势和对西方发达国家的斗争,仍然维持了较快的经济增长速度,但先前的超速发展局面已经不复存在;拉美国家经济虽然继续增长,但速度明显下降,很多国家开始进入中速或低速增长时期;非洲发展开始落伍,撒哈拉以南非洲开始全面进入低速经济增长时期,特别是其中的低收入国家,经济的增长速度开始低于人口的增长速度,人均产值进入负增长。

表10-7 各地区部分发展中国家1965~1984年的年均GDP增长速度

(单位:%)②

国家或地区	1965~1973年	1973~1984年	国家或地区	1985~1973年	1973~1984年
亚洲			拉丁美洲		
新加坡	13.0	8.2	巴西	9.8	4.4
韩国	10.0	7.2	墨西哥	7.9	5.1
中国香港	7.9	9.1	阿根廷	4.3	0.4
马来西亚	6.7	7.3	智利	3.4	2.7
泰国	7.8	6.8	委内瑞拉	5.1	1.9
印度	3.9	4.1	哥斯达黎加	7.1	2.8
巴基斯坦	5.4	5.6	非洲		
中东			尼日利亚	9.7	0.7

---

① 资料来源:《世界银行1986年世界发展报告》,中国财政经济出版社1986年9月第1版,第182~183页。

② 资料来源:《世界银行1986年世界发展报告》,中国财政经济出版社1986年9月第1版,第182~183页。

续表

国家或地区	1965~1973年	1973~1984年	国家或地区	1985~1973年	1973~1984年
沙特阿拉伯	11.2	6.0	津巴布韦	9.4	1.7
科威特	5.1	1.5	科特迪瓦	7.1	3.7
阿曼	21.9	6.1	南非	5.1	2.7
利比亚	7.7	3.0	埃塞俄比亚	4.1	2.3

第三时期是20世纪80年代至20世纪90年代初,这是各地区经济发展的不平衡表现最为突出的时期。这一时期总的特点是亚洲经济继续领跑世界,其中的东亚、东南亚经济整个20世纪80年代GDP年均增长率高达8.0%,领先优势更加明显,南亚经济地位也有一定改善;中东石油输出国开始进入低速增长期,整个20世纪80年代GDP年均增长率仅为2.0%,拉丁美洲和非洲则进入"失去的年代",整体年均增长速度均不足2%,很多国家的人均产值出现负增长。

表10-8 各地区发展中国家1980~1999年经济年均增长率

(单位:%)①

国家或地区	1980~1990年	1990~1999年	国家或地区	1980~1990年	1990~1999年
韩国	9.4	5.7	墨西哥	1.1	2.7
新加坡	6.7	8.0	阿根廷	-0.7	4.9
马来西亚	5.3	7.3	尼日利亚	1.6	2.4
泰国	7.6	4.7	埃塞俄比亚	1.1	4.6
印度	5.8	6.0	东亚、东南亚	8.0	7.5
巴基斯坦	6.3	3.8	南亚	5.6	5.6
沙特阿拉伯	0.0	1.6	中东	2.0	3.0
科威特	1.3	—	拉丁美洲	1.7	3.4
巴西	2.7	3.0	非洲	1.7	2.2

第四时期是20世纪90年代以后至21世纪初,这是各地区发展中资本主义国家经济发展不平衡相对缓和的时期。该时期总的特点是亚洲国家依然领跑,其中东亚、东南亚依然保持了较为快速的经济发展,但期间受到了20世纪90年代后期严重的金融危机的打击,发展势头已不如

---

① 资料来源:刘国平主编:《世界经济统计》,经济科学出版社2002年12月第1版,第16~19页。

第十章 当代资本主义经济的不平衡发展与国际经济新秩序

以前强劲,领先优势有所缩小;南亚地区从20世纪90年代中期开始日益显示出强劲的发展势头,特别是印度经济近年来经济持续高速增长;中东地区总体经济形势较20世纪80年代略有好转,但由于受到了战争和地区动乱的严重影响,很多国家发展极不稳定;拉美开始走向复苏,但过重的外债负担也使部分国家发展极不稳定;部分非洲国家整体经济形势有所好转,20世纪90年代中期以后经济增长率重新超过了人口增长率,从而扭转了自20世纪80年代初以来人民生活水平持续下降的局面。

表10—9 各地区部分发展中国家2000~2002年的经济增长率

(单位:%)[1]

国家或地区	2000年	2001年	2002年	国家或地区	2000年	2001年	2002年
新加坡	10.3	−2.0	3.6	沙特阿拉伯	4.9	1.2	0.7
韩国	9.3	3.0	6.3	科威特	3.8	−1.0	−1.0
泰国	4.6	1.8	3.5	伊朗	5.7	4.8	5.8
马来西亚	8.3	0.5	3.5	阿联酋	5.0	5.1	0.3
印度尼西亚	4.8	3.3	3.5	叙利亚	2.5	2.8	3.9
菲律宾	4.4	3.2	4.0	埃及	5.1	3.3	2.0
印度	5.4	4.1	5.0	尼日利亚	4.3	2.8	−2.3
巴基斯坦	4.3	3.6	4.6	南非	3.4	2.2	2.5
巴西	4.4	1.5	1.5	埃塞俄比亚	5.4	7.7	5.0
阿根廷	−0.8	−4.4	−16.0	坦桑尼亚	5.1	5.6	5.8
智利	4.4	2.8	2.2	津巴布韦	−5.1	−8.5	−10.6
委内瑞拉	3.2	2.8	−6.2	肯尼亚	−0.1	1.2	1.4
墨西哥	6.6	−0.3	1.5	赞比亚	3.6	4.9	3.7

当然,当代发展中资本主义国家经济发展的不平衡也不仅仅表现在经济发展速度上,还表现在国际贸易、投资、经济结构等领域。如在国际贸易领域,亚洲发展中国家的发展明显快于其他地区,在20世纪60年代至20世纪90年代30多年中,亚洲发展中国家出口贸易额增长了164倍,而拉美和非洲同时期却分别只增长了30倍和17倍,从而使它

---

[1] 资料来源:王洛林、余永定主编:《2002—2003年世界经济形势分析与预测》,社会科学文献出版社2003年2月第1版,第268~270页。

们在国际贸易上的地位发生了巨大的变化,20世纪60年代初亚洲是国际贸易中地位最低的地区,占世界贸易总量的比重仅为4.62%,同时期拉美和非洲所占比重则分别占5.62%和7.25%,均高于亚洲,但1998年亚洲地区发展中国家所占比重达到17.9%,而拉美和非洲地区则分别下降到5.06%和2.21%。① 亚洲地区发展中国家的发展速度远远高于其他地区。另外,在国际投资领域,包括东亚、南亚、东南亚在内的亚洲地区对外直接投资的增长速度也远远高于其他地区。

表10-10 各地区发展中国家对外直接投资的发展变化

(表中数字为各时段年平均对外直接投资额,单位:百万美元)②

地区\年份	1970～1979	1980～1984	1985～1990	1990～1994	1995～1997
东亚、南亚、东南亚	149	805	5145	16078	44243
拉美与加勒比	100	416	713	2095	4571
西亚	18	229	890	420	153
非洲	36	924	998	832	673

注:东亚、南亚、东南亚20世纪80年代以后的数字中不包括中国。

2. 地区内部经济发展的不平衡

除了地区之间经济发展不平衡之外,各地区内部经济发展的不平衡也非常明显。这方面,以非洲地区最为突出,虽然整个非洲地区自20世纪80年代发展速度明显落后于其他地区,人均收入大部分国家出现负增长,在整个世界经济中日益边缘化,但其中也出现了毛里求斯、博茨瓦纳等经济明星。毛里求斯20世纪80年代以后经济年均增长率达6%左右,人均国民收入由20世纪70年代初的200多美元上升到20世纪90年代末的10000多美元,被誉为"印度洋上的新加坡",博茨瓦纳自20世纪60年代中期独立之后至20

---

① 资料来源:郭吴新、洪文达、池元吉、冯舜华主编:《世界经济》修订本第四册,高等教育出版社1990年8月第2版,第288~289页、第364~366页;《1994年世界经济年鉴》,中国社会科学出版社1995年版,第798~799页;姚曾萌主编:《国际贸易概论》,人民出版社1987年版,第455页;《世界银行1992年世界发展报告》,第244~245页;《国际金融统计》(英文版),1999年5月第1版,第62~63页。转引自陈昭方著:《战后世界经济发展不平衡研究》,武汉大学出版社2000年10月第1版,第104页。

② 资料来源:据联合国贸发会议:《1995年世界投资报告》(中文版),第86页和《1998年世界投资报告》(英文版),第367~370页资料计算;转引自陈昭方著:《战后世界经济发展不平衡研究》,武汉大学出版社2000年10月第1版,第115页。

第十章 当代资本主义经济的不平衡发展与国际经济新秩序

世纪90年代初,年均经济增长率一直在10%以上。人均产值由独立之初的25美元上升至目前的3000多美元。[①] 亚洲地区也存在较为突出的发展不平衡现象,这主要是东亚、东南亚发展速度明显高于南亚,东亚、东南亚内部,被誉为"亚洲四小龙"的新加坡、韩国、中国香港、中国台湾也明显高于其他国家和地区。拉美地区的经济发展相对平衡,但不平衡现象也依然存在,如1965~1973年间巴西年均GDP增长率达到9.8%,明显高于其他国家,20世纪80年代后拉美经济普遍不景气,但智利却取得了良好的经济业绩,特别是20世纪90年代其年均经济增长率高达6.38%,[②] 也明显高于同地区其他各国。另外,20世纪90年代后原属于社会主义阵营的苏联、东欧各国加入发展中资本主义国家行列后,在十几年的转轨过程中,经济发展的不平衡也异常突出,东欧各国的经济发展情况普遍好于独联体各国。东欧各国一般在20世纪90年代中期就停止了经济下滑并开始较为快速地增长,但独联体诸国则一般到20世纪90年代后期甚至21世纪初才停止经济下滑。

3. 发展中资本主义国家的严重分化

发展中资本主义国家本就存在一定的差距,历史上由于拉美国家独立时间较早,经济发展水平相对高于其他地区,而亚洲和非洲的绝大多数国家和地区二战前基本上都是殖民地、半殖民地,20世纪50、60年代才完成独立,独立之初基本上都属于非常贫穷落后的国家。但是,由于战后各地区以及地区内各国发展的严重不平衡,不仅发展中国家的经济版图发生了重大的变化,亚洲地位明显上升,拉美地位相对下降,非洲日益边缘化,而且差距明显拉大,整个发展中资本主义国家和地区出现了极大的分化。从人均国民收入以及经济总体发展水平着眼,目前发展中资本主义国家和地区可以分为如下几类:

(1) 高收入和经济较为发达的国家和地区。这类国家中最突出的代表是"东亚四小龙",2003年这四个国家或地区的人均GDP分别为:中国香港:

[①] 关于毛里求斯、博茨瓦纳的统计数据参见:刘月明:《非洲的两朵奇葩——欣欣向荣的博茨瓦纳和毛里求斯》,《现代国际关系》1994年第1期;周家高《博茨瓦纳经济持续高速发展》,《黑龙江对外经贸》2002年11期;周家高:《毛里求斯经济何以持续高速发展》,《黑龙江对外经贸》2002年Z1期。

[②] 王洛林、余永定主编:《2002~2003年世界经济形势分析与预测》,社会科学文献出版社2003年2月第1版,第268页。

23125美元；新加坡：21184美元；韩国：10641美元；中国台湾：12660美元。[①] 其中的中国香港和新加坡人均收入比很多的发达资本主义国家还要高。这些国家和地区一般在20世纪80年代就已经基本完成工业化，目前的经济结构中农业产值所占比重基本上都在5%以下，服务业产值所占比重基本上都已超过50%，这种产业结构也基本上达到发达国家的水平，目前这几个国家和地区一般已被视为发达国家或地区。除"东亚四小龙"外，中东地区的少数石油输出国如科威特、阿联酋、卡塔尔、巴林等在人均收入上也已进入高收入国家行列，此外转轨经济国家中的斯洛文尼亚、非洲的毛里求斯也属于这一类国家。这一类国家或地区是战后经济业绩最好的发展中资本主义国家或地区，目前已经或正在成为新的发达国家。

（2）上中等收入和工业化水平较高的国家或地区。这一类的发展中资本主义国家以拉美大部分国家和亚洲的少数第二代新兴工业化国家为代表。拉美国家二战后经济起点一般较高，在20世纪50年代至70年代一般都有过较快的经济发展，所以在20世纪80年代时一般国家的人均收入都已超过1000美元，尽管20世纪80年代以后经济业绩不佳，但目前主要大国一般人均收入一般都在2000美元以上。2001年巴西、阿根廷、智利、墨西哥、委内瑞拉的人均收入分别为2984美元、7245美元、4312美元、6031美元、5166美元，[②] 按当前世界银行统计标准，人均2900美元至9000美元属于上中等收入国家，则拉美的这些大国均属这一类。亚洲的第二代新兴工业化国家的代表马来西亚目前人均收入已达3000美元以上，也可属于这一类。除此之外，转轨经济国家中的大部分原东欧国家和波罗的海三国以及沙特阿拉伯、阿曼、利比亚等中东的很大一部分石油输出国从人均收入上来说也属于上中等收入国家。非洲地区中也有少数经济业绩非常突出的国家如南非、博茨瓦纳、加蓬等也已进入这一行列。这一类国家在产业结构上也已接近发达国家水平，目前国内生产总值中农业所占比重一般在10%以下，服务业所占比重大多数超过了50%，[③] 工业化也已基本

[①] 王洛林、余永定主编：《2003—2004年世界经济形势分析与预测》，社会科学文献出版社2004年2月第1版，第277页。

[②] 资料来源：王洛林、余永定主编：《2002—2003年世界经济形势分析与预测》，社会科学文献出版社2003年2月第1版，第274~275页。

[③] 参见刘国平主编：《世界经济统计》，经济科学出版社2002年12月第1版，第32~35页。

第十章 当代资本主义经济的不平衡发展与国际经济新秩序

完成，除了其中的石油输出国和转轨经济国家外，一般可称为新兴工业化国家。

（3）下中等收入和工业化取得了一定成就的国家和地区。根据世界银行的标准，当前人均收入在750美元至2900美元属于下中等收入，目前有很大一部分发展中资本主义国家或地区处于这一水平。包括拉美经济发展相对落后的国家如秘鲁、哥伦比亚、巴拉圭等；亚洲经济发展水平居中的国家如泰国、菲律宾、印度尼西亚等；非洲经济发展水平较高的国家如埃及、摩洛哥、突尼斯等。另外，中东少数国家如伊朗、约旦等和转轨经济国家中发展水平相对落后的少数东欧国家如罗马尼亚、保加利亚、阿尔巴尼亚等以及大部分的独联体国家也可列入其中。这类国家为数众多，代表了当前发展中资本主义国家的一般水平。总的来说，这类国家大体上处于工业化的中期，农业产值在国内生产总值中所占比重一般在10%～20%之间。目前发展形势一般较好，其中很大一部分国家有望在本世纪前期成为下一代新兴工业化国家。

（4）低收入和经济发展水平落后的国家，这类国家人均年收入都在750美元以下，其中大部分在600美元以下，大都被称为最不发达国家，一般处于工业化的初级阶段，在国内生产总值中农业所占比重一般在20%以上，工业产值一般不足50%。这类国家主要分布在非洲和南亚，另外也包括拉美的海地和转轨经济中的少数独联体国家。非洲大部分国家20世纪80、90年代人均收入出现了十几年的负增长，直到20世纪90年代中期以后才逐渐扭转这一趋势，当前大多数都属于低收入国家。而且还有很大一部分人均年收入在300美元以下，极少数如埃塞俄比亚、莫桑比克等人均收入仅100美元左右，这些国家不仅与发达国家，而且与大部分发展中国家发展水平上都存在很大的差距。南亚国家也几乎都是低收入国家，但其中的主要大国印度、巴基斯坦等工业化进程已经取得了较大的进展，不再被列入最不发达国家之列，这些国家近年来经济更出现了良好的发展势头，有望在不久的将来摆脱低收入国家的地位。海地是拉美地区惟一列入这一类的国家，目前仍没有看到摆脱困境的希望。独联体中的乌兹别克斯坦、土库曼斯坦等主要是转轨中出现经济下滑被列入这一行列，估计随着转轨的完成，经济有望出现回升。

10.3.2 当代发展中资本主义国家经济发展不平衡的原因分析

造成当代发展中资本主义国家经济发展不平衡的原因很多，归结起来，大致可以分为如下四个方面：

1. 原有基础，即起点的高低

一般来说，起点高对于发展中国家后来的发展是有利的因素，而且从整个地区来看，在发展中资本主义国家中，拉美地区是起点最高的地区，也是当前经济发展水平最高的地区，撒哈拉以南非洲和南亚地区是起点相对较低的地区，也是目前发展水平相对较低的地区。不过起点不是决定性因素，东亚的韩国、非洲的博茨瓦纳独立之初都曾是最不发达国家，而目前韩国已经加入OECD组织，被视为发达国家，博茨瓦纳也已经成为上中等收入国家。

2. 自然资源与人口因素

自然资源的丰富与否对于一个国家的发展非常重要，中东的石油输出国能在20世纪60、70年代获得超速的经济增长并迅速成为高收入或上中等收入国家，主要是依赖其丰富的石油资源。但是自然资源并不是当代发展中资本主义国家经济发展中的决定性因素，事实上战后很多资源贫瘠的国家获得了良好的经济业绩，这方面亚洲的新加坡、韩国是典型的例子，同样战后经济发展最为成功的非洲国家毛里求斯也是自然资源比较匮乏的国家。另外，自然资源较为丰富的国家往往只能在一定时期内获得经济的高速增长，其后则陷入停滞甚至倒退，经济持续增长的国家反而是少数。

表10—11 自然资源丰富的国家的经济发展状况[①]

经济增长不持续的国家 1999年人均GDP（以1995年的美元值衡量）所达到的水平：				经济持续增长的国家
1960年或以前	20世纪60年代	20世纪70年代	20世纪80年代	
安哥拉	玻利维亚	阿尔及利亚	厄瓜多尔	贝宁
中非共和国	科特迪瓦	布隆迪	埃塞俄比亚	巴西

---

① 资料来源《世界银行2003年世界经济发展报告》，中国财政经济出版社2003年9月第1版，第148页。

第十章 当代资本主义经济的不平衡发展与国际经济新秩序

续表

经济增长不持续的国家 1999 年人均 GDP（以 1995 年的美元值衡量）所达到的水平：				经济持续增长的国家
1960 年或以前	20 世纪 60 年代	20 世纪 70 年代	20 世纪 80 年代	
加纳	牙买加	喀麦隆	伊拉克	布基纳法索
海地	毛里塔尼亚	萨尔瓦多	约旦	智利
利比里亚	多哥	加蓬	肯尼亚	哥伦比亚
马达加斯加		危地马拉	巴拉圭	哥斯达黎加
尼加拉瓜		圭亚那	刚果共和国	多米尼加
尼日尔		伊朗	坦桑尼亚	埃及
尼日利亚		马拉维	特立尼达和多巴哥	墨西哥
赞比亚		秘鲁		南非

人口因素对于发展中国家的经济发展也有一定影响，非洲和南亚地区长期发展水平提高缓慢，特别是人均收入，很多非洲国家曾在 20 世纪 80 年代和 20 世纪 90 年代初出现了长达 15 年的负增长，与这些地区人口增长过快有极大的关系。但这一因素同样不是决定性因素，事实上，二战以来发展最为迅速的东亚和东南亚地区同样经历了人口的快速增长。

3. 国内和地区安全局势

这是影响战后发展中国家经济发展不平衡的极为重要的因素，一般来说，国内和地区局势长时期稳定的国家，经济就能获得持续的增长，而地区动荡不安、国内冲突频繁的国家，经济的发展就很难持续。非洲特别是撒哈拉以南非洲国家 20 世纪 80 年代后经济发展普遍不佳，与这些国家国内的局势有着重大的关系。如具有丰富钻石和石油资源的安哥拉，由于 20 世纪 70 年代中期以来国内一直冲突不断，导致该国自 1973 年以来人均 GDP 每年下降 4.3%。[①] 同样，拉美的海地、秘鲁等国的经济发展缓慢也与其国内的冲突有很大关系。地区冲突对于该地区的经济发展也会造成很大的影响，中东地区自 20 世纪 70 年代末以来，特别是 20 世纪 90 年代以来冲突持续不断，使该地区很大一部分石油出口国 20

---

① 资料来源：《世界银行 2003 年世界经济发展报告》，中国财政经济出版社 2003 年 9 月第 1 版，第 148 页。

世纪 80 年代后人均产值的增长陷入停滞甚至出现负增长。

4. 国家的制度、政策与发展战略

相比起其他因素而言，这一方面的因素应该说更具有决定性的作用，当代发展中资本主义国家经济发展的不平衡，主要原因在于各国制度、政策、发展战略的差异。根据这种差异，发展中资本主义国家的经济发展可以分为不同的模式，主要包括东亚模式、拉美模式、非洲模式等。东亚地区战后经济发展普遍好于其他地区，主要在于该地区的制度、政策和发展战略不同于其他地区。概括地讲，东亚模式与其他模式在如下几个方面存在明显的不同：（1）从国内储蓄率来看，东亚模式明显高于其他模式。东亚国家的储蓄率自 20 世纪 70 年代中期起就大幅度提高，1980 年达到 33％，1997 年更达到 36％，其中储蓄率最高的国家新加坡 1980 年就达到 38％，1997 年达到 51％。① 而拉美、中东和非洲国家 20 世纪 80 年代普遍在 20％以下，1997 年这一指标也分别只有 19.5％、24.3％和 16.8％。② 较高的国内储蓄率使东亚国家在工业化过程中所需的资金相对比较充裕，从而避免了过多的外债负担，而拉美、非洲国家由于储蓄率过低，在工业化过程中国内资金明显不足，只能大举借债，结果大都债台高筑，经常出现债务危机。（2）从对外开放的程度来看，东亚模式明显高于其他模式。战后，东亚国家普遍重视对外开放，基本上都属于外向型经济。在工业化过程中，一般在经历较短时期的进口替代战略之后迅速地转向出口导向战略，充分利用国际市场，所以东亚国家对外贸易在世界贸易的比重迅速提高，而拉美、非洲国家在工业化道路上长期奉行进口替代战略，对外开放的程度上明显低于东亚国家，在世界贸易中的比重 20 世纪 70 年代后普遍下降。从实践来看，出口导向型的工业化道路具有明显的优势，由于充分地利用国际市场，为自身的优势产业找到了足够的发展空间，同时也为工业化的进一步发展提供了足够的资金保障，引入了必要的技术和管理经验，这些都为东亚国家经济的持续快速发展打下了基础。而拉美国家力图通过进口替代的工业化

---

① 江时学等著：《拉美与东亚模式比较研究》，世界知识出版社 2001 年 9 月第 1 版，第 132 页。

② 王洛林、余永定主编：《2002—2003 年世界经济形势分析与预测》，社会科学文献出版社 2003 年 2 月第 1 版，第 286 页。

第十章 当代资本主义经济的不平衡发展与国际经济新秩序

道路使自身建立一套完整的工业体系,但结果经常遇到诸如资金不足、技术和管理经验缺乏等各种各样的问题,很难获得持续高速发展。当然,进入20世纪90年代后,拉美国家也开始采用出口导向的工业化战略。(3) 在政府对经济宏观调控上,东亚模式与其他模式存在一定的区别。东亚和拉美国家都比较强调经济自由,同时实行必要的宏观调控。但是,东亚各国政府对经济的干预带有明显的选择性。各国政府一般有非常明晰的产业政策,在不同时期有不同的目标,根据这些目标对相关的产业进行干预,或保护或限制。相反,拉美等地区各国政府却缺乏明晰的产业政策,对经济的干预几乎没有选择性,一般对各类产业实行非歧视性政策。有选择性的干预使东亚国家能够在不同时期进行重点突破,培育出自身的优势产业,实现不同阶段的目标,顺利地实现产业升级。而拉美国家由于对不同产业采取一视同仁的政策,很难培育出自身的优势产业,所以在国际市场上与发达国家竞争时始终处于劣势,很不利于产业升级。另外,东亚国家的政府相对比较稳定,制定的各种政策能够长期持续,所以政府干预的效果普遍较好,而拉美和非洲国家的政府则更替频繁,很多政策无法持续,这也大大影响了这些干预措施的效果。(4) 在收入分配上,东亚模式明显比拉美和非洲模式合理。在东亚国家中,各类群体的收入有一定的差距,但又不至于过分悬殊(见表10-12),这样的收入差距既能使人们有工作的积极性,又不会造成因收入差距原因而带来动荡。相对而言,拉美与非洲国家的贫富差距就要大得多,过大的收入差距是这些国家经常发生社会动荡的重要根源,从而也是影响这些国家经济发展速度的一个重要因素。

表10-12 部分国家各类群体收入或消费占全国总收入或消费的比重

(单位:%)①

国家及统计年份	最低的10%	最低的20%	最高的20%	最高的10%
印度尼西亚(1993年)	3.9	8.7	40.7	25.6
韩国(1988年)	…	7.4	42.2	27.6
新加坡(1982~1983年)	…	5.1	48.9	33.5

① 资料来源:《世界银行1997年世界发展报告》,中国财政经济出版社1997年8月第1版,第222~223页。

续表

国家及统计年份	最低的10%	最低的20%	最高的20%	最高的10%
泰国（1992年）	2.5	5.6	52.7	37.1
马来西亚（1989年）	1.9	4.6	53.7	37.5
巴西（1989年）	0.7	2.1	67.5	51.3
墨西哥（1992年）	1.6	4.1	55.3	39.2
委内瑞拉（1992年）	1.4	3.6	58.4	42.7
南非（1993年）	1.4	3.3	63.3	47.3
肯尼亚（1992年）	1.2	3.4	62.1	47.7
津巴布韦（1990年）	1.8	4.0	62.3	46.9

10.3.3 发展中资本主义国家经济发展不平衡的影响

战后发展中资本主义国家经济发展的不平衡是战后资本主义乃至整个世界经济发展中非常重要的现象，这一现象不仅对发展中资本主义国家本身而且对整个世界经济的发展都产生了不容忽视的影响。

首先，战后部分发展中资本主义国家的经济腾飞一定程度上改变了世界经济格局。据前所述，战后世界经济总体上是由发达资本主义国家控制的。但是，由于一部分发展中资本主义国家的飞速发展，这一局面也在悄然地发生改变，战后初期，尽管一大批发展中国家相继独立，但是发展水平与发达国家相差甚远，整个世界经济基本上还是战前的那种工业国—农业国的结构，只是战前的帝国主义国家在战后改称为发达资本主义国家，战前的殖民地半殖民地取得独立而成为了发展中国家，发展中国家基本上还只是发达国家的工业品市场和原材料产地，整个发展中国家经济对于发达国家有很强的依赖性，发展中国家资金和技术基本上都仰仗于发达国家。然而经过几十年的发展后，尽管从经济总量上讲，尚没有哪一个发展中国家和地区真正具备一极的实力，世界经济依然是美、欧、日三极格局，但是一部分发展中国家已经加入工业国行列，这样在发达国家与一般发展中国家中间，插入了一种新的类型的国家——新兴工业化国家，这样，世界经济原来的那种经济结构开始发生改变，从原来简单的工业国—农业国的结构转变为发达工业国—新兴工业国—农业国的结构。而新兴工业化国家的出现，也就在一定程度上减弱了发

第十章 当代资本主义经济的不平衡发展与国际经济新秩序

展中国家对发达资本主义国家在资金和技术上的过分依赖。特别是东亚的几个新兴工业化国家或地区出现后,迅速开始对外投资,这已经成为亚洲乃至整个世界发展中国家利用外资的一个重要来源。另外,从技术上讲,尽管一直到目前,最新技术基本上仍为发达国家所控制,但对于落后国家来说,这些新兴工业国家的技术也是比较先进的技术,并且由于落后国家的基础条件,利用这些技术的效果可能还好于直接从发达国家那里引进最新技术,这样一来,发展中国家对于发达国家的依赖性就明显减弱。

表10-13　东亚"四小龙"对外直接投资情况　　（单位：百万美元）[①]

	1989~1994年平均	1995	2000
中国香港特区	9236	25000	63036
新加坡	1915	3442	4276
韩国	1350	3552	3697
中国台湾省	3578	2983	6701
"四小龙"合计	16079	34977	77710
发展中国家或地区合计	24925	48987	99546
世界总计	228281	355284	1149903

其次,部分发展中国家经济的飞速发展为其他发展中国家提供了利用后发优势发展的经验,增强了其他发展中国家的信心。战后东亚、东南亚地区以及非洲的毛里求斯、博茨瓦纳等国经济的飞速发展充分证明发展中国家并非没有希望,"后发"也可能成为一种优势,这可以使其他经济还相对比较落后的国家看到希望,增强它们追赶发达国家的决心。另外,从这些国家经济的成功中,其他国家还可以获得很多的经验,例如,这些国家经济的起飞主要不是依赖自身的自然资源和国际上的援助,而是依靠适合自身国情的政策、制度,以及根据当时的国际经济局面,找到自身在国际经济产业结构中的优势所在,制定相应的发展战略,所以其他的国家要想取得同样的成功,也应该主要从制度、政策和发展战略着眼,而不应该去奢望发达国家的援助;另外,这些国家的一些具体

[①] 资料来源：刘国平主编：《世界经济统计》,经济科学出版社2002年12月第1版,第501~502页。

的政策、发展战略也可以给其他国家以启发。例如，几乎所有取得成功的国家都采取了对外开放的政策，在工业化的过程中多采用出口导向战略，这就充分说明闭关自守对国家的经济发展有害无益，只有融入整个世界经济之中，经济才能获得活力，正因为如此，20世纪80年代以后，除极少数国家外，其他的发展中资本主义国家乃至社会主义国家都采取了对外开放的政策，另外，由于东亚国家出口导向战略的成功，使拉美等国家在20世纪90年代后也纷纷放弃了进口替代战略。所有这些，都可能给其他的发展中国家的经济带来巨大的活力。

再次，发展中国家的严重分化使发展中国家出现了不同的利益诉求，削弱了作为一个整体与发达国家进行对话的力量。战后初期，虽然发展中国家经济发展水平也有差距，但总体经济结构基本相似，基本上都是以农业为主，在国际市场上主要出口的是农产品、原材料和初级工业产品，工业化水平都很低，所以那时的各发展中国家利益基本上是一致的，缩小工、农产品价格的剪刀差、提高发展中国家在国际经济关系中的地位、增加发达国家对发展中国家的经济援助等基本上是所有发展中国家的共同要求。但是，经过几十年的发展后，一部分国家已经实现工业化，成为新兴工业国家，其他的发展中国家也分为了不同的层次，有的已处于工业化的后期，有望在近期完成工业化，成为第二代新兴工业化国家，有的处于工业化的中期，有的则还处于工业化的初期或者还没真正开始工业化。不同层次以及不同类型的国家自然有不同的利益诉求，新兴工业化国家利益诉求与发达国家类似，最为关心的是废除贸易保护主义，原材料的生产和输出国则更关心初级产品出口价格和出口收入的稳定性，而最贫穷国家首先考虑的却是获得更多的发展援助。这样一来，发展中国家利益诉求中的共同部分也就越来越少，这就大大削弱了南北对话中发展中国家的整体力量，正因为如此，本来在20世纪70年代取得了明显进展的关于建立国际经济新秩序的斗争在20世纪八九十年代以后却进展缓慢。

最后，发展中国家经济发展的严重不平衡也造成了发展中国家内部的矛盾，从而使资本主义世界内部的矛盾更加复杂。如果说20世纪六七十年代资本主义世界经济领域的矛盾基本上只是发达国家之间的矛盾和发达国家与发展中国家的矛盾的话，那么进入20世纪80年代特别是20

第十章　当代资本主义经济的不平衡发展与国际经济新秩序

世纪 90 年代以来，发展中国家的矛盾也就日益成为这种矛盾的不可忽略的部分。而且发展中国家内部的矛盾甚至比发达国家之间的矛盾还要复杂，包括发展水平基本相同的国家和地区之间相互竞争而产生的矛盾，如东亚和拉美之间争夺市场的矛盾；发展水平差距较大而产生的矛盾以及不同类型国家之间的矛盾，如石油输出国与其他正努力进行工业化的国家之间的矛盾等等，这些矛盾再加上原有发达国家之间的矛盾、发达国家与发展中国家之间的矛盾，使当前资本主义乃至整个世界经济领域的矛盾远较以前复杂。

10.4　南北经济发展的不平衡与发展中国家争取建立国际经济新秩序的努力

战后资本主义经济发展的不平衡规律最重要的内容还是发达资本主义国家和发展中资本主义国家即南北经济发展的不平衡，由于这种发展的不平衡所产生的矛盾斗争主要体现为发展中国家争取建立国际经济新秩序的斗争。

10.4.1　南北经济发展不平衡的主要表现

1. 发展中国家经济增长速度上的优势与南北实际经济差距的拉大，这是战后南北经济发展不平衡的首要表现

战后几十年来，作为一个整体，如果单从经济的增长速度着眼，则发展中国家明显高于发达国家。从工业生产来看，1961—1970 年，发展中国家的工业年平均增长率达到 7%，而当时处于所谓"黄金时期"的发达国家这一指标只有 5.8%，1971—1975 年，发展中资本主义国家工业生产年平均增长率为 6.2%，大大高于发达资本主义国家的 3.2%。[①]20 世纪 70 年代后发达国家工业在国民经济中地位有所下降，很多国家开始把经济重心转向第三产业。但此后整个国民经济的增长率仍然低于

[①]《世界经济统计选编》，第 18~19 页，转引自钱俊瑞著：《当代世界经济发展规律探索》，经济科学出版社 1984 年 9 月第 1 版，第 69 页。

发展中国家。20世纪70年代发达国家年均经济增长率为3.4%，而同时期东亚"四小龙"和中低收入发展中国家这一指标分别为9.5%和5.0%；20世纪80年代和20世纪90年代发达国家年均经济增长率分别为3.1%和2.5%，而东亚"四小龙"20世纪80年代和20世纪90年代这一指标分别为7.4%和6.0%，中低收入发展中国家这一指标分别为2.6%和3.3%。① 除了20世纪80年代由于非洲和拉美陷入经济衰退而导致除东亚"四小龙"外的发展中国家经济增长率低于发达国家之外，其余年代发展中国家在增长速度上占有明显的优势。而即便是20世纪80年代，如果把"四小龙"与其他发展中国家合在一起，则整个发展中国家的年均经济增长率亦达4.3%，② 仍然超过了发达国家。但是这并不意味着两者发展水平差距的拉近，相反，战后几十年来，特别是20世纪80年代以来，南北经济的发展水平实际上是在拉大。首先，由于战后发展中国家人口增长的速度远远高于发达国家，所以就人均收入的增长来说，发展中国家大部分年代反而低于发达国家。发达国家战后人口年增长率基本上都在2%以下，20世纪70年代后一直维持在1%以下，而发展中国家人口年增长却基本上都在2%以上。1950年发达国家总人口为8.3亿，占世界总人口的33.1%，发展中国家总人口为16.8亿，占世界总人口的66.9%；1970年发达国家人口为10.5亿，占世界总人口的28.4%，而发展中国家总人口则达到26.5亿，占世界总人口的71.6%；2000年发达国家总人口为12.8亿，占世界总人口比例为20.5%，而发展中国家总人口则为49亿，占世界总人口比例达到79.5%。③ 正因为如此，除了20世纪70年代发展中国家人均收入的增长普遍高于发达国家外，其他年份大部分的发展中国家或地区基本上都低于发达国家（见表10—14）。近30多年来，在人均拉近了与发达国家相对差距的发展中国家大致只占25%左右。至于两者的绝对差距更是日益扩大，20世纪50年代发展中国家人均收入在160美元左右，发达国家为2380美元

---

① 《世界银行2004年全球经济展望》，中国财政经济出版社2004年5月第1版，第268页。
② 国际货币基金组织：《2000年5月世界经济展望》（中文版），中国金融出版社2000年11月第1版，第175页。
③ 资料来源：UN，World Population Prospects, the 1992Revision，转引自于同申主编：《发展经济学》，中国人民大学出版社2002年2月第1版，第264页。

第十章 当代资本主义经济的不平衡发展与国际经济新秩序

左右,相差仅2000多美元,20世纪80年代初包括"四小龙"在内的整个发展中国家或地区人均收入在850美元左右,而发达国家已达到10700美元左右,两者差距将近10000美元,2001年除"四小龙"外的发展中国家人均收入在1200美元左右,而发达国家达到27700美元左右,两者差距达到26000美元左右。

表10—14 世界各地区人均收入的年均增长情况 (单位:%)①

国家分组	1960~1970	1971~1980	1981~1990	1991~2000
发达工业国	4.1	2.6	2.5	1.8
东亚"四小龙"	…	7.2	5.9	4.7
中低收入发展中国家	3.5*	2.9	0.7	1.7
东亚、东南亚和太平洋	4.9	4.6	5.6	5.4
南亚	…	0.7	3.6	3.3
中东和北非	2.4	4.0	−0.6	1.2
拉丁美洲和加勒比	2.7	…	−0.9	1.7
撒哈拉以南非洲	1.7	0.7	−1.1	−0.2

注: *这一数据是含东亚"四小龙"在内的整个发展中国家或地区的数据。

其次,发展中国家的经济增长方式至今仍以粗放型为主,其经济增长主要是依靠包括人口、资本等生产要素的投入,单位生产要素产出率的增长较低,经济发展中的技术含量较少。据世界银行《1991年世界发展报告》统计,1960年各国国民生产总值的平均经济增长中除掉资本和劳动力增长之外的因素引起的增长部分,美国、日本、德国、英国、法国各占其经济增长总数的50%、59%、87%、78%、78%,而发展中国家和地区中较高的东亚、中东、北非地区也只有28%,南亚只有14%,② 拉美与撒哈拉以南非洲则接近零增长,这也可以明显地看出两者经济发展水平的实际差距在拉大。

2. 经济结构发展的不平衡,这是南北经济发展不平衡的又一重要表现

根据经济结构的差异,美国著名社会学家丹尼尔·贝尔将人类社会

---

① 资料来源:《世界银行1981年世界发展报告》,中国财政经济出版社1983年12月第1版,第3页;《世界银行2004年全球经济展望》,中国财政经济出版社2004年5月第1版,第269页。
② 转引自陈昭方著:《战后世界经济发展不平衡研究》,武汉大学出版社2000年10月第1版,第86页。

分为前工业社会、工业社会和后工业社会。前工业社会是以农业为主体的社会，工业社会是以工业特别是以其中的制造业为主体的社会，后工业社会则是以服务业为主体的社会。一般而言，除了少数特殊类型的国家外，这一划分反映了人类社会发展的不同阶段。根据这一划分，战后初期，发达国家是典型的工业社会，其工业产值一般占总产值40%以上，农业占5%～10%左右；发展中国家是典型的农业社会，农业占50%左右，工业占10%～20%左右。但经过几十年的发展后，按着丹尼尔·贝尔的标准，当前的发达资本主义国家基本上都已进入后工业社会。20世纪末主要发达国家农业、工业、服务业增加值在国内生产总值中所占的比重分别为在美国：2%、26%、72%；日本：2%、36%、62%；德国：1%、28%、71%；英国：1%、25%、74%；法国：3%、23%、74%。[1] 这些国家服务业所占比重都已超过60%，一般都在70%以上，除日本外，工业所占比重都已下降到30%以下，农业更是下降到3%以下。而在发展中国家中，除了少数国家成为了新兴工业化国家之外，绝大部分国家并没有完成工业化，仍停留在农业社会向工业社会的过渡时期。农业所占比重一般都还在20%左右，工业一般不足40%。

表10—15　部分发展中国家2000年的经济结构

(各产业占GDP的百分比，%)[2]

	印度	巴基斯坦	印度尼西亚	埃及	喀麦隆	肯尼亚	加纳
农业	27	26	17	17	44	23	35
工业	27	23	47	33	19	16	8
服务业	46	50	36	50	38	60	56

3. 国际贸易、国际投资等领域也存在明显的发展不平衡

在国际贸易、国际投资等领域，南北之间发展的不平衡也非常明显。在国际贸易领域，总的来说，发达国家一直占有绝对的优势，而且发展比较平稳。在世界出口贸易中，发达资本主义国家在1950年、1960年、1970年、1980年、1990年、2000年所占比重分别为64.9%、67.0%、

---

[1] 刘国平主编：《世界经济统计》，经济科学出版社2002年12月第1版，第32～35页。
[2] 刘国平主编：《世界经济统计》，经济科学出版社2002年12月第1版，第32～35页。

第十章 当代资本主义经济的不平衡发展与国际经济新秩序

71.8%、63.2%、71.3%、63.1%,[①] 而发展中资本主义国家不仅一直居于劣势,而且发展起伏较大。其在世界出口贸易中,1950年所占比重为27.3%,其后的二十来年一直下降,1970年下降到17.6%,20世纪70年代由于石油价格上涨所占比重迅速上升,到1980年上升至28.0%,其后发展相对比较平稳,1990年为26.8%,2000年则上升至32%左右。[②] 另外,由于发展中资本主义国家贸易发展极不平衡,其在国际贸易中的地位主要依赖极少数国家,20世纪70年代主要依赖的是石油输出国,20世纪80年代后则主要依赖的是东亚、东南亚的新兴工业国,所以对于绝大多数的发展中国家来说,其地位其实一直在下降。在国际投资领域,发达国家总的来说也一直占据着绝对的优势,但发展中资本主义国家总体发展速度明显快于发达国家,20世纪80年代以前,发展中国家的对外投资几乎可以忽略不计,1960年发展中国家(含发展中的社会主义国家)在世界对外投资中的比重仅为1%,1980年这一比重也只有2.8%,发达国家1960年占99%,1980年也占97.2%,但其后发展中国家对外投资的发展则非常迅速,1990年和2000年这一比重分别达到7.4%和13.2%(其中未包含社会主义中国)。[③] 而发达国家这一比重在20世纪80年代以后则有明显的下降。但是,和国际贸易一样,发展中资本主义国家的对外直接投资也是依赖极少数的国家,主要也是亚洲新兴工业国、中东高收入的石油输出国和少数拉美国家,大部分的发展中国家在国际投资领域依然可以忽略不计。

---

① 资料来源:郭吴新、洪文达、池元吉、冯舜华主编:《世界经济》修订本第四册,高等教育出版社1990年8月第2版,第288~289页、第364~366页;《1994年世界经济年鉴》,中国社会科学出版社1995年版,第798~799页;姚曾萌主编:《国际贸易概论》,人民出版社1987年版,第455页;《世界银行1992年世界发展报告》,第244~245页;刘国平主编:《世界经济统计》,经济科学出版社2002年12月第1版,第431页。

② 资料来源:郭吴新、洪文达、池元吉、冯舜华主编:《世界经济》修订本第四册,高等教育出版社1990年8月第2版,第288~289页、第364~366页;《1994年世界经济年鉴》,中国社会科学出版社1995年版,第798~799页;姚曾萌主编:《国际贸易概论》,人民出版社1987年版,第455页;《世界银行1992年世界发展报告》,第244~245页;刘国平主编:《世界经济统计》,经济科学出版社2002年12月第1版,第431页。

③ 资料来源:1960~1980年的数据引自:郭吴新:《当代世界经济格局与中国》,第128页,1990~2000年的数据根据王洛林、余永定主编:《2003—2004年世界经济形势分析与预测》,社会科学文献出版社2004年2月第1版,第299~300页数据计算。

10.4.2 战后国际经济秩序及其不合理性分析

"秩序"这一术语指的是社会中的成员或者在某一领域内参与游戏的各方长期的、连续的、较为稳定的地位以及权利义务关系。这种地位和权利义务关系既可能是由制度、规则规定的,也可能是由于实力的对比自发形成的。国际经济秩序则是指世界经济领域内各类国家之间(主要是指南北之间)长期的、连续的、较为稳定的地位以及权利义务关系,同样,这种权利义务关系既有由制度正式规定的,也有由于双方实力的对比自发形成的。

二战前,国际经济领域并没有太多正式的制度、规则安排,当时在国际经济关系中体现的权利义务关系主要是由各方实力对比造成的,主要体现的是帝国主义国家和殖民地、半殖民地之间不平等的国际分工和二者之间剥削与被剥削、压迫与被压迫的经济关系,帝国主义国家是工业品的制造地,并且在国际金融、国际贸易等领域都占有绝对的主导地位,殖民地、半殖民地则基本上只是原材料的产地和工业品的市场。这种国际经济秩序是明显不合理的,被称为国际经济旧秩序。

二战后,由于殖民体系的瓦解,独立发展中国家群体的产生,国际经济秩序也发生了一定的变化,首先,在国际经济领域出现了很多正式的制度安排。在国际金融领域,建立了布雷顿森林货币体系(后来转变为牙买加货币体系),成立了国际货币基金组织和世界银行,国际贸易上,先是签订了《关税与贸易总协定》,后来建立了世界银行,另外还成立了一些地区性的经济组织。应该说,这些正式的制度安排中在一定程度上还是考虑了发展中国家的利益。其次,在自发形成的国际经济关系中,原来的那种纯粹的剥削与被剥削的关系也已经改变。所以,和战前的国际经济秩序相比,战后的国际经济秩序确实有一定的进步,但是,由于实力对比的悬殊,这种进步并未能从根本上改变南北之间不平等的地位以及不对等权利义务关系,也就是说,这种国际经济秩序仍然是一种旧秩序。

首先,在正式的制度安排中,由于南北双方发言权的不对等,发达国家是规则的制定者,所以尽管在一定程度上照顾了发展中国家的利益,但这种照顾并不能真正弥补双方在发展水平上的极大差异,最终的游戏规则依然是有利于发达国家而不利于发展中国家。例如在《国际货币基

第十章 当代资本主义经济的不平衡发展与国际经济新秩序

金协定》中，尽管规定了发展中国家可以从该组织得到援助，但对受援助的国家作出了很多关于国内制度改革的规定，这些规定实际上在一定程度上干涉了受援国的内政。此外，国际货币基金组织的表决中，规定的是按出资的多寡而不是在成员国中平均分配表决票。另外，有些规定尽管表面上平等的，但由于发展水平的极大差异，实质上会带来极大的不平等，例如，在关贸总协定，规定了很多关于商品质量的标准，这些标准对于发达国家来说是很容易达到的，但对于很多发展中国家来说就不那么容易了，所以，这样的制度安排明显有利于发达国家而不利于发展中国家。

其次，即便是明确规定了的对发展中国家有利的制度安排，发达国家并不一定完全按着这些制度安排履行义务。例如，在 GATT 和后来的 WTO 的有关条文中，规定了很多对发展中国家的优惠待遇，如非互惠原则、"授权条款"等等，但这些规定中多用一些模糊的词语，给施惠的发达国家以很大的回旋空间，因此，事实上发达国家很多时候为了自身的利益并不实行这些条款。另外，经合组织发展援助委员会在 1969 年通过的《关于援助财政条件和方式的建议》中就已经明确规定了发达国家必须每年用 GDP 的 0.7% 向发展中国家进行官方发展援助，但事实上，除了北欧的丹麦、挪威、瑞典等国家外，绝大多数发达国家大部分年份都没达到这一比例。而且，即便在这些不足额的援助中，发达国家也往往对发展中国家提出很多苛刻的条件。

最后，也是最为重要的是，由于双方实力对比的悬殊，整个世界经济格局中南方仍然处于明显的弱势地位，因而在自发形成的、非正式制度安排的权利义务关系中，南方国家处于明显的不利地位。例如，在国际分工领域，尽管当前世界不能再简单地分为工业国——农业国，很大一部分发展中国家工业化进程取得了很大的进展，但是，在世界产业链中，尖端技术仍然被发达国家控制，高端产品仍然主要由发达国家生产，发展中国家产品中技术含量仍然极低，并且很多技术都依赖发达国家的转移，故而原有的不平等局面依然存在。在国际投资领域，除了东亚"四小龙"等少数新兴工业化国家和地区外，绝大多数发展中国家对发达国家的资金仍有很大的依赖性。国际贸易领域，尽管现在很大一部分发展中国家也改变了以往主要出口农矿产品和原材料的局面，制成品占了出口的主体，但由于大部分发展中国家出口的主要是初级产品或低端技术产品，这些产品主要销往发达国家，因而发展中国家在外贸中对发达国家有很高的依存度，在商品贸易方面，发展中国家出口对发达国家市场的依存度达到3/4至4/5，而发达国家出口对发展中国家市场的依存度仅为1/5至1/4，而在服务贸易方面发展中国家则主要是进口国，依赖于发达国家的出口。国际货币体系中，虽然由于布雷顿森林体系的瓦解，美元的法定国际货币地位已经丧失，在正式制度安排中也再也没有了法定的国际货币，但是由于南北地位的不等性，当前的国际储备货币仍然是那些主要的发达国家的货币，如美元、欧元（过去为马克）、日元等。另外，当前的很大一部分发展中国家债务沉重，为了能够获得一定的债务减免或延长还债的期限，也不得不接受发达国家提出的很多苛刻的条件。

所有这些，都决定了南北双方在经济领域的地位不可能是平等的，在国际经济关系领域的权利义务关系也不可能是对等的。

10.4.3 发展中国家争取建立国际经济新秩序的努力与新世纪国际经济秩序展望

对于二战以来的国际经济秩序，发展中国家很早就进行了思考，并意识到了其不合理性以及这种不合理性对发展中国家经济发展的不利影响。早在1949年，大部分发展中国家还未独立之时，阿根廷著名经济学家劳尔·普雷维什在其向拉美经委会提交的一份题为《拉丁美洲的经济发展及其主要问题》的报告中就提出了著名的"贸易条件恶化论"。其中指出，由于殖民时代遗留下来的不合理的国际分工，资本主义形成了由发达国家组成的"中心"和由发展中国家构成的"外围"两个不对称的体系，这种不对称性产生了诸多不利于"外围"国家初级产品贸易条件的因素，这是阻碍发展中国家经济发展的一个重要原因。而发展中国家要发展，就必须打破这种不合理的世界经济结构。1955年的亚非会议上，第一次出现了要求变革旧的国际经济秩序的呼声。其后，发展中国家为改变国际经济旧秩序，建立国际经济新秩序作出了一系列的努力。

1961年9月，在第一届不结盟国家和政府首脑会议上，广大发展中国家就明确提出必须消灭一切形式的殖民主义，维护发展中国家在国际

第十章 当代资本主义经济的不平衡发展与国际经济新秩序

经济关系中的权益的主张。同时，解决发展中国家面临的问题，建议召开世界性贸易与发展会议。1964年3月至6月，第一届联合国贸发会议在日内瓦召开，会议通过的决议宣布："现有的世界贸易原则与形式仍然对发达国家有利，目前的国际贸易新趋势不能帮助发展中国家促进经济的发展与多样化，相反，它阻碍发展中国家为实现高速度经济发展的努力，因此这种趋势必须扭转。"[①] 会议还提出了一些具体的措施改善发展中国家的贸易条件，如各国应依非相互原则逐步减少和取消对发展中国家出口的壁垒，扩大发展中国家初级产品的出口，稳定制成品和半制成品的价格等。同时，也就是在这次会议上，77个发展中国家共同签署并发表了《77个发展中国家联合宣言》，标志着作为争取建立公正的国际经济秩序的发展中国家同盟——"七十七国集团"正式成立。同年8月的不结盟国家第二届首脑会议上，发展中国家正式提出了争取建立国际经济新秩序的口号。随后，发展中国家争取建立国际经济新秩序的斗争风起云涌，这一斗争到1974年5月的联合国第六次特别会议上达到高潮。在发展中国家的努力下，这次会议相继通过了《建立新的国际经济秩序宣言》和《建立新的国际经济秩序的行动纲领》，同年12月，大会又通过了《各国经济权利与义务宪章》。这些文件中，特别强调了平等互利是各国间经济关系和国际经济合作的基本原则，国际经济新秩序要求各国都能平等参与国际经济合作与交往，公平分享由此产生的利益，这就要求对传统的平等观进行革新，抛弃以往那种不顾发展水平不平衡现状的导致权利义务失衡的形式平等，树立新的能充分考虑各国经济发展水平极不平衡现状的实质平等观，要求发达国家在国际经济合作中向发展中国家作出必要的让步以保证双方权利义务的实质对等。

面对发展中国家建立国际经济新秩序的斗争，发达国家最初有各种不同的策略和主张，这些策略和主张大致可以分为对抗和对话两种基本类型。美国最初采取的是典型的对抗策略，它一再宣称现行国际经济秩序"对世界起到了良好的作用"，无需废弃或重建，而发展中国家建立"新秩序"的斗争是"多数人的暴政"，在联合国第六次特别会议上通过《建立新的国际经济秩序宣言》和《建立新的国际经济秩序的行动纲领》

[①] 转引自张幼文主编：《世界经济学》，立信会计出版社1999年1月第1版，第328页。

后，也一再宣称重申不接受"新秩序"的概念，直到发展中国家采取了石油斗争为主的强大攻势，在加上其他发达国家的"对话"呼声，美国才在 20 世纪 70 年代中期后逐渐改变态度。日本和欧洲则由于认识到自身虽拥有"富庶的经济"和"高超的科技"，但缺乏"空间和资源"，如果继续以不对等、不公正对待发展中国家，他们将得不到充足的原料、能源的供应，同时，商品的销售市场也将萎缩，故而较早地采取了"对话"策略。正是在这种情况下，20 世纪 70 年代中期以后，南北双方在改善国际经济秩序的问题上展开了一系列的对话与合作。

首先开启的是巴黎"南北对话"。1974 年 10 月法国总统德斯坦倡议在巴黎召开国际经济会议，美国经过反复思考后勉强接受。1975 年 12 月，南北双方 27 个国家代表与会，就建立国际经济新秩序问题进行磋商，这就是通常所说的巴黎"南北对话"。这场全球性的南北对话持续了两年，通过了《国际经济合作会议报告》，取得了一定成果。在贸易上，西方国家同意向发展中国家出口的制成品单方面给予"普惠制"；为稳定初级产品价格设立"共同基金"。在资金和技术上，西方同意向发展中国家提供财政、技术援助。世界银行、国际货币基金和关贸总协定也同意向穷国提供某些支持和优惠。随后开启的有各种区域性对话和跨区域对话，如美国与拉美、日本与东南亚的对话以及英国以英联邦形式与前殖民地保持的对话和法国与前法属非洲殖民地之间定期召开的"法非会议"等。这些对话对于改善南北经济关系起到了一定的作用，但远未达到发展中国家所期望的建立国际经济新秩序的目标，不合理的国际经济秩序依然存在。20 世纪 80 年代后，发展中国家仍在为建立国际经济新秩序继续努力，南北对话也继续进行。1981 年 10 月，由墨西哥总统波蒂略和奥地利总理赖斯基共同倡议，14 个发展中国家和 8 个发达国家的首脑在墨西哥坎昆举行了关于合作与发展的国际会议，发展中国家提出了就南北之间经济合作与发展问题举行全球谈判的建议，这一建议得到了欧共体、日本、加拿大的赞同，但由于美国的反对而未能付诸实施。1983 年 4 月召开的第六届贸发会议再次讨论了建立国际新秩序的问题。1993 年 10 月，各国议会联盟在加拿大首都渥太华召开《南北对话促进世界繁荣》大会，来自 50 多个国家和国际组织的代表出席了该次会议，会议发表了《最后文件》，呼吁发达国家和发展中国家共同积极反对贸易保护主

第十章　当代资本主义经济的不平衡发展与国际经济新秩序

义,要求发达国家及国际货币基金组织等国际金融机构向资金少、技术落后的发展中国家直接投资并进行技术援助;2000年又在曼谷召开第十届贸发会议,通过了《行动计划》和《曼谷宣言》,呼吁国际社会在贸易、投资、金融等方面加强合作,建立起更为公平、合理、有效的全球经济环境。由于20世纪80年代发展中国家自身经济发展遇到了极大的困境,再加上发展中国家内部的分化,以及20世纪90年代以后社会主义阵营的解体,发展中国家对发达资本主义国家战略地位下降,所以,20世纪80年代以来特别是20世纪90年代以后全球性的南北对话并没有取得太大的实质性成就,很多倡议、呼吁都由于部分发达国家的反对而未能形成决议,或是形成决议也不能付诸实施。但总的来说,南北经济关系还是有一定好转,这主要是南北之间的区域性经济合作所起到的重大作用。20世纪80年代以后特别是20世纪90年代以来,南北之间的区域性经济合作大大增加,如北美自由贸易区内作为发达国家的美国、加拿大与作为发展中国家的墨西哥之间的经济合作;亚太经济合作组织内美、日、澳等发达国家与一大批发展中国家之间的经济合作以及近几年的东盟与日本之间的经济合作等等。和20世纪70年代的整体性的南北经济对话一样,20世纪90年代以来的种类繁多的南北区域性经济合作也只是对原有国际经济秩序一定的改善,而并没有使原有国际经济秩序发生质变,建立国际经济新秩序依旧任重而道远。

不过,对于二战以来所形成的国际经济秩序,我们也必须理性的看待。首先,尽管这一国际经济秩序有前文所分析的种种不合理性,但与战前那种建立在殖民体系基础上的赤裸裸的剥削与被剥削的国际经济秩序比起来,则是一个巨大的进步,至少在形式上,南北之间还是基本上实现了平等,而且,经过南北之间几十年来的斗争、对话与协商,这一国际经济秩序至今已有了极大的改善,总体上在朝着实质公平的方向前进。其次,这一国际经济秩序尽管给发展中国家经济发展带来了一定的障碍,也可以说是大部分发展中国家至今贫穷落后的原因之一,但它不是这些国家落后的主要原因,更不是唯一原因,对战后发展中国家经济发展影响最大的是它们国内的制度、政策,其实,同样是在这一国际经济秩序下,东亚一大批国家或地区还是实现了经济的腾飞,而非洲却日益被边缘化。由此看出,发展中国家追求建立国际经济新秩序过程中,一定要把国内自身的改革结合起来。再次，决定国际经济秩序最终的是各方经济实力的对比，在南北双方发展极不平衡、实力对比极端悬殊的情况下，发展中国家不能期望建立真正的、能保证实质公平的国际经济新秩序。

　　从当前形势的发展来看，新世纪的前几十年内，世界经济中的"二元"格局仍将长期存在，国际游戏规则不可能出现迅速的变更，现行国际经济秩序很可能还将维持很长一段时间，但随着发展中国家总体经济实力的增强，发展中国家的地位会有所提高，其在国际经济关系中的发言权也将逐渐增强。另外，随着全球经济一体化的进程和各种区域经济合作的发展，南北之间对抗将进一步削弱，协调与对话将进一步加强。

第十一章　当代资本主义经济的历史地位

自从资本主义制度以英国资产阶级革命为重要标志正式确立以来,已经过了360多年的发展历程。在早期资本主义阶段,资本主义国家存在着极其普遍的特征,即整个社会生产处于无政府状态,整个社会的经济运行处于无序状态。这种无政府状态和无序状态导致资本主义经济危机频频发生,造成了对生产力的巨大破坏。但是自从二战结束以来,资本主义国家通过对自身生产关系的调整,资本主义各国的经济不仅在20世纪50~70年代经历了一个经济较快发展的"黄金时期",而且自20世纪80年代以来,后资本主义的兴起,科技革命的贡献以及"新经济"与知识经济时代的到来,使资本主义各国的经济呈现出许多新变化,其经济运行呈现出有序化和可调控的特点。

纵观当今世界,发达资本主义国家在国际经济舞台上,还保持着相当大的优势地位,而且这种优势地位在可预见的将来,还将继续保持下去。从历史长河的角度看,和以前的各种制度相比较,在资本主义制度下所创造的物质财富,要远远超过在它之前的所有社会形态下所创造的财富的总和。这种情况的发生,早在19世纪中期发表的《共产党宣言》中马克思和恩格斯就已经提到:"资产阶级在它不到100年阶级统治中所创造的生产力,比过去一切时代所创造的全部生产力还要多、还要大。自然力的征服、机器的采用、化学在农业和工业中的应用、轮船的行驶、铁路的通行、电报的使用、整个大陆的开垦、河川的通航、仿佛用法术从地下呼唤出来的大量人口……过去哪个世纪料想到社会劳动里蕴藏有这么大的生产力呢?"[①]。在现代社会里,应该说蕴藏在发达资本主义国

---

① 《马克思恩格斯选集》第2版第1卷,人民出版社1995年版,第277页。

家中的这种生产力得到了在更大程度上的释放。那么,资本主义生命力从何而来?资本主义经济的发展趋势又是什么?在它的发展中面临着哪些问题?我们又应该怎么来看待它们?这些都是要在本章中所探讨的问题。

11.1 后资本主义的兴起

通常大家理解的当代资本主义经济的新发展,都只是近几十年来发达资本主义的新发展。但是,无论是历史上,还是现实中,发达资本主义的发展,总是与不发达资本主义息息相关,密不可分的。在历史上,不发达国家沦为先进资本主义国家的殖民地、半殖民地和附属国,成为后者资本输出的场所,商品销售的市场和原料来源地。当时的世界体系,是以先进资本主义国家为中心、对殖民地国家进行剥削的体系。二战以后,许多殖民地国家都摆脱了殖民统治的枷锁,获得了政治独立,成为独立的主权国家,开始走上独立发展的道路。但是当时的世界体系还是以发达资本主义国家为中心的。近几十年来,与发达资本主义的新发展相联系,许多发展中国家的资本主义经济都有了一定的新发展。"当代资本主义经济的发展"中就包括了发展中国家资本主义经济的发展,也就是我们常说的"后资本主义"的兴起。

11.1.1 "后资本主义"的出现

发展中国家在发展路程上开始迈步的时候,遇到了这样一个根本性的问题,即究竟沿着什么道路和朝着什么方向前进?是资本主义还是社会主义?二战以后的实际情况是,绝大多数发展中国家走上了资本主义道路,这种趋势在苏联解体和东欧剧变后得到加强。这有其内因和外因:

从内因来看,这些国家的资本主义在殖民地时期已经有了某些微弱的发展。与此同时,出现了代表资产阶级的新阶层,他们中的某些上层人物,接受了西方资产阶级的政治思想。同时,在本国拥有巨大的影响力,在民族独立运动中居于领导地位,甚至在独立后掌握政权。他们有

第十一章 当代资本主义经济的历史地位

的是军人集团,有的是文人官僚集团,但都是资产阶级、小资产阶级或与资产阶级有密切联系的力量。这些力量掌握政权,自然要把国家引上资本主义的发展道路。还有的国家掌握政权的是部落的首领和酋长,也有的是大土地所有者的代表,但是他们受到国际资产阶级的拉拢和引诱,也靠近西方,走资本主义道路。

从外因来看,这是美国等西方发达国家推行新殖民主义的结果。二战后,成为超级大国的美国,以其强大的经济、金融、科技、军事、政治力量,成为资本主义世界的首领,推行争霸世界的全球战略。他们通过采用新的殖民主义手段即着重运用经济、政治、文化、社会意识等手段,对新独立的发展中国家施加影响,引导他们走资本主义道路,从而依附于西方,继续成为西方的销售市场、原料来源地和投资场所。同时,西欧和日本等国,虽然在战争中大大削弱,但是其对原殖民地、半殖民地的传统影响,并没有完全消失。在它们的经济得到恢复和发展以后,也注重通过援助、借贷、投资和贸易等渠道,重新加强对发展中国家的影响。这对于那些发展中国家靠拢西方,走资本主义道路,起了不小的诱导作用。

当然,二战以后,东欧和东亚一些国家,包括世界上人口最多的中国,取得了革命的胜利,走上了社会主义道路,与前苏联一起,组成了社会主义阵营。世界社会主义力量得到大大加强。但是,就整个世界总体来看,资本主义仍占优势,社会主义国家虽也对一些发展中国家给予了一些援助,但是力量有限。

到了20世纪90年代,伴随着东欧剧变、苏联解体,许多原来的社会主义国家纷纷走上资本主义道路,资本主义势力更是得到加强。在这一时期,尤其突出的是,美国经济处于全世界绝对优势地位并力求取得世界经济、政治的支配地位,掌握绝对霸权。广大发展中国家与美国的经济、政治利益冲突更加激烈,在局部还引发了南斯拉夫和伊拉克战争,使资本主义经济的发展遭到一定程度的破坏。欧洲和美国的利益也开始出现分化,世界经济出现全球化和多极化的趋势。发展中国家与发达国家、发达国家与发达国家之间的矛盾和利益冲突也开始在很多领域凸显出来。

11.1.2 后资本主义的发展

当代绝大多数发展中国家先后走上了资本主义道路,形成了后资本主义集团,至今已长达半个多世纪之久。毫无疑问,他们已经成为当代资本主义体系中的一个重要的组成部分,其发展也与发达资本主义的发展密不可分。

后资本主义的发展与发达资本主义的发展相互影响、相互制约,共同构成了当代资本主义发展的总过程。二战后至今,发达资本主义经济的发展,明显地分为五个时期。与此相关,后资本主义的发展同样也分为五个时期,但是,后资本主义的发展一方面受发达资本主义的巨大影响,另一方面又决定于其本身的基础和内部因素,因此有其特殊的表现。这五个阶段分别为:

(1) "二战"结束到 20 世纪 50 年代初

这是西方国家的恢复时期,是美国以其巨大的实力,在资本主义世界确立统治地位的时期。也是以美国为主导的当代资本主义世界秩序建立的时期,而且还是以美国为首的资本主义阵营与以苏联为首的社会主义阵营相对立的东西方冷战开始的时期。

这一时期,殖民地人民掀起独立运动高潮,他们在革命胜利后纷纷建立了独立的发展中国家。到 1955 年,亚洲和非洲已经有 20 多个国家获得独立,与在二战前已独立的 20 多个拉美国家一起,形成"第三世界"。这些发展中国家独立后,为保卫和巩固独立的成果,削弱和消除原殖民主义势力,开始重视发展经济并付出了很大努力。许多国家都制定了中长期经济发展计划或短期单项发展计划,提出每年发展构想,确定近期发展重点,并逐步发展对外出口贸易。到 20 世纪 50 年代中期,亚洲新独立国家的经济发展已经初见成效,许多国家的经济水平已赶上或超过战前最高水平。虽然他们经济的发展也遇到资金和技术不足、基础设施落后的困难,有的国家还出现政局不稳,甚至内战不断,但对大多数国家来说,经济建设还是取得了一定成绩,迈出了发展民族经济的重要一步。1954 年万隆亚非会议的召开,标志着发展中国家开始成为当今世界中一支不可忽视的新力量。

总之,这一时期是后资本主义国家取得独立,并走上发展道路的

第十一章 当代资本主义经济的历史地位

时期。

(2) 20 世纪 50 年代初到 1973 年

这是发达资本主义国家高速发展时期。资本主义国家新科技革命蓬勃发展，社会主义国家经济和社会发展更是成果显著。但美、苏争夺日趋激烈，发展中国家成为超级大国争夺的"中间地带"。

20 世纪 50 年代中期以后，民族独立运动进一步高涨，从亚非、北非波及整个非洲大陆，在 1955 年至 1965 年的 10 年间，又有约 45 个国家取得独立。仅 1960 年一年间，非洲就有 17 个国家独立。旧殖民体系最终土崩瓦解。发展中国家一方面对有碍民族经济发展的外资企业实现国有化，进行土地改革；另一方面，大力发展经济，促进工业化。而如何发展经济和实现工业化，各国实行了不同的发展战略。有的实行面向出口的经济战略，如东亚和东南亚的一些国家和地区，经济得到了较快的发展，其中尤以韩国、新加坡、中国台湾和香港的发展尤为突出；有的实行进口替代战略，也取得明显成效；有的基本上走内向发展道路，如南亚地区的一些国家，经济增长较缓慢；有的主要依靠资源出口，特别是中东产油国；还有的国家和地区经济更是落后，其中主要是非洲国家，经济发展起步较晚，阻碍较大，发展缓慢。可见这一时期，发展中国家通过探求多种可能的发展途径，实行不同战略，走经济发展的道路，但发展不平衡已日益明显。

这一时期，发展中国家的工业有了较快发展。在 1960 年到 1973 年间，工业占国民生产总值的比重从 26.2% 提高到 35.6%，其中制造业从 14.5% 提高到 18.3%。而农业所占比重则从 28.8% 下降到 18.9%。但这里也存在着一些严重问题。一是许多发展中国家忽视农业的发展，特别是粮食增长缓慢，进口粮食不断增加。二是在工业中，采矿业仍占很大比重。有些国家仍只是发展一两种矿产品生产。而矿产品出口价格则为国际垄断集团所操纵。为了改变这种不利地位，发展中国家成立了一系列原材料生产国和输出国组织。特别是石油输出国组织（OPCE）于 1960 年成立后，即为夺回制定油价和控制石油生产权、维护本身的权益进行了不懈的斗争。1973 年 10 月，中东战争爆发，该组织通过减少生产和禁运，进一步大幅度提高石油价格，给予西方国家以重大打击，显示了发展中国家团结斗争的威力。

这一时期，发展中国家为增强在国际斗争中的地位，还建立了一系列地区合作组织。此外，还于 1961 年 9 月由 25 个国家发起形成不结盟国家运动，如今成员国已增到 100 多个；1964 年 6 月，由 77 个发展中国家发起建立"七十七国集团"，如今成员国也已经增至近 130 个。其宗旨都是为团结广大发展中国家，反对新老殖民主义和霸权主义，维护民族独立，捍卫国家主权，发展民族经济和文化，主张国际关系民主化和建立国际经济新秩序。可见，这个时期，是发展中国家寻求和实施一定发展战略、力争加快发展的时期，也是他们加强团结合作，为破除不平等的国际经济秩序而开展规模宏大的斗争的时期。

(3) 1973 年到 1982 年

这是发达资本主义国家经济进入了以"滞胀"为特点的困难时期。国际市场石油两次大幅度提价，不仅使滞胀深化，且引起了两次经济危机（1974～1975 年和 1980～1982 年）。

与发达国家相比，对于发展中国家来说，这是一个新时期。一方面，发展中国家内部出现了分化。石油出口国从出口石油中得到的收入成十倍地增加，他们成为发展中国家的"首富"。进口石油的发展中国家为进口石油而付出比过去更多的开支，财政负担大增，经济困难加重。但总地说来，这一时期，发展中国家的经济增长仍较快，与陷入停滞的发达国家相比形成鲜明对照。另一方面，发展中国家抓住石油斗争取得巨大成效和西方国家经济困难深重的时机，继续开展了争取建立国际经济新秩序的斗争，并在 1974 年 4 月 9 日到 5 月 5 日召开的联合国第 6 次特别大会上达到高潮。经过发展中国家的斗争，通过了《关于建立新的国际经济秩序的宣言》和《行动纲领》，这两个文件包含了发展中国家要求改变旧的国际经济关系的一系列合理主张和建立新的国际经济秩序的基本原则。但这种斗争，由于遭到美国为首的西方国家的阻挠，进展不大，实际效果也非常有限。

(4) 1982 年到 1990 年

这一时期，对于发达国家来说，是艰难发展的时期。20 世纪 70 年代末，发达资本主义国家由英美带头，对经济指导思想和宏观经济政策进行大调整，实行新保护主义，以求治理通货膨胀。1980 年，西方世界发生新的经济危机，至 1982 年结束。危机过后，西方通货膨胀受到抑

第十一章 当代资本主义经济的历史地位

制,但经济增长仍然缓慢。

相对地对大多数发展中国家来说,这一时期是灾难性的 10 年。许多发展中国家经济发展进程中,由于举债数量过多而开始出现比较严重的国际债务问题。1975 年,发展中国家的长期债务额为 1620.3 亿美元。到 1980 年,跃增到 4327.3 亿美元,加上短期债务,则达 5797.5 亿美元。1982 年,又增加到 7522.5 亿美元,当年偿债率平均为 21%,突破了国际公认的 20% 的"警戒线",个别国家更高于这个比率。促进这种严重事态的发生,一是源于长期为滞胀所困扰的美国采取保卫美元措施,实行紧缩银根的措施,美元利率急剧上升;二是从 20 世纪 70 年代末开始初级产品价格陡然下跌,发展中国家出口收入大大减少,这使发展中国家偿债更加困难。1982 年 8 月,以墨西哥政府单方面宣布不能按期偿还 750 亿美元外债为标志,爆发了全球性的国际债务危机,震动了整个资本主义世界。此后直至 20 世纪 80 年代末,大部分债务国的情况仍不见好转。发展中国家所欠债务累计额连连增加,到 1988 年已达 10200 亿美元。欠债最多的 17 个国家,被称为重债务国,其中拉美 12 个,非洲 3 个,亚洲、欧洲各 1 个,还有撒哈拉以南非洲的穷债务国。

为了偿债,发展中国家要付出巨额利息,大量资金外流,国内投资减少,进口也要压缩,经济发展受阻,生产衰退,财政赤字更加扩大,通货膨胀恶化,平均通货膨胀率从 1981 年的 27.6% 上升到 1988 年的 58.3%,其中拉美地区从 59.8% 上升到 208.5%(1989 年上半年)。人民生活水平下降,失业和贫困现象加深。为了缓和危机,发展中国家就更加迫切需要借贷,从而形成一种恶性循环。

因此,20 世纪 80 年代,对许多发展中国家来说,是"失去的十年"。但这一时期,也有少数国家,主要是东亚的发展中国家和地区,不仅未遭此噩运,而且经济继续高速发展,成为世界经济的"奇迹"。

(5) 1990 年至今

大多数发展中国家的经济,在 20 世纪 80 年代遭遇了严重挫折,使人们感觉前途渺茫。然而,正像通常在经济大破坏和大危机之后,往往会出现重建和复兴一样,进入 20 世纪 90 年代,发展中国家迎来了经济振兴的新时期。

20 世纪 90 年代伊始,西方国家又一次发生经济衰退。这次衰退期间虽然生产下降幅度不大,但就整个西方世界而言,衰退持续时间较长,直到1993年底，才告结束。

发展中国家却是另一番景象。除东亚持续高速增长外，拉丁美洲和非洲的经济增长率也在提高，在1994~1997年间，整个发展中国家的经济增长率，比发达国家要高一倍到两倍，人均GDP增长率也扭转了20世纪80年代大大低于发达国家的情况，甚至超过发达国家的水平。

20世纪末，西方发达资本主义国家又有了一定的振兴，区域集团化和全球一体化进程加快，世界各国在经济上的相互依赖和相互渗透达到空前高度，生产的国际化和专业化进一步发展，国际贸易和国际投资获得了前所未有的增长，国与国之间的经济联系和合作呈日益加强趋势，发展中国家和发达国家的经济关系更为密切。

经济全球化给发展中国家实现经济发展和赶超发达国家提供了前所未有的机遇，积极参与经济全球化有利于发展中国家的经济发展。2001年世界银行发表的题为《全球化、增长和贫困——构造一个兼容一切的世界经济》的研究报告也指出：发展中国家的经济发展速度和贫困人口的减少，与参与全球化的程度之间存在密切的因果关系。该报告还显示，在刚过去的20世纪90年代，全球拥有约30亿人口的参与经济全球化进程的发展中国家，取得了每年平均5%的经济增长速度，大大高于同期发达国家的2%。仅在1993~1998年6年间，这些发展中国家人均生活水平每天低于1美元人口的数字减少了1.2亿人（按世界银行的统计，在21世纪初，全球约有1/5的人生活水平低于1美元）。

利用全球化提供的有利条件，积极促进经济全球化朝着有利于实现共同繁荣的方向发展，趋利避害，使各国特别是发展中国家都受益，是当前世界各国特别是发展中国家所不得不面临的一个重要问题。作为发展中国家，除了要在国内采取正确的战略，实行一整套有效的政策措施外，还必须正确处理对外经济关系中的矛盾，除了要在平等互利原则的基础上，加强对外经济合作，还要同损害本国利益，侵犯国家主权的无理要求和行径进行坚决的斗争。

11.1.3 两种类型资本主义之间的关系

(1) 两种类型资本主义相互间关系的二重性

后资本主义和发达资本主义，同是资本主义制度，但他们又大不相

第十一章 当代资本主义经济的历史地位

同。走资本主义道路的发展中国家与走资本主义道路的发达国家之间，虽拥有相同的社会制度，但发展水平不同，经济力量各异。这两个问题属于不同范畴，它们既有联系，又有区别。前者在后者中得到体现，但国家之间的关系又为双方出于各自的经济利益而实行的对外战略和政策所决定，根据形势的变化而调整，带有"随机性"。不同发展中国家与同一发达国家之间的关系可以是完全不同的。但是两种类型资本主义之间的关系是客观存在的，是相对稳定的。这表现在两个方面：

首先，广大发展中国家发展资本主义，从根本上说，扩大了资本主义在世界上占有的空间，加强了当代世界资本主义的力量，对世界资本主义的发展，无疑是有利的。资本主义在世界上诞生后，经过产业革命确立了自己在全世界的统治。但那时，资本主义的发展，基本上限于少数几个先进国家。广大落后国家在殖民统治下，资本主义并没有得到多大发展。二战后，殖民地国家获得独立，资本主义才获得了新的发展。因此，可以把后资本主义的发展，看做是资本主义再次在全世界的大进军和大扩张。这些发展中国家之所以走上资本主义道路，并且有可能沿着这条道路走下去，简言之，是因为资本主义作为一种社会制度，在今天仍然具有一定的生命力。后资本主义的兴起，客观上增强了发达资本主义发展的潜力，扩大了资本主义的发展余地，从而延长了其生存的时间。从这个意义上说，后资本主义可以说是发达资本主义的"后备军"。

但另一方面，相对老牌的发达资本主义而言，后资本主义作为一种新兴力量，它具有更大的活力和更强的发展动力。它们的"后发优势"一旦得到发挥，其竞争力会不断得到加强，在世界市场上的份额将不断得到提高，发达资本主义扩张地盘将受到限制，它们的发展将受到越来越大的挑战，它们在世界上的优势和主导地位将逐步削弱。从这个意义上说，后资本主义又是老资本主义的对手。

其次，两种资本主义之间的关系，还有另一方面的两重性。一方面，发达资本主义极愿看到，并大力促进后资本主义的发展。在殖民统治时期，殖民地就在外国资本的侵入和诱发下，逐步发展；殖民地独立后，广大发展中国家在来自发达资本主义国家资本更大规模的渗透和影响下，发展起来，逐渐成为发达资本主义进行资本积累的重要来源。另一方面，它们又不愿看到这种带有浓厚民族主义色彩的后资本主义过于壮大起来，惟恐有朝一日，会把自己排除在它们的市场之外。因此，就要积极保持旧的国际经济秩序，为后资本主义的发展设置种种障碍和限制。即使让其发展，也是千方百计地引导它们建立与自己相同的"模式"，并将其纳入自己的势力范围，以保持其对自己的依附。

总之，后资本主义与发达资本主义，虽然同属资本主义制度，共同构成当代世界资本主义体系，但他们之间又存在着矛盾和斗争。

（2）两种类型资本主义的相互影响

后资本主义是在当今时代的背景下和当今世界的大环境中发展的。这种时代和环境，使后资本主义的发展具有其特殊的不利条件和有利环境。

其不利条件首先表现为发展中国家缺乏资金。20 世纪 50、60 年代，主要依靠西方国家的援助；20 世纪 70 年代又大量借贷，外债总额不断增长，截止到 1999 年，已经达到 1.7 万亿美元，其中很大部分是从发达国家的商业银行获得的贷款。债务国每年都要为这笔巨额债务还本付息而支出巨额资金。这是不平衡依赖的一个明显的事实。

20 世纪 80 年代以来，发达国家向发展中国家提供的援助不断减少，发展中国家开始从西方国家吸引直接投资。特别是 20 世纪 90 年代以来，跨国公司把经济开始振兴的发展中国家看做是对外直接投资的好去处，向发展中国家的投资连年增加。一是因为发达国家经济增长缓慢，尤其是欧洲和日本经济状况很糟，而发展中国家则出现了经济振兴的好势头；二是发展中国家采取各种措施积极吸引外资，跨国公司在发展中国家享受有更多的优惠和特权；三是发展中国家的劳动力价格低廉，这里的外国直接投资可获得超额利润。在东南亚某些发展中国家的某些行业，工人工作一小时所获得的工资只有 0.5 美元，而美国平均为 18 美元。跨国公司在这些国家的利润之高可想而知。据美国商务部的一份报告说，1989～1991 年间，美国工业公司在亚洲投资的平均收益率为 23.3%，高于他们在 24 个发达工业国家平均利润率（12%）的一倍，从而可以从发展中国家攫取大量利润。总之，发达国家更多地向发展中国家进行投资，所获利润也随之增加。

其不利条件其次表现为发展中国家技术落后，不得不从发达国家引进技术，而发达国家或者借口保护知识产权而对发展中国家进行种种限

第十一章　当代资本主义经济的历史地位

制,或者要从技术转让中收取大量费用。20世纪90年代以来,高新技术迅速发展而新技术几乎完全为西方发达国家所垄断。发展中国家在技术方面与发达国家的差距更加悬殊,对发达国家的技术依赖在加强。

与此同时,它们又面临着前所未有的有利环境,首先表现为利用发达国家产业转移的机会,发展本国的经济。目前,以美国为首的发达资本主义国家,正在从工业经济向信息经济转变,重点是发展信息产业和其他高技术产业,而那些已经成熟的产业,就转移到发展中国家,促进了发展中国家新产业部门的发展和产业结构的加快升级。亚洲"四小龙"正是利用这个好机会,实现了经济的腾飞。

其次表现为大量外资的流入,不仅弥补东道国资金的不足,还带来了科学的管理方法,有利于当地管理人才的成长和管理制度的改进。科学的管理方法包括企业经营管理方式(微观管理)和政府对国民经济的调控(宏观管理)。在发达资本主义国家,企业管理早已是有计划的,经历了从经验到科学、从低级到高级的长时间积累过程。即使是政府对经济的宏观调控,也经历了大约一个世纪的长时间,走过了曲折的道路,积累了丰富经验。

先进资本主义所经历的几百年的发展过程,既是资本主义固有矛盾和弊端不断暴露的过程,也是资产阶级不断努力,力图克服和缓和矛盾,自我调整和完善的过程。在这方面,资产阶级的努力取得了可观的成效,尤其是二战后。如今,在西方无论是微观还是宏观管理都是力求适应生产力新发展的要求和信息化生产的要求。发展中国家可以依据本国的具体条件,有选择地加以选择和运用这些先进的管理方法,这必将大大促进本国经济的发展。

(3) 进入21世纪后,市场经济的广泛建立和健全,使得发达资本主义国家和后资本主义国家得到结合和统一。国家间、地区间在生产、贸易和金融等方面的交流和合作,形成了全球经济一体化的经济格局。经济一体化,源自跨国公司的在境外全球投资,形成全球范围内的国际分工和产业结构调整的生产国际化的需求,而国际经济组织(如WTO、IMF、OPCE等)推动了这一新的生产模式,并迅速带动了贸易、金融国际化。信息技术的发展更是推动了全球经济实现更高层次上的一体化。国家间、地区间经济形成了相互依赖、相互促进,实现多边共赢的一种经济格局。

然而,经济一体化实际上是价格驱动的结果。由于国际化的贸易和投资导致生产和消费的国际性而出现价格差异,结果使产品和资本向价格高的地区流动,而生产向成本低的地区流动。这就使得经济一体化在形成世界新秩序的同时,也引发了发展中国家的经济不合理、无序的波动,导致普通民众的生活恶化。加之,由于在跨国公司的全球化国际分工体系中,发达国家占主导和有利位置,发展中国家虽有参与世界贸易和经济合作的机会,但却存在着经济失衡、动荡和危机的巨大风险。

正因为如此,从20世纪GATT的乌拉圭回合,到WTO的多哈谈判,特别是1999年的西雅图会议以及2003年的坎昆会议,世界各国都在寻求一种可以协调、规范全球经济贸易行为的多边机制。由此,我们可以看出,经济全球化冲击了国家利益、促使国际市场竞争日趋激烈,并导致各国经济发展不平衡加剧,发达国家和发展中国家之间,以及发达国家之间的矛盾也日益激化。

11.2 由资本主义经济到"知"本主义经济

资本主义社会自18世纪出现以来,经历了三次大规模科技产业革命。第一次科技革命始于18世纪60年代,至19世纪初完成。伴随着瓦特蒸汽机的发明和广泛应用,生产组织结构及经济结构的飞跃变化,社会结构也出现了重大变革,西方社会从中世纪的封建社会进入资本主义社会,资本主义经济得到了飞速发展。第二次科技革命集中于19世纪末,以钢铁电力工业为龙头,因而又被称为"煤钢时代"。这次产业革命完成了从农业社会向工业社会的过渡。第三次大规模科技革命自20世纪70年代开始,以信息传送、微电子技术为中心,使西方社会从工业社会开始进入"知识信息社会",资本主义经济开始向"知"本主义经济阶段过渡,对于这次产业革命后的世界,人们常用"高度发达的工业社会"、"知识信息社会"、"后工业社会"、"第三产业社会"、"服务业社会"、"具有等级特点的消费社会"、"3/2居民的社会"等来进行描述。总之,自20世纪70年代以来,西方资本主义社会进入了一个新的历史阶段。

第十一章 当代资本主义经济的历史地位

同时，伴随着苏联解体，东欧剧变，中国走向改革开放并着手建立和完善社会主义市场经济体制，世界上大多数国家开始认同市场经济，虽然对市场经济的认识层面还有很大差异，但是市场经济的许多运行规律和国际惯例，还是得到越来越多国家的认同和遵守。在生产力和科学技术方面，近几十年来取得人类历史上前所未有的拓展，发展速度日新月异，尤其是近几年信息技术取得突破性的进展，因特网将全球紧紧联系在一起。麦克卢汉把这个世界称为"地球村"，西班牙著名媒体研究大师、未来学家曼纽·卡斯特把当今这个时代命名为"信息时代"，还有的称之为"全球化时代"。他们都认为这个时代最大的特性就是信息传媒和因特网实现了全球的共时性和共享性。

在这样全新的"知"本主义经济时代，全球化趋势也更加明显，新产业在这一时代如雨后春笋般涌现，新的国际分工经济也初露端倪。资本主义经济的发展在全球范围内展开。卡斯特将其概括为这样的一种模式——美国搞创新，日本搞制造，东南亚搞生产，华尔街和纽约道·琼斯股票市场不断变化的指数成为世界经济风云变幻的晴雨表。斯特兰认为科学技术的创新，尤其是因特网，计算机芯片使金融投机和金融风暴转瞬间成为可能。乔治·索罗斯从东南亚转移几十亿美元只用了短短几秒钟的时间，这使得越来越多的学者认为这种经济是一柄富与祸、利与弊的双刃剑。[①]

11.2.1 "知"本主义经济的内涵

最近 20 多年，一系列高新技术产业化，全球经济日渐出现一些新的特征，与传统经济相比有了质的变化，由此产生了"后工业社会"、"信息经济"、"高科技产业"等概念。1990 年，联合国研究机构提出了"知识经济"的说法，明确了这种新型经济的性质。1996 年，联合国经济合作与发展组织明确定义了"知"本主义经济即以"知识经济"为特点的资本主义经济。由资本主义经济到"知"本主义经济，"知识"将作为经济活动中的最重要生产要素，成为各国国民经济的主要资源之一，从而

---

① 李琮等主编：《当代资本主义发展主要问题与研究》，中央文献出版社 2002 年版，第 1895 页。

使知识的生产、分配和使用成为经济运行和发展的决定因素。它不同于传统的以大量消耗原材料和能源为特征的经济形态，而是通过高技术产业对熟练技能劳动力的需求以及相关生产率的增长趋势反映出来的。

综观历史，我们不难发现，传统经济学和传统产业发展的一个危机表现，就是非生产性泡沫经济和金融危机。这不是传统意义的经济危机，必须在"知识"经济环境下才能得到很好的解释和解决。这显示出新经济时代一种新的动向即国民经济均衡中必须引入新的力量，传统意义的生产要素已无法履行带动经济的重任。

20世纪90年代后的很多年，美国有着持续了一百多个月的经济增长，有人称这种现象是"新经济"。新经济的实质是新兴的"知识"经济对传统的农业和工业经济的一场革命。革命的生产力基础，正是以信息技术为主，包括了生命科学、基因工程、新能源、新材料、空间技术、海洋开发技术、环境科技等"高新科技"。由此可见，"知识"经济和"新经济"的定义比信息经济更为广泛。

另外，我们可以从经济形态的历史形态与知识经济革命的过程中发现。当重大的技术革命向整个社会广泛渗透时，就会带来经济的结构性进步。19世纪末出现的铁路，20世纪中期的电子和汽车工业，都是促成经济质变的关键因素。当前"知识"经济革命的一个重要技术基础，就是信息网络。

按照发展过程与分布层次划分，人类历史存在三种经济形态。

（1）自然经济形态。以农牧业经济为主，面向个人和小集体，进行的是直接的实物生产，尤其是衣食等基本生活必需品的生产。

（2）工业经济形态。属于货币经济，以生产工具与生产渠道的生产和建设为主，由于分工而形成间接经济，生产和消费按照集体和区域进行组织，金融资本是活跃的生产要素，经济发展主要依托于稀缺自然资源，经济竞争可以导致流血冲突。工业经济时代的基础设施是物质形态的公路网、铁路网、空中走廊、电力网、石油管理网和电话网。

（3）"知识"经济形态。属于信息经济，使得工业时代的分工被重新整合，生产和消费高度社会化。人力资本是最活跃的生产要素，文化和知识本身成为最主要的产品。

在知识经济时代，信息网络成为新经济的基础设施与基本环境，使

第十一章 当代资本主义经济的历史地位

世界变小、精确和透明,从而消除了供求中的许多矛盾因素。对能源与原料的高效率精确使用,将创造一个无比繁荣的社会;办公自动化、在线购物、视频会议的兴起,将创造一个灵活的经济。生产能够更直接、更快捷、更准确地贴近消费者,为经济均衡创造了巨大的可能性。

西方企业近年来兼并风起,实际上就是传统企业适应知识经济环境而进行的改造,打破传统的产业结构,以适应技术的革命性进步,优化生产要素,创造新的成长空间。业务流程重组与企业再造时兴,就是以信息流代替物流、资金流,通过信息流动更有效地配置资源,减少中间环节,达到生产和消费之间直接、快速的融合。

历史上最重大的一次产业革命,是200多年前的产业升级。这次产业革命带来了人类社会的第一次大变革,纺织机器和蒸汽机的发明使纺织业的劳动生产率提高了266倍,产品价格则降低了13倍。20世纪出现的铁路、石油和发动机延伸和解放了人的体力。知识信息革命则使人的智慧得到延伸和爆发。但"知识"经济不是工业经济的简单延伸,它创造了在世界范围内重新洗牌的机会,这对于广大发展中国家来说,是个难得的机遇。

11.2.2 知识经济对未来世界的影响

(1) 对经济发展的影响

知识经济在经济发展的观念,对经济主张的投入,发展经济的空间以及作出重要经济决策等方面都发生了革命性的变化。由于知识在经济发展中的重要性,使得经济的重心发生转移,产业结构将发生根本性的变化。在工业经济时代,制造业是整个经济的核心,而到了知识经济时代这一核心将被服务行业取而代之。

以往工业经济是一种物质经济,它的发展受到自然资源和自然环境的约束。发达国家与发展中国家的经济发展水平差别非常大,而且发展中国家在追赶过程中受到各方面的限制,尤其在资金投入方面。现在,在发展知识经济的过程中,最重要的因素将是"知识",因而它的发展将更多地不是受到自然资源的限制,而是受到知识(智力)资源的限制。所以,发展知识经济重点是要发展知识的生产和创新能力,提高国民的整体素质,特别是要培养更多受过良好教育的富于创新精神的劳动力。

知识经济的重要基础是信息环境，并且随着知识经济的发展，对信息环境的要求会越来越高，这在近十几年的全球经济发展中已有明显的表现。

(2) 对经济结构的影响

在农业经济时代，农庄是社会经济的生产中心，地主阶级是社会统治者和财富拥有者。到了工业经济时代，城市是经济活动的中心，资产阶级是财富拥有者和社会统治者。然而，随着知识经济的来临，基于信息网络的经济活动将会从现在的中心城市向周边扩散，甚至网络覆盖社会的每一个角落，知识的拥有者正在以史无前例的速度聚集财富，而且他们正以自己的新价值观念对社会产生着深远影响。

由于知识经济的运作方式和传统经济大不相同，作为经济基础，必将对上层建筑产生巨大的影响：政府对社会经济的管理和宏观调控的手段和方式将会发生变化，政府的职能机构要面向经济对自身作相应的结构和功能上的转变；知识经济将改变人们的价值观念，并反映在文学、艺术、哲学、公众心理等各个方面，而这些又会潜移默化地反作用于社会、改变着社会结构。

(3) 对生活方式的影响

在知识经济时代，知识的转移和更新速度将大大加快，人们的学习方式和工作方式也将发生重大变化。

在学习方式上，终身学习将成为人们生存和发展的需要。目前，人们获得知识的主要途径是在校学习，在以后的工作中完全是被动地根据需要补充新的知识。但是到了知识经济时代，在校学习只是获得必备的基础知识，掌握良好的学习方法，毕业后还需要根据自身的需要，随时随地主动学习新知识、掌握新技能以适应社会发展的需要。

在工作方式上，由于知识的易流动性和完善的信息网络，在提供各种服务型的工作岗位上，人们会很乐意在家工作。最近的一项调查显示，在美国有10%以上的公司已经允许部分职员在家里工作，有60%以上的公司将会在条件许可的情况下允许职员在家上班。

此外，信息经济时代的发达的多媒体网络将改变几千年来人们只限于在社区和同一个城市交往的传统方式。

第十一章 当代资本主义经济的历史地位

11.2.3 西方国家迈向知识经济时代的举措

约在公元前4000年,人类进入熔化铜和铁的金属时代。以金属农具为代表的整套农业技术的推广使用,形成人类史上"第一次浪潮",成为人类社会发展的第一个转折点。世界第二次生产力高潮发生在17世纪到1830年,在英国发生了前所未有的科学革命、技术革命和产业革命。200多年来,蒸汽机、轧棉机、电机和计算机的相继问世和应用,大大拓宽了产业领域和提高了生产率,特别是科学技术对生产力的发展起了越来越大的作用。

从工业经济转向知识经济时代,也即由资本主义经济转向"知"本主义经济,科技对经济发展的推动作用更突出。美国商务部发表的《2000年数字经济报告》中指出,信息技术在美国经济中的重要持续性增强,已经成为美国经济第一推动力,对实际GDP的增长率贡献率接近1/3,1992～1999年,IT产业投资从1980亿美元到4070亿美元,占总设备投资的比重从44%上升到46%。如果考虑到价格下降因素,1999年,IT设备及软件的实际投资有5100亿美元,2000年IT产业产值占总体经济比重已从1994年的6.3%增加到8.3%。[1]

为适应知识经济发展和新经济发展时代竞争的需要,主要发达国家都在调整科技发展战略和政策:

(1) 加强宏观经济协调

1992年美国总统竞选期间,正副总统候选人克林顿和戈尔就打出"建设信息高速公路,振兴美国经济"的旗帜。1993年克林顿入主白宫后,于11月成立了国家科学技术委员会,作为美国科技发展的决策机构,其成员包括副总统、白宫科技政策办公室主任和国防、外交、能源、商务、内政等部门负责人,总统任主席。克林顿说,该委员会根据国家发展目标制定科技战略和政策,是有实权的机构,与国家安全委员会和国家经济委员会具有同等地位。引人注意的是,几年来,副总统戈尔一直主要抓科技工作。2000年1月21日,美国总统克林顿向国会提出

---

[1] 世界经济年鉴编辑委员会:《世界经济年鉴》2001卷,经济科学出版社2002年版,第283页。

"国家纳米技术倡议"（NNI－National nanotechnology Initiative），并全面部署研究纳米技术，提请国会审议通过纳米技术 2001 年度专项拨款 4.5 亿美元的请求。2002 年 3 月，美国 IBM 和美国能源部下属的国家能源研究部门超级计算机中心联合发表了网格计算开发计划"DOE Science Gric"。

同时，日本政府也认识到基础研究滞后使日美在高科技产业领域的差距拉大，因此重新提出了"科技立国"的战略。1995 年 11 月通过《科技基本法》，1997 年 2 月决定将科技厅和文化部合并为"教育科学技术省"，加强对科技发展的宏观协调和管理。又于 2002 年 12 月 24 日，出台了 2003 年度预算案，计划投入 35 亿日元建设网络基础环境，此外投入 159 亿日元构筑电子政务高可靠性网络。

欧盟各成员国之间也加强了这方面的协调和合作。在实施"尤里卡计划"的基础上，1997 年 7 月欧盟委员会提出了将"知识化放在优先地位"的《2000 年议程》，同年底又发表了名为《走向知识化欧洲》的报告，制定了欧盟在迈向知识经济时代的基本构想。

(2) 确定科技发展重点和目标

据几个国家的科学家预测，在 21 世纪头 30～50 年内将有六大高技术产业获得巨大发展或突破：第一，信息技术。到 21 世纪初，0.2 微米的生产线将成为主流，每秒万亿次运行的计算机将得到广泛使用，信息产业将成为世界上最大的产业。第二，生物技术和生命科学。到 21 世纪初，将实现用转基因生物技术生产食物和原料。科学家们将弄清楚人类 DNA 中全部 30 亿个碱基对的排序，找到抗疾病、抗衰老的新技术和方法。第三，新材料研究和开发。第四，到 2050 年可能建成核聚变发电站，太阳能的利用将有新的发展。第五，航天技术。一些发达国家将率先开发月球资源，美国计划在 2018 年前后送人踏上火星，对火星进行考察。第六，海洋资源的开发方面。

同时，根据这些预测，在结合本国国情和能力的基础上，主要发达国家制定了发展高技术产业的重点和目标。美国方面，1991 年 4 月，政府向国会提交的关系国家命运和前途的《国家关键技术》报告中，确定美国将发展 22 项"关键技术"。1993 年确定将科技工作重点从军用转为民用或者军民共用，大力发展以"信息高速公路"为重点的高技术产业。

第十一章 当代资本主义经济的历史地位

到 1997 年底美国 45％的家庭已拥有电脑，美国因特网用户已占世界的 54％。日本则选择了 9 大类共 100 项将对 21 世纪日本产业和经济发展有重大影响的关键技术，其中主要有信息产业、新材料、生命科学、新能源和环保技术。1994 年 6 月欧盟发表《欧盟的一项工业竞争力政策》的综合性文件中提出可持续发展及生物技术、环境技术、先进能源、运输系统、信息和通信技术使欧盟进入一个新时代的计划。德国于 1991～2000 年实施了教育与研究部计划，法国实施了国家微科技术（1993～2003），瑞士在 2000～2003 年投入 130 亿瑞士法郎用于"探索知识计划"。

（3）继续增加研究和开发投资

美国著名企业家约翰·洛克菲勒总结其经营之道时说："如果你想获得成功，你应劈开新路，而不是沿着过去的老路走。"所谓"新路"主要指开发新产品、名牌产品和新市场。日本松下公司认为："新产品是公司成长的惟一法宝和命脉所在。"研究与开发投资是开拓新产品、名牌产品的必要条件，因此，主要发达国家都在继续增加研究和开发投资。据 1992 年按购买力平价计算的研究与开发投资及其占本国 GDP 的比重：美国为 1670.1 亿美元，占 2.8％；欧盟为 1176.7 亿美元，占 1.9％；日本为 683.1 亿美元，占 2.8％。截止到 2002 年，美国对信息产业尤其是网络相关投资大幅增长，1998～2000 年的两年里已经从 19175.8 百万美元增加到 999636.5 百万美元，增长了 240％。[①]

（4）普及、在职和业余教育相结合

经合组织教育研究和革新中心发表的《教育情况》报告显示，1992 年经合组织 25 个成员国的教育开支已占其 GDP 的 6.5％，早在 1990 年美国全国教育开支超过军费开支，达到创纪录的 3530 亿美元。日本在 1948 年普及初中教育，1976 年普及高中教育的基础上，1992 年大学升学率达到 56.6％。据经合组织 1994 年统计，美国研究与开发人员达 96.3 万，欧盟 773 万，日本 54.1 万。[②]

[①] 世界经济年鉴编辑委员会：《世界经济年鉴》2002/203 卷，经济科学出版社 2004 年版，第 508 页。

[②] 李琮等主编：《当代资本主义发展主要问题与研究》，中央文献出版社 2000 年版，第 953 页。

据经合组织统计,在经合组织成员国制造业领域,在过去的10年里,技术工人就业人数增加了10%,而熟练工的就业人数减少了70%。掌握一定高技术技能的高工资就业人数增加了20%,中学以下文化水平工人的失业率达20.5%,而受过高等教育的人的失业率仅为3.8%。随着科学技术的日新月异和产业结构的变化,除传统的从事体力劳动的蓝领工人外,新增加了白领(管理者)、灰领(维修者、知识产业开发者和营销者)、金领(工程技术人员)和粉领(女职工)等五颜六色的脑力劳动者。总的情况和趋势是,一方面大批蓝领工人失业,另一方面各种专业人才,特别是高技术产业领域所需人才供不应求。发达国家一方面向发展中国家争夺人才,另一方面就是把普及、在职和业余教育结合起来,培养人才。

美国提出的目标是到21世纪初将美国发展成为群众性的知识社会,以适应知识经济的到来。1993年以来,美国增加了1400多万个工作岗位,其中2/3集中在金融、医疗卫生、电脑和会计等服务信息业中的高薪职位。到1997年美国失业率已降到4.7%,基本上实现了充分就业的目标。美国劳工部部长赫尔曼认为,在帮助工人适应新出现的机遇方面,政府的作用举足轻重。政府的干预支持与个人积极努力并不是非此即彼的问题。确切地说,他们之间相互作用,达到平衡。政府在保障、刺激工人发挥自身积极性,以最大限度地利用机会方面起推动作用。政府的作用主要体现在对人民的技能开发进行投资,特别是对占人口3/4的没有受过4年大学教育的人提供良好的教育、培训。赫尔曼指出:"如果美利坚在21世纪的全球化中要保持成功与繁荣,那么美国人民在生命的任一阶段都必须接受新知识、学习新技能。"[①]

各国科技和经济发展长期是不平衡的,知识经济发展仍是如此,广大发展中国家迈向知识经济既有难得的机遇,有面临着严峻挑战。如何抓住机遇发展经济,走可持续发展道路,实现国家的富裕和强大,是摆在世界各国政府面前的一个重要课题。

---

① 李琮等主编:《当代资本主义发展主要问题与研究》,中央文献出版社2000年版,第961页。

第十一章 当代资本主义经济的历史地位

11.3 当代资本主义经济的发展及其面临的新问题

前面已经提到，20世纪90年代，当代资本主义进入了一个新时期，即转变时期。这里说的转变，主要是由于以信息革命为中心的科技革命掀起的新高潮，以巨大的力量推动资本主义经济社会和国际关系发生了深刻变化，发达资本主义加速从工业社会向信息社会转变。

这一时期开始时间不长，但已出现一系列新现象和新特点：

——以信息技术为中心的高科技迅猛发展，二战后发生的科技革命出现新高潮；

——产业结构发生新变革和升级，与此同时，就业结构也发生深刻变化，结构性失业增加；

——生产率水平有了进一步提高，经济增长方式高度集约化，利润率提高，社会贫富差距扩大；

——企业制度、企业组织形式和经营方式发生新的变革；

——国家对经济的宏观调节，从指导思想到政策重点，都有了进一步变化，对经济体制的某些方面进行改革，战后形成的经济模式开始了新的演变；

——跨国公司大发展，世界市场进一步扩大，国际贸易、金融、投资迅速增长，经济全球化和地区一体化加强；

——发展中国家纷纷进行经济改革和对外开放，经济重新振兴，许多发展中国家资本主义得到发展，这是与老资本主义不同的又一类型的资本主义，称为"后资本主义"；

——世界各国发展不平衡加剧，霸权主义与强权政治表现突出，资本主义的各种矛盾复杂化，国际协调和合作与国际斗争都在加强；

——在资本主义社会和经济内部，各种矛盾和危机有了新的发展。

这一时期，是当代资本主义发展史上的重要时刻，也是资本主义全部发展历程中的重要时刻。应该指出，其中许多现象，早在20世纪80年代，甚至20世纪70年代，就已经显露出来。但是，直到20世纪80年代后期，特别是90年代，这些现象才更加明显，构成了当代资本主义大转变的基本内容。或者说,20世纪90年代资本主义的工业社会向信息社会的转变,在20世纪80年代的调整时期就已开始。因此,这里所说的当代资本主义的新发展即指近20多年来的发展,也即在全球化趋势和信息化时代下的当代资本主义的经济发展。他们主要体现在:

11.3.1 新科技革命提高了当代资本主义的生产力,使其社会经济得到了迅速发展

(1) 生产力要素发生了根本性变化,优化了生产力要素的结构。在劳动工具方面,出现了一系列划时代的新型的先进的生产工具,如电子计算机、机器人、原子发电设备、人造卫星等等;在劳动对象方面,新型材料的不断涌现,扩大了劳动对象的范围,提高了劳动对象的质量,加快了劳动对象的生产,从而推动着新兴产业和原有产业的迅速发展。在劳动者方面,由于现代科技日新月异,劳动者的文化和技术素质及应变能力有了很大提高;脑力劳动日益成为社会劳动的主体。新的科学技术通过在生产过程中与生产力基本要素的结合,推动着社会生产力的迅猛发展。

(2) 极大地促进了劳动生产率的提高。新技术革命促进了生产社会化的发展、企业规模的扩大和专业化分工协作的进一步加强,因而促进劳动生产率的提高和社会经济的快速增长;新的科学技术使传统的工业部门不断地得到改造,特别是信息技术、人工智能的使用,使生产的自动化程度大幅度提高,极大地提高了劳动生产率,如计算机的广泛应用,使信息产业的生产率近20年来提高了100万倍;社会分工进一步发展,一些新兴部门迅速兴起,从而为劳动生产率大大提高提供了技术基础和条件。

(3) 创造了扩大社会再生产的物质条件。技术水平的提高以及由此而带来的更高的产出率,使剩余价值率得到大幅度提高,而剩余价值率的提高,又有利于企业的资本的积累,进而扩大资本的投资规模。有统计表明,1955~1973年,日本30人以上企业的劳动生产率提高了9倍,剩余价值率从1955年的314%,提高到了1970年的443%,同期日本的

第十一章 当代资本主义经济的历史地位

设备投资额增长了 8.1 倍。①

（4）促进了发达资本主义国家产业结构的变化。首先，科技革命开创了许多新兴产业，拓展了生产领域的广度和深度，扩大了国内外市场。由于新技术的大量涌现，形成了新的市场需求，适应新的市场需求的新兴产业也随之发展起来。其次，传统的产业结构发生了很大变化，突出表现在第三产业发展迅速，并且在国民生产总值中所占的比重不断上升。根据世界银行的统计资料，1965～1987 年，第三产业在国内生产总值中所占的比重，美国由 59% 上升为 68%，日本由 48% 上升为 57%，联邦德国由 43% 上升为 60%，法国由 54% 上升为 60%。不仅如此，各产业的内部结构也发生了巨大变化，如工业内部结构的变化，在工业总产值中，传统工业部门的产值所占比重下降，新兴工业部门的产值所占比重上升。以信息技术为主的高技术产业在国民经济中所占比重的上升尤为显著。

11.3.2 对生产关系进行自我调节，暂时缓解了生产资料私人占有对生产力发展的制约

二战以后资本主义国家对生产关系进行的自我调节，在一定程度上暂时缓解了生产资料私人占有对生产力发展的制约，为资本主义的进一步发展提供了较大的空间。

战后，资本主义发展到了国家垄断资本主义的新阶段，资产阶级国家在社会经济生活中所起的作用越来越大，它既用各种政策手段从外部干预和影响社会经济的发展过程，又以大量的国家投入与国家消费直接地介入到社会经济生活之中。

战后至 20 世纪 70 年代，资本主义国家主要采取扩张性的财政政策，通过财政手段对国民收入进行大规模再分配，拉动"有效需求"的增长，以实现投资的稳定与发展。这些政策主要包括：国家投资，国家采购和订货，国家补贴和调整税收等。这些政策的采用在一定程度上缓解了资本主义的一些矛盾，推动了资本主义经济的发展。20 世纪 70 年代后期，

---

① 李琮等主编：《当代资本主义发展主要问题与研究》，中央文献出版社 2000 年版，第 1253 页。

西方主要资本主义国家对其宏观调控手段、政策及措施进行了重大的调整与改革。其主要措施有：减税、放宽或取消政府管制，强化市场机制等。通过这些措施重新调整国家干预作用与市场力量作用的对比关系，使国家垄断资本主义适应市场条件的变化而继续发挥作用，从而保证经济在一定时期内持续发展。从根本上讲，这些调节措施是为了应对资本主义生产方式内在矛盾运动发展的结果，是西方国家为缓解资本主义生产的结构性停滞与危机而采取的调节手段。但是这些措施，特别是财政与金融扩张，在一定时期内对西方经济产生了三个有利的作用：一是在扩张性财政政策的推动下，增加了投资和生产性消费，在一定意义上扩大了社会的"有效需求"，促进了战后西方经济的重新启动；二是金融扩张使货币供应量的增长远远超过实物经济增长的实际需求，造成了金融资产的自我膨胀。虚拟化的金融资产膨胀在西方社会中产生了强大的所谓"财富效应"，促进了企业与个人消费；三是推动了经济全球化的进程，使西方依据强大的金融实力和垄断地位，获得了调整内部产业结构的条件和机会——向发展中国家转移"夕阳工业"，提升自身产业的技术档次。

11.3.3 积极推进全球化，缓解国内矛盾

积极推进全球化进程，在世界范围内获取高额利润，提高国内人民生活，缓解国内矛盾。当代发达资本主义国家，在军事、政治和外交上的政策和行为的根本目的是要把世界经济政治格局限定在它们利益允许的范围内。对于全球化的迅猛发展，资本主义发达国家总是依仗其在国际经济关系中的各方面优势，控制全球化进程，为全球化发展制定规则，使全球化进程符合它们的利益。尤其是美国，在全球各种区域经济组织中，都力图发挥自己的影响力。

资本主义，特别是发达资本主义国家决定着当代全球化的色彩。从资本主义国家的经济实力上看。1997年世界经济总量前五名的国家依次是美国、日本、德国、法国、英国，这些国家全是发达资本主义国家；从产业结构和出口商品的结构看，发达资本主义国家的产业结构明显高于发展中国家和地区。以1985年为例，发达资本主义国家的GNP中，农业只占3%、工业占36%、服务业占61%；而发展中国家和地区该指

第十一章 当代资本主义经济的历史地位

标的构成则是，农业20%、工业34%、服务业占46%。直到1992年，一些发展中国家的农业比重仍占60%以上，工业和服务业的比重很低；从直接投资流量、流向和分布看，二战后，尤其是20世纪80年代以来，发达国家之间的相互投资迅速增加。国际直接投资大多发生在美、加、欧和日本之间。无论从对外直接投资，还是从直接吸收外国投资的角度看，发达国家均是世界直接投资的主体，占主导地位；从跨国公司的发展看，跨国公司的母国大多都在发达国家。

资本主义发达国家通过积极推进全球化进程，从经济资源的全球配置中得到巨大的利益，促进了国内的经济增长，推动了产业结构的调整和升级。同时，国家社会保障程度和社会福利水平得到较大的提高。在一定时期一定程度上缓和了资本主义的国内矛盾，延长了资本主义的生命期。

战后，历史给了资本主义一个绝好的发展机会，在多种因素的共同作用下，资本主义再度辉煌。但是资本主义毕竟只是人类社会历史长河中的一个历史阶段，其固有的基本矛盾决定了它在发展的过程中面临着以下的新难题：

一是垄断引起的生产和技术停滞趋势，与资本主义经济加快发展的趋势相交替。在自由竞争的资本主义时期，对利润的追逐，迫使资本家扩大再生产，追加投资，不断采用新技术以提高劳动生产率和竞争力。而在垄断条件下，垄断在相当程度上削弱了竞争的压力，垄断组织可以通过规定垄断价格等方法，来攫取高额利润，因而技术更新和扩大再生产的动力亦明显减弱。在一些情况下，为维护既得的垄断利益，垄断资本还会人为地阻碍新技术的发明应用。由此必然会导致生产的发展相对于资本积累和科技进步明显的滞后。这从经济发达国家生产设备长期得不到充分利用，以及经常性的数额庞大的失业人口即产业后备军的存在，就不难得到证实。

强调垄断统治必然造成生产和技术发展的停滞趋势，并不排斥生产技术在一定时期内有迅速发展的可能。这不仅是由于任何事物的运动从来都不是直线进行的，还由于存在着促进发展的一些因素。

如果从垄断资本主义生产关系的角度考察，就不难看出，从自由竞争中成长起来的垄断，并没有消除竞争，而是与竞争并存。这是促进垄断资本主义时期生产和技术能够较快发展的重要原因。此外，还应该看到，在社会生产力的逼迫下对垄断资本主义生产关系的调整，如股份公司的产生、金融资本的形成、垄断经营方式和组织方式的变化，以及国家垄断资本主义的发展等，在一定程度和一定范围内，对于生产力的发展也起到了推动作用。

如果从生产力的角度考察，在垄断资本主义时期，生产社会化的迅速提高，大量高效率的生产资料和熟练劳动力的高度集中，为生产力的发展提高了巨大的可能，尤其是作为人类共同财富的现代科学技术，本身就有不断前进、创新、突破的内在规律性。这些都为生产和技术的较快发展提供了基础。事实上，每当科技革命取得了重大突破时，往往随之而来的是生产和技术的阶段性的较快发展。

垄断资本主义经济发展的两种对立趋势，即停滞趋势和迅速发展趋势，是同时并存，互相交替出现的。这不单单表现在同一个国家的不同时期，还突出的表现在各主要资本主义国家经济发展的不平衡上。如果说，当年列宁的分析，是以老牌的帝国主义英国的衰败和美国的兴起为典型，那么这种状况同样适用于二战后美国霸权地位的下降和后起的日本、联邦德国的经济腾飞。从垄断资本主义经济发展的实际过程看，在两种趋势中，停滞的趋势是主要的、基本的趋势，这是由垄断资本主义生产方式的本质及其矛盾所决定的。

二是经济危机和财政金融危机逐步深化。经济危机是资本主义制度的必然伴侣。在垄断资本主义条件下，经济危机的逐步深化，除了表现在"生产过剩"的周期性危机出现的新特点外，还表现为结构危机和财政金融危机的出现和加剧。

就新结构性危机的产生和表现而言，自20世纪70年代中期以来，现代科技革命的深入发展和生产经济部门结构的转换，引起了西方发达国家的汽车、钢铁、石油、造船、纺织等传统产业部门的长期萧条。这种相对独立于资本主义周期危机以外的产业结构内部要素之间质的联系的严重失调，对资本主义经济关系产生着剧烈的震荡，使当代资本主义陷入了更深的困境。再就财政危机的情况来考察，垄断资产阶级国家长期以来奉行凯恩斯主义改革的后果，使得财政赤字和国内外债务达到空前数字。特别是号称世界经济实力最强大的美国政府，自二战后的1946

第十一章 当代资本主义经济的历史地位

年至 2000 年末，财政赤字净额累计以逾 3 万亿美元。其中有的年份一年就接近 3 千亿美元。巨额赤字使国家财政不得不靠借债来维持，致使国内外债务更是达到了惊人的数字。2001 年出现了政府财政盈余，可到了 2002 年又出现了 1578 亿美元的赤字。2003 年，由于持续减税再加上不断扩大的国防开支，美国联邦政府本年度的预算赤字达到了 3735 亿美元，创下了历史新高，2004 年的估计在 5200 亿美元左右。[①]

资本主义的货币信用危机，是进入垄断时期后产生和发展起来的。二战结束前夕，为了改变因 20 世纪 20 年代国际金本位制的崩溃而出现的国际金融经济秩序混乱局面，促成战后经济的恢复和贸易的发展，在美、英等发达国家的经济筹划下，以黄金—美元本位为基础的布雷顿森林体系得以建立。该体系对战后资本主义经济的恢复和发展，曾经起到一定的积极作用。然而，该体系的根本缺陷在于：美元既是一国货币，又是世界货币。作为一国货币，它的发行必须受制于美国的货币政策和黄金储备；作为世界货币，美元的供给又必须适应于国际贸易和世界经济增长的需要。正是这一缺陷，决定了布雷顿森林体系的内在不稳定性及资本主义货币信用危机发生的必然性。随着美国国际收支状况的恶化，特别是进入 20 世纪 70 年代后美国经济的进一步衰退，使以美元为中心的布雷顿树林体系无可挽救地最终走向了全面的崩溃。此后，以 1978 年 4 月 1 日正式生效的"牙买加协定"为基础，新的国际货币体系开始实践，对维持国际经济的正常运转，推动世界经济的持续发展，其积极作用是应该肯定的，但同时，该体系作用的结果也存在消极的一面。这主要表现在它使得国际货币格局错综复杂，缺乏统一稳定性。国际金融的动荡加剧，国际贸易和金融市场受到严重的冲击。经济全球化趋势下当代国际货币信用的矛盾和危机逐渐显现。

三是各种社会危机不断深化。资本主义经济的上述矛盾和危机，又会引发种种社会问题和危机的深化，这不仅表现在失业、贫困和社会贫富差距的扩大，而且还表现为犯罪、吸毒和毒品贩卖以及反社会和反人类的邪教等社会思潮在许多发达资本主义国家的蔓延，并形成对传统的人类文明的挑战和冲突。

---

① 世界经济年鉴编辑委员会：《世界经济年鉴》2003/2004 卷，经济科学出版社 2005 年版，第 673 页。

11.4 当代资本主义经济的发展前景

与经济全球化相适应,21世纪初的经济格局出现了新变化,多极化初露端倪,美国挑战单极世界。

11.4.1 经济全球化和地区经济一体化促进了世界政治格局多极化趋势的发展

全球范围内对外直接投资、资本流动的速度和规模、跨国企业购并和重组都出现前所未有的势头。跨国公司和超国家的经济力量在全球经济活动中的地位与作用不断增强,成为经济全球化的主力。迅速发展的经济全球化趋势,使世界经济连为一体,包括美国在内的发达国家都失去了绝对自主控制本国国民经济的能力。经济全球化也使各大国之间力量对比出现相对均衡化趋势,美国的超级大国地位面临日益严峻的压力和挑战。不言而喻,经济全球化进程正朝着削弱、而不是增强霸权和单极格局的方向发展,客观上促进了世界格局的多极化趋势。在经济全球化的进程中,地区经济一体化也在加速发展。地区合作日益加强,各种区域性、洲际性的合作组织空前活跃。随着欧元的启动,欧洲经济一体化加速发展;北美、亚太地区经济合作升温;亚欧会议、亚太经合组织等区域性合作机制日趋完善;东盟等次区域性组织也很活跃。地区经济一体化导致世界经济格局的多元化,从而推动世界政治格局的多极化。

11.4.2 经济发展不平衡导致各国国际地位和作用发生变化,从而使多数国家把推动世界格局多极化作为本国的主要国际战略之一

日本是当今世界仅次于美国的科技经济强国,冷战结束后最明显的变化是谋求政治大国地位,并朝国际化方向发展。为此,它极力争当安理会常任理事国,作为第一步已于1996年争取到安理会非常任理事国的席位。它不断增加军费开支,力求在亚太地区发挥更大作用。它一方面把维系与美国关系、加强日美安全合作放在对外战略的头等重要地位,另一方面则在经济、政治与外交方面与美国明争暗斗,表现出相当大的

第十一章 当代资本主义经济的历史地位

独立性。德国统一后，随着综合国力的进一步提高，其参与地区与国际事务的意识随之增强。德、法等西欧国家积极在欧洲一体化、北约东扩、欧洲与俄罗斯的关系、波黑和科索沃危机以及新世纪初美国对伊拉克的战争等国际事务中发挥独特作用，公开反对美国单独主导和干预欧洲及世界各地的事务。日本、西欧各国都不赞成建立美国主导下的单极格局，主张美、日、欧共同主宰西方乃至全球事务。俄罗斯经济实力下降，但手中仍握有核战略武器的王牌。为了重振大国雄风，更是坚决反对美国单独称霸，主张世界政治格局的多极化，在不少重大问题上敢于同美国分庭抗礼。中国历来反对霸权主义，主张建立多极世界格局和公正合理的国际新秩序。改革开放20多年来，中国的综合国力明显增强，国际地位不断提高。总之，由于客观实力和国际地位的决定，除了极个别国家，大多数国家主观战略都是主张并努力推进世界格局的多极化。

11.4.3 世界各种力量出现新的分化组合，目前仍处于继续调整之中

欧洲各国加快一体化进程，经济上进一步加强合作，积极推进统一货币体系和统一市场。政治军事方面的合作及一体化趋势也在加强。1999年11月，英、法、德、意等国就欧洲新的防御体系达成协议，以自主解决欧洲的防务问题。东欧各国积极向西欧靠拢，争取加入欧盟。欧盟作为一支独立的力量正在国际社会中发挥着越来越大的作用。为了在同美国的国际竞争中处于更有利的地位，欧洲加强了同亚洲的联系。已经召开了五届的亚欧首脑会议，在促进亚欧合作的同时，更含有排斥美国、同美国竞争的战略意图。俄罗斯调整了外交战略，一方面它在北约东扩、波黑和科索沃战争等一系列问题上同美国进行了程度不同的斗争；另一方面，它加强了同亚太国家的合作，特别是同中国建立了战略协作伙伴关系。一些独联体国家在经历了大分化后由于经济、地缘政治上的需要又重新走向合作，俄白甚至建立了国家联盟。东盟的国际地位逐步提高，在解决地区冲突，促进东亚、东南亚经济合作方面发挥着重要作用。20世纪90年代后期以来，东盟与中、日、韩领导人成功举行了多次非正式会晤，充分显示了东盟与东亚国家对话与合作机制的强大生命力。此外，广大发展中国家经过调整、发展，综合实力不断壮大，成为反对霸权主义的重要力量。以上这些分化组合和调整，无疑起到了

遏制单极格局的形成、促进多极化趋势发展的积极作用。

同时，美国自"9·11事件"后，在霸权主义方面，最引人注目的便是伊拉克战争的爆发。针对美国的这种做法，欧盟提出了强烈的反对。

面对以上出现的新变化，那么，当代资本主义在全球化的驱使下又会有着怎样的发展前景呢？

首先从主要的发达国家或经济体来分析。

美国的全球优势仍将在21世纪相当长的时期内继续保持。在军事领域美国具有绝对优势，美国不仅具有太空、航空、海洋优势，而且可以在世界任何地方打现代化的高科技局部战争；在经济领域，美国以不到5%的世界人口却占有世界GDP的1/3、世界研究与开发支出的40%、全球贸易额的25%、全世界股市资本的40%，并且在世界500家最大公司中占将近50%等等；美元依然是世界各国最重要的国际储备货币，大量的外资流入美国，弥补了美国不断增长的经常项目逆差，美元的长期坚挺和稳定促进了美元的国际化。

欧盟作为经济一体化高度发展和传统资本主义密集地区的国家间组织，不断东扩，至2004年1月已增加到25个，总人口达4.56亿，国内生产总值达9.23万亿欧元，成为世界上仅次于美国的第二大经济体。欧洲专门金融机构对欧洲大陆的公共投资，劳动市场的现代化，鼓励知识的传播和创新成果的扩散，这将促成新经济全面提升和改造传统经济，从而使欧洲在2010年以前成为世界经济中最富活力的地区之一。

由此可见，老牌的发达资本主义国家还具有强大的经济实力。再加上后资本主义的发展，尤其是亚太地区这部分新兴工业化国家的发展，又为当代资本主义的发展注入了强大的生命力。

其次，资本主义社会的种种矛盾，特别是其基本矛盾，决定了其生产力不可能无限地持续发展。首先，资本的日益垄断，阻碍了资本主义国家的科技进步和生产力的发展。资本逐利的本性，使得资本家只有在赚取高额利润时，才会在技术的开发利用方面投资，一旦技术的进步不利于垄断市场就会被加以阻碍甚至被人为地扼杀。另外，新技术新设备开发出来以后，只有在预期收益大于设备更新和产品更新投资的情况下，垄断资本才会采用，否则就会被弃置不用，这就阻碍了科技向生产力的转换，同时也扼杀了进一步进行科技创新的积极性，因而也阻碍了科技

第十一章 当代资本主义经济的历史地位

进步,使得因科技进步而带来的生产力的高速发展失去了后劲。而且资本越是垄断,对科技创新动力的消解力越强。因此,科技进步从而推动生产力的发展作为当代资本主义发展的动力,其作用受到很大的限制。

再次,资本主义的基本矛盾并没有根本改变,这就决定了资本主义对生产关系的自我调节空间是有限的,而且这种调整本身也存在否定资本主义生产关系的因素。当代资本主义生产关系的自我调节仍然是一种消极的"扬弃",其根本目的是为了缓解基本矛盾,调和劳资关系,从而维护和巩固资本主义的统治根基,延长资本主义的生命。所以,无论做何种调整,都不会超出资本主义生产方式本身的范围,根本不可能改变资本主义私有,也不可能动摇资本与雇佣劳动的关系。国家对经济的干预并不能从根本上克服市场机制的缺陷,因而也无法消除资本主义经济的周期性危机,反而使资本主义经济危机从生产扩展到流通、分配等社会的各个领域,使经济危机表现为一种结构性危机;福利政策没有根本改变资本与雇佣劳动的关系,反而强化了这种关系;股权分散化,公司雇员拥有一定股票也没有改变资本主义股份制的私有性质,反而加重了资本主义的剥削;资本主义通过税收政策对收入的调整没有克服贫富不均的事实,收入差距反而有增无减。这一切都证明,在资本主义基本矛盾没有得到根本克服的条件下,其自我调节的空间是有限的。

复次,资本主义特别是发达资本主义国家凭借自己的经济、军事优势,利用旧的国际政治经济秩序,在全球范围内的扩张和掠夺,更加强化了资本主义的腐朽性、寄生性和反人类性,这决定了它的发展将越来越受到限制。可以说战后发达资本主义国家的经济优势是建立在对不发达国家和地区的掠夺基础之上的。发达国家利用其经济优势,以经济支援为借口,将发展中国家作为其商品市场和原材料基地,服务于国内经济发展,造成发展中国家和地区经济结构单一,严重依赖发达国家,国内经济非常脆弱,一有风吹草动,便陷入危机。发达国家还将国内的"夕阳"工业转移到发展中国家和地区,而这些"夕阳"工业往往是重污染工业,有的发达国家干脆直接将国内的污染转嫁给不发达国家(如将国内的核废料运往发展家),这不仅给不发达国家带来了深重的环境和生态灾难,也给全人类带来了种种危机。因此,发达资本主义国家的发展具有强化其腐朽性、寄生性和反人类性的一面,它必然遭到全人类的反对，特别是发展中国家人民的反对，这种反对力量将不断增强，从而限制资本主义的发展。

最后，发达资本主义国家在全球化进程中的主导和优势地位并不是永远的。随着世界多极化趋势的发展，国际政治经济新秩序会逐步形成，发展中国家的力量将不断地强大起来，这是制衡发达国家企图利用全球化进行掠夺的重要力量。近年来多次爆发的反全球化冲突表明，即使在发达国家内部，全球化也并非铁板一块，这也成为制约发达资本主义国家利用全球化窃取更大利益的重要力量。无可否认，当代资本主义仍然还有发展潜力，但是其固有的种种矛盾不是缓解了，而是在不断地被强化。

由此可见，资本主义的种种矛盾使得它的优势地位不断消失，成为人类历史长河中的一个阶段。我们之所以这么说，一方面是基于以上的分析，另一方面则是经济全球化的发展在当代资本主义内部积累和孕育着社会主义新因素。这主要表现在：

资本占有形式的股份化，全球化浪潮使资本占有以股份的形式超出一个国家、一个地区，打破了地域和家族界限，显示出了超越资本主义私有制的趋势，为社会主义、共产主义的全球性实现提供了所有制基础。

经济运行的计划化、现代企业的集团式、连锁式经营方式使企业管理越出国界和行业界限，特别是世界各地的子公司和分公司按照总公司的统一计划，安排生产计划、财务预算、投资决策和人员调度，加强了资源在全球范围内的合理优化配置，强化了计划在世界经济体系中的地位和作用，为社会主义、共产主义的全球性实现提供了手段普及性的基础。

在企业集团内部管理方面，资本所有权和经营权的分离弱化了资本所有者对普通员工的控制和压迫，开明的现代公司治理结构越来越来注意调动和发挥普通员工在企业管理中的作用，调动他们的参与热情和积极性。为社会主义、共产主义的全球性实现提供了人员组织上的可能性基础。社会主义因素在民主力量的推动下，也正在当代资本主义社会内部滋长，如企业内部的权力制衡、受劳动法和雇佣关系约束的契约法、社会保障、信贷监控、计划手段、满足社会需要的公共财务、国有企业一定程度上受社会监督等等。

第十一章　当代资本主义经济的历史地位

诚然，这些因素仍然受资本主义整体逻辑的支配，但也表现了对商品关系的一定程度的超越。这些因素足以证明，当代资本主义生产关系局部调整的实质不仅是资本主义的自我完善，而且是当代资本主义孕育社会主义新因素的部分质变。可以说，经济全球化正产生着旧的生产方式解体的各种要素，表现了解决资本主义生产方式冲突的迹象，产生与孕育着超越资本主义的制度因素。全球化的不断发展不但为社会主义和共产主义的实现创造着不断成熟的物质前提，而且创造着不断成熟的制度基础和社会条件。

主要参考文献

马克思、恩格斯:《马克思恩格斯选集》(第 1 卷) 人民出版社 1995 年版。

马克思、恩格斯:《马克思恩格斯选集》(第 3 卷) 人民出版社 1960 年版。

马克思:《资本论》第 1、2、3 卷,商务印书馆 1975 年版。

《马克思恩格斯全集》,第 4、7、8、13、23、24、25、26(Ⅱ)、26(Ⅲ)、35、36、39、46(下册)卷,人民出版社。

列宁:《帝国主义是资本主义的最高阶段》,第 4、5、8、9 章,人民出版社 2001 年版。

亚当·斯密:《国民财富的性质和原因的研究(An Inquiry into the Nature and Causes of the Wealth of Nations)》,美国印第安纳波利斯出版社 1981 年版。

考茨基:《帝国主义》,三联书店 1964 年版。

肯尼斯·韦赫(Kenneth Weiher):《宏观经济学(Macroeconomics)》,美国西部出版公司 1988 年版。

皮特·罗斯(Peter Rose):《货币与资本市场(Money and Capital Markets)》,美国爱尔文出版社 1994 年版。

威廉·洛桑利克(William Lazonic):《公司治理与持续繁荣(Corporate Governance and Sustainable Prosperity)》,美国帕尔伍格出版社 2002 年版。

唐纳德·切尤(Donald H. Chew):《公司财务和治理体制的国际比较(Studies in International Corporate Finance and Governance Systems)》,牛津大学出版社 1997 年版。

主要参考文献

约塞夫·迈可瑞（Joseph A. McCahery）：《公司治理体制（Corporate Governance Regimes）》，牛津大学出版社 2002 年版。

马克斯·韦伯：《新教伦理与资本主义精神》，三联书店 1987 年版。

马克斯·韦伯：《世界经济通史》，上海译文出版社 1981 年版。

彼得·蒙克：《信息经济的技术变化》（卢让林等译），原子能出版社 1992 年版。

莫里斯·博恩斯坦：《比较经济体制》，王铁生译，中国财经出版社 1988 年版。

M. P. Niemira、P. A. Klein：《金融与经济周期预测》中译本，中国统计出版社 1998 年版。

哈伯勒：《繁荣与萧条》中译本，商务印书馆 1962 年版。

理查德·惠特利：《多样化的资本主义》，新华出版社 2004 年版。

凯恩斯：《货币论》第 1、2 卷，商务印书馆 1986 年版。

P. 霍尔伍德等：《国际货币与金融》，北京师范大学出版社 1996 年版。

罗纳德·麦金农：《经济自由化的顺序——向市场经济过渡的金融控制》，中国金融出版社 1993 年版。

劳伦斯、S. 科普兰：《汇率与国际金融》，中国金融出版社 1992 年版。

多恩布什、费希尔：《宏观经济学》，中国人民大学出版社 1997 年版。

保罗·A. 萨缪尔森、威廉·D. 诺德豪斯：《经济学》，北京经济学院出版社 1996 年版。

P. 克鲁格曼：《国际经济学》，中国人民大学出版社 1998 年版。

钱俊瑞：《当代世界经济发展规律探索》，经济科学出版社 1984 年版。

徐崇温：《当代资本主义新变化》，重庆出版社 2004 年版。

李琮、贾华强、谢志强：《当代资本主义发展重要问题研究》，中央文献出版社 2000 年版。

李琮：《当代资本主义的新发展》，经济科学出版社 1998 年版。

刘诗白：《马克思主义政治经济学原理》，西南财经大学出版社 2003

年版。

刘诗白：《刘诗白文集》第 1、2 卷，西南财经大学出版社 2000 年版。

韩玉贵、张宗斌：《当代资本主义概论》，山东大学出版社 2000 年版。

黄仁宇：《资本主义与二十一世纪》，三联书店 1997 年版。

高德步、王珏：《世界经济史》，中国人民大学出版社 2001 年版。

吴健：《当代资本主义研究》，对外经济贸易大学出版社 2001 年版。

李景治：《当代资本主义的演变与矛盾》，人民出版社 2001 年版。

杨宏山：《经济全球化与政治发展》，黑龙江人民出版社 2003 年版。

张雷声：《资本主义的社会矛盾及其历史走向》，安徽人民出版社 2000 年版。

复旦大学马克思主义研究中心：《资本主义发展的历史进程研究》，上海人民出版社 2001 年版。

史妍媚：《经济全球化与当代资本主义经济的新变化》，广东人民出版社 2004 年版。

刘国平、范新宇：《国际垄断资本主义时代——世界经济与政治的最新发展》，经济科学出版社 2004 年版。

王逸舟主编：《经济全球化与新经济》，中国发展出版社 2002 年版。

姜凌：《经济全球化趋势下的南北经济关系》，四川人民出版社 1999 年版。

丁一凡：《经济全球化与中国面临的挑战》，中国发展出版社 1998 年版。

柯武刚、史漫飞：《制度经济学——社会秩序与公共政策》，商务印书馆 2003 年版。

黄景贵：《世界经济研究——全球化条件下的制度质量竞争》，中国财政经济出版社 2003 年版。

王雪苓：《当代技术创新的经济分析》，西南财经出版社 2005 年版。

冯之浚：《知识经济与中国发展》，中共中央党校出版社 1998 年版。

刘骏民：《从虚拟资本到虚拟经济》，山东人民出版社 1998 年版。

胡鞍钢主编：《知识与发展：21 世纪新追赶战略》，北京大学出版社

主要参考文献

2001年版。

薛伯英：《美国政府对经济的干预和调节》，人民出版社1986年版。

江时学：《拉美与东亚模式比较研究》，世界知识出版社2001年版。

孙执中主编：《战后资本主义经济周期史纲》，世界知识出版社1998年版。

刘树成：《中国经济周期波动的新阶段》，上海远东出版社1996年版。

刘树成：《繁荣与稳定——中国经济波动研究》，社会科学文献出版社2000年版。

刘云龙：《欧美近现代经济史》，云南大学出版社1993年版。

郭宝宏：《世界市场与资本主义》，中国经济出版社2001年版。

朴永日：《WTO规则与对策》，中国对外经济贸易出版社2002年版。

刘崇仪、丁任重：《WTO与中国经济》，西南财经大学出版社2003年版。

桑百川、郑建明：《国际资本流动新趋势与对策》，对外经济贸易大学出版社2003年版。

李琮：《当代国际垄断——巨型跨国公司综论》，上海财经大学出版社2002年版。

张金杰：《经济全球化中的国际资本流动》，经济科学出版社2000年版。

杨宇光：《经济全球化中的跨国公司》，上海远东出版社1999年版。

陈雨露：《国际资本流动的经济分析》，中国金融出版社1997年版。

曾康霖：《经济金融分析导论》，中国金融出版社2000年版。

何泽荣：《中国外汇市场》，西南财经大学出版社1997年版。

姜凌：《当代国际货币体系与南北货币金融关系》，西南财经大学出版社2003年版。

马之稠等：《80年代以来的南北货币金融关系》，复旦大学出版社1998年版。

陈彪如：《国际货币体系》，华东师范大学出版社1990年版。

陈岱孙、厉以宁：《国际金融学说史》，中国金融出版社1991年版。

马君潞：《国际货币制度研究》，中国财政经济出版社1995年版。

张幼文、周建明等编著:《经济安全:金融全球化的挑战》,上海社会科学出版社、高等教育出版社1999年版。

黄泽民:《浮动汇率制与金融政策》,上海人民出版社1997年版。

李扬、黄金老:《金融全球化研究》,上海远东出版社1999年版。

钟伟:《资本浪潮——金融资本全球化论纲》,中国财政经济出版社2000年版。

厥水深:《国际货币运行机制》,中国发展出版社2000年版。

陈野华:《西方货币金融学说的新发展》,西南财经大学出版社2001年版。

孙刚等:《当代国际金融体系演变及发展趋势》,东北财经大学出版社2004年版。

梅新育:《国际游资与国际金融体系》,人民出版社2004年版。

陈昭方:《战后世界经济发展不平衡研究》,武汉大学出版社2000年版。

陈德照、安和芬、王鼎咏:《世界三大经济圈——漫谈世界经济区域集团化趋势》,世界知识出版社1996年版。

樊莹:《国际区域经济一体化的经济效应》,中国经济出版社2005年版。

霍伟东:《中国—东盟自由贸易区研究》,西南财经大学出版社2005年版。

宋玉华等:《开放的地区主义与亚太经济合作组织》,商务印书馆2001年版。

仇启华:《世界经济学》,中共中央党校出版社1988年版。

于同申:《发展经济学》,中国人民大学出版社2002年版。

张幼文:《世界经济学》,立信会计出版社1999年版。

尹忠明:《国际贸易理论与实务》,西南财经大学出版社2002年版。

尹忠明:《国际贸易学》,西南财经大学出版社2005年版。

顾准:《顾准文集》,贵州人民出版社1994年版。

《世界经济年鉴:1982年》,中国社会科学出版社1983年版。

《世界经济年鉴》2001卷、2002/2003卷、2003/2004卷、2004/2005卷,经济科学出版社。

主要参考文献

刘国平主编:《世界经济统计》,经济科学出版社2002年版。

王洛林、余永定主编:《2000—2001年:世界经济形势分析与预测》,社会科学文献出版社2001年版。

王洛林、余永定主编:《2002—2003年世界经济形势分析与预测》,社会科学文献出版社2003年版。

王洛林、余永定主编:《2003—2004年世界经济形势分析与预测》,社会科学文献出版社2004年版。

《世界银行1983年世界发展报告》,中国财政经济出版社1983年版。

《世界银行1986年世界发展报告》,中国财政经济出版社1986年版。

《世界银行1997年世界发展报告》,中国财政经济出版社1997年版。

《世界银行2003年世界经济发展报告》,中国财政经济出版社2003年版。

《世界银行2004年全球经济展望》,中国财政经济出版社2004年版。

国际货币基金组织:《2000年5月世界经济展望》中文版,中国金融出版社2000年版。

李纲要、李萍:"从经济全球化看'两个必然'的历史结论",《理论学习》2005年第6期。

宋玉华、周阳敏:"世界经济周期的协同性与非协同性研究综述",《经济学动态》2003年第12期。

王全权、刘长根:"'新经济'与当代资本主义的'命运'",《学海》2003年第2期。

胡均民:"美国新经济、经济全球化与世界经济体制竞争",《经济与社会发展》2003年第8期。

廖国民、潘剑锋:"从'新经济'看当代经济周期的新变化",《求索》2003年第4期。

袁涌波、范方志:"经济全球化下经济周期波动的新特征",《兰州商学院学报》2004年第4期。

马云泽:"产业结构软化及其对世界经济发展的影响",《当代财经》2004年第4期。

陈漓高、齐俊妍:"技术进步与经济波动:以美国为例的分析",《世界经济》2004年第4期。

当代资本主义经济论

华民:"对美国经济的再认识",《国际经济评论》2002年第11期。

易纲:"萧条经济的回归:一个世界性的课题",《国际经济评论》2002年第5、6期。

金伯富:"最近一次资本主义经济周期与危机",《世界经济研究》1996年第1期。

盛斌:"世界贸易体系变革中的风险与发展中国家面临的挑战",《世界经济》2004年第3期。

白欣先:"经济全球化和经济金融化的挑战与启示",《世界经济》1999年第6期。

李国英:"经济全球化:历史变迁的催化剂",《世界经济与政治论坛》2004年第1期。

姜凌等:"正确认识人民币汇率稳定的若干问题",《金融研究》2005年第8期。

姜凌:"经济全球化趋势下当代国际货币体系的矛盾",《西南金融》2004年第8期。

姜凌:"经济全球化趋势下的国际本位货币",《经济学家》2003年第4期。

姜凌:"试析经济全球化趋势下的汇率机制创新",《财经科学》2003年第2期。

姜凌:"汇率目标区理论与人民币的汇率机制改革",《经济评论》2003年第2期。

姜凌:"试析国际货币金融制度改革",《经济学家》1999年第4期。

姜凌:"亚洲金融危机——对我国的经济影响及政策反思",《四川金融》1998年第11期。

姜凌:"人民币国际化理论与实践的若干问题",《世界经济》1997年第4期。

冯用富:"固定汇率制的缺陷",《金融研究》2000年第1期。

居占杰:"跨国公司发展的新趋势及其对世界经济的影响",《社会主义研究》2004年第6期。

孙本良:"关于国际资本流动的特点和趋势的思考",《山东经济》2004年第1期。

主要参考文献

田金花:"当前国际资本的流动特点及我国应采取的对策",《学习论坛》2002年第8期。

王爱华:"国际资本流动的新特点与我国利用外资",《当代亚太》2002年第8期。

刘秀梅:"跨国公司的发展及影响",《石家庄职业技术学院学报》2001年第3期。

孙明、贝毅、穆青:"90年代以来国际资本流动结构的新特点",《世界经济》1999年第6期。

孙卫雄、何骏:"国际FDI的双向流动与我国实际情况的比较研究",《前沿》2005年第1期。

王琳:"跨国公司在国际贸易中的地位",《陕西财经大学学报》2001年第1期。

朱重贵:"非洲经济发展的曲折历程与希望",《西亚非洲》1998年第1期。

刘月明:"非洲的两朵奇葩——欣欣向荣的博茨瓦纳和毛里求斯",《现代国际关系》1994年第1期。

周家高:"博茨瓦纳经济持续高速发展",《黑龙江对外经贸》2002年第11期。

Stiglitz. Josegh. E: *Globalization and its Discontents*, New York; w. w. Noron. 2002.

Collier. Paul. etc: *Globalization, Growth, and Poverty: Building an Inclusive World Economy*, Washington, D. C.: World Bank; New York, NY: Oxford University Press, 2002.

Eatwell. John, Taylor, Lance: *International Capital Markets: System in Transition*, Oxford; NewYork, NY: Oxford Universal Press, 2002.

Nicholas V. Gianaris: *Globalization A Financial Approach*, Praeger Publishers, London, 2001.

Eduardo mayobre: *The Developing Countries in the International Financial System*, Lynne Rienner Publishers, 1999.

Alan. C. Shapiro: *Multinational Financial Management*, By Allyn and Bacoon, 1993.

Williamson 1985: The Exchange Rate System, *Washington*: Institute for International Economics.

Miller, Marcus, and Jone Williamson 1987: Target Zones and Policy Coordination, Washington D. C. : Institute for International Economics.

Paul Krugman1991: Target Zones and Exchange Rate Dynamics, *The Quarterly Journal of Economics*, August 1991.

Bertola, Giuseppe and Ricardo J. Caballero, 1992: Target Zones and Realignments, *American Economic Review* June 1992.

IMF: *International Financial statistics Yearboook*, Washingdon, D. C. , International Monetary Fund, 2001.

IMF: *Global Financial Stability Report*, Washingdon, D. C. , International Monetary Fund; Mar, 2002.

IMF: *World Economic Outlook*, Washingdon, D. C. , International Monetary Fund, Apr. 2002.

IMF: *International Financial Statistics* 2001, Washingdon, D. C. , International Monetary Fund, 2001.

IMF: 2001 *Annual Report on Exchange Arrangements and Exchange Restrictions* Washingdon, D. C. , International Monetary Fund, 2001.

World Bank: *World Development Report*: 2002, Washington, D. C. , NY: Oxford Universal Press, 2002.

World Bank : *World Development Indicators* 2002, Washington, D. C, NY: Oxford Universal Press, 2002.

John. Eatwell, Cance Taylor, 2002: International Capital Markets: System in Transition, Oxford University Press.

姜凌等: Theories of Target Zones and Realignment of RMB (currency of china) Exchange Rate, *Applied Economics Letters*, 2004, 11, 561—568. UK.

后 记

资本主义生产方式在人类社会出现以来，迄今已走过了360多年的历程。在过去的历史岁月中，它经历了一个不断发展演变的过程。对于早期自由竞争资本主义的产生和发展以及垄断资本主义（即帝国主义）的形成和基本特征，马克思主义经典作家都曾经有过详尽而深刻的分析。在此之后，资本主义发展经历了一个跌宕起伏、风云变幻的重要时期：20世纪上半期，伴随着垄断资本主义的形成和资本主义基本矛盾加剧的是两次世界大战及期间资本主义经济大危机的爆发，其结果是第一个社会主义国家苏联及后来一系列社会主义国家的诞生。到了20世纪下半期，资本主义经历了50～70年代初和几乎整个90年代两个经济发展相对较快的时期；期间还通过和平演变，作为外因促成了苏联、东欧社会主义国家的巨变和解体。为缓解与日新月异的现代科学技术革命和生产力发展的矛盾冲突，资本主义的生产关系也发生了较为显著的调整。当代资本主义经济的种种新变化，急需我们从马克思主义的基本立场出发，进行系统而深入的分析研究。《当代资本主义经济论》就是在这方面所进行的尝试。

作为西南财经大学"十五""211"工程重点学科建设"市场经济体制比较研究"子课题资助研究项目。本书坚持马克思主义的基本立场，秉承历史与逻辑相结合的基本研究方法，同时又适当地吸取了当代西方主流经济学的研究成果，对当代资本主义经济历史演变过程、基本特征、运行机制、运行周期、国际协调体系、发展不平衡状况、历史定位以及影响当代资本主义发展的各种因素如新科技革命等做了全面而系统的研究。

本书是姜凌与他的同事及学生们共同合作完成的成果。由姜凌主持与设计，并负责全书的总纂、审定和修改。本书的具体写作分工是：第1章，刘方健教授、王越子、张景华；第2章，王雪苓博士；第3章，侯立平教授；第4章、第8章，姜凌博士（教授、博士生导师）；第5章，刘恒博士（副教授）；第6章、第9章，尹忠明博士（教授、博士生导师）；第7章，吴晓东博士（副教授）、黄晓燕；第10章，龚松柏博士；第11章，吴晓东博士（副教授）、侯志新。博士生谢洪燕和龚松柏作为本书的参编人员，在资料的整理、补充和编辑等方面做了许多工作。

本书的构思和筹划，得到了西南财经大学发展规划处和"211"办公室、科研处等部门的支持；我国著名经济学家刘诗白教授对此也给予了关心和支持；刘崇仪教授和廖伟、王嘉、张义龙、韦伟同学等亦为书稿的完成提供了具体的意见或帮助。除此之外，本书的编写当中，还参阅了国内外大量的相关文献资料和研究成果。这些相关文献资料和研究成果，大多可以在国内的图书馆查到，或在相关的网站上下载。限于篇幅，恕不一一列举。在此一并表示感谢！

本书的出版发行，还要感谢人民出版社的大力支持。在此书付印之际，谨对他们热情、主动、认真和负责的精神表示钦佩和敬意！

姜凌

2006年3月于成都，光华园